À PROPOS DE [illegible]

« Reine incontestée de la SF sous nos latitudes, la "magicienne de Chicoutimi" bouscule les conventions et signe avec ce premier tome une fresque novatrice, alliage astucieux d'uchronie, de fantasy et de chronique familiale. »

Le Soleil

« Élisabeth Vonarburg a bâti un monde complexe, profond, riche en symboles, avec sa propre logique et ses conventions. »

La Presse

« Maîtresse de l'illusion… Élisabeth Vonarburg possède un don, celui de pouvoir créer des univers tellement réalistes qu'on finit toujours par croire en leur existence. Sa nouvelle épopée, *Reine de Mémoire*, ne fait pas exception. »

Voir – Montréal

« […] une ambitieuse saga embrassant magie, spiritualité et histoire sur plus de 2000 pages. »

Le Devoir

« Vonarburg nous happe dans un univers à la fois dense, complexe et accessible. »

Entre les lignes

« Un flot extraordinaire d'imagination. »
SRC – Indicatif Présent

« *Reine de Mémoire* promet d'être une saga tout aussi riche et complexe que le fut *Tyranaël.* »
Solaris

« Élisabeth Vonarburg, méticuleuse comme un orfèvre, s'attache à transposer le réel et les mythes pour échafauder des mondes inimitables, d'une complexité inouïe. »
SRC – Guide culturel

« Vonarburg revient dans *Reine de Mémoire* avec son langage de dentelle et de poésie et sa plume scalpel. »
Impact Campus

« L'œuvre de cette auteure est fabuleuse, c'est une bâtisseuse, une créatrice de mondes. [...] c'est fascinant ! [...] Si vous avez aimé, pour les enfants, Harry Potter, *Reine de Mémoire* est l'équivalent pour adultes. »
SRC – Québec

« La plume évocatrice d'Élisabeth Vonarburg trace avec lenteur et minutie les contours de cet univers dense et complexe. On est peu à peu happé par ce récit intrigant, fascinant et plein de mystère. »
Amazon.ca

Reine de Mémoire

3. Le Dragon fou

De la même auteure

L'Œil de la nuit. Recueil. (épuisé)
Longueuil : Le Préambule, Chroniques du futur 1, 1980.

Le Silence de la Cité. Roman.
Paris : Denoël, Présence du futur 327, 1981. (épuisé)
Beauport : Alire, Romans 017, 1998.

Janus. Recueil. (épuisé)
Paris : Denoël, Présence du futur 388, 1984.

Comment écrire des histoires : guide de l'explorateur. Essai.
Belœil : La Lignée, 1986.

Histoire de la princesse et du dragon. Novella.
Montréal : Québec/Amérique, Bilbo 29, 1990.

Ailleurs et au Japon. Recueil.
Montréal : Québec/Amérique, Litt. d'Amérique, 1990.

Chroniques du Pays des Mères. Roman.
Montréal : Québec/Amérique, Litt. d'Amérique, 1992.
Paris : LGF, Livre de Poche 7187, 1996.
Beauport : Alire, Romans 026, 1999.

Les Contes de la chatte rouge. Roman.
Montréal : Québec/Amérique, Gulliver 45, 1993.

Les Voyageurs malgré eux. Roman.
Montréal : Québec/Amérique, Sextant 1, 1994.

Les Contes de Tyranaël. Recueil.
Montréal : Québec/Amérique, Clip 15, 1994.

Chanson pour une sirène. [avec Yves Meynard] Novella.
Hull : Vents d'Ouest, Azimuts, 1995.

Tyranaël
1- *Les Rêves de la Mer*. Roman.
Beauport : Alire, Romans 003, 1996.
2- *Le Jeu de la Perfection*. Roman.
Beauport : Alire, Romans 004, 1996.
3- *Mon frère l'ombre*. Roman.
Beauport : Alire, Romans 005, 1997.
4- *L'Autre Rivage*. Roman.
Beauport : Alire, Romans 010, 1997.
5- *La Mer allée avec le soleil*. Roman.
Beauport : Alire, Romans 012, 1997.

La Maison au bord de la mer. Recueil.
Beauport : Alire, Recueils 037, 2000.

Le Jeu des coquilles de nautilus. Recueil.
Lévis : Alire, Recueils 070, 2003.

Reine de Mémoire
1- *La Maison d'Oubli*. Roman.
Lévis : Alire, Romans 085, 2005.
2- *Le Dragon de Feu*. Roman.
Lévis : Alire, Romans 090, 2005.

Reine de Mémoire
3. Le Dragon fou

Élisabeth Vonarburg

Illustration de couverture
JACQUES LAMONTAGNE

Photographie
NANCY VICKERS

Diffusion et distribution pour le Canada
Québec Livres
2185, autoroute des Laurentides, Laval (Québec) H7S 1Z6
Tél. : 450-687-1210 Fax : 450-687-1331

Diffusion et distribution pour la France
DNM (Distribution du Nouveau Monde)
30, rue Gay Lussac, 75005 Paris
Tél. : 01.43.54.49.02 Fax : 01.43.54.39.15
Courriel : libraires@librairieduquebec.fr
Internet : www.librairieduquebec.fr

Pour toute information supplémentaire
LES ÉDITIONS ALIRE INC.
C. P. 67, Succ. B, Québec (Qc) Canada G1K 7A1
Tél. : 418-835-4441 Fax : 418-838-4443
Courriel: info@alire.com
Internet: www.alire.com

Les Éditions Alire inc. bénéficient des programmes d'aide à l'édition de la Société de développement des entreprises culturelles du Québec (SODEC), du Conseil des Arts du Canada (CAC) et reconnaissent l'aide financière du gouvernement du Canada par l'entremise du Programme d'aide au développement de l'industrie de l'édition (PADIÉ) pour leurs activités d'édition.

Gouvernement du Québec – Programme de crédit d'impôt pour l'édition de livres – Gestion Sodec.

Dépôt légal: 1er trimestre 2006
Bibliothèque nationale du Québec
Bibliothèque nationale du Canada

10 9 8 7 6 5 4 3e MILLE

Table des matières

L'extrait de Henri d'Ofterdingen, à la page 12, provient de *Journal intime*, suivi de *Hymnes à la Nuit* et de *Maximes inédites*, traduction de Germaine Claretie, Stock, Paris, 1927.

À Takou

Première partie

1

C'est au bord d'un lac aux reflets chatoyants, sous les vapeurs qui en montent en volutes paresseuses. Des pins et des sapins se dressent telles des sentinelles entre des bouleaux aux feuilles argentées. Le vieux Jacquelin se tient sur une petite pointe de galets roses et gris. Ses cheveux blancs sont dénoués, son front est ceint du bandeau de perles et de coquillages; vêtu en chamane, comme dans le livre de monsieur d'Iberville, il porte au cou le collier de griffes d'ours. De sa main gauche, il tient le tambour des esprits. Il regarde Pierrino et le salue de l'autre main, paume offerte, puis il agite le tambour qui résonne avec une force surprenante. La brume s'écarte sur une lumière étrange qui n'est pas celle du soleil ni de la lune, mais de quelque façon l'une et l'autre. Comme si le son du tambour avait été une pierre jetée dans l'eau, des anneaux concentriques se forment à la surface et vont se perdre au loin. Jacquelin s'avance vers le lac.

La gorge soudain serrée, Pierrino tend la main: il voudrait le retenir. Mais Jacquelin lui jette un coup d'œil et secoue un peu la tête avec un léger sourire.

Puis, posant un pied après l'autre sur l'eau, il s'éloigne à pas lents à la surface qui ondule tel un gigantesque serpent, tandis que le son du tambour emplit tout l'horizon.

Pierrino se réveille avec un sursaut: on frappe à la porte. Senso s'est éveillé en même temps que lui, écarte ses cheveux de sa figure.

« Il est huit heures passé », dit la voix de Larché.

Quoi, ils n'ont pas entendu les cloches de l'offrande du matin ? Ah, peut-être les christiens n'en sonnent-ils point. Assis sur son lit, Senso regarde avec un apparent accablement les piles de lettres éparpillées sur toutes les surfaces disponibles, la table près de la fenêtre, l'embrasure de celle-ci, les deux chaises, une partie du plancher. Pierrino se lève à son tour et commence de débarrasser table et chaises en essayant de respecter l'ordre des piles, tandis que Senso va à la porte.

« Nous pouvons nous habiller seuls, merci, Étienne, dit-il sans ouvrir. Et nous retournons à Olducey après le déjeuner. »

Larché ne dit rien pendant un moment.

« Pour un complément d'information », lance Pierrino, aussitôt agacé. Doit-il vraiment donner des explications ? Larché est leur garde du corps, certes, mais après tout c'est aussi un domestique.

Après une pause, la voix de Larché déclare à travers la porte, sans intonation particulière – un énoncé de fait: « Monsieur Sigismond ne sera pas content.

— Monsieur Sigismond n'est pas là, dit Pierrino sèchement. Nous y sommes.

— Cela ne nous retardera pas tellement, Étienne », intervient Senso après lui avoir jeté un regard un peu surpris. Il hausse les épaules et recommence de rassembler les lettres. « Nous rattraperons le temps au retour, poursuit Senso. Grand-père ne s'en rendra pas même compte, occupé qu'il est de ses discussions avec tous ces importants personnages de la Cour. »

Un autre silence : « Avez-vous donc lu toutes les lettres ? »

Cette fois, Senso interloqué met tout de même fin à l'échange : « Comme l'a dit mon frère, il nous manque quelques informations. Pourriez-vous aller faire préparer le déjeuner pendant que nous nous habillons ?

— Certainement. » Larché ajoute cependant : « Il va falloir faire prévenir le capitaine Rateneau à Meaux.

— Chargez-vous-en, je vous prie, dit Senso.

— Certainement », répète Larché, et ses pas s'éloignent enfin dans le corridor.

Ils finissent de remettre les lettres dans les sacoches – pas question de les laisser à l'auberge, si leurs sacs de voyage peuvent y rester jusqu'à leur retour ; elles reviendront avec eux à Olducey. Après une rapide offrande et un déjeuner rapidement expédié lui aussi, ils se retrouvent sur la route d'Olducey. La température est plus clémente, des échappées de ciel bleu pointent derrière des ébouriffées de nuages, mais les giboulées de la veille n'ont pas fait fondre les plaques de neige, qui contrastent toujours fortement avec le noir des labours et le jaune des herbes couchées par l'hiver. Des meules de paille s'élèvent ici et là comme des ruines délavées, des vols de corneilles ou de corbeaux passent en tous sens, faisant résonner le ciel de leurs cris.

Pierrino est un peu surpris de voir la grille ouverte, et que l'on sort sur le perron à leur arrivée. Le majordome hausse les sourcils en les regardant s'arrêter.

« Je reste avec les chevaux », déclare Larché dans leur dos.

Puis madame de Creilles vient à leur rencontre pour les faire entrer elle-même, aussi surprise que bouleversée : « Oh, Alexandre, Pierre-Henri, avez-vous donc appris la nouvelle ? Nous attendons le curé de notre paroisse. L'avez-vous vu en chemin ?

—Non, Madame, dit Pierrino alarmé, que se passe-t-il donc ?

—Le vieux païen est mort ! » lance Bernard de Creilles qui apparaît dans l'antichambre obscure derrière sa mère.

Senso vacille un peu. Pierrino vient lui passer un bras autour des épaules – il a besoin de se tenir aussi.

« Jacquelin ? souffle-t-il, incrédule.

—Juliette l'a trouvé en allant lui porter son déjeuner, soupire madame de Creilles. Il était étendu sur sa couche. Très paisible, souriant même. » Elle essuie une larme. « Il est avec Jeanne, maintenant. Il l'aimait tant. Nous étions surpris qu'il lui survécût si longtemps. » Elle leur adresse un pâle sourire : « Peut-être attendait-il votre venue. »

"Il m'a juré de vivre assez longtemps pour vous remettre ces lettres en mains propres."

Senso a dû penser, lui aussi, à la missive de madame d'Olducey. « Pouvons-nous le voir ? » demande-t-il.

Pierrino est un peu surpris : connaissant Senso et ses vieilles frayeurs lorsqu'il s'agit de cadavres, il avait pensé devoir le demander lui-même. « Certainement », dit madame de Creilles, tandis que son insupportable rejeton émet un reniflement dédaigneux.

Ils montent à la mansarde derrière la soubrette – un chemin différent de celui que le vieil homme leur avait fait suivre. Elle pousse la porte et s'efface pour les laisser entrer.

Jacquelin est étendu sur le dos au milieu de la pièce, sur le mince matelas qui lui servait de lit, tout habillé à l'européenne, très droit, les mains croisées sur la poitrine, le front ceint d'un bandeau de perles colorées et de coquillages, ses épais cheveux blancs dénoués en éventail autour de lui sur le tapis.

« On l'a laissé là », souffle la soubrette depuis le couloir, « en attendant monsieur le curé Bourgin.

— Avez-vous des ciseaux ? » demande soudain Senso.

La jeune fille demeure un instant interdite puis balbutie : « Non, mais il en avait. Il cousait très bien. Attendez… » Elle entre presque sur la pointe des pieds, prend du bout des doigts une boîte vernie sur l'étagère de la soupente, la lui tend, se retire de nouveau dans le couloir.

Pierrino lui adresse son sourire le plus bienveillant : « Ce sera tout, merci… Juliette, n'est-ce pas ? »

Elle esquisse une petite révérence ; elle ne doit guère avoir plus de quinze ans. « Oui, Monsieur. Merci, Monsieur. »

Il attend que ses pas se soient éloignés dans le couloir puis se retourne.

Senso s'est agenouillé auprès du vieil homme. Pierrino vient en faire autant. Malgré le profond réseau des rides, le visage de Jacquelin a une expression apaisée, presque souriante.

Senso souffle soudain : « J'ai rêvé de lui. »

Il relève la tête et leurs regards se croisent. « Moi aussi, finit par concéder Pierrino. Au bord d'un lac…

— … avec le tambour des esprits. C'est ce qui t'a réveillé, n'est-ce pas ? Moi aussi. Crois-tu… que son âme nous disait adieu ? »

Pierrino essaie une moue ironique, par principe : « Larché frappait à la porte…

— Le même rêve tous les deux, exactement au même instant ? »

Pierrino finit par incliner la tête. Ce vieil homme était un chamane, un mage, un talenté…

— Notre arrière-grand-père », murmure Senso, achevant sa pensée à sa place. « Pourquoi ne nous a-t-il rien dit ?

— Parce que son temps s'achevait et qu'il le savait ? » dit enfin Pierrino ; il songe soudain à Félicien et à sa discrétion têtue, ajoute, un ton plus bas : « Parce qu'il voulait laisser notre grand-mère d'Olducey conter elle-même sa propre histoire ? »

Senso a fermé les yeux, mains levées pour une offrande. Pierrino l'imite après une hésitation. N'ont-ils pas prié, hier, pour l'âme de leur grand-mère ?

« Amen », murmure Senso. Pierrino ouvre la boîte, y trouve en effet des ciseaux, des aiguilles, des bobines de fils et de laines de toutes couleurs. Il tend les ciseaux à Senso, puis ôte son médaillon et le pose à terre afin de l'ouvrir avec précaution. Après en avoir fait autant, Senso coupe deux petites longueurs de mèches blanches. Ils les placent dans les médaillons, sur les cheveux noirs de Grand-mère, les cheveux cuivrés de Jiliane. Referment les médaillons du même geste, replacent les chaînettes autour de leur cou, sous leur habit.

Avant de se relever, Pierrino effleure les mains du vieil homme. Elles ne sont pas si froides. On dirait du cuir.

2

Madame de Creilles et son époux n'essaient pas de les retenir, semblant comprendre qu'ils ne tiennent pas à rencontrer le curé.

« Jacquelin sera enseveli auprès de Jeanne, leur assure madame de Creilles, c'est ce qu'elle nous a demandé. Une belle tombe, la même que la sienne.

— Nous n'allons pas dépenser des milles et des cents pour un vieux sauvage dont on ne sait même pas s'il était vraiment christien ! proteste son fils.

— Il suffit, Bernard ! » s'insurge enfin sèchement monsieur de Creilles. « C'est notre argent. Et jusqu'à nouvel ordre vous vivez encore sous notre toit. Tâchez de vous en souvenir plus souvent ! »

Ainsi admonesté en présence des domestiques, Bernard de Creilles devient écarlate mais ne dit mot. Il tourne plutôt les talons et l'on entend ensuite claquer la porte d'entrée.

Après leur avoir demandé de leur écrire une fois revenus à Aurepas, afin de les assurer qu'ils ont fait bonne route, madame de Creilles les embrasse l'un après l'autre, monsieur de Creilles leur serre les mains avec effusion. Et finalement, ils les laissent partir.

Sous le soleil revenu, ils chevauchent vers Senlis au petit trot, sans échanger une parole. À l'auberge, Pierrino demande si leur chambre est encore disponible. Elle l'est ? Fort bien, ils la reprendront pour la nuit.

« Y a-t-il aussi une chambre pour notre compagnon ? » ajoute Senso. Pierrino se rend compte, un peu honteux, qu'il n'y avait pas pensé.

Larché vient d'entrer, après avoir abandonné les chevaux aux palefreniers. « Votre grand-père nous avait instruits de rentrer directement à Orléans, fait-il de sa voix égale et nette.

— Il comprendra, dit Pierrino. Nous allons lui écrire un petit mot que vous mettrez à la poste rapide de quatre heures. »

Larché les dévisage l'un après l'autre.

« Vous pourriez lire ces lettres sur le bateau », dit-il enfin.

Il est donc bien perspicace et bien obstiné, cet homme ! Pierrino songe soudain au détour projeté par Paris – il l'avait presque oublié ! Mais il n'est pas question d'y renoncer. Faudra-t-il laisser Larché pieds et poings liés sur le *Gil-Éliane* ?

« Non, dit Senso, nous devons les lire maintenant. »

Sa gravité calme et résolue doit impressionner Larché, car celui-ci ne proteste pas davantage.

Ils se réinstallent donc dans leur chambre – celle de Larché se trouve au rez-de-chaussée, minuscule, mais c'est mieux que la grange de la veille. Ils se font monter à dîner et, après avoir de nouveau sorti les liasses des sacoches, se mettent à la recherche des lettres couvrant la période où leur père s'est installé à Paris.

Après une lettre grave, mais surtout soulagée, où Henri avoue à sa mère avoir deviné, à travers des confidences de Jacquelin, une partie de ce qu'elle lui a confié ("Vous me connaissez, j'ai toujours aimé échafauder des histoires. Celle que vous me contez est plus belle et plus triste encore que celle que j'avais imaginée"), l'enthousiasme d'Henri pour sa nouvelle existence reparaît peu à peu au fil des lettres, non sans le regret toujours discrètement exprimé de savoir sa mère à Olducey sans lui et privée de Jacquelin. Il vit sur la rive nord, en territoire hutlandais, "mais on dit toujours 'Paris' ici, comme de l'autre bord de la Seine, au reste, nous sommes 'l'autre bord'". Il s'avère un observateur lucide, quoique vite passionné. C'est qu'il arrive à Paris à un moment crucial de l'histoire de la ville, alors que l'agitation pour en faire une principauté atteint son apogée et va bientôt être couronnée de succès.

Notre Paris est un curieux mélange de grossièreté et de raffinement, de cynisme et de ferveur, de richesse et de pauvreté aussi abjectes parfois l'une que l'autre. Depuis plus de deux siècles, on y a vécu à la frontière, sans jamais être bien certain du côté où l'on se retrouverait, les hostilités ouvertes avec la France dussent-elles reprendre. Beaucoup ne s'y sont jamais remis d'avoir été 'abandonnés' – c'est encore le terme traditionnel après tout ce temps – lorsque Guillaume III a décidé de déplacer la capitale du Bas-Hutland à Amiens au lieu de la conserver ici, ce qui eût été un geste de défi bien vain, et bien périlleux. Qu'il en eût fait la résidence de Monsieur le prince de Champagne, son fils cadet, n'est qu'un baume inefficace, puisque le prince y vient si rarement en visite.

Les empoignades sur le sujet ne manquent pas. Mais on s'empoigne aussi autour de l'Encyclopédie christienne, qui va bientôt être interdite. Ces combats-là, quoique tout intellectuels, sont paradoxalement plus violents, et plus dangereux. Les sympathies d'Henri sont assez évidentes et sa mère l'implore d'être prudent en public, surtout après la condamnation, l'emprisonnement ou le bannissement des Encyclopédistes qui n'ont pas devancé le jugement en s'exilant d'eux-mêmes.

Par déférence envers sa mère, et pour la rassurer sans doute, Henri n'en parle donc plus guère après 1774, s'il continue à se faire le chroniqueur des progrès des négociations entre le Hutland et la France.

Le baron Poniatowski continue de se faire remarquer par sa diplomatie et sa probité morale. Si la ville réunifiée devient jamais une principauté, son monarque est tout trouvé, et je ne suis pas seul de cet avis. C'est un christien, certes, mais sans excès fâcheux, un père et un époux impeccables, un amateur des beaux-arts, un fin danseur. Et il a combattu, mais contre la Russie, en Pologne, ce dont les géminites parisiens ne lui tiennent pas trop rigueur.

Avec dom Patenaude puis au collège de Breilhat, Pierrino a appris avec un intérêt tout académique cette période de l'histoire européenne. C'est très différent de la voir ainsi, pour ainsi dire par l'autre bout de la lorgnette. De penser que leur père a vécu ces événements sans en savoir comme eux le dénouement, alternant entre espoir et inquiétude, amusement et colère – et du côté hutlandais, de surcroît. Mais le Paris christien que décrit Henri ne ressemble guère à ce qu'en imaginait Pierrino. Certes, une grande migration de populations a eu lieu au moment où la ville a été divisée, mais tous les christiens n'ont pas quitté la rive sud. Sachant la tolérance fondamentale des géminites – et compte tenu des Accords de Lyon, qui restreignaient et réglementaient considérablement l'exercice des magies –, un certain nombre sont restés, se sont parfois même convertis ou ont accepté de vivre au coude à coude avec les infidèles de tous poils, islamites et judaïtes aussi bien que géminites. Les Hutlandais en retraite avaient fait sauter tous les ponts, mais la Seine à Paris n'est pas si large, et les liens familiaux, comme les liens d'amitié et de commerce, ne se coupent pas si aisément.

Avec le temps, il s'est établi une curieuse interpénétration des deux rives : négligée par le reste du Hutland auquel elle ne cesse de rappeler une défaite et un étrécissement de l'Empire qu'on préférerait oublier, la partie christienne est frondeuse, portée à la satire et à la critique, aisément séduite par des idées nouvelles si elles lui permettent d'échapper à un sort qui lui pèse toujours plus. La partie géminite a flori, tout en jouissant d'une liberté religieuse sinon plus prononcée du moins plus évidente que dans le reste de la France, où les diverses religions se frottent moins habituellement les unes aux autres. À ce contact, elle a développé elle aussi une mentalité particulière, plus curieuse, plus aventureuse. Les gens sont de moins en moins géminites ou christiens, judaïtes ou islamites, et de plus en plus parisiens.

Il n'était évidemment pas question de négociations sous le règne de la Reine folle. Mais après sa destitution et sa mort, en 1759, la nouvelle Royauté géminite, favorable au changement, a obtenu la réouverture de pourparlers avec le Hutland. Après un long piétinement d'incertitude, l'interdiction finale de l'Encyclopédie christienne déclenche des émeutes : on était fortement pro-encyclopédiste sur la rive nord. Le Paris géminite, quant à lui, déplore cette triste disharmonie à ses portes. Les pourparlers, du coup, et paradoxalement, recommencent de progresser. Cependant, comme la mère d'Henri manifeste toujours une réserve inquiète à l'égard des périls spirituels et politiques encourus par son fils, il consacre plutôt ses lettres à ses études – "à défaut d'être poète, je me résignerai à enseigner et à faire aimer les belles-lettres : mes amis écrivains m'en seront, je n'en doute pas, fort reconnaissants !". Il a des amis en effet, fréquente les cénacles littéraires et artistiques : il cite à sa mère, avec enthousiasme, les œuvres traduites de Schwartzchild et d'Ofterdingen – "ces larmoyants poètes modernes allemands" qu'on a peu enseignés à Senso et Pierrino au collège de Breilhat, mais dont monsieur Montferrier leur a en catimini passé les volumes. Henri quant à lui en enverrait bien des exemplaires à sa mère, "mais hélas, si mes lettres peuvent passer inaperçues grâce aux artifices de notre Jacquelin, des livres ne le pourraient pas". Et comme il doute fort que monsieur d'Olducey les laisse entrer chez lui si sa mère en commandait à Paris, il lui en recopie ses passages préférés. Senso, avec émotion, y découvre un des siens, tiré des *Hymnes à la nuit* d'Ofterdingen :

L'univers géant des astres inlassables la respire comme l'âme intime de la vie, et nage en dansant au sein de ses flots bleus ; la pierre étincelante éternellement endormie, la plante méditative qui puise la vie dans la terre, l'animal fougueux et brûlant aux formes multiples, tous la respirent ; […] elle appelle chaque force à d'infinies métamorphoses, noue et dénoue des liens infinis […]

Et Henri parle aussi des expériences de monsieur Mesmer avec son baquet, qui sont la rage dans les salons parisiens autour de 1775. Il ne s'agit pas encore de la transe magnétique telle qu'ils en ont entendu parler à Lamirande, cependant, celle dont les manifestations serviront plus tard à certains philosophes christiens d'armes contre la religion géminite ; Henri, qui n'a jamais assisté à une séance, semble considérer le tout comme une curiosité amusante, sans plus.

Madame d'Olducey accueille avec joie tous ces récits, même lorsqu'elle s'inquiète. Elle semble fort heureuse du bonheur de son fils, comme elle l'est de "vivre en quelque sorte par procuration avec vous à Paris". Elle s'enthousiasme avec lui, et sans regret apparent, des innombrables divertissements qu'offre la rive nord, se promène à ses côtés, dit-elle, sur les quais bruyants le long de la Seine – du côté christien, puisque Paris n'a toujours pas acquis le statut qui mettra fin à sa division. S'inquiète beaucoup cependant d'une escapade d'Henri sur la rive géminite après la réussite de ses derniers examens – et Henri, dûment châtié, jure qu'il ne récidivera point.

Il ne parle pas de son talent, pas même à demimot, bien entendu. Impossible de savoir en quoi celui-ci consiste, ou son degré. "Jacquelin continue de m'éduquer, non point pour que je me serve de ces connaissances, mais pour que je sois à même d'exercer sur elles un contrôle parfait en toutes circonstances", c'est la référence la plus directe qu'ils y trouvent. Jacquelin, quant à lui, semble s'être bien adapté à sa nouvelle vie. Il a coupé ses nattes, sort parfois avec Henri et dirige sa maisonnée – en tout et pour tout une gouvernante, qui s'occupe aussi de la cuisine. Tout déshérité qu'il soit, l'existence d'Henri n'est pas trop démunie, sa mère ne doit pas s'en inquiéter (elle le fait périodiquement) : "… relativement ascétique quant aux besoins du corps, ma chère Maman, mais si nourrissante quant à ceux de l'esprit et de l'âme !"

Il voit fréquemment son oncle et sa tante de Creilles, soit à leur maison de Bagnolet, soit à Paris lorsqu'ils y viennent au spectacle, et ils l'aident parfois, tout comme ils ont aidé à payer ses études à l'insu du marquis d'Olducey. Il s'est trouvé un emploi au lycée Descartes et pense les avoir remboursés d'ici cinq ou six ans.

J'ai parfois quelque vergogne à faire jouer à Tante Virginie, sans qu'elle le sache, ce rôle d'entremetteuse, surtout compte tenu de leurs inépuisables bontés à tous deux envers moi. Son amour pour nous l'aurait sans aucun doute convaincue de nous aider ainsi. Mais il aurait été cruel de lui demander de le celer à son époux. Vous savez comme ils sont unis. Je crois sincèrement, et Jacquelin en est toujours d'accord avec moi, que le leur laisser savoir eût pu mettre en danger leurs relations avec le Marquis et donc avec vous et, de ce fait, notre propre relation, qui ne tient qu'au mince fil de nos lettres, et sans laquelle je serais bien malheureux.

Et puis, en 1778, la royauté hutlandaise, enfin lassée d'un poids qu'elle ne veut plus porter, accepte un compromis : la ville réunifiée sera gouvernée par un prince désigné par les deux nations, avec un Conseil de Ville élu par les corporations d'un côté, les citoyens des quartiers de l'autre. Et alors que Paris fête enfin sa “réunification”, dit Henri en décrivant les célébrations et réjouissances entourant la signature des Accords de Paris, il rencontre Agnès.

« Ah ! » dit triomphalement Pierrino lorsqu'il voit enfin ce nom sous la plume de leur père. Il lit donc cette lettre. Senso lit mieux, c'est indéniable, mais il y perdrait la voix s'il devait toutes les lire.

Le triomphe devient de la surprise – une surprise ravie chez Senso, cependant: Agnès, qui vit (étrangement) chez les christiens de la rive nord depuis 1776, fait partie d'une troupe de théâtre !

De fait, Henri l'a rencontrée avant la réunification, mais il a peut-être profité de l'occasion pour introduire le sujet au milieu des descriptions joyeuses, et résumer ensuite une relation qui avait commencé depuis quelques mois mais dont il n'avait pas voulu parler plus tôt à sa mère parce qu'il était incertain de la direction qu'elle prendrait.

Comme la plupart des autres petites compagnies théâtrales – le théâtre est déjà fort à la mode dans le Paris christien de ces années-là –, la troupe a pour patronne une aristocrate, la comtesse de Beauvais. On joue chez elle, dans un théâtre capable de contenir deux cents personnes ! Et sans banquettes sur la scène, et avec des sièges au parterre – on était très moderne en effet: ces améliorations ont mis dix ans à descendre dans le Midi. On joue parfois chez d'autres aristocrates, mais aussi dans les foires, pour le bon peuple.

Sans avoir le renom de celle de l'Hôtel de Champagne, qui deviendra plus tard la Comédie Parisienne, cette troupe est l'une des plus anciennes de Paris:

Dirigée d'abord par trois générations de Lamarche, elle doit son nom, 'la Compagnie des Deux-Rives', au fait que, de la rive nord, elle a pendant longtemps bravé les édits christiens (dans les périodes où un soudain caprice d'Amsterdam resserrait les contraintes à Paris) pour aller jouer sur la rive sud, avec les difficultés et les dangers que vous pouvez imaginer. Il s'agissait d'abord et avant tout de divertir, disait-on, et les spectacles présentés n'avaient rien de particulièrement frondeur, mais les autorités de la rive nord ne s'y trompaient point. On n'avait cependant jamais réussi à éradiquer la troupe : elle était devenue, vous l'imaginez bien, immensément populaire, et après quelques sérieuses émeutes lors d'interventions trop brutales des gens d'armes, on y avait renoncé. Au point qu'on n'essaie même plus aujourd'hui d'infliger à la Compagnie de fortes amendes : madame de Beauvais les acquitte elle-même – et l'on ne peut sévir contre madame de Beauvais, la tante du Gouverneur ! C'est dire comme cette Compagnie a gagné en respectabilité. L'on pourrait même arguer que, signe des temps, elle est devenue un symbole des aspirations parisiennes à la réunification.

Autre signe des temps, dont Henri ne se fait pas faute de souligner à sa mère à quel point il trahit l'irrémédiable évolution de la société hutlandaise parisienne, le directeur de la troupe est désormais une directrice, et d'origine byzantine, Théodora Andoriakis, la fille du directeur qui avait repris la Compagnie après le décès du dernier Lamarche.

Sa religion est quelque peu incertaine. On la voit parfois à la messe. Mais on la veut croire chrétienne, car l'excellence de ses productions et l'opiniâtreté qu'elle met à continuer de défendre comme ses prédécesseurs les formes les plus audacieuses du théâtre moderne, en en soutenant les auteurs, lui ont valu un indéniable prestige. Par ailleurs, sa troupe bigarrée rassemble des comédiens, des chanteurs et des danseurs venus d'un peu toute l'Europe, et semble un bon raccourci de ce que beaucoup souhaitent pour la ville réunifiée.

Et Agnès, qui porte le nom de théâtre de Mademoiselle de L'Estoile, en est… l'étoile montante. Elle vole de succès en succès depuis deux ans, renommée malgré son jeune âge – elle a deux ans de moins qu'Henri – pour être capable de jouer n'importe quel emploi de n'importe quel répertoire, des ingénues aux reines tragiques en passant par les soubrettes, les Arlequines et tout le reste. "Plutôt petite et gracile, elle se transforme quand elle entre en scène, et sa voix, d'ordinaire douce et réservée, devient capable d'emplir toute une salle jusque sous les combles."

Bien sûr, Senso est ravi. Pierrino, lui, se demande pourquoi on ne leur a jamais dit que leur mère avait été une actrice. La réaction réticente et inquiète de madame d'Olducey est à prévoir, raison supplémentaire de prudence de la part d'Henri, et elle est normale pour une christienne. Chez les géminites, on tient les acteurs en estime, comme tous les autres artistes – et même à Aurepas, dont Pierrino prend cependant de plus en plus conscience du statut provincial. Mais les christiens jettent leurs comédiens dans une fosse commune ! Quoique peut-être plus à Paris…

« On ne voulait pas nous en parler du tout, de notre mère », lui rappelle Senso en haussant les épaules. « Eût-elle été… » Il cherche une profession humble mais honorable pour une femme chez les christiens « … lavandière, qu'on ne nous en aurait pas parlé non plus. Continue donc ! »

On ne lui connaît pas de liaison et les Parisiens avides de scandale en sont réduits à en inventer. Henri quant à lui a été subjugué par le talent de l'actrice et par la beauté de la femme. Il a eu du mal à l'approcher, ce qui est inhabituel, car les membres de la Compagnie, comme tous les artistes du théâtre, se laissent aisément fêter après une représentation. Mais elle participe peu aux réjouissances coutumières : sans doute met-elle tant de fougue à ses rôles qu'elle en est épuisée.

« ‘Distante, réservée, auréolée pourtant de mélancolie et de passion, elle était environnée d’un délicieux mystère que rehaussait encore la présence constante et protectrice… » La voix de Pierrino ralentit à mesure qu’il lit, devient un souffle incrédule. « … de ses deux domestiques asiatiques à la ressemblance si frappante qu’ils doivent être jumeaux.’ »

Il laisse retomber sur ses genoux la main qui tient toujours le feuillet. Senso dit d’une voix étranglée: « Quoi ? »

Après un long silence, Pierrino reprend sa lecture, avec une sensation bizarre au creux de l’estomac.

Henri ne parle plus des deux domestiques: ils font partie du décor familier d’Agnès, à l’arrière-plan, et c’est d’Agnès qu’il est tout occupé. L’attirance des jeunes gens est réciproque, même si Agnès s’en défend d’abord. “Il y a en elle une tristesse ancienne et opiniâtre, mais en même temps une telle énergie vitale, une telle capacité de joie !” Elle accepte enfin de s’abandonner à son amour et elle lui avoue son véritable nom, Agnès Garance; elle se dissimule parmi les christiens de Paris, car elle a quitté sa famille après une terrible dispute avec son père, Sigismond. Henri remarque (en s’essayant à un ton plaisant, mais on sent bien qu’il est inquiet de la réaction de sa mère) qu’ils sont faits l’un pour l’autre: il est venu à Paris après une terrible dispute avec un homme qui n’était pas son père, certes, mais en avait tenu lieu. Et ils adorent tous deux leur mère, et s’ennuient désespérément d’elle.

La mère d’Henri est épouvantée, comme il fallait s’y attendre: une actrice, une géminite, une Garance ! Il est difficile de dire à la lecture de sa lettre lequel de ces trois qualificatifs est le plus horrible. Elle n’explique pas pourquoi le nom seul de Garance suscite en elle cette consternation, et les phrases précautionneuses d'Henri indiquent qu'il doit partager avec elle un savoir commun, à défaut de la même opinion.

« C'est peut-être comme chez nous, finit par dire Senso. Tu te rappelles comme on traitait Grand-père au temple, dans le temps ? Les gens qui commençaient de se rappeler un peu considéraient notre famille comme en partie responsable des troubles. À plus forte raison des christiens, alors ! »

Une alternance a fini par s'établir entre eux : Pierrino lit les lettres d'Henri, Senso celles de madame d'Olducey. Ils continuent donc de parcourir les feuillets, en lisant à haute voix les parties importantes. Avec une difficulté croissante, car elles sont de plus en plus déchirantes, de plus en plus déchirées. Henri essaie de convaincre sa mère, elle essaie de le convaincre. À un moment donné, Senso cesse de lire et murmure : « C'est comme si on la voyait devenir folle sans rien y pouvoir. » Il songe à leur unique rencontre avec elle, bien sûr. Est-ce alors, plutôt qu'à la mort de son fils, qu'elle s'est ainsi transformée ? C'est terrible, en effet : voir au fil des lettres la faille s'élargir entre eux, l'impuissance des mots et des phrases à jeter un pont sur les craintes, les ignorances, les préjugés, l'impuissance même de tout cet amour qu'ils ont l'un pour l'autre… Henri annonce finalement à sa mère qu'il va épouser Agnès. À Paris, il le peut, et il le peut sans se convertir – c'est ce qu'il écrit en premier, après la déclaration initiale. La lettre est brève – que dire, à ce stade ? – et se termine sur une réitération désespérée de l'amour d'Henri pour sa mère. Il l'implore de comprendre son amour pour Agnès, tout en lui rappelant son injonction ancienne d'être libre et heureux, insistant qu'il ne saurait trouver de bonheur sans sa bénédiction.

Il n'y a pas de lettres de madame d'Olducey pendant plus d'un mois, mais une série de lettres de plus en affolées d'Henri, qui finit par lui déclarer qu'il va venir à Olducey pour la voir en personne.

Du coup, elle lui écrit.

Votre vie m'est trop précieuse, mon très cher enfant, et mon amour pour vous trop grand, jusqu'à la déraison. Je vous ai dit en effet d'être heureux et ne puis supporter plus longtemps que votre malheur présent vous vienne de mon silence et de mon chagrin. Les actes des parents n'ont point à retomber sur la tête des enfants, même si, d'après la rumeur publique, les Garance ont de génération en génération joué un rôle infâme en Émorie et trempé dans les magies les plus noires. Mais lorsqu'on sait les calomnies que peut répandre la rumeur publique sur de bons christiens, que ne dira-t-elle de géminites, et appartenant à une famille liée de si près, pendant si longtemps, à des événements si essentiels à l'état du monde tel que nous le connaissons aujourd'hui ? Le père de votre Agnès a vécu la majeure partie de sa vie en exil : peut-être la magie païenne ne l'a-t-elle pas corrompu autant que ses ancêtres. Mais votre Agnès, mon enfant, n'est en rien responsable de tout cela. D'ailleurs, elle a rompu avec sa famille. Votre âme était peut-être en péril avec elle, c'est tout ce que j'ai vu d'abord. Mais si vous l'aimez, c'est qu'elle doit le mériter. Si elle vous aime, c'est qu'elle vous mérite. Je ne veux connaître désormais que cela. Elle ne vous a point demandé de vous convertir. Vous ne le lui avez point proposé non plus. Vous êtes toujours un christien. Nos prêtres auront beau vous excommunier quand ils apprendront votre mariage, je ne puis croire que Dieu, dans Son immense bonté, ne tienne point compte de votre rectitude, et des vertus que vous avez toujours pratiquées.

Les échanges reprennent, un peu chancelants au début. Henri ne veut pas sembler trop faire l'apologie d'Agnès, il n'en parle que discrètement, en mentionnant un trait d'esprit délicieux ou une bonté charmante, et surtout en insistant sur leur bonheur, que les succès d'Agnès au théâtre ne dérangent en rien. Madame d'Olducey consacre quelques lignes, parfois une phrase, à reconnaître l'existence de l'épouse de son fils, et à apprécier le fait qu'elle le rende heureux. L'un et l'autre s'en tiennent plus prudemment à des nouvelles d'un autre ordre.

Senso est fort triste, comme Pierrino, de constater que la situation se gâte de nouveau à leur naissance: dans quelle religion vont-ils être élevés? À cette question sans détour de sa mère, Henri répond avec tendresse et précaution, mais sans détour non plus: il a fini par avouer à Agnès qu'il est un talenté et c'est pour cette raison qu'ils ont décidé de continuer à vivre sur la rive nord: il peut mieux y dissimuler son talent – même s'il n'en fait point usage. Il prend ensuite un ton très raisonnable.

Vous savez qu'il ne s'agit pas de sorcellerie démoniaque: ni vous ni moi ni Jacquelin ne sommes des démons, ni mon père Matatché, que je n'ai pas eu le bonheur de connaître mais dont Jacquelin et vous m'avez dit tant de bien. Or, si par extraordinaire nos enfants s'avéraient talentés – ils ne le sont pas, mais il arrive, comme vous le savez, que le talent ne se révèle pas à la naissance, et la lignée semble ininterrompue de Jacquelin jusqu'à moi –, si donc un jour leur talent se révèle comme le mien, pouvons-nous en toute conscience les élever dans une religion où ils apprendront qu'ils sont damnés à cause d'un trait de leur nature auquel ils ne peuvent rien?

Sa mère, affligée mais lucide, doit admettre le bien-fondé de son raisonnement. Elle finit même par avouer que, “égoïstement”, elle regrette davantage de ne jamais devoir connaître ses petits-enfants sur terre que de ne jamais les voir au ciel.

Henri ne peut alors s'empêcher de la reprendre avec tristesse: elle se fait du mal avec des terreurs qu'il croit de plus en plus créées de toutes pièces par la volonté des hommes, et non par la volonté de Dieu; il a suffisamment éprouvé son talent avec Jacquelin pour savoir que les âmes des morts ne sont pas dans un quelconque enfer:

Les âmes des morts nous environnent, ma chère Maman, elles nous regardent, nous suivent, nous aident, et plus que toute autre celle des personnes que nous avons aimées. L'Enfer est une invention des humains – et les christiens s'acharnent souvent à le réaliser sur terre pour eux-mêmes ou pour autrui. Ne vous torturez plus, je vous en supplie, ma très chère Maman, avec ces cruelles faussetés. Dieu est amour, c'est ce que Notre Seigneur est venu prêcher sur terre pour nous, Jésus et Sophia pour les géminites, mais qu'importe : Dieu est amour (il l'a souligné dans la lettre), *un amour infiniment plus vaste que nous ne pouvons le concevoir. Ce qui est sacrilège, c'est de lui imposer nos propres limitations. La rédemption est possible après la mort sans même qu'il y soit besoin d'un Purgatoire tel que l'imagine la religion christienne. Pour nous séparer à jamais, vous et moi, il faudrait des crimes inconcevables, bien plus terribles que nos erreurs ou nos fautes éventuelles à tous deux. Et il en va de même pour vos petits-enfants, dont je continue de croire que vous les rencontrerez un jour. Si les deux Paris ont pu se réunir pour former à nouveau une seule ville, si Agnès et moi pouvons nous aimer, pourquoi l'exil que vous vous êtes imposé, que vous nous avez imposé à tous si l'on y songe bien, Jacquelin, moi, Agnès, Senso et Pierrino, pourquoi ce triste exil ne pourrait-il prendre fin ?*

Et pour la première fois, madame d'Olducey, dans sa réponse, semble en envisager la possibilité.

Après la lecture de cette lettre, Pierrino ne prend pas tout de suite la suivante d'Henri ; il voit la tristesse de Senso, et il la partage. Cette lettre-là date de 1783. La fin est proche. C'est terrible, en définitive, cette plongée dans le passé : comme un roman dont on connaît la fin, dont on voit les personnages se diriger inéluctablement vers ce qu'on sait être leur destin fatal. Leurs espoirs, leurs résolutions, tout cela ne leur servira de rien. Leur sort est scellé. Est-ce donc là le regard que la Divinité a décidé de ne pas jeter sur Ses enfants, afin que, même pour Elle, ils fussent libres ?

Pierrino remue les épaules et se masse le cou, tout en prenant conscience du creux de son estomac. Il est près de huit heures du soir. Il n'a pas senti le temps passer – il ne se souvient pas même d'avoir allumé la lampe à huile, posée pourtant sur le parquet ! Juste à ce moment, on frappe à la porte, Larché : « Désirez-vous encore votre souper à la chambre ? »

Senso se lève avec une grimace et s'étire en allant ouvrir la porte : « Oui, Étienne, merci, ce sera aimable à vous de vous en charger. »

D'un commun accord, ils attendent le retour de Larché. Pierrino va ouvrir la fenêtre sur la nuit et il s'accoude au balcon en contemplant la pénombre fraîche, bientôt rejoint par Senso. Le ciel est presque dégagé, quelques étoiles clignotent entre les nuages. L'Estoile. Pourquoi leur mère a-t-elle choisi ce nom de théâtre ? Et Nadine et Félicien étaient partis avec elle à Paris. Pourquoi ne le leur ont-ils pas dit ? Pierrino imagine aussitôt la réponse de Nadine, son laconisme derrière lequel il serait si facile alors de deviner une ironie : « Vous ne nous l'avez pas demandé. » Et comment donc l'auraient-ils pu ? Mademoiselle de L'Estoile. Un des recoupements entre les cartes du jeu mynmaï et les cartes ordinaires, la Suite d'Étoiles – Ugépan, l'Étoile : la Maison de Pardon. Pardon pour qui ? Pour Agnès, parce qu'elle s'était enfuie en déchirant sûrement aussi le cœur de sa mère ? Et Grand-mère, l'avait-elle aidée dans sa fuite, était-elle d'accord ? Aucune lettre d'Agnès parmi celles d'Henri. N'a-t-elle donc jamais écrit à sa belle-mère, jamais osé ? Et si ces lettres sont revenues à Olducey avec Jacquelin, dans les effets d'Henri, y avait-il dans les effets d'Agnès, restés à Aurepas, des lettres adressées à sa mère ? À Grand-mère, qui n'écrit jamais. Ou qui n'écrit plus depuis. Jiliane lui lit leurs lettres, évidemment, et la mentionne dans les siennes comme ils le font dans les leurs.

Divine, il leur faudra des pages et des pages pour raconter tout cela à Jiliane, ce ne sera plus une lettre, ce sera un paquet ! Mais Senso parviendra sans doute à résumer avec concision, il a le tour.

Larché arrive avec un grand plateau, se retire sans commentaire après un coup d'œil circulaire sur les piles de lettres. Pierrino prend son temps pour manger, Senso en fait autant – non que la chère soit si délicieuse, elle est honnête, sans plus ; mais il devine sans doute, comme lui, que les quelques prochaines lettres seront difficiles.

3

De fait, la situation se gâte à nouveau : Agnès a confié à Henri qu'elle voudrait faire venir sa mère à Paris, mais qu'il faudra l'arracher à son père. Sigismond Garance n'est pas un sorcier ni rien de ce qu'on dit des Garance émoriens, mais malgré des qualités indéniables par ailleurs – au dire d'Henri, Agnès en parle avec des sentiments évidemment mêlés, parfois elle semble le haïr, parfois elle semble plus indulgente, voire aimante –, c'est un tyran pour sa famille. "Et peut-être même, je dois en admettre l'hypothèse très à regret, avec bien de la tristesse et de la colère, un de ces pères qui aiment trop et mal leur fille. J'en ai eu le sentiment pendant une crise de somnambulisme d'Agnès, lorsqu'elle a laissé échapper des paroles troublantes."

Pierrino est choqué, cette fois : c'est son père, et sa mère, et oui, elle s'est querellée avec Grand-père, mais comment peut-on penser des choses pareilles ? Il hausse violemment les épaules : « 'Un tyran pour sa famille' ! »

Mais Senso s'étonne plutôt : « Elle avait encore des crises de somnambulisme ? Grand-père n'avait-il pas dit que cela avait cessé avec le temps ? »

À bien y penser, celles de Jiliane n'ont pas cessé non plus.

Ces crises sont peut-être causées par ce qu'Agnès prépare, le poids du chagrin et de la culpabilité. Car lorsque Pierrino recommence de lire, ils peuvent tous deux constater, incrédules, atterrés, l'étendue de la supercherie à laquelle elle a l'intention de se livrer. Elle a persuadé la directrice de la Compagnie de l'y aider: la troupe fera une tournée en Aquitaine et dans les pays de Loire. On l'y a invitée, en particulier à Orléans. Madame Andoriakis a toujours pensé qu'il était trop tôt, que l'étau de l'Édit n'était pas encore assez desserré pour les géminites. Mais elle est prête à s'y risquer maintenant, surtout par amitié pour Agnès. Mademoiselle de L'Estoile fera évidemment partie de cette tournée, avec Henri devenu l'un des auteurs à succès de la troupe. Elle fera mine de se réconcilier avec son père en écrivant d'abord quelques lettres à ses parents, puis les mettra au courant de l'occasion qui se présente. Elle se rendra à Aurepas avec Henri, afin de leur présenter leurs petits-enfants et de les laisser en jouir pendant les trois mois que durera la tournée. Ensuite, ils reviendront prendre les enfants – et sa mère en même temps, pour l'évasion de laquelle les domestiques venus avec eux et demeurés à Aurepas auront tout préparé.

Henri, étrangement, ne s'inquiète pas de la réussite de ce plan, qu'il semble tenir pour acquise. Il parle plutôt à sa mère du problème envisagé à son passage de la frontière: son talent y sera évidemment décelé par les mages préposés à cela. Il n'est toujours pas question pour lui de se convertir au géminisme (Pierrino a le sentiment qu'il le ferait assez volontiers, pourtant, si ce n'était de sa mère, car la doctrine lui en paraît de toute évidence bien plus solide que celle du christisme). La seule issue, si l'on veut "sauver" la mère d'Agnès, c'est pour lui d'accepter de voir son talent suspendu à la frontière par des mages géminites ; ils le lui rendront de nouveau accessible lorsqu'il reviendra à Paris, cela fait partie des Accords de Paris, imités en cela de ceux de Lyon : les géminites réglementent les talents chez eux, mais non hors de leurs frontières. Jacquelin ne les accompagnera pas, il veillera sur la maison et doit continuer à faire parvenir les lettres d'Henri à Olducey, comme il s'arrangera pour lui communiquer celles de sa mère. Le voyage sera peut-être un peu désagréable pour Félicien et Nadine, à cause de l'influence persistante de l'Édit en France et des regards qu'ils s'attireront, mais cela ne semble pas les déranger outre mesure.

Madame d'Olducey est très alarmée, comme il fallait s'y attendre. Ce n'est point tellement à propos du talent – elle lui doit Henri, "par un chemin tortueux", dit-elle, si elle s'en passerait bien pour elle-même ; et jusqu'à un certain point elle lui envie même la possibilité qu'il a de le faire suspendre : les géminites ont au moins le choix ! Mais c'est autre chose : il s'en va…

… si loin en France, pour rencontrer un homme si dangereux, et pour exécuter à ses dépens un projet si périlleux. Je veux bien que les mages géminites ne soient point des sorciers démoniaques, mais que croirez-vous qu'ils feront s'il leur demande de retrouver son épouse et de vous arrêter en chemin ? Vous serez dans l'illégalité la plus complète, y avez-vous songé ? Et si par ailleurs les femmes géminites ne sont point la propriété de leur époux, pourquoi la mère d'Agnès n'est-elle pas partie d'elle-même ? A-t-elle expressément demandé à sa fille de venir la libérer ? Ou s'agit-il d'une lubie d'Agnès, pardonnez-moi de vous le dire aussi franchement ? Vous m'avez

parlé souvent de ses humeurs fantasques. Elle est encore bien jeune, et soudain mère de deux enfants. Il est normal pour elle de désirer avoir sa propre mère à ses côtés en ces circonstances, et elle pourrait avoir élaboré toute cette fantaisie pour se convaincre, et vous convaincre, sans vouloir à mal. Et puis, alors qu'elle est encore fragile de sa première grossesse, est-il raisonnable, je vous le demande, mon cher enfant, d'entreprendre un si long périple et un projet aussi hasardeux ?

“Fragile de sa première grossesse”. Pierrino se mord involontairement la lèvre, horrifié et honteux de s'être surpris à penser : “Ce n'était pas seulement Jiliane, alors ?” ; en relevant les yeux, il voit l'expression soudain atterrée aussi de Senso. A-t-il simplement pensé, lui : “C'était de notre faute à nous” ?

Puis, avec retard, il prend conscience d'une dissonance. Il vérifie de nouveau la date de la lettre : mi-juillet 1784. Agnès ne devait-elle pas être enceinte de Jiliane, à cette époque ? Madame d'Olducey n'en dit rien. Ou bien cela est entendu entre la mère et le fils, et il a manqué la mention de cette grossesse dans une lettre précédente, trop pressé de suivre l'autre fil de l'histoire.

La lettre suivante d'Henri indique que certains des arguments de sa mère ont porté. Mais Agnès est fermement résolue à libérer sa propre mère, et la tournée est lancée. Ils partiront à la fin de juillet pour aller retrouver la Compagnie vers la mi-août ; on tournera jusqu'à la mi-octobre ; ensuite, ils reviendront chercher les enfants – et leur grand-mère – à Aurepas. Ils devraient être rentrés à Paris d'ici la mi-novembre.

Senso ne tend pas tout de suite la main pour prendre la réponse de madame d'Olducey. Pierrino, tout aussi abasourdi, essaie de calculer de tête. Ils sont allés *deux fois* à Aurepas ? Et si la grossesse de leur mère avait commencé au début de juin, elle aurait dû donner naissance à Jiliane en février ou au début de mars à la rigueur (la voix de Madeline : “Les ventres des femmes ne sont pas des horloges !”), mais en tout cas à Paris. Que faisait-elle, que faisaient-ils encore aux environs d'Aurepas à la fin de février ? Et pourquoi Henri ne parle-t-il toujours pas de cette grossesse ? Cela devait pourtant bien entrer en ligne de compte, surtout si Agnès participait à la tournée de la Compagnie en étant enceinte d'au moins quatre mois… A-t-elle participé à cette tournée en étant enceinte de quatre mois ? Et “fragile” de sa grossesse précédente ?

Mais de tout cela, pas un mot.

Les lettres de madame d'Olducey sont plus rares pour cette période. D'un commun accord, ils décident de s'en tenir à celles d'Henri. Tout se passe bien, ils se sont réconciliés avec le père d'Agnès ravi de revoir sa fille et ses petits-enfants. Au tout début d'août, ils sont arrivés sans encombre à Lamirande, où Agnès a retrouvé sa mère (Grand-mère allait à Lamirande ?). Ils y laissent les jumeaux, dont Agnès se sépare avec bien des larmes tout de même. Madeline, son ancienne gouvernante, s'en est énamourée au premier coup d'œil et ils savent qu'elle s'en occupera fort bien. La mère d'Agnès a été heureuse de retrouver sa fille, ainsi d'ailleurs que ses domestiques, mais il faut presque le deviner.

C'est une femme taciturne, un peu comme Jacquelin, mais comme lui déchiffrable pour moi qui me suis habitué à lire les plus fugitives expressions. Je crois que c'est une femme passionnée, comme sa fille, et très malheureuse. Très fière aussi, sans doute : elle affiche un trop grand calme et exerce sur elle-même une domination presque effrayante. Je vois maintenant d'où ma pauvre chère Agnès tient cette part de son caractère. Et je dois admettre par ailleurs, avec une grande surprise, qu'elle semble tenir de son père son énergie, sa curiosité, et le plaisir qu'elle prend parfois aux simples choses du monde. S'il est un tyran – et pis encore peut-être –, cela ne se voit aucunement, en rien. Et j'en serais presque à penser que vous aviez raison au sujet d'Agnès, ma très chère Maman, si ce n'était de madame Garance.

Pierrino passe rapidement sur les lettres envoyées depuis les étapes de la tournée, avec une impatience mêlée d'angoisse. Agnès accomplit des prodiges dramatiques mais le succès est plutôt mitigé, sauf à Orléans et à Bordeaux : c'est encore trop tôt ; malgré les adaptations, les pièces proposées ne conviennent pas encore assez à un public géminite. “Mais Théodora n'est pas si mécontente : la tournée ne sera pas déficitaire, grâce surtout à la munificence royale à Orléans et au désir implicite de la Royauté qu'on nous fasse fête, voire à son ordre exprès, à en juger par les salles combles que nous avons connues dans toute cette région de la Loire.”

Une lettre de la fin d'octobre, la dernière d'Henri, indique que la tournée est terminée et qu'on retourne à Aurepas.

Et qu'Agnès est enceinte d'environ quatre mois.

“Nous attendions d'en être certains pour vous l'annoncer. Tout se passe très bien : elle est en excellente santé et ne souffre d'aucun des malaises qui ont accompagné sa première grossesse.”

Pierrino regarde Senso, qui peut seulement lui retourner une mimique impuissante.

C'est cinq mois avant la naissance de Jiliane.

Mais Agnès était censée être rendue presque à terme alors qu'elle revenait à Aurepas !

Ils continuent de lire, dans un état de stupeur presque douloureux. Après cette lettre d'Henri, pendant cinq mois, il n'y a que des lettres de madame d'Olducey, à Henri, puis comme celui-ci ne répond pas, à Jacquelin. Celui-ci lui écrit, en s'efforçant d'abord au calme, qu'il n'arrive pas à trouver trace d'Henri ni d'Agnès ni des enfants, mais que ce n'est pas nécessairement un mauvais signe: peut-être ont-ils réussi à se dissimuler. La Compagnie les a attendus au lieu de rendez-vous, mais après plusieurs jours, sans vouloir trop s'inquiéter malgré tout, on a décidé de rentrer à Paris: peut-être Agnès et Henri y étaient-ils retournés directement, les circonstances les ayant obligés à modifier le plan sans pouvoir en avertir la directrice. Compte tenu de la situation, on n'a pas voulu s'enquérir d'eux, au risque d'éveiller des soupçons. Il a écrit à Aurepas. On ne lui a point répondu.

L'affolement et le désespoir progressifs de madame d'Olducey sont pénibles à suivre, tout comme les réponses brèves de Jacquelin, tout aussi angoissées sous leur laconisme. L'hypothèse la plus raisonnable, celle à laquelle il veut désespérément se tenir, c'est que l'affaire n'a pas tourné comme on l'avait désiré et qu'Henri et Agnès doivent demeurer cachés en attendant la fin de la grossesse de celle-ci.

Et enfin, il y a la dernière lettre de Jacquelin, apprenant à madame d'Olducey l'affreuse nouvelle. "Je ne peux que recopier, ma très chère Jeanne, ce que m'a enfin écrit l'intendant de monsieur Garance, monsieur Faubrisson. Des brigands ont attaqué la voiture dans laquelle Henri et Agnès s'en venaient, entre Toulouse et Aurepas, à Villemuire…"

« Quoi ? » s'exclame Senso.

Mais Pierrino continue, la gorge nouée.

Henri s'est vaillamment défendu, mais il a été tué. Les chevaux se sont emballés et la voiture a versé. Les brigands survivants se sont enfuis. Agnès était grièvement blessée. Les mages géminites ont fait ce qu'ils ont pu. Henri a été suspendu et sublimé – je vous assure, si cela peut vous être une consolation, que son âme a retrouvé celle de son père. La mère d'Agnès est venue la rejoindre à l'auberge proche où on l'avait transportée et elle l'y a soignée avec dévotion pendant cinq mois. Agnès a survécu parce qu'elle voulait donner naissance à sa fille. Comme elle le désirait, l'enfant est née le jour même de l'anniversaire des jumeaux. Mais, comme elle s'y attendait, et les mages aussi, elle n'a pas survécu à l'accouchement : son temps était venu. Monsieur et madame Garance ont décidé de garder les enfants…

Jacquelin va revenir à Olducey vivre auprès de Jeanne. Il rapportera les effets d'Henri, et les lettres. Il précise qu'on ne lui a pas retourné les médaillons qu'Henri et Agnès portaient toujours sur eux : la lettre de l'intendant indique le désir exprimé par Agnès de les voir légués aux enfants.

Mais c'est un étonnement mineur, perdu dans tous les autres où Pierrino se sent sombrer, tandis que Senso, à bout de stupéfaction, a posé la tête sur ses bras et pleure en silence.

4

Jiliane rêve. Jiliane rêve encore de Gilles. Elle le voit arpenter à grands pas la salle de pierre qui lui sert de laboratoire, là-bas, dans la ville en ruine, au lointain Pays des Dragons. Il semble fâché. Elle l'est aussi, brièvement, parce que, comme toujours, elle ne peut résister à son attraction et coule en lui pour s'y perdre.

Et maintenant, elle est Gilles, irrité, arpentant à grands pas son laboratoire de fortune.

◆

L'aveuglement volontaire de Xhélin commence d'être une véritable nuisance. Toutes les conversations raisonnables qu'on tente d'avoir avec lui finissent toujours par aboutir au même endroit, à la Chambre du Dragon et à ses maudits petits cailloux qu'il s'entête à voir comme les fragments de l'œuf du Dragon de Feu. Plus d'un an qu'ils argumentent, et le Ghât'sin ne veut pas en démordre. Ce sont pourtant des matériaux des plus ordinaires, il le lui a bien montré ! D'une part un minerai dont on n'aurait pas même besoin de talent pour découvrir les filons qui courent partout depuis les montagnes en un vaste réseau de veines dorées sous tout le pays, pour s'enfoncer ensuite sous les océans; de l'autre une variété de résine fossile des plus communes dont on trouve aussi des gisements pratiquement à ciel ouvert dans les hautes collines du nord-est.

Et dans ces conversations, Nandèh et Feï ne disent rien, ni pour ni contre, mais sans donner aucune indication non plus de vouloir suivre l'exemple de Kurun pour ce qui est de leur talent. Non qu'il les voulût liés à Xhélin comme lui à Kurun, ce serait beaucoup trop de pouvoir entre les mains d'un seul individu, fût-il un Ghât'sin en rupture de Garang Xhévât. Si c'est bien le cas: Xhélin retourne à la cité chaque fois que Nandèh et Feï le font. Il le doit à vrai dire, puisqu'il les sert: il va où ils vont. Mais si les deux Natéhsin lui étaient liés, à lui et non à Xhélin, ils seraient bien plus libres, comme Kurun qui devient de plus en plus humaine avec le passage du temps.

Il contemple la poignée de cailloux éparpillée là où il l'a lancée dans un geste d'humeur sur la table de pierre, puis commence de les trier pour les replacer dans leurs récipients respectifs. Il n'aurait pas dû manifester ainsi son irritation. C'est tout le contraire d'un argument raisonné. Bien sûr, Xhélin a eu le dernier mot, ou du moins s'est-il contenté de secouer la tête en silence et de partir avec les deux Natéhsin. Ce n'est pas ainsi qu'il le convaincra, qu'il les convaincra tous. Il doit poursuivre ses expériences, même si c'est là l'origine de la discussion, puis de la dispute.

Le plus curieux, c'est que les premières expériences en elles-mêmes n'ont pas provoqué l'horreur sacrée qu'il craignait chez Xhélin. Pour ce qui est de Kurun et des deux autres, ils ne manifestent pas encore des sentiments aussi ardents, dans quelque occasion que ce soit. *Tanpèh* et *hètsyièn* sont pourtant censés être les deux substances primordiales que seul le Dragon de Feu a le droit et la capacité de fusionner pendant son Festival. Il aurait cru interdit de les examiner de plus près, à plus forte raison de les soumettre à des expériences pour en établir les propriétés – même sans y appliquer de talent.

Il prend un morceau d'ambre rouge et un petit bloc doré pour les faire sauter ensemble dans sa main. S'il démontrait que ces deux substances ne peuvent fusionner pour produire un matériau semblable à celui de ce fameux œuf, il devrait bien pouvoir mettre fin à l'obstination de Xhélin. Mais pour l'instant les expériences sont loin d'être concluantes, il doit l'admettre. Soumis à une intense chaleur, le minerai doré se sépare de ses impuretés pour produire un métal qui n'est ni de l'or ni du cuivre tout en en possédant les propriétés ductiles. C'est peut-être ce métal qui sert à fabriquer les bracelets d'avers – il en a la couleur, c'est certain, mais non la dureté adamantine : lorsqu'il a cogné son bracelet par accident contre une pierre, l'autre jour, dans la montagne, le métal de celui-ci n'en présentait ensuite aucune marque. Xhélin, bien entendu, s'est refusé à tout commentaire. Ou bien les bracelets d'avers sont d'un alliage encore à découvrir ou bien c'est la magie dont ils sont imprégnés qui leur confère leur résistance. Mais l'examen à l'aide du talent ne montre rien de particulier, hormis la condensation et la vibration propres au métal et, bien sûr, les effets magiques du bracelet. Il ne va certainement pas soumettre celui-ci à la chaleur ou à l'eau régale pour voir comment il y réagit !

Quant à l'autre roche, il s'agit bien d'une résine fossile, qui répond exactement comme l'ambre à la flamme et aux acides, en émettant aussi à la chaleur un parfum floral curieusement familier, une odeur de rose. Le nom en français en était tout trouvé : *ambrose*.

Xhélin l'appelle "sang de la forêt" – *tanpèh*. Il lui a même montré les arbres qui produisent une résine identique, et qu'il nomme *pengcao* – "ambrosier" fera l'affaire. La résine odorante se consume lentement, un produit dont on pourrait aisément faire commerce aussi. Ainsi qu'il fallait s'y attendre, le *tanpèh* provient selon Xhélin d'un autre arbre très ancien et très sacré, qui n'existe plus mais dont on peut voir les restes gigantesques, également transformés en pierre, dans les montagnes. Leur métamorphose, comme celle de leur résine, est l'œuvre de Huètman' et des autres divinités du panthéon mynmaï ; elle a eu lieu au commencement du monde, après la création des Natéhsin. C'est tout ce que le Ghât'sin a consenti à en raconter.

Quant à la pierre dorée – "orticite" ou "orcite", un terme en tout cas qui en soulignerait bien la ressemblance avec l'or –, c'est le Souffle du Dragon, *hyundètsyèn*, ou *hètsyièn*. Celui du Dragon de Feu ou du Dragon de la Montagne ? Xhélin semble penser que le nom constitue à lui seul un récit et le dispense d'expliciter davantage : « Des deux », a-t-il répondu, laconique.

Ce ne sont cependant pas des fables qui aideront à résoudre le problème de la fusion de ces deux substances.

C'en est un d'abord de proportions. Le Dragon de Feu est censé se nourrir des statuettes rouges – l'aspect cristallin en était bien évident, mais Xhélin semble persuadé qu'elles sont faites de *tanpèh* – et du bloc d'orcite taillé en facettes qu'elles tenaient dans leurs mains. Une fois reconstitués les volumes proportionnellement équivalents dans un creuset, une forte chaleur les fusionne bel et bien, mais c'est un amalgame grumeleux qui s'émiette une fois refroidi, le métal demeurant métal ayant perdu son éclat et sa ductilité, et l'ambrose étant réduite à une poussière noire. Rien de semblable à ce qui tapisse la Chambre du Dragon dans la montagne. Quelle vraisemblance y a-t-il, du reste, que la coque de l'œuf, ayant fusionné les deux substances, éclate en fragments qui redeviennent les matériaux originels ? Le seul phénomène ordinaire qui présente ce cycle de transformation touche le cinabre, lequel se décompose en mercure puis, combiné avec du soufre et chauffé de nouveau, redevient du cinabre. Rien de tel ne se passe ici. Cela seul devrait suffire à introduire un doute dans la forteresse de Xhélin. Mais le Ghât'sin s'est encore contenté de secouer légèrement la tête en silence.

Et les perceptions du talent n'indiquent rien de particulier au cours des opérations de fusion : les essences qui doivent s'échapper et se transformer le font comme pour n'importe quelle substance ordinaire.

Gilles soupire : tant qu'il n'exercera pas activement son talent sur ces substances, au lieu des réactifs ordinaires, il n'arrivera à rien, il en a le sentiment. C'est le feu du Dragon, une flamme d'origine divine, qui est censé fusionner *tanpèh* et *hètsyièn*. Et c'est justement pourquoi il s'est contenté jusque-là d'observer. La fameuse Prophétie des Mynmaï dit bien que l'Étranger de l'Ouest fusionnera les substances primordiales, déclenchant ainsi la fin d'un monde – ou la fin du monde, pour la secte Gôïtun. Que les Ghât'sin de Garang Xhévât se soient abstenus de lui faire jouer cette partie de la fable doit bien signifier qu'ils ne le désirent pas. Peut-être un exercice actif de son talent en la matière lui ferait-il franchir les limites de leur patience, ou de leur indifférence, à son égard.

Ce qui indiquerait peut-être aussi qu'il est sur la bonne voie, mais cela en vaut-il le risque ?

Il se remet à arpenter la salle, les mains croisées dans le dos, regardant sans les voir les gerbes de plantes, les fioles de toutes tailles, les boîtes et les pots de substances diverses, le four et le petit soufflet de forge que Xhélin l'a aidé à fabriquer. Un laboratoire des plus rudimentaires, mais il n'est pas très surpris qu'on n'ait ni cornues ni alambics à Garang Xhévât ou dans la région. Il devrait descendre le fleuve et se rendre dans les grandes cités dont lui a parlé le Ghât'sin, Garang Gatun à l'orée du delta, Daïronur sur le bras nord du fleuve, ou mieux encore le lointain port de Nomghur, sur la côte sud. Il y trouverait certainement tout ce dont il a besoin.

Et il pourrait aussi y vérifier auprès des habitants si les Dragons d'Eau ont véritablement disparu au large des côtes. Même augmenté de celui de Kurun, son talent ne lui a rien montré dans les océans qui entourent le pays. Pas plus au demeurant qu'il ne peut déceler nulle part le Dragon de Feu, ou le Dragon de la Montagne : la “Maison” des Dragons est différente encore de celle des Mynmaï, paraît-il. Mais la Prophétie implique bien qu'une fois franchie par l'Étranger venu de l'Occident, la barrière magique entourant le Pays des Dragons doit disparaître. Et puisque les Ghât'sin de Garang Xhévât se sont servis de la Prophétie, ils devraient avoir mis fin à leur sortilège de protection, n'est-ce pas, puisque c'est celui-ci qui maintient dans les eaux côtières l'illusion meurtrière des dragons.

Peut-être leurs machinations ne s'étendent-elles pas jusque-là, cependant. Aucun vaisseau étranger n'a encore abordé nulle part sur les côtes. Si la barrière a vraiment disparu, peut-être la nouvelle mettra-t-elle longtemps à s'en répandre. Ce ne serait pas un si grand mal, et que la barrière fût encore place ne le serait pas non plus : il aurait ainsi le temps d'en apprendre assez sur le Hyundzièn pour assurer plus tard l'établissement d'un comptoir commercial fructueux pour la France.

Il passe de nouveau devant les boîtes de bambou qui contiennent les échantillons d'ambrose et d'orcite recueillis un peu partout, et s'arrête, les sourcils froncés. Le temps aussi de persuader l'obstiné Xhélin, mais surtout les Natéhsin. Toutes les Natéhsin. Il ne s'agit plus seulement de Kurun et de ses compagnons. Il faut mettre fin aux supercheries de Garang Xhévât, et sans tarder : plus il attend et plus augmentent les risques qu'un navire étranger poussé par une tempête, comme la malheureuse *Hirondelle*, arrive sans autre encombre en vue d'un rivage ou d'un port.

Les Ghât'sin, c'est l'évidence même, ont usé de leur talent et de celui de leurs Natéhsin pour faire exploser les trois statuettes et leurs blocs d'orcite au milieu d'illusions stupéfiantes. Ce sont ces fragments que l'on trouve partout sur la dernière terrasse de la Chambre du Dragon. Mais comment le prouver ?

Et si l'on raisonnait à l'envers à partir des croyances de Xhélin, pour l'amour de l'argument ? Admettons qu'il se forme bel et bien un œuf, qu'une opération magique des Ghât'sin sur l'ambrose et l'orcite des statuettes a produit en les fusionnant. Comment s'y seraient-ils pris ? Il faut tenir compte de l'intense lumière dégagée lors de l'opération…

Une lumière qui n'est pas sans rappeler celle d'une sublimation.

Ce ne pourrait être une sublimation, pourtant, puisque celle-ci, par définition, ne laisse rien subsister après elle. Mais la magie la plus puissante qu'il connaisse quant à lui, en dehors de l'excommunication qui ne s'appliquerait nullement ici, et qui d'ailleurs n'est pas accompagnée de lumière, c'est bel et bien la sublimation. S'il en juge par les réactions de Xhélin autrefois, les Mynmaï connaissent très certainement cette magie, puisqu'elle est réservée à leur rituel le plus sacré, le plus secret, pendant le Festival du Dragon de Feu.

Il ne peut retenir un frisson horrifié en songeant soudain à ce qu'il adviendrait de lui s'il venait à connaître une mort accidentelle. Les Mynmaï ne se désolent pas outre mesure si des corps se perdent, dans les marais, les fleuves ou la mer. Et ils enterrent leurs défunts, dans un linceul, à même le sol. Xhélin a été assez disert sur le sujet : les corps vont nourrir plantes et animaux dans l'éternel cycle de la vie, et leur *tchènzin*, leur parcelle de substance divine, suit le même long parcours pour se transformer peu à peu en *tanpèh* ou en *hètsyièn* – il n'a pas précisé pourquoi cette substance-ci ou celle-là. Le Dragon de Feu s'en nourrit, en restituant une partie aux Maisons des divinités et en diffusant le reste dans la Création. C'est très logique, à sa façon, et bien sûr d'une pathétique, d'une consternante fausseté : toutes ces malheureuses âmes perdues… Il n'en a jamais perçu une seule depuis l'Entremonde, à dire vrai, même avec le talent de Kurun, mais les âmes perdues des géminites n'errent pas non plus de façon perceptible au talent dans le monde ordinaire ainsi que le prétendait le catéchisme du Magistère. Leur présence est peut-être bien plus subtile.

Allons, il n'est pas un christien venu convertir les Mynmaï de force, ni même un ecclésiaste géminite venu les persuader. Son rôle est plus harmonieux, et plus humble : simplement convaincre Xhélin et les Natéhsin qui vivent désormais avec lui de la fausseté d'une parcelle de leurs croyances, en espérant que cette faille s'élargira ou en créera d'autres dans la coque de naïve confiance qui les emprisonne.

Et donc, les Ghât'sin pratiqueraient une puissante magie sur les statuettes. Des statuettes censées représenter la triade de Hétchoÿ. Qui était absente lors de sa seule audience avec les Natéhsin, et l'était aussi dans la Chambre du Dragon, il s'en souvient parfaitement: neuf Natéhsin à la cérémonie du Mariage Sacré, s'il y avait douze Ghât'sin.

Avec une soudaine et brûlante excitation, il s'appuie des deux bras sur la table de pierre. Il manquait une triade dans la Chambre du Dragon. Les statuettes sont censées représenter Hétchoÿ: et si cette triade arrivait à la fin de sa brève existence juste au moment d'un Grand Festival? Si elle mourait avant que la nouvelle triade du Phénix ne soit sanctifiée? Peut-être est-elle sublimée à ce moment-là, ce qui produirait ce jaillissement de lumière froide?

La seule occasion où l'on se livrerait à une sublimation ici, ce devrait bien être pour les créatures les plus sacrées des Mynmaï! N'est-ce pas ainsi qu'on pourrait interpréter la fable? Hétchoÿ, ou du moins ses substances primordiales transférées dans les statuettes et sublimées par le Dragon, s'en va rejoindre Huètman' pour revenir ensuite en jeune 'Xhaïgao par l'entremise du Dragon de Feu et amorcer un nouveau cycle qui la fait passer de Maison en Maison à Garang Xhévât, d'âge en âge, jusqu'à redevenir Hétchoÿ – puisque c'est une seule et même triade de Natéhsin qui revient toujours, ils en sont tous fermement persuadés.

Et la jeune triade du Phénix pourrait avoir été suspendue jusqu'à ce moment du Festival! Les Mynmaï connaissent bel et bien cette magie, Xhélin le lui a confirmé, malgré ses réticences. La triade serait rassemblée en même temps que serait sublimée celle de Hétchoÿ.

Si, suspendus, les membres de la nouvelle triade du Phénix ont été rassemblés dans la Chambre du Dragon, cela pourrait expliquer leur comportement pour le moins étrange par la suite, car cela du moins, leurs multiples conjonctions passionnées entre eux et avec lui, il ne l'a pas imaginé.

Il se redresse, exultant. Victime des illusions tissées par les Ghât'sin, il n'a peut-être pas vu tout ce qui s'est passé sur la plate-forme, mais il en a vu assez. Les Ghât'sin subliment les trois Natéhsin de Hétchoÿ, en tissent de quelque façon la lumière pour susciter l'illusion du Dragon de Feu, puis créent celle de cet œuf géant où dort la nouvelle triade… Après quoi, ils détruisent les trois statuettes, dont les fragments vont joncher le sol de la Chambre du Dragon.

Cela sonne trop juste, c'est d'une simplicité trop élégante pour n'être point ce qui s'est passé.

Mais présenter cette explication à Xhélin ne suffirait peut-être pas à le convaincre. Au pire, le Ghât'sin gardera le silence, parce qu'il estime en avoir assez dit sur ce saint mystère en contant la fable de la création des Natéhsin. Au mieux… il serait peut-être assez choqué pour préciser tel ou tel détail en essayant de rétablir la vérité telle qu'il la comprend.

Il pourrait être aussi trop choqué, et prévenir ses aînés à Garang Xhévât.

Pour ce qui est de Kurun, de Nandèh et de Feï… Ils ne savent tout simplement pas ce qui s'est passé en dehors de ce qu'on leur a sans doute appris du rituel. “Nous sommes les Enfants du Dragon”, c'est tout ce qu'ils consentent jamais à dire sur le sujet.

Non, plus il y songe, plus il lui semble qu'une bonne manière de faire vaciller leurs certitudes erronées, ce serait de leur prouver qu'aucune magie ne peut produire le matériau qu'ils s'imaginent constituer l'œuf du Dragon.

Et d'abord leur prouver que si les statuettes étaient sublimées par le “Dragon de Feu”, comme ils le croient, il n'en resterait rien.

Il va chercher les boîtes hermétiques où il a entreposé orcite et ambrose broyés en fines particules.

Inutile pour l'instant de gaspiller son talent sur des masses plus importantes. Quelques grains suffiront. Un souvenir brusquement resurgi le fait sourire : les intéressantes catastrophes que leur décrivait toujours monsieur de Fontvielle, à la Maîtrise, avant les exercices de sublimation élémentale. Les foudres et explosions prédites ne se produisaient jamais, cependant. Le vieux Maître aurait dû se contenter de leur conseiller mesure et prudence, car ses exagérations finissaient par obtenir l'effet contraire !

Inutile de faire appel au talent de Kurun pour une procédure aussi insignifiante. L'opération en sera d'ailleurs d'autant plus probante. Il appelle son propre talent, qui s'ouvre aussitôt.

L'orcite d'abord. Les grains se muent en une légère vapeur lumineuse. L'ambrose, à présent. Vapeur encore, plus opaque un peu. Elles s'en vont toutes deux se fondre dans la substance de l'Entremonde, comme il est normal. Il ne peut retenir un léger sourire : si vraiment c'étaient les substances du chaos primordial, l'on s'attendrait à ce que cela eût plus d'effet.

Mais le Dragon de Feu est censé les sublimer *ensemble* pour les fusionner. Il faut peser avec soin les grains rouges et les grains dorés selon les proportions établies, les mélanger dans un creuset, y appliquer ensuite, avec prudence néanmoins, la force ardente du talent… Il ne peut retenir un sourire : plus il y songe, plus ce doit être à cause de son affinité avec le feu que les Ghât'sin l'ont choisi lors du naufrage, lui et non Nathan. Outre bien sûr le fait que son talent à lui serait de prime abord inaccessible, comme il le fallait pour l'Étranger de la Prophétie qui ne pouvait toucher ni être touché.

La vibration des matériaux s'accentue, ils semblent se condenser dans un espace toujours plus resserré… Et soudain la lumière, intense et froide.

Et avec elle une explosion qui fait voler le creuset en éclats.

Il en arrête aussitôt les fragments, vérifie, légèrement penaud, qu'il n'y a pas eu d'autres dommages dans le laboratoire. Eh bien, monsieur de Fontvielle aurait eu raison, pour le coup. Mais il avait tout de même appris la prudence : il se tenait assez loin – le vieux radoteur serait content de lui.

Alors qu'il finit de balayer les éclats de pierre, il perçoit un mouvement du coin de l'œil. Se redresse, inquiet. Mais ce sont Kurun, Nandèh et Feï, accoudés à l'unique fenêtre sans vitre qui donne sur la cour.

« Tout va bien, les rassure-t-il. Une simple petite expérience explosive. »

Ont-ils perçu autre chose ? Ils semblent plus curieux que fâchés ou angoissés, du moins Kurun, dont les traits sont toujours plus expressifs que ceux de ses compagnons. Qu'ils observent, c'est encore mieux !

Il revient à la table de pierre. Une expérience explosive, en effet. Cela pourrait avoir des applications utiles. Mais pour ce qu'il désire démontrer, ce n'est pas ce dont il a besoin. Il y a eu de la lumière dans la Chambre du Dragon, plus tard la coque illusoire de l'œuf s'est fendillée et elle a éclaté, mais il n'y a pas eu d'explosion en tant que telle. Peut-être les proportions reconstituées sont-elles inexactes. Auquel cas il faudra procéder à toute une ennuyeuse série de dosages différents. Il laisse échapper un soupir.

Mais si l'on a sublimé la triade de Hétchoÿ, elle devait avoir été suspendue auparavant. A-t-on fait subir le même processus aux statuettes ? Et s'il essayait de suspendre orcite et ambrose avant de les sublimer ? Peut-être cela rendrait-il l'amalgame inerte au moment de la sublimation ?

La suspension demande un léger effort – curieux, compte tenu de la faible quantité de matériau impliquée.

Et maintenant, la sublimation. En se tenant à bonne distance, il se recueille, énonce intérieurement les sortilèges appropriés pour ces éléments, dans la langue magique qui ressemble si étrangement à la langue mynmaï. Les filaments de son talent vont se coller aux substances suspendues, se resserrent en se confondant peu à peu avec elles pour ne plus former qu'un amas toujours plus condensé, plus vibrant, plus ardent… mais cela prend donc bien du temps, pour une si petite quantité !

Enfin le glissement abrupt et caractéristique, comme un décrochage, et ensuite ce sera la lumière, l'élan, le tourbillon puis la diffusion des substances sublimées.

Mais… non ?

La diffusion n'a pas eu lieu.

Il reste quelque chose.

C'est impossible !

Il le perçoit pourtant dans le registre ordinaire tout comme dans celui du talent : une dizaine de granules sphériques, incandescents et néanmoins froids, d'une teinte légèrement rose orangé qui s'accentue un peu, puis se fixe tandis que le matériau devient plus opaque.

Le cœur douloureusement battant, l'esprit en déroute, il contemple le fond du creuset. Il a dû faire une erreur. C'est la seule explication possible. Il y a très longtemps qu'il n'a pratiqué ce sortilège.

Il n'ose se retourner vers la fenêtre. Sont-ils toujours là ? Voient-ils ce qui se passe ? Mais le talent de Kurun n'est pas ouvert, ni celui des deux autres. Ils sont simplement curieux. Paisibles, et comme… résignés ? Ils doivent encore penser qu'il est un peu fou.

Un soudain bruit de course, des pieds nus sur les dalles de la cour. Il se raidit. Xhélin. Xhélin sait ce qui se passe et il s'en vient. Le talent du Ghât'sin est ouvert, lui, et Xhélin est rempli d'une stupeur horrifiée.

Gilles se retourne. Kurun et les deux autres Natéhsin ont quitté la fenêtre. Son talent les suit dans la cour. Elles vont à la rencontre de Xhélin. Elles l'arrêtent. Elles l'arrêtent ? Oui, et elles le calment. « La Prophétie continue de se manifester, comme elle le doit, dit Kurun. Il ne faut pas avoir peur, Xhélin. Il faut être libre. » Xhélin demeure un instant figé, puis il se laisse tomber à genoux et se prosterne devant elle. Nandèh et Feï le relèvent, mais il se prosterne à nouveau.

Gilles observe ce tableau depuis la porte d'entrée, incertain de ce qu'il doit faire à présent, aux aguets – mais le bracelet ne brûle pas à son poignet, rien ne se manifeste dans l'Entremonde. Osera-t-il pousser son talent jusqu'à Garang Xhévât pour vérifier si l'attention des Ghât'sin là-bas s'est tournée de ce côté ? Mais Kurun a raison : qu'ils l'aient désiré ou non, il n'a fait que réaliser plus complètement la Prophétie. Il a fusionné les deux substances primordiales. Il est le Fils du Dragon.

Et le monde existe toujours.

Cela ne confirme-t-il pas qu'un monde nouveau a bel et bien pris naissance, où les anciennes vérités n'ont plus cours ? Car si ces granules ressemblent au matériau de l'œuf, cela ne signifie pas nécessairement qu'il y avait un œuf dans la Chambre du Dragon comme ils le croient, n'est-ce pas ?

Kurun et les deux autres se sont retournés vers lui. Toujours paisiblement curieux. Peut-être le croyaient-ils et l'ont-ils toujours cru, malgré les protestations de Xhélin.

D'un pas délibéré, il retourne dans la salle. Touche les granules – ni froids ni chauds. Sont-ils creux ? Si on les soumet à une pression, éclateront-ils ? Il les verse dans un mortier, prend un pilon et entreprend de les écraser, d'abord avec prudence. Ils résistent. Surpris, il en isole un pour y appliquer son talent.

Le granule résiste encore ! Il n'y a pas appliqué toute sa force, mais voilà qui pourrait être une propriété utile. Et surtout, on peut en déduire que l'œuf hypothétique, une fois formé – au cas où il ne se serait pas agi d'une illusion après tout –, ne pourrait sans doute pas exploser comme il l'a vu faire. Ou seulement si l'on y applique un effort considérable de talent. Va-t-il faire appel à celui de Kurun pour vérifier cette hypothèse ?

Mais quand bien même l'œuf eût existé dans le monde ordinaire, et eût explosé, il ne serait sûrement pas divisé à nouveau en ses constituants originels intacts !

Dans le registre du talent, en tout cas, il émane de ces granules une condensation bleutée à la vibration très particulière, un peu comme celles d'un aimant. Mais ici, elle se diffuse dans toutes les directions à la fois. Et cette substance n'est ni du métal ni un minerai métallique. Cela ne ressemble même pas à de la pierre. Il prend une des plus petites coupelles métalliques à mesurer, y ramasse des granules, la retourne. Aucun granule ne colle au fond. Ils ne se collent ni ne se repoussent entre eux non plus.

Il sent qu'on bouge dans son dos, se retourne : Kurun, Nandèh et Feï l'observent, de nouveau accoudés dans l'embrasure de la fenêtre.

5

Pierrino s'agenouille auprès de Senso pour le prendre dans ses bras, sans se soucier des lettres éparpillées autour d'eux sur le plancher. Il pose son front contre le sien. Il ne sait que dire – c'est tout juste s'il peut s'empêcher lui-même de pleurer, mais il ne faut pas, puisque Senso pleure. Sa curiosité est morte. Il arrive à peine à penser qu'il voudrait être à la maison, avec Jiliane, il voudrait n'avoir jamais fait ce voyage à Olducey, il voudrait n'avoir jamais lu ces lettres !

Senso se redresse en reniflant, s'essuie le visage d'un revers de manche. « Nous irons à Paris », dit-il d'une voix éraillée, prenant Pierrino complètement au dépourvu. Puis, voyant sans doute sa surprise : « Pas seulement pour rendre visite à Arnaud… » Il esquisse un pâle sourire. « Mais nous irons voir cette troupe de théâtre, si elle existe encore. Cette dame, la directrice, madame Andoriakis. Peut-être pourra-t-elle nous en apprendre davantage. Les lettres disent qu'ils étaient très liés, nos parents et elle.

— Nous apprendre quoi ? Ils sont allés à Paris, ils en sont partis, ils sont morts, Jiliane est née, qu'est-ce que cela changera ? »

Il entend sa voix qui se brise. C'est Senso maintenant qui l'étreint, qui attend qu'il se reprenne, en disant avec douceur : « Je ne sais trop. Mais je veux rencontrer cette femme. Peut-être nous indiquera-t-elle d'autres personnes, qui sait ? Et nous allons à Paris, de toute façon, n'est-ce pas ? »

Pierrino hoche la tête sans parler ; il n'est pas encore trop sûr de sa voix.

On frappe de nouveau à la porte, Larché, encore, qui vient reprendre le plateau, et fouiner, sans doute ! Pierrino se relève pour aller ouvrir. Si Larché se rend compte de quelque chose, il ne le montre pas ; il vient reprendre le plateau sur lequel ils ont laissé les reliefs de leur repas, en évitant avec une curieuse grâce les piles de lettres. « Nous passerons par Paris demain, dit Pierrino, irrité. Et nous y resterons au moins deux jours. »

Après un petit silence, Larché dit : « Votre grand-père ne sera *vraiment* pas content.

— Il comprendra, dit Senso. Nous allons lui envoyer un autre mot par courrier rapide. Il est dix heures environ. Nous avons le temps pour le courrier de minuit. »

Larché garde le silence, cette fois. Pierrino s'attendait à plus de résistance ; stupidement frustré, mais il ne peut s'en empêcher, il ajoute : « Vous pouvez toujours retourner à Orléans sans nous, si vous le désirez, nous sommes capables de nous débrouiller seuls. »

Larché sourit presque, en branlant légèrement du chef, puis sort sans un mot.

« Nous partirons tôt demain ! » lance Pierrino à la porte qui se referme.

L'expression de reproche de Senso parle pour lui. Pierrino fait une moue : « Je sais, ce n'est pas sa faute, Grand-père nous a confiés à lui, il fait son travail. »

Ils ramassent les piles, un peu plus au hasard, les replacent dans les pochettes et les pochettes dans les sacoches. Ils devraient être épuisés, mais Pierrino se sent maintenant débordant d'une énergie nerveuse qui, sans lui permettre de vraiment penser, lui fait arpenter la pièce, les poings serrés, les nerfs fourmillants. Senso, installé à la table débarrassée des lettres, a sorti son écritoire de voyage. Il réfléchit un moment, l'air sombre, puis propose à voix haute, comme ils le font chacun depuis le début du voyage afin que l'autre puisse intervenir s'il le désire.

« 'Cher Grand-père, les lettres de notre père ont généré davantage de questions, dont nous pensons trouver certaines réponses à Paris. La proximité de la ville est trop tentante'…

— 'L'occasion est trop propice', rectifie Pierrino, maintenant assis en face de lui ; il va pour appuyer sa joue sur une main, sursaute presque au contact inhabituel de sa barbe.

— 'L'occasion est trop propice pour ne point en profiter. Nous passerons donc par Paris avant de revenir à Orléans. Nous devrons sans doute y rester deux jours. Monsieur Arnaud d'Ampierre, rencontré alors que nous quittions le palais royal…

— 'Un de vos amis encyclopédistes' ?

— C'est trop vague. Il préférera nous savoir avec quelqu'un de sa connaissance… 'rencontré alors que nous quittions le palais royal, nous a offert le vivre et le couvert, dussions-nous jamais passer par Paris. Nous le prendrons donc au mot, et nous vous rejoindrons ensuite au plus vite à Orléans, où nous espérons que vos affaires auront été fructueuses. Avec notre plus respectueuse affection, vos petits-enfants'. »

Il écrit rapidement, de sa belle écriture bien liée, signe son nom, retourne la feuille et la pousse vers Pierrino, qui la relit d'un œil critique. Cela demeure bien vague, mais que Grand-père pourra-t-il y faire ? Ils seront déjà en route vers Orléans lorsqu'il recevra cette lettre ! Il signe.

« Il faut écrire aussi à Jiliane », murmure Senso.

Cette lettre-là prend davantage de temps, même s'ils ne lui racontent presque rien : ils ont rencontré les de Creilles, cela s'est bien passé, ils ont les lettres, ils doivent aller à Paris rencontrer des amis de leurs parents pour éclaircir certains détails, ils arriveront avec un peu de retard sur le calendrier prévu. Mais ils pensent très fort à elle, tous les jours, et ils lui écriront plus longuement depuis Orléans à propos de leur équipée à Olducey et à Paris.

Une fois les lettres cachetées, ils descendent à la chambre de Larché ; il lit à la lueur d'une grosse chandelle, étendu sur une couche qui tient plutôt d'une banquette, quoiqu'il y semble parfaitement à son aise.

Il se lève et met son manteau avec des gestes économes lorsqu'ils posent les lettres sur la minuscule table de nuit.

« La poste n'est pas très loin d'ici, n'est-ce pas ? » demande soudain Pierrino. Il a le sentiment qu'il ne fermera pas l'œil de la nuit, et il suffit de regarder Senso pour voir que lui non plus n'a pas sommeil.

« Quatre ou cinq rues.

— Nous irons avec vous. Nous avons besoin de nous dégourdir les jambes. »

6

Jiliane est redevenue Jiliane, mais elle ne s'éveille pas. Elle attend, patiente et curieuse, que la main invisible tourne la page afin de l'emporter plus loin dans son rêve.

◆

Une odeur de brûlé. Avec un sursaut, Gilles ouvre les yeux sur les sculptures de la chambre qui semblent danser sur les murs. Éclairées. Par des flammes.

Son talent aussitôt ouvert va étouffer le feu, puis il demeure un instant immobile, le cœur battant, cherchant autour de la maison: des ennemis, des torches? Rien. Et à son poignet le bracelet d'avers est inerte.

Avec précaution, car Kurun dort toujours près de lui, il se lève et suit l'odeur de brûlé jusque dans le coin sud de la chambre. C'est là qu'il a déposé le coffret la veille, en revenant de son laboratoire.

Le couvercle, comme les côtés, est intact mais complètement calciné. Il le soulève avec précaution et, juste avant que le bois poudreux ne s'effrite entre ses doigts, il voit les trois billes d'ambercite, intactes.

Et lumineuses. Si lumineuses qu'il distingue clairement ses doigts, et le bois noirci du coffret, et l'angle formé par les deux murs, avec leurs hautes frises de feuilles et de fleurs et d'amants enlacés. Il tend la main, suspend son geste avec un tressaillement de stupeur : une chaleur intense se dégage du matériau.

Il s'assied sur ses talons, abasourdi, à peine conscient de la dureté chaude des dalles sous ses genoux. Le halo de lumière qui entoure les billes est absolument immobile. Les billes elles-mêmes sont d'une incandescence radieuse, comme de minuscules soleils, et pourtant cela ne blesse point les yeux.

Mais elles n'étaient ni lumineuses ni chaudes lorsqu'il les a placées hier dans le coffret. Elles ont imperturbablement résisté à tout ce qu'il a pu jeter contre elles, esprit de sel, eau régale, vitriol, comme au feu et à la pression de son talent. Il n'a pas fait appel à Kurun, elle était déjà bien assez lasse d'avoir créé toutes ces billes avec lui, mais il a le sentiment qu'elle n'aurait rien pu non plus. Son ambercite s'est avérée d'une résistance à toute épreuve. Ce qui doit bien avoir une utilité, mais laquelle, si elle ne se forme qu'en billes, et qu'une fois les billes formées on ne peut plus les travailler d'aucune façon ? Les incorporer à du ciment ou à du métal qui seraient moins résistants qu'elles… le bénéfice à long terme en est douteux. Mais voilà qu'une autre propriété des billes se révèle inopinément, et dont l'utilité, elle, ne fait aucun doute : on peut s'en servir pour éclairer et pour chauffer !

Avant d'en anticiper les possibles usages, il faudrait cependant répondre à une question pressante : pourquoi les billes sont-elles soudain devenues brillantes et brûlantes ?

D'ailleurs, elles commencent de s'éteindre et de refroidir. Il n'y a là aucune magie, il le vérifie de nouveau. Pourquoi maintenant ?

Maintenant, elles ne sont plus contenues étroitement dans le coffret. Maintenant, elles sont éparpillées au hasard dans les cendres.

Il les écarte davantage, à des distances différentes des ruines du coffret.

Leur incandescence diminue encore plus vite.

Elles doivent se trouver à proximité les unes des autres pour s'échauffer ! La vibration qu'il a décelée en elles dans l'Entremonde doit être plus rapide lorsqu'elles sont rapprochées, et la vivacité de ce mouvement a enflammé le bois.

Il vérifie que les billes sont assez refroidies pour les prendre, une dans une main, deux dans l'autre. Il attend, en écoutant le souffle paisible de Kurun. Mais les deux billes rassemblées dans sa main ne semblent pas se réchauffer au-delà de la température normale de sa peau, en cette chaude et humide nuit d'été.

Ou bien leur faut-il un matériau plus aisément inflammable ?

Il doit se rendre à son laboratoire pour le vérifier.

◆

Une autre page pour Jiliane, une autre attente, mais qui ne dure pas longtemps, car elle est bientôt de nouveau fondue en Gilles.

◆

Stupéfait, il contemple les quatre billes toujours opaques et fraîches dans leur berceau de bois. Une bille seule, ou deux, et le matériau demeure inerte. Trois billes et bientôt elles s'animent de lumière et de chaleur. Quatre, et tout redevient immobile et froid. Voilà qui est des plus étranges. Leur réaction les unes aux autres ne devrait-elle pas être plus rapide et intense selon qu'elles sont plus nombreuses ?

Avec une moue perplexe, il prend une autre bille, qu'il ajoute aux quatre autres.

Le temps de respirer trois fois et elles commencent de s'illuminer. Cinq respirs et il en émane de la chaleur. Éberlué, il s'efforce de respirer régulièrement, en comptant, tout en attendant qu'apparaissent le premier petit point brasillant puis le mince filet de fumée indiquant que le bois prend feu. Il devra procéder d'une façon plus rigoureuse, décidément, se fabriquer un sablier, au moins, pour mesurer exactement le temps écoulé. Ah, voici l'étincelle. Un peu plus de vingt-six respirs. Il en a fallu trente-deux précédemment. Il en faudra sans doute moins avec davantage de billes.

Pas une, ni deux, ni quatre. Mais trois, et cinq…

Et sept, et neuf, et douze ? Avec un léger sourire amusé, il prend deux billes, va pour retourner sur une coupe plus grande la coupe de bois mince contenant les cinq premières. Et s'immobilise, avec une soudaine angoisse. Aucune logique du monde ordinaire ne peut prescrire à ce matériau de se comporter ainsi en accord avec les nombres sacrés de Garang Xhévât. Ce ne peut être une coïncidence.

Mais il a beau tendre son talent, il ne perçoit ici rien de magique.

Nandèh et Feï se sont lassées du laboratoire. Kurun semble ne trouver aucun inconvénient à ce qu'il explore davantage la part qu'il joue dans la Prophétie. La veille, elle l'a aidé à fabriquer les billes sans réticence aucune – il a dû l'arrêter lui-même en constatant sa lassitude, surpris, puisqu'elle ignore habituellement les contrecoups, et surtout honteux d'avoir fait appel à elle pour servir son enthousiasme et sa curiosité : elle porte leur enfant… Mais elle a répété, comme toujours lorsqu'il s'inquiète de la voir trop active : « L'enfant est dans sa propre Maison. » N'était-il pas étrange qu'elle subît soudain un contrecoup, même léger ? Serait-ce une indication qu'il y a plus qu'il ne peut percevoir à la création de ce matériau, à cette sublimation qui n'en est pas une ? Kurun a simplement répondu : « C'est la substance primordiale. » *Hututpèhtsièn.* Le *chaos* primordial. Elle l'a dit presque en souriant, sans inquiétude.

Mais Xhélin est reparti – sombre et anxieux, il s'est enfoncé dans la jungle, loin de Garang Xhévât. Kurun l'a rappelé, il est revenu, obéissant. Et toujours accablé d'angoisse.

Il sent le bois qui s'enflamme, l'éteint aussitôt et, avec des pincettes, retire trois des billes pour qu'il n'y en ait plus que quatre dans la coupe. Tout à ses réflexions, il a oublié de compter ses respirs. La quantité de lumière et de chaleur ainsi que la rapidité de la réaction mutuelle des billes semblent proportionnelles à leur nombre. Et sans doute aussi à leur taille, il faudra le vérifier ultérieurement. Mais plus il y a de matériau initial à fusionner en le sublimant, plus augmente aussi l'effort exigé du talent.

Demander leur aide à Nandèh et à Feï ? Xhélin refuserait peut-être de "manifester leur talent"... mais s'il le faisait, paradoxalement, ce serait une étape importante dans sa libération. Et pour Nandèh et Feï, qui devraient passer par lui au lieu de Xhélin, ce serait important aussi... Devrait-il en fin de compte essayer de les lier à lui comme il l'a fait de Kurun ? Peut-être pas. Elle saura sans doute le lui dire. Mais il faudra trouver un moyen de répartir la synergie entre eux de façon à produire des billes plus grosses. Il faudra aussi vérifier combien de temps elles peuvent entretenir leur réaction les unes aux autres, quelle est la distance idéale entre elles selon leur nombre et leur taille... Oh, il en a pour des semaines à expérimenter !

Il peut dès à présent anticiper un problème général, cependant, et en relation justement avec la taille des billes : elles ne sont utilisables que si elles ne détruisent pas leurs contenants ou leurs supports, ou ne les endommagent pas trop vite. Cela risque de limiter singulièrement leurs usages.

La nuit s'achève, le jour point, mais il ne ressent aucune fatigue. Il est trop excité, l'esprit bouillonnant. Et – il sourit, amusé – il a faim.

Il va se chercher à manger dans le coin de la maison consacré à la cuisine, quelques fruits, des boulettes de riz collant et des lanières de poisson fumé, rapporte le tout sur un plateau. Ah, il a oublié le thé. Qu'à cela ne tienne, il s'en concoctera un d'herbes ! Dans la théière, il place trois billes, quelques pincées de menthe et une coque d'anis étoilé prises dans les pots qui trônent sur les étagères, y verse de l'eau. Attend, en mesurant son souffle.

Après trente-sept respirs, de la vapeur s'échappe du bec de la théière. Saisi d'une brusque curiosité, il obture l'opercule avec un morceau de terre glaise qui traîne dans un récipient sous un linge humide, et bientôt le couvercle de porcelaine se soulève et retombe en tintant. L'infusion sera bouillie, Xhélin ou Kurun feraient la grimace, mais il importe peu : on pourrait utiliser ainsi les billes, pour la cuisine, ou en tout cas pour chauffer de l'eau quand on ne peut allumer un feu. Les voyageurs… les marins… Il faudrait fabriquer des contenants où les billes seraient éloignées les unes des autres…

Il ôte le couvercle chaud, le remet en place pour le regarder se soulever de nouveau, songeur. Lorsqu'il a quitté Aurepas, en 1572, on commençait d'expérimenter au Hutland avec la force de la vapeur, de façon moins rudimentaire que les Anciens parce que l'on sait désormais produire du métal plus solide pour en contenir la pression. Il ne sait où l'on en est de ces recherches à présent, mais cela doit rester peu pratique à cause de la quantité de combustible nécessaire pour produire une force utilisable à grande échelle. L'étude et l'usage plus poussés du charbon par les Anglais indiquent certes là une source de chaleur plus efficace. La pierre de terre existe en France, bien sûr, on s'en sert localement pour se chauffer, mais il faudrait l'extraire en grandes quantités et l'exemple de l'Angleterre montre déjà comme le travail de ces mines est pénible et dangereux – même si l'on aurait en pays géminites des moyens magiques de remédier à ces disharmonies. Mais ces billes… ne serait-ce point une source de chaleur à la production relativement aisée, au maniement facile et à l'usage propre ?

Il verse dans une tasse le liquide verdâtre et odorant, le hume longuement avec une satisfaction qui ne doit rien à son arôme, l'esprit pétillant d'idées et de projets. C'est lui seul qui l'a créée, cette nouvelle substance. Lui seul en connaît la composition, les proportions, le procédé de fabrication. Lui, Gilles Garance, fils adoptif de son oncle, talenté sauvage abusivement privé de son talent, seul survivant de l'expédition de Jakob Ehmory au Pays des Dragons en cet an de grâce 1578. Lui, l'Étranger de la Prophétie mynmaï. Non, un tel enchaînement d'accidents ne peut être une simple coïncidence, pas plus que la réitération des mêmes nombres dans les escaliers de Garang Xhévât, les rythmes dansants du Grand Festival et les arrangements de ses billes d'ambercite.

7

Les rues sont désertes, les volets noirs. De temps en temps, un aboi de chien, un lointain fracas de charrette là où l'on livre de nuit. Le temps s'est dégagé, un froid plus sec fait scintiller les étoiles. Pierrino marche d'un pas vif, presque heureux de se sentir le nez qui pique lorsqu'il respire. Presque deux jours enfermés à lire, même Senso doit être content de se trouver dehors.

La poste n'est pas loin en effet, le seul édifice encore éclairé dans son quartier. Dans la cour, un palefrenier à l'air endormi mène à l'écurie deux chevaux bruns dont les sabots renvoient des échos solitaires contre les murs. Il ne règne pas ici une activité fébrile : les citoyens de Senlis n'envoient guère de messages urgents à une heure aussi tardive, il faut croire.

Ils entrent à la suite de Larché dans la salle des courriers. Elle est en régime nocturne : les rares lampes à huile y sont très basses, et il faut un moment à Pierrino pour que ses yeux s'y habituent. Il distingue alors, assis à des tables dans les coins les plus sombres, une demi-douzaine d'hommes vêtus de cuir et discutant à mi-voix ou jouant aux cartes, ou encore allongés sur de larges banquettes, un coussin sous la nuque, à se reposer.

Larché se rend au comptoir dans la pièce voisine pour faire enregistrer les lettres, tandis que Pierrino, fasciné, observe les courriers. Ils bénéficient, comme leurs montures, d'une magie verte : outre l'habituelle protection contre les éventuels dangers, un sortilège les rend capables de voir comme en plein jour dans la nuit la plus noire – ce qui permet à la poste rapide de fonctionner en continu, avec des départs toutes les deux heures. « Que font-ils le jour ? » avait demandé Senso, la première fois où, alors qu'ils étaient tout petits, on leur avait parlé des courriers rapides afin de leur expliquer les usages légitimes de la magie verte dans la vie quotidienne. « Le jour, ils dorment. On les utilise sur des parcours et des distances bien définis, de sorte qu'ils arrivent toujours à leur destination avant l'aube. Et ils repartent la nuit suivante.

— Mais les nuits de pleine lune ? » se rappelle avoir demandé Pierrino ; à guère plus de cinq ans, il s'exerçait déjà aux oui-mais.

Madeline avait secoué la tête avec un amusement déguisé : « Quand la lune devient trop forte, on envoie d'autres courriers.

— Mais quand ils ne veulent plus être courriers de nuit ?

— On cesse le sortilège », avait dit Madeline.

Senso en avait été bien déçu : il préférait imaginer que les courriers continuaient de vivre à l'envers des autres gens jusqu'à la fin de leur existence. Et il avait raconté pendant un temps à Pierrino des histoires de magiques chevaux aux yeux de feu montés par de magiques cavaliers aux yeux de feu, qui galopaient dans la nuit en laissant derrière eux des traînées d'étincelles.

Mais les courriers qu'il observe maintenant à la dérobée sont tous parfaitement normaux, excepté le fait que leurs yeux à tous paraissent noirs à cause de leurs pupilles largement dilatées. L'un d'eux, un homme d'une trentaine d'années aux traits rudes, a vu que Pierrino l'observe et lui adresse une grimace amicale accompagnée d'un clin d'œil. Il doit avoir l'habitude.

Ils reviennent à l'auberge d'un pas vif qui ralentit enfin lorsque Pierrino remarque, partagé entre la surprise et l'agacement : « J'ai faim, ma foi. » Il soupire : « Mais il n'y aura plus personne debout à l'auberge.

— Vous pouvez aller à la cuisine, dit Larché, je ne crois pas que l'aubergiste y aura d'objections. Je lui paierai un petit supplément demain. »

Les deux chiens qui somnolent devant la cheminée de la grande salle commune se lèvent pour bondir vers eux, sans aboyer, mais doivent les reconnaître comme des clients, car ils s'arrêtent et se mettent à frétiller de la queue, puis les accompagnent dans un cliquetis de griffes à la cuisine encore tiède, avec espoir. Après avoir allumé une bougie aux braises bien rouges encore du poêle – « Ah tiens, ce serait utile de voir dans le noir, en l'occurrence ! » –, Senso déniche une bouteille de vin rouge, se saisit dans le garde-manger d'un morceau de saucisson, d'un fromage de chèvre à peine entamé et d'une demi-tarte aux pommes ; Pierrino coupe deux épaisses tranches de pain bis et ils se tirent des chaises près du poêle. Pierrino est stupéfait de manger de si bon appétit. Mais Senso semble apprécier lui aussi le festin improvisé.

Puis, sur la pointe des pieds, après avoir offert les peaux de saucisson aux chiens, et un rapide passage aux cabinets – fort mal conçus et nettement plus odorants que leurs contreparties géminites –, ils remontent l'escalier qui ne grince pas trop.

Il y a de la lumière sous leur porte.

Pierrino s'arrête en fronçant les sourcils. Avaient-ils ou non éteint la lampe avant de partir ? Il ne se rappelle plus. De toute façon, il a fermé à clé, cela, il s'en souvient.

Il tourne la clé dans la serrure.

La porte est déjà ouverte.

Son réflexe est celui d'une colère outragée : sans réfléchir davantage, il tire brusquement le battant.

Il ne sait à quoi il s'attendait. Il est surpris de sa propre surprise en voyant Larché assis à la table, une liasse de feuillets à la main. Les objets hérités de Jacquelin sont disposés devant lui.

Il n'a pas bondi de la chaise, il n'a pas lâché les lettres ; il a simplement tourné la tête vers eux et les observe, impassible.

Pierrino en est tout décontenancé. La voix de Senso s'élève derrière lui, très douce, très calme, glaçante – un éclair de souvenir : comme dans la forêt avec le grand Louis. « Eh bien, Étienne ? »

L'autre, sans se troubler, place posément les papiers sur la table et se lève : « Je dois vous protéger, dit-il avec un calme égal. Je ne peux remplir correctement ma tâche sans un… (il esquisse presque un sourire)… complément d'information. Ces lettres vous poussent à aller à Paris, il me fallait en savoir la raison. »

Pour Larché, c'est un véritable discours. Pierrino se demande pourquoi il ne parvient pas à être plus furieux. De fait, il aurait presque envie de rire. C'est nerveux, sans doute.

« Nous protéger de quoi, de qui ? » La voix de Senso est toujours aussi calme, aussi dangereuse.

« Votre grand-père est un homme important, du moins il va le redevenir. Il a des ennemis.

— Les barons du charbon », dit Pierrino en haussant un peu les épaules.

Le regard attentif de Larché se tourne vers lui.

« Les lettres n'en parlent aucunement », déclare Senso, catégorique.

Larché hésite – du moins est-ce ainsi que Pierrino choisit d'interpréter le bref affaissement de ses traits par ailleurs si inexpressifs. Puis il prend un des objets sur la table, le bracelet de métal cuivré : « Savez-vous ce qu'est ceci ?

— Une babiole superstitieuse de christien, rétorque Pierrino.

— C'est un véritable bracelet d'avers. »

Pierrino reste sans voix. Senso s'approche pour examiner l'objet, mais sans le toucher. « Et comment le savez-vous ? » demande-t-il, toujours avec la même intonation tranchante.

« Votre grand-père en possède un. Les marques et la fermeture de celui-ci sont authentiques. »

C'est à Senso d'ouvrir de grands yeux, cette fois.

« On en a consenti un à votre famille, autrefois, parce qu'elle détenait des secrets essentiels à la sécurité de l'État », précise Larché en replaçant le bracelet sur la table.

Pierrino le préférait laconique : il pourrait se passer de ce surplus d'informations dérangeantes. Ces objets impossiblement magiques existent donc réellement ? Ce ne sont pas des fictions, un artifice inventé pour permettre aux preux héros des contes de fées de se protéger des nécromants en devenant totalement inaccessibles à leurs sorcelleries ? Et Grand-père en posséderait un. Grand-père, passe encore, cela s'expliquerait, mais Jacquelin ? Pourquoi un talenté atlandien en posséderait-il ? Il n'en aurait eu nul besoin pour se prémunir contre des magies malfaisantes. Et ni la grand-mère Jeanne ni leur père n'en aurait eu non plus l'usage, étant talentés eux-mêmes. Appartenait-il à Agnès ? Grand-père le lui aurait donné pour la protéger… mais de quelle attaque magique ?

« Vous désirez toujours aller à Paris ? demande Larché.

— Oui », réplique Pierrino d'un ton de défi.

Mais Larché dit simplement : « Bon. À quelle heure dois-je vous réveiller ?

— Six heures, dit Senso. Nous partirons après le déjeuner. »

8

Assise sur le porche du petit pavillon, au milieu de l'étang, les bras autour des genoux, Jiliane observe une silhouette noire et féline qui longe la berge. Elle a le temps de penser "Panthère ?" et puis, assis sur le porche du petit pavillon flottant au milieu de l'étang, les bras autour des genoux, Gilles observe la silhouette noire du félin qui se glisse entre les herbes. Une variété de chat sauvage mynmaï, plus gros que les chats domestiques, avec la tête et les épaules d'un orangé couleur de flammes, telle une coiffe, mais à la robe d'un noir profond par ailleurs, sans les irisations de la plupart des chats noirs qui s'avèrent bruns à la lumière. Il en a vu un il y a trois jours alors qu'il explorait le terrain situé entre le plateau et les collines, afin de déterminer l'emplacement des routes qui relieront les deux mines à la future fabrique. Et un autre plus tard, drapé sur une branche basse au-dessus de la rivière alors qu'il en suivait le cours ; et encore hier soir en marchant le long de l'étang. Mais pourquoi serait-ce le même animal ? Xhélin les appelle "Petits dragons pêcheurs" – dans les fables mynmaï, les félins sont censés être des enfants de dragons. Pourquoi pas : ils ont les mêmes yeux mordorés que les Natéhsin… Un chat qui aime donc l'eau, comme les tigres dont il a sans doute la férocité sinon la taille. Rien à voir avec les chats apprivoisés de Garang Xhévât. S'il y en a trop dans le voisinage, il faudra les écarter du domaine.

Le félin disparaît en direction de l'ouest. Mais il n'y a rien à craindre de ce côté avec Xhélin, Nandèh et Feï là-bas, à la maison, derrière son rideau d'arbres.

Une fois de plus, il se retient d'ouvrir son talent pour y aller voir, tente plutôt de s'abandonner au sentiment tendre et chaleureux que suscite le mot en lui. “La maison”. Leur maison, depuis trois ans. Une simple bâtisse d'un étage pour le moment, teck et bambou, mais confortable, sèche et bien aérée. Plus tard, on verra plus grand, plus durable. Le seul luxe, c'est ce petit pavillon flottant, un endroit retiré pour Kurun et les Natéhsin qui aiment à y venir pendant la saison chaude. Les poissons-chats abondent dans l'étang, et les mêmes carpes tricolores que dans la douve de Garang Xhévât : un lieu plus familier pour Kurun et ses compagnons. Ils aiment l'eau, eux aussi. Ils nagent paresseusement pendant des heures, sans se soucier des serpents qui remontent parfois du fleuve par les canaux jusqu'à la rivière, non venimeux, certes, mais certains sont plus gros que des boas. Non que cela dût changer quoi que ce soit pour des Natéhsin, évidemment.

Nandèh et Feï peuvent rester sous l'eau pendant une durée stupéfiante. Kurun a dit en souriant : “N'aie crainte, ce sont des dragons d'eau !” Il doit se rappeler de plus en plus souvent que les Natéhsin ne sont pas tout à fait des humains ordinaires. Y en a-t-il d'autres, de leur race unique, invisibles dans la forêt, à l'abri des manœuvres de Garang Xhévât ? C'est peu probable. Les Ghât'sin de la ville sacrée doivent vouloir les tenir le plus possible sous leur domination. Peut-être même n'y a-t-il que ceux auxquels ils permettent de naître, en très petit nombre.

Il fait un effort pour se détourner de ces pensées, en contemplant l'eau étale et sombre de l'étang. Un bras mort de la rivière : il faudra y accomplir quelques travaux afin d'empêcher l'eau de stagner, le relier à l'un des canaux remis en service, par exemple, afin d'y faire circuler un courant. Lui, il y nage rarement. Il n'aime plus tellement l'eau, depuis le naufrage.

Décidément, tout l'entraîne dans une pente morose ! Il relève plutôt la tête pour voir au loin la ligne des montagnes qui encerclent l'horizon au-dessus des frondaisons, à l'est et au nord, et il sourit, rasséréné : l'endroit idéal, entre les gisements d'ambercite des dernières collines et le plateau avec ses filons d'orcite également presque à ciel ouvert. La petite rivière tumultueuse qui descend des montagnes, à l'est, on la harnachera plus tard pour la fabrique et le moulin. Elle est reliée au Nomhtzé par les anciens canaux d'irrigation qui quadrillent toute la plaine du fleuve dans cette région ; une fois remis en état, ils constitueront une voie directe d'accès et de transport au fleuve puis à Garang Nomh par la Nomhuéthiun.

Et au nord-ouest… Il soupire : impossible d'y échapper ! Au nord-ouest, Garang Xhévât et son grand lac. Et son grand silence. Depuis trois ans, pas un signe. Nandèh et Feï, quand ils en reviennent, n'en apportent jamais de message ni de nouvelles : c'était un petit festival, ils ont fait ce qu'ils font pendant un petit festival, Garang Xhévât est toujours Garang Xhévât. Il n'ose quant à lui ouvrir son talent de ce côté, même avec Kurun. Et pourquoi s'en soucier, au fond ? Si les Ghât'sin de la ville sacrée n'interviennent pas dans ses activités, c'est qu'elles ne les dérangent pas, ou même leur conviennent. Il continue sans doute de jouer le rôle qui lui a été dévolu. Une pensée irritante, certes, mais il ne va pas se plaindre de l'inaction de Garang Xhévât !

L'angoisse qu'il avait réussi à chasser revient, lancinante : cela va-t-il changer, maintenant, avec l'enfant ?

Il se couche sur les planches chaudes, les bras sous la nuque, les yeux perdus dans le ciel et ses hauts nuages. Il a beau faire, il n'arrive pas vraiment à se distraire de Kurun, là-bas, à la maison, en train d'accoucher. Il ne pouvait rien, et elle criait comme une femme ordinaire : il a fini par s'enfuir. Pas de sortilège de silence : aucune magie ne doit participer à la naissance des enfants de Natéhsin. Il n'a pas tenté de discuter, il en a bien senti la totale inutilité. Il ne pouvait même aider de la façon habituelle, seuls Xhélin et les deux autres y étant habilités – et ils l'ont éloigné de la chambre dès que le travail a commencé. Mais si Kurun n'est pas en sécurité avec ces trois-là, elle ne le serait pas davantage avec lui présent. Et puis ce n'est pas n'importe quelle femme, malgré tout, c'est une Natéhsin, c'est *Kurun*. Il connaît son pouvoir. Si jamais elle en a besoin, elle fera appel à lui et il usera de ce pouvoir pour les défendre, elle et l'enfant !

Il ne peut s'empêcher d'être inquiet, bien sûr, mais pour d'autres raisons – le sort de tous les pères, sans nul doute. Kurun est plus voluptueuse dans ses formes depuis qu'elle s'est suspendue dans son aspect féminin, et le bébé s'est avéré de petite taille, une fois qu'il a commencé de grossir, ces six derniers mois – après deux ans et demi ! Mais elle a toujours des hanches étroites, c'est son tout premier enfant, et… L'eau de la bassine entre les mains de Sidonie, toute rouge, ce rouge, affreux, éclatant, maléfique…

Y aura-t-il beaucoup de sang ? Les Natéhsin saignent-elles, lorsqu'elles donnent naissance à leurs enfants ?

Une inquiétude absurde. Kurun a toujours été totalement sereine, les autres aussi. Si jamais il arrive quoi que ce soit, ils seront en mesure d'y remédier, bien certainement. Ils ne la laisseront pas…

Il se redresse brusquement. Et il ne les laissera pas. Peu importent leurs coutumes en la matière. Ils ne lui ont pas expressément dit qu'il ne devait pas observer de loin, ils ont dit qu'il ne devait pas voir l'accouchement, eh bien, il ne le *verra* pas. Il se contentera de le percevoir dans le registre de son talent.

Son incursion est repoussée avec douceur mais avec fermeté, comme si la maison tout entière était isolée. Avec une brusque angoisse, il en vérifie l'origine, mais non, cela vient de l'intérieur de la maison, et non de l'extérieur : aucune influence de Garang Xhévât. Mais… "aucune magie" ? Xhélin et les autres usent de la leur pour l'écarter, ils lui ont menti !

Ou peut-être pas : l'accouchement lui-même doit avoir lieu sans magie, mais cela n'empêche point d'établir des protections alentour…

Est-ce la coutume, ou une volonté expresse de Kurun qui aurait voulu faire ainsi l'expérience d'une véritable humaine ? Elle ne lui a rien dit à ce propos. Compte tenu des superstitions mynmaï, cependant, il serait assez logique que la naissance des talentés ghât'sin eût lieu sans magie aucune. Et à plus forte raison cette enfant-ci, plus magique encore, l'enfant conçue dans la Chambre même du Dragon avec l'Étranger de l'Ouest, l'enfant qui a passé trois ans dans le ventre de sa mère, et seulement dans les six derniers mois a-t-elle commencé de se former vraiment. La croissance de son psychosome était si lente, au début… Mais l'étincelle de son talent était là dès les premiers jours : l'enfant sera aussi puissante que sa mère.

Il n'a jamais pu la toucher, pourtant, elle était réellement "dans sa propre Maison", quoi que cela veuille dire pour des Mynmaï. Ou c'est un effet plus normal, si l'on peut dire, lié à l'absence d'Harmonisation entre leur magie et la sienne. D'ailleurs, même avec son propre talent, il ne pouvait la percevoir sans être avec Kurun, à travers leur lien : cette petite sphère scintillante et vitreuse en elle, qu'il n'a jamais pu pénétrer, que Kurun elle-même ne pouvait pénétrer. Ils en ont tous paru un peu surpris au début, à dire vrai. Pour revenir ensuite à leur antienne : "Il n'y a jamais eu de telle enfant."

Voilà les deux substances primordiales qui ont été fusionnées : la sienne et celle de Kurun. Leur enfant magique, c'est là le véritable début du monde nouveau.

Sa fille. La première de la dynastie des Garance en Émorie. Elle ne présente aucun trait des Garance pourtant : elle ressemblera en tous points à sa mère. Et c'est tant mieux, il veut recommencer à neuf. Il le faut, n'est-ce pas, dans ce nouveau monde ? Et quand bien même cette enfant serait le but ultime des Ghât'sin de Garang Xhévât, il ne les laissera pas la lui prendre sans se battre. Il a trois Natéhsin à sa disposition, et Xhélin – et son propre talent n'est pas si négligeable non plus !

Il ne croit plus aussi fermement qu'au début aux machinations de Garang Xhévât, il peut bien l'admettre. Kurun et les trois autres semblent toujours si étonnés, presque amusés parfois, lorsqu'il leur confie ses craintes. "Garang Xhévât n'a rien à faire avec nous désormais", a dit Nandèh. Pourquoi y retournent-ils pour les festivals, alors ? "Parce que nous avons encore à faire avec Garang Xhévât." Une réponse qu'il aurait dû prévoir. Ils désirent continuer à engendrer des Ghât, à défaut de Ghât'sin, et rester autant que possible fidèles à une partie de leurs devoirs ; il ne leur en tient pas rigueur : c'est assez admirable de leur part.

La gestation habituelle des enfants de Natéhsin est longue – un an moins une semaine. Mais dès le début, ils lui ont dit que cela durerait plus longtemps qu'à l'habitude. Trois ans, tout de même, ce ne peut être normal ? A-t-on décidé à Garang Xhévât, pour des raisons rituelles qu'il ignore, que ce serait la durée de la gestation ? A-t-on suspendu l'enfant à son insu ? Xhélin a secoué la tête avec cette expression stupéfaite et incrédule qu'il arbore parfois, et Kurun a dit : "Non, elle se trouve dans sa Maison, mais si elle n'est pas prête à naître comme les autres, il lui faudra deux autres années. C'est ainsi."

Une question de chiffres, encore. Comment ne pas songer aux mystères de l'ambercite ? Trois, cinq, sept, neuf, douze. Une bille seule demeure parfaitement inerte, un enfant de Natéhsin qui ne naît pas après un an en prendra trois… La même inquiétude resurgit en lui : y a-t-il un rapport, malgré tout, avec les manipulations des minerais auxquelles Kurun participe, n'a jamais voulu cesser de participer ? Elle a toujours dit "mais non" avec tant d'assurance, tout comme Xhélin et les autres… Qu'en savent-ils, après tout ? Ils répètent "il n'y a jamais eu de telle enfant", mais ne se rendent-ils pas compte que c'est une réponse à deux tranchants ?

L'enfant. Ouraïn. Il ne voulait pas la nommer tout de suite. Il se souvient trop bien, les enfants mortsnés d'Éloïse et l'enfant de Sidonie avant Aliette, qui n'a vécu que quelques jours. C'est bien pis lorsqu'on leur a donné un nom, même si l'on sait que leur petite âme retourne directement aux sphères divines les plus lointaines. Mais Kurun a insisté avec la même douce certitude dont il sait désormais qu'elle est inébranlable.

"Ouraïn". La seconde syllabe longuement étirée, *Ouraïne*. Ce n'est pas aussi joli que le roucoulement royal de "Kurun", mais cela se place bien sur la langue. Pas un nom bôdinh, ni dinhga, ni kôdinh. "Non", a dit Xhélin, le regard illuminé, "c'est le nom de la première *Gzutchèn*, la première humaine créée par Yuntun et Hundgao". Son nom dans la langue magique de Garang Xhévât – celle qu'on utilise entre Ghât'sin et Natéhsin, mais que Gilles ne connaît pas et que ni Xhélin ni Kurun n'ont offert de lui apprendre: "Tu n'en as pas besoin, c'est la langue du monde ancien."

Ouraïn. Cela lui évoque quant à lui Ourana, la première déesse dans les plus anciennes fables des Indes: la reine de la montagne, la reine du vent et de l'été dont les Grecs oublieux de l'Harmonie ont fait Ouranos, le seul dieu du ciel. Un nom de bon augure, dans l'un ou l'autre sexe – mais il préfère la déesse de la montagne.

Un frisson passe soudain sur l'étang, où aucun poisson n'a sauté, une ondulation dans l'herbe et les feuilles sans un souffle de vent, une vague duveteuse qui s'élargit et se dissipe dans les profondeurs du ciel et de la terre.

Il peut percevoir la maison ! L'enfant est née !

Talent grand ouvert, il se précipite dans la petite barque, rame comme un fou, saute sur la jetée qui résonne tel un tambour sous ses pieds, mais rien d'autre n'arrive de nulle part, sinon les cris et les chants d'oiseaux comme libérés tous en même temps dans la jungle. Il court entre les grands arbres, gravit en deux bonds les marches de la véranda.

À l'entrée de la chambre, Xhélin l'arrête avec une douceur respectueuse: « Pas de magie, Hyunduntchinsèn. » Il se force à prendre un respir, revient au monde ordinaire. Souriants, Xhélin et les deux autres s'écartent alors pour le laisser passer.

Kurun n'est plus assise dans le fauteuil d'accouchement. La natte entièrement défaite, les yeux cernés, elle est couchée avec une expression de paisible contentement dans le lit, adossée dans les coussins. Elle tient l'enfant, toute petite, enveloppée dans ses langes de lin, avec sur la tête une soie de cheveux noirs, l'enfant qui ne crie pas, ne pleure pas, bouge à peine.

La gorge nouée, Gilles se penche sur elles. L'enfant a les yeux grands ouverts, les mêmes yeux mordorés que Kurun. Elle lui rend son regard sans cligner des paupières. Les bébés ne distinguent rien clairement, à la naissance, mais celle-ci semble le dévisager, l'air aussi calme que sa mère.

Brusquement ramené à la réalité – ce n'est pas une enfant ordinaire ! –, il rouvre son talent en hâte, et se fige, stupéfait de ce qu'il perçoit : « Vous n'avez pas suspendu son talent ? »

Xhélin paraît si horrifié à ces paroles qu'il ne remarque pas l'infraction : « Que dis-tu là ? Elle doit croître et grandir !

— J'ai dit, son talent ! »

Le Ghât'sin doit alors se rappeler ce qu'il lui a expliqué des jeunes talentés européens, car il se détend : « Ce n'est pas nécessaire.

— Les très jeunes enfants sont capricieux et volontaires », dit Gilles en s'efforçant de rester calme, « et s'ils sont talentés… »

Xhélin sourit d'un air un peu protecteur : « Pas les enfants de Natéhsin. Leur talent se garde de lui-même. Et puis, ils ont leur *ghâtxhèngao* avec eux dès le début pour les instruire, et celle-ci en aura plus d'un ! » Son sourire s'élargit : « Regarde-la mieux. »

Puisqu'on lui en donne la permission…

De fait, l'enfant est parfaitement gardée, et cela vient d'elle, même si elle n'en a nulle conscience : une mince pellicule translucide l'entoure comme si elle avait emporté un peu de son "autre Maison" hors du ventre de sa mère.

« Elle ne peut... user de son pouvoir?

— Si, mais elle ne le fera pas. Et maintenant, éteins le tien, veux-tu ? »

Encore de ces incompréhensibles certitudes de Xhélin, mais il doit en l'occurrence savoir de quoi il parle – il est lui-même, après tout, un enfant de Natéhsin. Et il connaît son peuple et les raisons de ses coutumes. On verra à l'usage.

Elle semble robuste malgré sa petite taille, cette enfant. Elle n'est ni rougeaude ni fripée comme les nouveaux-nés ordinaires. Sa peau est lisse, au contraire, doucement luisante dans la lumière, avec une exquise nuance ambrée; les doigts minuscules jouent dans l'air comme si elle caressait l'invisible. Il les effleure, les laisse refermer sur son index la prise étonnamment forte des tout-petits, tire un peu. L'enfant résiste, toujours sans cligner des yeux, comme si elle le voyait. Peut-être le voit-elle.

Il sent un frôlement contre sa jambe, sursaute en baissant les yeux: le chat angora blanc soudain apparu saute sur la couche et, d'un pas délibéré, vient renifler le bébé. Kurun sourit et le caresse, le chat ronronne en arquant le dos puis va se coucher en rond à ses pieds. Les deux korats bleus viennent renifler l'enfant à leur tour et se laissent ensuite tomber de tout leur long contre l'angora, chacun d'un côté; et, comme toujours en dernier, la chatte birmane se frotte une joue contre les langes en laissant échapper un miaulement doux avant de se choisir une place à la droite de Kurun sur un coussin abandonné.

Et une longue silhouette noir et feu bondit pardessus l'empilade de chats pour venir se couler contre Kurun.

Gilles n'a pas même eu le temps d'avoir peur tant cela s'est passé vite. Et l'on ne manifeste aucune crainte autour de lui. Xhélin semble même joyeusement surpris, et Kurun a libéré un bras qu'elle arrondit pour accueillir l'animal. Le félin se tend d'abord pour renifler délicatement la tête de l'enfant, donne un coup de langue rose et noire sur la petite main qui semble vouloir lui attraper les moustaches, et se couche enfin contre Kurun, griffant doucement le drap de ses pattes antérieures étendues, paupières mi-closes.

Quand Gilles est plus sûr de sa voix, il remarque: « Ils ne sont pas sauvages, ces chats-là? Je n'en ai pas vu à Garang Xhévât.

— Il n'y en a jamais eu dans la ville sacrée depuis le sacrifice de 'Xaïo », murmure Xhélin d'une voix respectueuse et ravie à la fois. « Ce sont les enfants du Dragon de Feu et du Dragon de la Montagne, les montures de Yuntun et de Hundgao lorsqu'ils viennent parmi les humains. C'est un très bon présage. »

Gilles ne peut retenir un sourire: un bon présage, certes, pour Ouraïn, reine de la montagne et de l'été.

Après un moment, Kurun offre un sein gonflé à l'enfant qui le prend et se met à téter, les yeux levés vers sa mère. C'est un tableau si paisible, si normal, malgré les chats, que Gilles sent des larmes lui monter aux yeux. Il n'essaie pas de les retenir.

« Pourquoi pleures-tu, Hyundun? » demande Kurun avec une légère surprise inquiète.

Il vient se laisser tomber au bord de la couche, lui pose un baiser sur le front: « C'est de bonheur, bien-aimée, et parce que je vous aime tant toutes les deux!

— Nous t'aimons aussi », répond Kurun d'une voix qui s'ensommeille.

Gilles se lève et les contemple, sa femme, sa fille, dans le ronronnement désaccordé qui émane des chats.

Il voudrait pouvoir fixer ce moment pour toujours. Il devra se procurer du papier et des peintures – les indigènes dessinent et peignent, il a pu le constater à Garang Nomh et surtout dans les décorations de Garang Xhévât. Mais pour l'instant, il doit se contenter de contempler Kurun et leur enfant, en essayant d'imprimer tous les détails de cette étrange Nativité dans sa mémoire : la découpure du félin contre Kurun, avec son éclatante tête de feu qui se détache sur un pan somptueux de sombres cheveux dénoués, les langes de l'enfant en contraste, d'un blanc moelleux, la tache noire des cheveux sur la petite tête oblongue, en écho à la robe du chat, et ce triangle de regards mordorés, la bête qui observe Kurun qui regarde l'enfant qui contemple Kurun. Pour l'instant, il est comblé. Pour l'instant, toute la magie du monde est rassemblée dans cette chambre.

◆

Sans s'éveiller, Jiliane sourit. Il lui semble ensuite que plusieurs pages se soulèvent et s'envolent toutes ensemble, l'emportant avec elles, puis le mouvement ralentit, s'arrête, et elle se pose sur une nouvelle page immobile.

◆

Gilles contemple avec stupéfaction la petite qui tend toujours les bras vers lui en répétant, les sourcils un peu froncés : "*Gânu !*"

Elle parle ? Ouraïn parle ? C'est cela, la surprise annoncée par Kurun ?

Il jette un rapide coup d'œil au trio des Natéhsin assis en tailleur autour de la table à thé, Kurun et son léger sourire, les deux autres peut-être amusés aussi de sa stupeur, mais qui ne le montrent pas. *Gânu*. Ouraïn a dit “Papa”.

Ouraïn a cinq mois, elle paraît avoir un an, et elle parle.

« Cheval, *Gânu !* » insiste la petite.

D’abord abasourdi, il la prend pour la mettre à cheval sur ses épaules, avec une grimace involontaire lorsqu’elle empoigne avec enthousiasme ses boucles rousses – elle est toujours fascinée par ses cheveux. Elle lui donne des petits coups de pieds sur la poitrine, puis, comme il ne bouge toujours pas, elle insiste, en mynmaï : « *Pegahunti, pegahunti !* »

Il détache les petits doigts féroces de ses cheveux pour les prendre dans ses mains et se met à caracoler dans la pièce. Ouraïn éclate d’un rire ravi. Elle n’a jamais vu de cheval, bien sûr, c’est lui qui dit “cheval” lorsqu’il joue ainsi avec elle. Xhélin a dit qu’il y en a chez les Kôdinh, dans le nord-est –, des petits chevaux mongols évidemment venus de Chine et du Tibet en des temps très reculés, s’il faut en croire la façon dont ils sont sculptés ou peints à Garang Xhévât. Mais il n’y en a pas ici : le moyen de transport animal le plus courant est le buffle, et sans doute les petits éléphants aux courtes oreilles et aux défenses d’un ivoire un peu trop dur pour les ornements, mais il n’en a pas vu dans les villages de la région.

Enfin, il se résigne et sourit à son tour, émerveillé : il ne devrait plus s’étonner. Ouraïn n’est-elle pas son enfant magique ? Ouraïn a cinq mois, et voilà, elle parle. Comme si elle rattrapait depuis sa naissance les trois ans passés dans le ventre de Kurun.

C’est la seule hypothèse qu’ils lui ont offerte, tous les quatre. Pour une fois, Xhélin n’avait pas de réponse toute prête. Le Ghât’sin a même ajouté, incertain : “Les âges des Natéhsin sont de cinq ans.” Une réflexion pour le moins énigmatique, mais cela veut-il dire que la petite va continuer de grandir au même rythme jusqu'à paraître avoir cinq ans ? Et ensuite dix, et quinze et… ralentira-t-elle, alors ? Et puis ce n'est *pas* une Natéhsin ! Xhélin a incliné la tête de côté, en soupirant : "Il n'y a jamais eu de telle enfant."

La petite saute sur ses épaules : « *Pag*, *Gânu*, *pag !* » Obéissant, il se met à caracoler plus vite pour passer dans l'autre pièce, et de là sur la galerie qui entoure la maison. Les chats s'éparpillent dans toutes les directions à leur approche, sauf le noir, qui les observe avec une curiosité distante depuis la mince balustrade où il est étendu de tout son long, dans un équilibre apparemment périlleux et pourtant imperturbable.

9

Après avoir remballé les objets trop énigmatiques, et vérifié quelles lettres lisait Larché – celles de la fin, et plus précisément la dernière de Jacquelin, Pierrino accompagne Senso dans la brève offrande nocturne et se couche avec lui dans le lit à baldaquin. Il n'a toujours pas sommeil. La roue tourne dans sa tête: Henri, Agnès, Jacquelin, les de Creilles, Nadine et Félicien, Jiliane. Oh, Divine, comment vont-ils raconter tout cela à Jiliane ? Tout près de lui, le souffle de Senso, rapide et bref, ne ralentit pas. Pierrino se tourne vers lui, glisse un bras sous son cou pour l'attirer contre lui. « C'est son travail, Larché. Il a fait ce qu'il pensait devoir faire…

— Ce n'est pas cela, murmure Senso d'un ton angoissé. Qu'allons-nous écrire à Jiliane ? »

Pierrino, ému, le serre plus fort. Une lettre de Jiliane, envoyée le 6 mars sur réception de leur lettre du 3, leur est arrivée à la poste de Senlis – Larché était allé vérifier à leur retour d'Olducey. Par chance, ils sont restés plus longtemps, ou la lettre serait repartie pour Orléans.

Aurepas semble soudain si affreusement loin.

« Nous pouvons lui raconter l'histoire de madame d'Olducey, murmure Senso. Et Jacquelin. Mais… »

Sa voix ralentit, comme s'il évaluait à mesure l'étendue de ce qu'ils devraient raconter à Jiliane de sa naissance. De la mort de leurs parents. De la mort de leur mère.

Par habitude, et parce que l'idée d'un quelconque silence entre eux et Jiliane le blesse autant que Senso, Pierrino offre l'idée contraire: « Peut-être pourrions-nous tout lui raconter, de fait. Tu sais comme elle est avec les mots écrits.

— Mais non! » proteste Senso, scandalisé, chagrin, « Non, pas pour cela! Nous devons être là avec elle quand nous le lui apprendrons!

— Ce n'est pas tellement différent de ce qu'on nous a raconté lorsque nous étions petits, murmure enfin Pierrino. La lettre de Jacquelin le dit bien: notre mère voulait donner naissance à Jiliane, elle voulait… »

Mais, la lettre le dit aussi, c'est l'accouchement qui l'a achevée, entend-il dans le silence de Senso.

Il n'insiste pas; il passe un bras autour de la taille de Senso, pose la tête sur son épaule – encore cette sensation bizarre à cause de la barbe – et ferme les yeux. La fatigue l'a brusquement rattrapé.

« J'aurais presque préféré… ne rien savoir », dit Senso au bout d'un moment, d'une voix altérée.

« Mais nous ne savons pas grand-chose », essaie encore Pierrino, pour lui-même autant que pour Senso. Et c'est vrai, après tout: comme dans un casse-tête, il faut d'abord compléter le nouveau tableau. « Tu verras, tout finira sûrement par s'expliquer. »

D'ailleurs, il peut déjà envisager plusieurs explications. Si on leur a menti pour l'accident, c'est à moitié seulement: la voiture a vraiment versé; si on leur a menti sur les circonstances exactes de la naissance de Jiliane, c'était peut-être pour ne pas les accabler davantage, surtout Jiliane. Si Nadine et Félicien se trouvaient à Paris avec Agnès… Ils ont abandonné Grand-mère ? Oui, après tout, Jacquelin a bien suivi Henri à Paris. Il ne leur a pas dit, tiens, pour les médaillons.

Mais si Grand-mère voulait vraiment quitter Grand-père, pourquoi ne l'a-t-elle pas fait d'elle-même, en effet ? Et pourquoi étaient-ils en voiture, leurs parents, au lieu du bateau, plus rapide et assurément plus clément pour la grossesse d'Agnès ?

« C'est vrai », murmure Senso, qui doit cependant se poser les mêmes questions, car il ajoute : « Chacun avec son morceau d'histoire, et personne ne les a tous.

— Justement, nous en apprendrons peut-être davantage à Paris. » Pierrino, avec un amusement ensommeillé, s'entend énoncer l'argument même de Senso un peu plus tôt. Ils n'arrêtent pas d'échanger leurs rôles, tous les deux !

Un petit silence, puis Senso reprend, légèrement amusé aussi mais pour une autre raison que ses paroles rendent évidente : « Et puis, nous allons retrouver Arnaud. »

Pierrino soupire en se réinstallant à sa place, les doigts croisés sur l'estomac – puis il pense à Jacquelin, et décroise ses mains pour en placer une sur sa poitrine, et l'autre bras sur ses yeux : « Oui. »

Senso lui donne un petit coup de tête sur l'épaule. « Eh bien oui, quand même », souffle-t-il, encourageant.

Mais Pierrino aurait préféré retrouver Arnaud dans d'autres circonstances, il le sait bien lui aussi.

10

… Hélas, nous fûmes alors emportés dans un des terribles ouragans qui frappent ces mers à l'époque des moussons.

La main de Gilles s'immobilise, ses yeux relisent ce que sa plume vient d'écrire. Il ne peut conter le naufrage ainsi ! N'objectera-t-on pas que leur talenté aurait dû prévoir la tempête et en écarter le navire, comme il a pris un malin plaisir à souligner ailleurs que Nathan l'a aisément fait à plusieurs reprises ? Il n'est pas question de laisser croire que Nathan a été pris en défaut. Pas question d'atténuer les manifestations de son talent pour rendre plausible ce soudain manquement. Il imagine trop bien le mépris narquois du Magistère et de la Hiérarchie : bien sûr, un talenté sauvage, et un mécréant de surcroît ! Qui plus est, s'ils pensaient que Nathan n'avait pu prévoir cette tempête, cela laisserait la porte ouverte à des spéculations quant à la nature possiblement magique de celle-ci. Non, il faut procéder autrement.

Plume en arrêt au-dessus du feuillet, il écoute un moment le babil léger d'Ouraïn : elle joue devant la table de rotin qui lui sert de bureau, assise sur la natte au milieu des jouets qu'il lui a fabriqués. Il est tenté, un instant, d'aller jouer avec elle. Mais il doit poursuivre la tâche qu'il s'est assignée, compléter le rapport qu'il enverra à la Royauté française il ne sait encore ni quand ni comment, mais il l'enverra. Il le doit, pour Ehmory et les marins de *L'Hirondelle*, mais désormais aussi, surtout, pour Ouraïn.

Voyons, excepté la magie indigène, qui n'a pas sa place dans le rapport, pour quelle raison Nathan n'aurait-il pu prévoir cette tempête, si soudaine fût-elle, et si violente dans le détroit resserré où il la fait arriver ?

Après quelques instants, avec un soupir, il doit admettre qu'il n'en imagine aucune. Il eût fallu que Nathan fût dans une totale incapacité d'exercer sa magie. Un terrible contrecoup causé par quelque accident précédent au cours duquel il aurait dû user intensément de sa magie ? Mais l'étonnante légèreté des contrecoups chez Nathan était de notoriété publique – une raison, et non des moindres, de la méfiance qu'éprouvait le Magistère à son égard.

Un accident. Et si Nathan lui-même avait été victime d'un accident ? Cela peut arriver aux mages.

Oui ! Même un mage peut s'enfarger dans un des chats du bord, comme l'avait fait Bénédict, le mousse ; cela ne ferait que montrer à quel point Nathan était par ailleurs des plus ordinaires, ne songeant nullement à prévoir, hérétiquement, son propre destin. Et, au contraire de Bénédict, qui s'en était tiré avec une grosse bosse, Nathan pourrait avoir fait une très mauvaise chute, s'être fendu le crâne, avoir été plongé dans l'inconscience. D'aucuns penseront, diront sûrement, que c'était peut-être là le châtiment d'Ehmory pour n'avoir pas eu deux mages à son bord comme il l'aurait dû, mais peu importe.

C'est cela. Nathan incapacité n'a pu prévoir la tempête, elle a saisi le bateau et l'a précipité sur les récifs… Ah non, il en serait resté une épave. Il ne faut pas de traces. La tempête a fait chavirer le navire. Et, seul survivant, accroché à un espar, il a été poussé sur la rive du Pays des Dragons. Ensuite, tout s'enchaînera fort bien sans intervention magique non plus : un indigène le recueille sur la plage, le soigne, devient son ami puis l'emmène à Garang Xhévât et non à Daïronur, parce qu'il fait partie du clan des Natéhsin, une tribu ancienne et puissante, et que la cité sacrée est plus proche que la capitale royale. Là, il rencontre Kurun, et le reste s'ensuit. Il décrira par la suite la grande réticence des indigènes à aborder le sujet de la magie, et leur total refus de lui en montrer à l'œuvre, même de loin. Il laissera à ses lecteurs le soin d'en imaginer les possibles raisons. Il ne doit pas manifester quant à lui trop d'intérêt pour la question. Il est lui-même, Harmonisation oblige, parfaitement inaccessible à une éventuelle magie indigène, un honnête naufragé géminite sans talent, persuadé de ne plus jamais revoir sa patrie, et qui essaie de s'accommoder au mieux de ses nouvelles circonstances. C'est la vérité, du reste. Le meilleur mensonge, n'est-ce pas, est celui qui dit la vérité sans la dire tout entière. Qui en dit assez sans en dire trop. Un exercice assez divertissant somme toute, même s'il en ignore encore l'issue. Car enfin, il ne sait toujours pas en vérité s'il reverra jamais, à défaut de sa patrie, des compatriotes géminites.

Soudain surpris par le silence, il lève les yeux. Le bébé regarde en l'air, maintenant couché par terre sur le dos. Qu'a donc aperçu Ouraïn pour être fascinée ainsi ? Il jette un coup d'œil au plafond, n'y voit rien de spécial, pas même un de ces phalènes géants qui trouvent un refuge un peu plus frais dans la maison en cette saison de canicule. Le jeu des ombres, peut-être, avec la lumière du jour qui tourne à travers les feuillages ? La petite est captivée, en tout cas. Et d'une immobilité stupéfiante. Elle ne cligne pas même des paupières.

« Ouraïn ? Que regardes-tu, ma petite merveille ? »

Elle ne réagit pas. Pas un frémissement.

Il vient se jeter à genoux près de l'enfant en ouvrant son talent, affolé… Et Ouraïn n'est pas là. Il cherche en vain les condensations caractéristiques de l'enfant, mais Ouraïn… n'est nulle part.

Nulle part.

Son affolement s'éteint brusquement, le laissant presque étourdi mais non rassuré. Nulle part : en *igaôtchènzin*, comme les trois Natéhsin, ce jour lointain, dans les ruines de Banang Thu. Comme il les voit encore parfois, de loin, dans le petit pavillon flottant qu'ils réservent désormais à cette fin.

Mais la petite n'a que sept mois ! Elle ne peut…

Il réfrène son désir de la prendre dans ses bras – Divine seule sait de quelle façon cela interférerait avec le processus en cours. La petite de sept mois semble avoir deux ans. La petite est l'enfant de *Kurun*.

Il appelle, affolé. *Kurun, Xhélin, la petite…*

Amène-la-nous, dit Kurun. Paisible. Comment peut-elle être paisible ?

Mais comment ? C'est une illusion !

Tu peux la toucher, n'est-ce pas ?

Un sortilège de transport…

Non. Prends-la et amène-la-nous.

Cela ne lui fera pas de mal de la toucher ?

Non.

Toujours cette calme, cette exaspérante certitude ! Mais il ne pose plus de questions. Il prend l'enfant dans ses bras, à la fois épouvanté et stupéfait de la sentir comme une poupée de bois, et il s'élance dans la chaleur accablante à peine atténuée par l'ombre des grands arbres.

Les trois Natéhsin et Xhélin ont fait revenir le pavillon au bord de la jetée ; ils sont assis sur la galerie ; Xhélin sert le thé. Le Ghât'sin se fige à son arrivée, tandis que Kurun et ses deux compagnons lèvent la tête vers le martèlement de ses pieds sur les planches. Mais ni les uns ni les autres ne semblent inquiets outre mesure en voyant l'enfant. Il la dépose sur les coussins près de sa mère, avec une précaution absurde, mais comment s'en empêcher ? Il peut la toucher ! Il en a senti le poids dans ses bras !

« Est-elle… en *igaôtchènzin ?* » demande-t-il, hors d'haleine.

Kurun tourne la tête vers sa fille en esquissant un sourire, sans la toucher : « Oui.

— Mais ce n'est pas une Natéhsin !

— C'en est une en même temps qu'une Ghât'sin », déclare Kurun d'un ton égal.

Gilles se laisse tomber assis par terre, soudain sans forces.

« Il n'y a jamais eu de telle enfant », souffle Xhélin avec ferveur.

Gilles contemple la petite. La petite qui a sept mois, et qui marche, et qui parle, et qui ressemble à une enfant de deux ans. Dont la psyché est si loin en cet instant, dans des sphères si éthérées, qu'il ne peut la suivre, et dont le soma…

Les Natéhsin sirotent leur thé. Xhélin se lève pour aller chercher une autre tasse, la remplit et l'offre à Gilles. C'est le thé rose du Camtchin, à l'arôme intense et fruité. Un remède contre la chaleur, paraît-il, si on le boit très chaud. Il ne souffre guère de la chaleur, mais il en prend machinalement une gorgée. S'éclaircit la voix.

« Kurun, étais-tu ainsi… étiez-vous ainsi, tous les trois, à son âge ? » demande-t-il enfin.

« Nous n'avons jamais eu cet âge », dit Nandèh.

En retenant un soupir, Gilles se tourne vers Xhélin: « Va-t-elle se réveiller? Reviendra-t-elle?

— Elle ne dort pas », dit Xhélin. Qui lève aussitôt une main pour arrêter l'explosion de Gilles. « Oui, elle redeviendra. »

Il ne relève pas la bizarrerie du terme, insiste: « En es-tu certain?

— Tu l'as amenée ici, tu étais très agité. Elle est sans doute déjà en train de se rassembler. »

Se rassembler. Une sorte de suspension aussi, après tout. Gilles regarde de nouveau l'enfant: « Si je l'appelle dans l'Entremonde?

— Non, dit Xhélin, cela ne la fera pas redevenir plus vite. Il faut être patient. »

Gilles se balance un peu d'avant en arrière, les bras autour des genoux, sans quitter des yeux le petit corps immobile. Le petit *soma*: elle n'est pas morte! Un soma que son talent ne perçoit pas mais que ses mains ont touché, ont porté. Un soma en voie de devenir insubstantiel, et qui pourtant demeure.

Il ne peut tout simplement pas le concevoir.

Mais cela va-t-il durer des heures, comme pour Kurun et les autres?

« Combien de temps?

— Il n'y a pas de temps », dit Kurun, souriante.

Il réprime une brève réaction agacée. C'est ce qu'elle répond toujours lorsqu'il l'interroge sur ce qu'elle éprouve au cours de l'*igaôtchènzin*. Mais Xhélin a compris ce qu'il voulait dire, lui, même si sa réponse n'aide guère davantage: « Je l'ignore. Il n'y a…

— … jamais eu de telle enfant », marmonne Gilles, trop abattu à présent pour être irrité.

Xhélin soupire, inconscient de l'ironie: « Non.

— Elle redeviendra, dit Kurun d'un ton apaisant. Nous redevenons toujours.

— Va-t-elle donc tomber dans cet état n'importe où et n'importe quand, désormais ? » murmure Gilles, de plus en plus horrifié par les perspectives qui s'ouvrent devant lui. « Ce ne peut être bon pour elle ! Ou bien… » Un bref espoir. « … se peut-il que cela ne se renouvelle plus ?

— C'est arrivé, dit Kurun, cela arrivera encore. Ce qui a été donné par la Déesse doit retourner à la Déesse. »

Nandèh et Feï hochent la tête en silence.

Gilles s'affaisse un peu sur lui-même. Encore leur catéchisme, cette calme certitude.

Il se redresse pour aller s'agenouiller près de l'enfant. Sans la toucher, il en contemple les nattes brillantes, le petit visage en forme de cœur, si familier. Une enfant, son enfant, leur enfant, la merveille, Ghât'sin et Natéhsin. Et ces yeux grands ouverts qui contemplent… quoi ?

Ouraïn revient habiter son regard. Les yeux mordorés se fixent sur lui, brièvement perplexes, puis le visage en forme de cœur s'illumine d'un grand sourire et la petite lui passe les bras autour du cou en disant : « *Gânu*, j'ai faim ! »

11

Jiliane reconnaît la silhouette assise en tailleur devant Ouraïn : c'est Xhélin. Sera-t-elle en vacances de Gilles ? Avec la petite fille, peut-être, cette fois ?

◆

Ouraïn revient dans ses yeux. Xhélin l'observe, attentif. Depuis sa première *igaôtchènzin*, on a toujours veillé à ce qu'elle se rassemble au même endroit, avec les mêmes personnes aux alentours – et les chats, capables pour elle comme pour les trois Natéhsin d'une patience étonnante même chez des chats. Jusqu'à présent, elle n'a jamais commenté les métamorphoses de la lumière. Le monde passe du soleil à la nuit en un battement de paupières, les journées filent comme l'éclair : elle croit que c'est le déroulement normal du temps. Ils ont pris grand soin de ne jamais suggérer d'aucune manière qu'il en va autrement pour eux. Même Gilles a fini par admettre qu'ils savent mieux que lui ce dont elle a besoin. Coiffure, vêtements, il s'efforce comme eux tous de garder le plus possible la même apparence lorsqu'il est dans le voisinage de l'enfant.

Elle semble ne pas avoir remarqué les modifications introduites peu à peu au cours des derniers mois : les chats ou les Natéhsin changent de place ou d'occupation, elle-même n'est plus exactement au même endroit sur le tapis, le coussin ou le lit… Elle n'a encore rien dit, mais Xhélin a pu sentir croître sa perplexité, et les questions qui commencent de se former en elle chaque fois qu'elle se rassemble. Elle est prête.

L'enfant regarde autour d'elle avec une expression de surprise qui ne s'efface pas, qui s'approfondit au contraire. Il fait encore jour, mais le soleil est beaucoup plus bas, ce qui serait presque normal ; cependant, Feï n'est plus là, les chats non plus. Elle est assise sur des coussins et non sur son lit, elle ne se trouve plus dans la chambre mais au petit pavillon, au milieu de l'étang. Avec Xhélin, et non sa mère qui lui brossait les cheveux.

Les yeux écarquillés, elle dévisage Xhélin immobile. Elle n'a pas peur, pas encore, et elle n'en aura pas l'occasion. Il lui sourit : « Le bon jour de la Déesse, Ouraïn. »

Le réflexe déjà acquis lui fait répondre « Le bon jour, Xhélin », mais elle ajoute aussitôt : « Où est Amah ?

— Avec Nandèh et Feï, de l'autre côté du pavillon. As-tu faim ? »

Elle y réfléchit un instant et dit "Oui", mais elle est visiblement distraite. Xhélin prend le petit panier qu'il a préparé pour l'occasion et en sort les fruits et le riz, tout en observant l'enfant à la dérobée. Elle continue de regarder autour d'elle en se balançant un peu d'avant en arrière. Puis son visage s'illumine : « J'ai dormi ? »

Bien. C'est l'idée qui vient aussi aux Natéhsin dans leur premier âge, lorsqu'elles commencent de prendre conscience de l'*igaôtchènzin*. Xhélin sourit encore, satisfait de se trouver après tout en terrain de connaissance. « Non. »

Il lui tend la feuille de bananier et les boulettes de riz sucré juste au moment où la perplexité de l'enfant pourrait se teinter d'inquiétude, et l'appétit prend le dessus, comme il l'escomptait.

Mais pas longtemps. Une boulette, deux boulettes, mastiquées de plus en plus lentement. Puis: « C'est Amah qui m'a emmenée?

— Oui. »

L'enfant fronce légèrement les sourcils, avale une autre bouchée de riz. « Mais quand?

— Ce matin, après t'avoir natté les cheveux. »

La petite porte une main à la natte qui lui retombe sur la poitrine. Ses yeux s'écarquillent de nouveau. Elle murmure: « Je ne me rappelle pas. » Les sourcils délicats se froncent davantage; les yeux mordorés se fixent sur Xhélin. « Si, j'ai dormi », dit l'enfant, avec une fermeté qui s'effiloche sur la fin.

Il lui sourit, toujours calme: « Non. » Puis il se lève et lui tend la main pour qu'elle en fasse autant: « Viens, j'ai quelque chose à te montrer. »

Après une hésitation, la petite lui prend la main et se laisse entraîner sur la galerie qui entoure le pavillon, tout en jetant autour d'elle des regards toujours perplexes. Ils se retrouvent bientôt face à l'étang, du côté opposé à la jetée, là où Kurun, Nandèh et Feï sont en *igaôtchènzin*, tournées vers la surface miroitante.

L'enfant veut courir vers sa mère, mais Xhélin lui tient fermement la main, et d'ailleurs, elle s'immobilise d'elle-même. « Pourquoi… pourquoi elles ne sont pas vraiment là? murmure-t-elle, abasourdie.

— Observe-les comme je te l'ai montré l'autre jour. »

La petite lui secoue la main d'un air fâché. Il s'accroupit près d'elle. « C'est pour cela qu'Amah t'a emportée ici, dit-il avec douceur. Observe comme je te l'ai montré l'autre jour.

— Je veux Amah ! » proteste l'enfant en tapant du pied.

Allons, c'est quand même bien aussi une petite fille. Avec un soupir, il l'amène près de Kurun, mais en la tenant trop éloignée pour qu'elle puisse la toucher. Brièvement distraite par la présence des chats drapés sur le rebord de la balustrade ou étendus aux pieds des Natéhsin, elle appelle "Amah !" d'un ton un peu plaintif.

« Elle ne t'entendra pas ainsi », dit Xhélin en s'accroupissant pour attirer l'enfant contre lui et l'empêcher de s'étirer davantage pour toucher sa mère. « Observe-la comme je te l'ai montré l'autre jour. »

La petite se tourne à demi vers lui dans le cercle de ses bras, l'air incertain. « Dans l'Entremonde ? »

Xhélin réprime son léger agacement – il est normal qu'elle utilise aussi le terme employé par son père : « Dans la Maison de la Déesse, oui. »

Elle s'ouvre, et Xhélin en a le souffle coupé, comme la première fois. L'enfant n'est au monde que depuis trois ans, même si elle en paraît maintenant cinq, et c'est pourtant déjà la floraison merveilleuse des Natéhsin, vague après vague de parfums lumineux sans cesse renaissants, qui se diffusent toujours plus loin en lentes ondulations soyeuses – oh, c'est l'enfant de Phénix, et bien plus encore que l'enfant de Phénix !

Il se contraint à réfréner sa ferveur et demande, le plus calmement possible : « Les trouves-tu ? »

L'enfant ne répond pas. Il se raidit, soudain angoissé : elle ne peut être aussi aveugle que Gilles ?

Mais la petite murmure enfin : « Elles sont…

partout ! » et, les jambes soudain molles de soulagement, il s'assied sur les planches chaudes de la galerie. L'intonation était plus stupéfaite qu'émerveillée, mais c'est normal à ce stade. Et puis, de manière tout à fait inattendue, l'enfant souffle : « C'est beau ! »

Il la serre contre lui, étonné d'être aussi passionnément attendri. « C'est la danse de la tchènzin, Ouraïn », murmure-t-il contre sa joue. « Et lorsque tu la danses, tout comme Kurun et Nandèh et Feï, toi aussi, tu es partout, comme elles. C'est là que tu étais. Tu n'as pas dormi. »

Elle se retourne vers lui, les yeux écarquillés. A-t-elle compris ? « Je faisais comme Amah ?

— Oui. »

Elle le dévisage, perplexe : « Mais je ne me rappelle pas !

— Elle ne se rappelle pas non plus. »

Il attend l'inévitable question.

« Pourquoi ? Je me rappelle quand j'ai dormi.

— Mais tu ne dormais pas. Tu étais partout. Tu ne peux pas te rappeler partout. »

Va-t-elle accepter cette explication pour l'instant ? Elle a une expression un peu perplexe, mais finit par hocher la tête. Il enchaîne : « Et puis, le temps ne passe pas, dans la Maison de la Déesse », et il attend de voir comment elle va le prendre.

Elle réfléchit, les yeux au loin, comme absente – la même expression que Gilles. Elle est bien sa fille aussi.

« Le temps s'arrête ? » dit-elle enfin.

Il lui sourit, très content d'elle : « Oui, pour celles qui dansent. Pour toi, quand tu dansais, tout à l'heure. Mais pour nous qui ne dansons pas, il continue. »

Elle réfléchit de nouveau. « Les chats ne dansent pas.

— Non.

— Toi et Gânu non plus.

— Non.

— Et Amah ne danse pas toujours en même temps que Nandèh et Feï.

— En effet. »

Elle hoche de nouveau la tête. L'un des korats couchés sur la galerie consent enfin à remarquer leur présence, relève la tête et bâille longuement dans leur direction. Une carpe invisible saute non loin du pavillon, déclenchant entre les nénuphars une série d'ondulations scintillantes.

« C'est comme dormir, décide enfin la petite, sauf qu'on ne rêve pas. »

Xhélin garde le silence. L'intonation était claire : elle n'en démordra pas. Mais c'est un début. Il laisse l'enfant se dégager de ses bras, curieux de voir ce qu'elle va faire.

Elle se plante devant les Natéhsin et les observe un moment tour à tour, puis elle passe la main dans l'épaule immatérielle de Kurun.

« Reviens, Amah », dit-elle d'un ton catégorique.

Et, devant les yeux stupéfaits de Xhélin, Kurun se rassemble.

Deuxième partie

12

À Meaux, ils retrouvent le *Gil-Éliane* à quai. Larché n'avait pris aucun risque : son message disait simplement au capitaine de les attendre et qu'il serait évidemment payé pour les jours supplémentaires. Le temps est maussade mais plus doux lorsqu'ils repartent sur le canal jusqu'à Charenton-le-Pont, frontière de la Principauté où le capitaine les attendra encore. Il ne les mènera pas jusqu'à l'île Saint-Guillaume où vit Arnaud : il devrait payer la taxe d'entrée, même s'il ne transporte que des passagers, et toutes ces escapades auront été assez coûteuses pour Grand-père. Et non, il n'aura pas à les attendre très longtemps, sans doute pas plus de deux jours, et oui, Grand-père est au courant – ou le sera bien assez tôt pour qu'ils ne précisent pas davantage.

Sur le bateau, le premier acte de Pierrino est de se raser, et il est fort satisfait de se retrouver dans le miroir de la cabine de Grand-père (le capitaine a repris possession de la sienne pour quelques jours), même – ou surtout, il ne sait – après avoir vu le portrait miniature de leur père barbu et moustachu à dix-huit ans.

Ensuite, ils ont écrit à Jiliane : ils ont décidé de ne pas attendre d'être revenus à Orléans.

Ce n'est pas une très longue lettre malgré tout. Senso y résume l'histoire de madame d'Olducey, ainsi que la rencontre d'Henri et d'Agnès, tout en demeurant très discret sur les détails – il n'indique pas, par exemple, que Nadine et Félicien ont accompagné leur mère à Paris, ni pourquoi celle-ci est retournée à Aurepas. Et il ne parle pas de la fin de l'histoire. Il explique seulement qu'ils se rendent à Paris afin de rencontrer la directrice de la Compagnie, qui pourra leur parler plus longuement de cette période de la vie de leurs parents. "Et pour voir Arnaud" – une conclusion qui permet de terminer sur un ton plaisant.

Il fait positivement printanier lorsqu'ils arrivent, le 16 mars en matinée : échappées bleu tendre entre des nuages point trop gris, traits d'hirondelles et volées de moineaux piaillants dans le ciel. À la Porte de Charenton, après avoir expédié la lettre, ils se soumettent aux formalités frontalières de la Principauté ; comme leurs papiers indiquent qu'ils ont passé quatre jours au Hutland et non deux comme ils l'avaient déclaré au départ, elles sont un peu plus longues que prévu. Senso explique avec sa charmante politesse habituelle qu'ils sont allés rendre visite à de la famille à l'occasion d'un décès, et cela semble suffire. Ils hèlent ensuite un cabriolet et longent la Seine couverte de chalands, s'en écartant et s'en rapprochant au hasard des rues.

Il y a une lieue et demie tout au plus jusqu'à l'île Saint-Guillaume où réside Arnaud, mais ce n'est pas parce que Pierrino y pense en kilomètres que le trajet lui paraît interminable. Sa première impression de Paris, et la plus durable, c'est qu'il y en a longtemps et que cette ville ne sent pas bon. Jiliane la détesterait :

beaucoup d'édifices jointifs, beaucoup de gens et de circulation bruyante, des odeurs souvent agressantes et peu de verdure, surtout à mesure qu'on se rapproche du cœur de la cité. Il fallait sans doute s'y attendre, compte tenu de la situation particulière de la ville pendant deux siècles: on y a développé une mentalité obsidionale et les Parisiens ont toujours préféré s'entasser derrière leurs fortifications, surtout de ce côté-ci de la Seine, qui était la rive nord hutlandaise.

Ils traversent par la pointe de la petite île d'Anjou pour rejoindre l'île Saint-Guillaume, autrefois Lutèce. Afin de faire plaisir à Senso, qui n'en parlerait pas mais dont il connaît le désir, Pierrino demande au cocher de les arrêter un moment devant le parvis de Notre-Dame, énorme masse de pierre sombre tapie sur les maisons d'alentour comme si elle les couvait. Senso se tord le cou par la fenêtre pour admirer la grande rosace aux cent branches qui flamboie de couleurs au milieu de la crasse accumulée des siècles. Il est bien dommage que le recours à la magie dans la Principauté eût été réglementé par les Accords de Paris, et que l'entretien des lieux n'en fît point partie.

« On reviendra ? » dit Senso. Il désire admirer comme ils doivent l'être, de l'intérieur, la rosace et les autres vitraux – qui dépeignent entre autres la libération de Jérusalem, dans sa version christienne, celle où n'apparaissent que les Croisés christiens et, quelque part à l'arrière-plan, une masse de soldats parmi lesquels, d'après les gravures qu'ils en ont vues, se distingue à peine la croix étoilée des islamites, et moins encore la croix rosée des géminites. Mais après tout, les christiens n'apparaissent qu'indistinctement aussi dans la fresque du temple, à Aurepas.

Pierrino lui sourit: « Bien sûr. C'est tout près. »

Le petit hôtel particulier dont Arnaud leur a donné l'adresse se trouve rue des Ursins. Il suffit de contourner sur la place encombrée la statue équestre de Wilhelm de Ghent, jeune et saint Empereur du Hutland qui a glorieusement péri devant Jérusalem, et dix minutes plus tard, alors que la onzième heure de la matinée déclenche une symphonie de carillons un peu partout dans l'île et dans la ville à l'arrière-plan de la vibration solennelle de Notre-Dame, ils sont rendus.

En apprenant où vivait Arnaud, Pierrino s'était dit que son choix de résidence était des plus intéressants : ni sur la rive nord ni sur la rive sud, mais au milieu. Il doit en rabattre de ces spéculations : il s'agit en fait de l'hôtel particulier de la tante-dragon, madame Vandrevilles, et il le partage avec elle et ses trois filles. Mais elles ne sont presque jamais là – ce sont des dames qui sortent beaucoup, constamment invitées chez les uns et les autres, et elles lui ont laissé entière jouissance du premier étage. L'arrangement est fort pratique, conclut Arnaud, pour un célibataire aussi occupé que lui.

Il est venu les attendre sur le perron – les guettait-il ? Il leur serre les mains avec effusion. Ont-ils fait bon voyage ? Le temps était mauvais dans le nord, paraît-il ?

« Nous avons surtout eu de la pluie », répond Senso.

Pierrino essaie de se reprendre : « Mais on dirait que le printemps est commencé ici. »

On les débarrasse de leurs manteaux et Arnaud les entraîne au salon tandis que Larché disparaît avec leurs bagages dans le domaine des domestiques.

« Les de Creilles vous ont donc trouvés charmants, en fin de compte », remarque Arnaud avec un sourire en leur indiquant de luxueux fauteuils disposés autour d'une fort belle table bouillotte marquetée.

« Ils ont été très courtois. Leur fils, cependant, est un véritable butor. »

À la fois agacé et amusé, Pierrino s'entend parler trop vite en souriant trop fort tout en s'efforçant de ne pas trop contempler Arnaud. Comme à Orléans, au premier coup d'œil, au premier contact, il a su que tout était possible ; il se sent aussi excité qu'un adolescent, malgré les circonstances si différentes de ce qu'il avait imaginé.

« C'est ce que j'ai entendu dire, en effet », dit Arnaud en croisant les jambes avec élégance. « Il les a ruinés dans des aventures commerciales insensées : ils ont dû vendre leur propriété de Bagnolet. Vous êtes-vous entendu à l'amiable, alors, pour le domaine d'Olducey ?

— Oh, notre grand-mère le leur avait légué », dit Pierrino, en comprenant soudain la phrase de la lettre de madame d'Olducey : "… le domaine ira à Jean-Philippe de Creilles, qui en aura certainement l'usage bien plus que vous".

« Quel mystérieux héritage vous a-t-elle donc laissé ? » demande Arnaud avec une curiosité plaisamment exagérée – mais bien réelle.

Senso toussote, et Pierrino se rend compte qu'il parle vraiment trop. Heureusement, on vient leur servir du madère et des à-côtés, il en profite pour reprendre ses esprits ; et même, il se demande soudain si Arnaud s'est renseigné, ce qu'il peut savoir non seulement des d'Olducey mais d'Henri, d'Agnès, de tout le reste. Il vit à Paris depuis plusieurs années et il a eu le temps de faire enquête à son retour d'Orléans, si même il n'en savait pas déjà beaucoup auparavant. Pierrino boit sa liqueur à petites gorgées, se donne une contenance en piquant dans une des petites assiettes une olive fourrée d'anchois. Ces calculs l'irritent. Et pourquoi pas la simple vérité ?

« Ce sont surtout des papiers de famille, des lettres. Des souvenirs de notre père que nous n'avons point connu. »

L'expression du jeune homme redevient plus sobre, il hoche la tête : « Il est des héritages qui ne se mesurent pas en argent comptant. »

Pierrino préférerait que la conversation se détournât d'eux : « Étudiez-vous toujours à la Sorbonne, Arnaud ? »

Arnaud choisit un craquelin couvert d'une mince tranche de foie gras, y mord délicatement. « Oh, j'allais terminer mes études lorsque mon oncle Vandrevilles a passé, justement. J'étais son neveu préféré, il m'a laissé une jolie rente – et la jouissance de son hôtel particulier avec ma tante et mes cousines. Je peux maintenant m'adonner à loisir à mes propres intérêts sans avoir à me soucier d'autre chose.

— Vous travaillez donc toujours à l'Encyclopédie », conclut Pierrino, heureux pour lui : Arnaud a pu poursuivre sa passion.

Mais le jeune homme fait un petit geste désinvolte : « Oh, bien sûr. Cela permet d'être bien vu à Orléans comme à Paris. Et certaines des personnes qui y sont impliquées sont moins ennuyeuses que d'autres. » Il se penche un peu vers Pierrino, le regard soudain étincelant : « Mais je m'occupe davantage de politique. Le levier du savoir ne devient irrésistible que lorsqu'il est appuyé sur le pouvoir.

— De politique ? » répète Pierrino, en espérant que son intonation n'est pas trop surprise ; il est même un peu déçu, il peut bien l'admettre.

« Mais oui. Je travaille à me faire élire au Conseil de Ville. Il y a de grandes choses à accomplir ici. »

Pierrino se sent bien stupide d'avoir été surpris. « La République de Paris », dit-il d'un air entendu.

Un sourire éclatant le récompense : « Ah, vous n'avez pas oublié ! » Arnaud se renverse dans son fauteuil. « Considérez, mon cher Pierrino : le nouveau siècle a commencé et l'Encyclopédie n'est toujours pas parue, même si des articles ne cessent d'en circuler, les moins préoccupants pour la Hiérarchie. L'Édit et l'Embargo font toujours couvercle, même s'il se soulève par moments. La visite de votre grand-père à Orléans n'est sans doute pas étrangère à toutes ces rumeurs qui se sont remises à courir sur un usage prochain de l'ambercite… »

Dans la pause – Arnaud irait-il à la pêche aux informations ? – Senso remarque : « Il ne nous en a pas parlé. »

Arnaud a un autre geste désinvolte, avec un soupir : « Oh, la montagne accouchera encore assurément d'une souris. Ce ne sera pas la première fois. Non, voyez-vous, je ne crois plus qu'il faille attendre grand-chose de ce côté. Par contre… » Il se penche de nouveau vers Pierrino avec un sourire complice. « … on peut occasionner des changements ici, à Paris, et de Paris rayonner aussi bien vers le Hutland que vers la France. Pour ce qui est de leur nécessité au Hutland, c'est l'évidence. Mais même ici : nous avons une monarchie éclairée, certes, mais prudente jusqu'à la pusillanimité. Il faut plus d'audace, des changements plus radicaux.

— Le Hutland voit d'un assez mauvais œil l'agitation du Club des Girondins, remarque Senso.

— Croyez-vous qu'on rompra les Accords de Paris pour ce qui se passe dans une ville qu'on a définitivement abandonnée ? Et que notre Royauté, pour sa part, résisterait à la volonté légitime et harmonieusement exprimée de la population parisienne unanime ?

— Unanime… fait Senso d'un air sceptique.

— Elle le sera bientôt assez.

— Par ailleurs, intervient Pierrino, il paraît que le prince Stanislas n'est pas farouchement opposé à l'idée d'être un président, selon le modèle des États-Unis christiens d'Atlandie.

—Ah, fait Arnaud en se tournant vers lui, les nouvelles en sont-elles donc arrivées à Aurepas ?

—Nous lisons des journaux, dit Senso avec un sourire qui n'en est pas un. Cela occupe bien des mornes soirées de province.

—Et nous avons notre Club des philosophes », ajoute Pierrino, un peu déconcerté par la réaction acide de Senso. « Les choses ont tout de même changé, quoi que vous en disiez. » À la fois pour ramener Arnaud à lui en lui rappelant leur brève rencontre estivale, et pour apaiser Senso, il remarque, légèrement taquin : « Vous ne disiez pas “ambercite” vous-même autrefois, à Lamirande.

—Vous avez une excellente mémoire, mon cher Pierrino. Et vous êtes dans le vrai. Mais je n'avais déjà guère alors le désir d'attendre, et il m'est complètement passé, du moins sur ce plan. Je veux bien le faire pour récolter le fruit de mes tortueuses manigances politiques, le temps de convaincre des gens disposant de toutes leurs facultés de raisonnement (il adresse un sourire désarmant à Senso), mais c'est parce que cette attente, je le sais, aura un terme raisonnable. Les nœuds de la magie, de la religion et de la tradition, par contre…

—L'Édit de Silence ne s'est pas édifié en un jour, ni sur un seul sortilège, dit Senso. Le rétablissement d'une véritable harmonie ne peut se faire qu'au prix de beaucoup de patience. »

Arnaud l'observe, un sourcil un peu arqué : « J'en suis bien d'accord, s'il ne s'agissait que de l'Édit, mais d'autres intérêts sont en jeu. Dans le clergé, tout le monde n'est pas prêt à laisser faire la lumière sur nombre de pratiques discutables ou, pour le dire tout net, sur des secrets plutôt compromettants.

—Et vous n'aimez toujours pas les secrets », remarque Pierrino.

Arnaud lui sourit, le même sourire bref et lumineux qui dit “je me souviens aussi”, et il se sent fondre derechef.

« De quels secrets parlez-vous donc ? » demande Senso, toujours avec une politesse sans défaut, et toujours agacé, « Puisqu’il semblerait bien, donc, qu’ils n’en fussent pas pour vous, Monsieur d’Ampierre.

— Mais ils n’en sont pas pour vous non plus, assurément », réplique Arnaud comme s’il ne remarquait rien. « Vous avez connu comme moi monsieur Saramon. Et dans votre famille même, après tout, votre ancêtre Gilles n’a pas apprécié non plus de se voir séparé de son talent… »

Comment cela ? Mais Pierrino n’a pas l’occasion de l’interrompre, car il poursuit : « … La Hiérarchie et le Magistère exercent là, entre autres, une tyrannie certes feutrée, mais une tyrannie néanmoins. Il est des talentés qui désireraient exercer leur talent sans devenir pour autant des mages, non point dans l’intention de se livrer à la nécromancie, comme c’en est la présomption *a priori* depuis des temps ridiculement reculés, mais simplement pour faire le bien en usant de ce que la nature leur a donné.

— La nature, Monsieur ? dit Senso.

— Eh bien, la Divinité, assurément. Elle nous a voulu libres, n’est-ce pas ? Et cette liberté ne serait-elle pas vide de sens si elle consistait à ne choisir chaque fois que ce qu’exigent la tradition et ses préjugés ?

— Vous voulez dire l’Harmonie, Monsieur ? » fait Senso de son ton le plus innocent.

Malgré son malaise croissant à voir Arnaud essayer de persuader Senso – non, fleureter avec Senso, et dans les deux sens du terme, que se passe-t-il donc là, il ne les confond pourtant pas ? –, Pierrino ne peut s’empêcher de suivre l’échange avec curiosité, comme chaque fois que Senso lui emprunte son rôle de contradicteur ; c'est souvent lorsqu'il s'agit de magie et de religion. Mais ne voit-il pas qu'Arnaud veut parler de l'institution, et non de la foi ?

« Ah, ne vous fâchez point et appelez-moi Arnaud », proteste le jeune homme en se penchant vers lui avec une expression sincèrement contrite ; c'est tout juste s'il ne lui met pas une main sur le bras. « Loin de moi l'idée de critiquer notre foi. C'est aux manifestations… plus mondaines de la religion que j'en aurais plutôt. La nôtre a déjà connu naguère une réforme dont elle s'est fort bien portée, et j'ai simplement le sentiment qu'elle est mûre pour une autre. Mais il y faudra plus de courage encore, et plus de sage humilité. »

L'argument porte, étant plus familier : Pierrino voit Senso se détendre.

« Nous avons parfois abordé ce sujet avec des mages de nos relations », intervient-il cependant, désireux de ramener sur lui le regard bleu d'Arnaud. « Ils semblaient assez de cet avis. »

Le pluriel est un peu excessif, mais dom Patenaude n'est certainement pas le seul à entretenir cette opinion.

« Bien sûr, dit Arnaud, mais le clergé est loin d'être unanime sur ce point. Même les hiérophantes ont des réserves, pour nombre de raisons plus ou moins légitimes. »

Il se ressert du madère avec grâce, leur en offre. Pierrino ne dit pas non et Senso se laisse tenter pour déguster encore le foie gras, exquis en vérité.

« Ah, soupire Arnaud en reposant son verre, je me prends parfois à envier mes collègues girondins de confession christienne, je l'avoue. Tout semble si simple pour eux sans la magie. » Il coule un regard à Senso entre ses paupières mi-closes : « Mais c'est un univers bien dur et bien solitaire que le leur, évidemment. »

Peut-être est-ce simplement une habitude chez lui de se faire séducteur lorsqu'il veut convaincre. Ou d'essayer de convaincre lorsqu'il veut plaire? Pierrino l'observe, un peu attristé d'être trop lucide. Arnaud est toujours aussi beau, lisse, doré, sans rides, mais il n'a plus la fraîcheur innocente de Lamirande. C'est un homme du monde, avec des finesses apprises. Rien là que de très normal: il a vingt-trois ans, il vit depuis longtemps dans la Principauté, il a des ambitions, des plans, des secrets sans doute, malgré ce qu'il en disait autrefois. Et pourtant, au travers de tout cela, il y a toujours en lui cette exigence, cette énergie… Peut-être est-il plus aisément cynique, cependant – trop de frustrations accumulées. Moi aussi, j'ai changé, songe Pierrino.

Mais ce qui n'a pas changé, c'est l'attrait que le jeune homme exerce sur lui. Un attrait réciproque, il est à même à présent d'en reconnaître tous les signes. Et si Arnaud essaie de plaire à Senso, n'est-ce pas encore pour lui plaire à lui, sachant leur attachement l'un à l'autre?

« Et dites-moi, les de Creilles vont vous trouver charmants pendant combien de temps encore? »

Senso rectifie: « Non, notre grand-père sait que nous sommes ici, et chez vous. Nous repartirons sans doute dans deux jours.

— Déjà? »

Voilà un cri du cœur à la sincérité bien réconfortante.

« Dans ce cas, poursuit Arnaud en se levant, si vous n'êtes pas trop fatigués de tous vos voyagements, je vais organiser une petite soirée impromptue pour vous avec mes amis, qui voudront sûrement rencontrer d'une part les petits-enfants du célèbre Sigismond Garance et d'autre part… vous, Senso et Pierrino, qui avez bien autant de charmes! » Il leur adresse à tous deux un clin d'œil coquin.

« Oh, nous sommes frais et dispos, dit Pierrino. Nous nous sommes délassés à bord du bateau. Un moyen de transport dont vous avez sous-estimé le confort et le calme, sinon le luxe, Arnaud. »

Arnaud sourit : « Parfait, alors. On va vous montrer vos chambres et vous pourrez vous rafraîchir avant le dîner. Elles donnent sur la rue, mais c'est une rue fort paisible la nuit.

— Deux chambres séparées ? dit Senso.

— Il y a ici toute la place qu'on peut souhaiter. » Arnaud, aimable, mais l'œil pétillant, se tourne vers Pierrino : « Vous me disiez à Orléans que vous supportiez mieux d'être éloignés les uns des autres. Dormez-vous donc encore dans la même chambre que votre sœur à Aurepas ?

— Eh bien, oui », répond Pierrino, embarrassé d'abord, puis honteux de l'être. « Nous y sommes habitués.

— Nous dormons mieux lorsque nous sommes tous dans la même chambre, ajoute Senso, suave. Mais je suis prêt à faire un effort pour me plier aux us et coutumes parisiens. »

Pierrino est stupéfait : Senso sait exactement l'intention d'Arnaud – et lui-même vient seulement d'y penser ! Vient-il d'avertir Arnaud qu'il pourrait s'il le voulait mettre des bâtons dans les roues d'une rencontre galante ? Mais pourquoi ? Arnaud l'a-t-il agacé à ce point ?

Le jeune homme le prend avec une exquise aisance, cependant : « J'y ai pensé : vos chambres sont contiguës et communiquent par une porte intérieure. Je ne voudrais pas que ce trop bref séjour ne vous fût pas agréable en tout. Le dîner sera servi d'ici une heure. »

Senso va lui expliquer qu'ils ne le peuvent point… Mais non : il jette un coup d'œil à Pierrino, avec une petite inclinaison de tête.

« Malheureusement, nous ne pourrons dîner avec vous, soupire Pierrino. Nous désirons retrouver la troupe de théâtre dont faisaient partie nos parents, la Compagnie des Deux-Rives, et avec le peu de temps dont nous disposons… Sauriez-vous par hasard si elle existe encore ? »

La curiosité d'Arnaud s'est ranimée : « Mais oui ! Un peu moins à la mode qu'autrefois, cependant. On pourrait dire qu'elle a un beau passé devant elle ! » Il sourit de son propre trait d'esprit. « Et c'est toujours madame Andoriakis qui la dirige d'une main de fer dans un gant de fer. Le siège de la troupe se trouve rue de Vivienne. Vos parents faisaient partie de cette Compagnie, me dites-vous ? »

Il ne le savait donc pas.

« Notre mère y jouait sous le nom de L'Estoile, dit Senso.

— La fameuse Mademoiselle de L'Estoile ? » Arnaud ouvre de grands yeux, soudain captivé comme un enfant : « On en parle encore parfois aujourd'hui ! Une actrice incomparable, paraît-il. Si mystérieusement… » Il s'interrompt avec délicatesse avant de dire “disparue”, sans aucun doute. « J'ignorais qu'il se fût agi de votre mère… Mademoiselle Garance était L'Estoile ? Et c'est ainsi qu'elle a rencontré votre père, je gage. Ah, Divine, que tout cela est romanesque ! Il faudra m'en conter davantage. »

Il sonne. Au valet en livrée qui apparaît à la porte, il demande qu'on prépare sa petite voiture. « J'aurais presque envie d'y aller avec vous. Rencontrer ainsi la célèbre madame Andoriakis ! Une figure historique, ma foi. J'ai assisté à des représentations de sa troupe, mais sans jamais en visiter les coulisses… »

Pierrino se sent terriblement embarrassé : comment lui refuser ? Car il a senti son mouvement premier : il ne veut personne d'autre que Senso pour cette rencontre – et Larché, qui n'y assistera pas vraiment.

« … mais je dois m'occuper de votre soirée », conclut Arnaud avec un grand sourire plus spécialement à son adresse, et il le lui rend au centuple, soulagé.

« Larché nous accompagne, et il connaît bien la ville », dit Senso – une pure fabrication, pour ce que Pierrino en sait. Senso est donc bien méfiant, tout à coup, ou bien protecteur !

13

« Je commence de compter, Ouraïn ! Un… deux… trois… »

Visage dans ses bras repliés, mais talent ouvert, Gilles suit la petite qui regarde autour d'elle, bouche ouverte sur un rire silencieux, puis se précipite hors de la pièce en courant sur la pointe des pieds. Va-t-elle encore choisir l'armoire où Xhélin range les draps ? Ou la réserve de la cuisine ? Ou bien a-t-elle enfin compris que si elle choisit un endroit trop tranquille, elle finira par tomber en *igaôtchènzin* ? Oui, apparemment : elle va se glisser dehors dans l'espace étroit qui sépare la galerie du sol et d'où elle peut regarder dehors – heureusement, c'est la saison sèche ! Mieux encore : elle a ramassé la chatte birmane au passage et la tient maintenant contre elle, juste assez serré. Tous les chats deviennent une poupée docile entre ses mains, mais la birmane plus que les autres ; cependant, au bout d'un moment, comme tous les chats, l'animal finira par regimber : une stimulation de plus pour la petite.

Oui, elle comprend peu à peu que le but de ces parties de cache-cache n'est pas tant de ne pas être retrouvée que de ne pas être retrouvée “endormie”. Même si elle proteste toujours qu’elle n’a pas dormi. Et de fait, ce n’est pas un sommeil, il le sait bien, mais c’est tout de même plus un sommeil qu’un respir, après tout, et, comme le sommeil, on peut en retarder ou en contrôler davantage le moment. Il ne va pas attendre qu’elle ait quinze ans pour en être capable à volonté, comme le sont Kurun et les deux autres !

Divine sait quand elle aura quinze ans, de toute façon. En un an, elle a semblé arriver à l’âge de trois ans, puis elle a grandi d’une façon normale pendant les deux années suivantes pour atteindre l’apparence d’une enfant d’environ cinq ans. Mais depuis des mois, elle ne grandit plus, elle ne change plus. “Elle a atteint son premier âge”, a dit Xhélin. Va-t-elle donc passer ensuite d’un seul coup à dix ans ? Et cette fois, le Ghât’sin comme les Natéhsin ont été bien obligés de recourir à “Il n’y a jamais eu de telle enfant”.

« … huit… neuf… dix… »

Il ira jusqu’à cinquante, cette fois ; la petite apprend ainsi à compter, et le décompte la tient éveillée. Ou enfin, présente. Difficile de ne pas utiliser ces termes, “sommeil”, “dormir”, “éveil”, même en les sachant inexacts, tout comme “contemplation”, “transe” ou “méditation”. Quand on les observe lorsqu’ils sont en *igaôtchènzin*, pourtant, absents, les yeux grands ouverts, “transe” s’impose plus que tout le reste.

Des transes fréquentes sont nécessaires aux Natéhsin en bas âge afin d’entretenir la garde de leur talent, il veut bien l’admettre : il a pu constater les effets désastreux de sa tentative pour tenir Ouraïn occupée pendant toute une journée sans interruption. Mais pourquoi ne serait-ce pas modifiable par une éducation appropriée ? Les clergés sont bien les mêmes partout :

on transforme en dogme immuable ce qui est en réalité une volonté de contrôler le talent à tout prix. Il a dû renoncer à discuter avec Xhélin et les autres sur ce sujet, comme sur bien d'autres.

« … vingt-deux… vingt-trois… »

La petite compte, sous la galerie – plus vite que lui, elle est déjà rendue à trente, et la chatte commence de s'agiter. Excellent.

« Trente… trente et un… »

Ah, non : la chatte est particulièrement rebelle aujourd'hui ; la petite choisit de ne pas se faire griffer et la relâche. Tant pis. On verra combien de temps elle va tenir malgré tout.

14

« Arnaud te fait-il donc problème ? » demande Pierrino lorsqu'ils sont enfin en route ; on leur a apporté un en-cas de la cuisine, le chevalier y a insisté. Larché est monté à côté du cocher : de fait, il connaît bien la ville, si le cocher la connaît aussi.

Senso ne sait d'abord que répondre : Pierrino ne s'est-il rendu compte de rien ? Mais Pierrino le détrompe aussitôt : « Il est comme toi, dit-il, il aime plaire, cela ne signifie pas grand-chose. »

C'est une possibilité. Même après avoir écarté cette hypothèse, pourtant, Senso a conscience que son malaise demeure.

« Il a changé », finit-il par dire en désespoir de cause.

« Bien sûr », fait Pierrino en haussant légèrement les épaules. « Et nous aussi. Oh, regarde, des bateleurs ! »

S'il veut passer à un autre sujet, Senso n'y voit pas d'inconvénient.

Le trajet n'est pas très long, une demi-lieue, mais prend tout de même une heure à cause des embarras de la circulation dans les rues trop étroites. Enfin la voiture pénètre sous une courte entrée sonore et dans une grande cour toute en longueur, au pavage irrégulier. L'Hôtel des Deux-Rives se trouve assez loin du front de Seine pour ne point avoir souffert des combats de la Division. Il a été remis au goût du jour au siècle suivant, hautes fenêtres, perron et entrée, mais il date au moins du XVIe siècle : Senso reconnaît, de chaque côté de la petite façade, les tourelles à colonnettes qui abritent un escalier en spirale semblable à celui qu'ils ont admiré à Blois. Le calcaire du bâtiment principal est bien encrassé, comme celui de tant d'édifices parisiens, et il a souffert des intempéries, mais il devait être d'une belle teinte claire au début, on en distingue encore quelques traces dans les endroits plus protégés. Des volets auraient besoin d'être repeints, des vitres nettoyées ; deux gros acacias où pointent timidement quelques bourgeons se dressent dans un coin autour d'un puits à la chaîne rouillée ; ils n'ont visiblement pas été taillés depuis longtemps. De l'herbe pousse entre les pavés de la cour où résonnent cependant les bruits d'une activité industrieuse : sur des tréteaux et des tables sommaires, une demi-douzaine d'artisans s'occupent à scier, clouer et coller des morceaux de bois qui deviendront l'armature de futurs décors.

Senso leur demande où trouver la directrice ; on lui indique l'aile gauche du bâtiment, qui a dû être réaménagée pour abriter le théâtre.

C'est une petite salle de cent cinquante places au plus, essentiellement en parterre, avec seulement un balcon, ou plutôt une sorte de gradin où des loges ont été construites. La scène est assez grande cependant. Les lieux sont en partie désenchantés par la lumière du jour qui tombe des hautes fenêtres des coulisses et du parterre, côté jardin (paradoxalement situé du côté de la cour de l'hôtel), dont les rideaux de lourd velours cramoisi sont tirés. Mais il flotte des odeurs de poussière, de sciure, de sueur, de peinture, et des voix déclament, un son qui rebondit en légers échos dans la salle vide. Senso ne peut s'empêcher de sourire, soudain ragaillardi : il se trouve dans un élément familier.

Ils s'avancent sur le parquet inégal. Quelques chaises sont placées en désordre au parterre devant la scène, où sont assises plusieurs personnes, dont la directrice sans doute ; les autres chaises sont empilées les unes dans les autres le long des murs, avec des bancs. L'espace du parterre ainsi libéré est occupé en partie par deux grandes tables posées sur des tréteaux, où l'on coud des costumes ; dans l'autre partie de la salle, on peint des décors et fabrique des accessoires. Quelques acteurs désœuvrés observent la scène, fument la pipe ou bavardent à mi-voix à l'une des tables de couture, une dizaine d'enfants de tous âges jouent en tas mais en silence dans un coin, vaguement surveillés par une vieille femme qui tricote.

Excepté quatre colonnes de carton peint indiquant l'endroit des entrées et des sorties, la scène est vide de décors, mais une actrice et un acteur s'y tiennent, en costumes de ville.

Senso reconnaît immédiatement les vers :

"Tremble, m'a-t-elle dit, fille digne de moi ;
Le cruel dieu des juifs l'emporte aussi sur toi,
Je te plains de tomber dans ses mains redoutables,
Ma fille." En achevant ces mots épouvantables...

L'actrice est trop jeune pour jouer Athalie, trop blonde et rose, et d'une joliesse ordinaire, mais dotée d'une bonne voix. Elle ne connaît pas très bien son texte, cependant.

« *… son ombre vers mon lit a paru se baisser…* », souffle le souffleur invisible dans son trou.

« *Son ombre vers mon lit a paru se baisser*, poursuit la jeune femme, hésitante. *Et moi je lui tendais les mains pour l'embrasser…*

— *… Mais je n'ai plus trouvé qu'un horrible mélange…* »

En arrivant à la hauteur des chaises placées au parterre, Senso termine à mi-voix en même temps que l'actrice qui se hâte trop, ayant enfin retrouvé sa place : « *… D'os et de chairs meurtris et traînés dans la fange, Des lambeaux pleins de sang et des membres affreux Que des chiens dévorants se disputaient entre eux.* »

On a dû l'entendre : on se retourne sur sa chaise, une femme d'âge mûr, très brune, aux cheveux rassemblés en un chignon lâche dans le cou, avec deux coques sur les côtés qui encadrent une longue face ovale dotée d'une forte mâchoire et d'un nez impérial sous des yeux d'un noir étincelant et des sourcils presque jointifs mais bien dessinés. Ce ne peut être que madame Andoriakis. Senso est étonné de la trouver si jeune : elle devait n'avoir pas trente ans lorsqu'elle a pris la direction de la troupe après la mort de son père – ce qui, il s'oblige à s'en souvenir, est bien inhabituel chez des christiens.

Il était certain qu'elle réagirait à leur vue comme l'ont fait les de Creilles. Mais elle a une expression aussi effrayée que surprise, ce qui le rend muet pour un instant, surpris lui-même. Les prend-elle pour des fantômes ? Il se hâte de la rassurer. « Madame, nous sommes…

— Je sais qui vous êtes », dit-elle d'un ton bref. Elle se lève. Son visage est froid, comme si une trappe était retombée sur ses émotions. Elle se retourne vers la scène pour déclarer d'une voix forte, un peu rauque, qui porte loin : « Adélaïde, ma petite, si tu veux doubler ce rôle, apprends-en donc le texte. Et le songe d'Athalie n'est pas un simple songe. C'est une prémonition fantaisiste ! » Elle ajoute plus bas, à l'adresse de l'homme qui s'est retourné vers eux : « Surveille-les, Grondin. J'ai à faire avec ces messieurs. »

Elle passe entre eux – elle est aussi grande – et se dirige d'un pas vif vers la porte, où ils ne peuvent que la suivre. Une fois dans la cour, elle se retourne et les dévisage l'un après l'autre.

« Vous ne ressemblez vraiment point du tout à votre mère », dit-elle enfin. Cela change des "Ciel, comme vous ressemblez à votre père" qu'ils se sont entendu adresser de manière explicite ou implicite ces derniers temps ; mais ce qui déconcerte Senso et le rend muet, cette fois, c'est l'intonation vaguement déçue, presque rancunière.

Pierrino vient à la rescousse : « Vous les avez bien connus tous les deux, n'est-ce pas ? Les lettres de notre père en font souvent mention. »

Elle les observe maintenant avec une certaine méfiance : « Et qu'est-ce qui vous amène donc ici maintenant ?

— Notre grand-mère d'Olducey, récemment décédée, nous a légué toute leur correspondance et… »

Elle ne le laisse pas achever : « Ah. » Elle ne semble guère se détendre, cependant. « Et que puis-je faire pour vous ? »

Ils ont réfléchi sur le bateau aux questions qu'ils lui poseraient. Sa version des faits leur serait utile, sans aucun doute, avec le plan élaboré par les deux serviteurs ; si ces plans impliquaient la troupe, la directrice devait en être au courant. Peut-être même saurait-elle pourquoi ils avaient dû, de toute évidence, être modifiés. Et elle pourrait confirmer qu'Agnès n'était pas enceinte au départ de la tournée. Ils ont cependant convenu de procéder avec finesse.

« Vous avez connu notre mère avant notre père, dit Senso, et les lettres de celui-ci ne couvrent pas cette période de la vie de notre mère. Nous ignorions qu'elle désirât jouer au théâtre. Nous nous demandions comment elle était arrivée chez vous. »

Le visage sévère s'adoucit alors, les perçants yeux noirs se voilent, se détournent. « Elle s'est présentée un jour au théâtre, voilà tout. Elle semblait si jeune… Mais il était difficile de lui résister. Je lui ai permis de s'essayer à une audition. Nous avons tous été abasourdis par ses aptitudes, son intelligence, sa culture. Je l'ai engagée sur-le-champ, certaine qu'elle serait un atout majeur pour la Compagnie. J'avais raison.

— Sans qu'elle présentât de crédits ? »

Madame Andoriakis hausse un peu les épaules : « Nous nous en moquions bien ! Un talent pareil arrive une fois par siècle, et encore. Mais elle m'a assez vite confié d'où elle venait.

— Et cela ne vous a point dérangée ? »

Un haussement d'épaules plus prononcé, un sourire ironique : « J'ai été élevée des deux bords de la Seine. Mon père avait partout des maîtresses de toute nature. Ici, qu'elle fût une géminite en fuite jouait plutôt en sa faveur.

— La fille de Sigismond Garance ? » remarque Pierrino.

Elle se tourne brusquement vers eux, avec une stupéfaction incrédule : « La fille de… » Puis la trappe retombe à nouveau. « Cela, elle ne me l'a jamais confié. Mais je puis le comprendre. » Sa voix a retrouvé sa fermeté lorsqu'elle reprend : « Quelle importance, de toute manière ? Sa connaissance de la culture géminite était un atout de plus pour nous. Elle nous a beaucoup aidés à adapter le répertoire que nous présentions de l'autre bord. C'était une excellente lectrice, très fine – elle ne s'est pas trompée à propos des œuvres de votre père. Elle devinait de façon extraordinaire les réactions de l'auditoire. »

La directrice, comme distraite à présent, a commencé de marcher vers le puits à pas lents, et ils la suivent. « Elle était si belle, murmure-t-elle. Belle, enthousiaste, gaie…

— Jamais triste, ni mélancolique ? Les lettres de notre père…

— Pas avec moi, en tout cas ! »

Encore une intonation curieuse, triomphante, cette fois. Était-elle jalouse d'Henri, par hasard ? Ses réflexions ont suivi un autre chemin, cependant, car elle reprend, songeuse : « En ces années-là, j'étais jeune moi-même, toute fraîche à la direction de la Compagnie. Son amitié et son énergie m'ont soutenue et encouragée. »

Senso hoche la tête : il peut imaginer la solidarité née entre ces deux femmes dans le Paris christien d'il y a vingt ans – *contre* le Paris christien d'il y a vingt ans.

La directrice conclut d'une voix plus basse et plus rauque : « Je ne me suis jamais remise de sa disparition. » Mais, après un petit silence, elle émet un rire bref : « La Compagnie non plus, du reste. Privés de notre étoile, nous n'avons jamais atteint les sommets que nous commencions d'entrevoir et, les circonstances politiques ayant changé, nous sommes devenus une compagnie de théâtre comme les autres… »

Senso songe à la remarque d'Arnaud d'Ampierre : "un beau passé devant elle". Cruelle, mais juste.

« Nous en avions eu un aperçu, à vrai dire, lorsque Agnès attendait ses jumeaux – vous. Elle a quitté la troupe pour plusieurs mois, et nous en avons senti l'effet ! »

Serait-ce une raison de la vague rancune remarquée tout à l'heure ? Cette femme ne leur en veut tout de même pas à eux, depuis tout ce temps, d'être nés ? Puis une autre idée le traverse, autrement étrange : elle les a peut-être connus enfants au berceau. Agnès les amenait-elle aux répétitions, parfois ? Il y verrait sûrement bien l'origine de son goût pour le théâtre !

La directrice consent à sourire : « Oui, quelquefois. Et quand votre père est devenu l'un de nos principaux auteurs, ils venaient tous ensemble, elle, lui, vous, le Jacquelin de votre père et les deux domestiques mynmaï d'Agnès. Toute une tribu ! »

L'indifférence désinvolte avec laquelle la directrice a lancé le mot *mynmaï* déconcerte Senso, et c'est Pierrino qui demande : « Les avait-elle trouvés à Paris, ses domestiques ?

— Non, ils l'avaient accompagnée dans sa fuite. Elle ne se déplaçait pratiquement jamais sans eux. Deux créatures plutôt bizarres. Toujours silencieuses, effacées. Et cette ressemblance ! On ne savait jamais auquel on s'adressait. »

Elle les dévisage de nouveau l'un après l'autre avec un petit sourire narquois : « Une expérience qui doit vous être coutumière.

— Notre mère était-elle enceinte au début de la tournée ? »

Madame Andoriakis semble désarçonnée à son tour, mais c'est sans doute plutôt à cause du brusque changement de sujet et parce qu'il a oublié d'utiliser l'euphémisme plus courant chez les christiens, car elle répond ensuite volontiers : « Non. Mais à la fin, oui. » Elle a un petit sourire triste : « Je n'ai jamais su comment on a appelé l'enfant. C'était une fille, n'est-ce pas ?

— Julie-Anne.

— Ah, c'étaient les prénoms qu'ils désiraient pour une fille. Elle a survécu, cette enfant ?

— Elle a seize ans à présent, dit Senso. Elle lui ressemble en tous points.

— Vraiment ? » La directrice le contemple, les yeux soudain agrandis. « En tout ?

— Son portrait exact. »

Le regard de madame Andoriakis se porte au loin, songeur. « A-t-elle des crises de somnambulisme, elle aussi ? » murmure-t-elle enfin.

Senso échange un coup d'œil avec Pierrino : « Oui », dit-il, trop étonné pour mentir. Et pourquoi mentir, de toute façon ? Cette femme ne rencontrera jamais Jiliane.

Après un petit silence, Senso, toujours déconcerté, choisit d'aborder sans plus de détours ce qui les intéresse : « N'avez-vous pas été inquiète de cette grossesse imprévue ? Car notre mère vous avait informée de ses plans concernant la sienne, n'est-ce pas ? »

La directrice fronce un peu les sourcils : « Elle m'avait parlé de son intention d'avoir sa mère avec elle à Paris, mais de ses plans exacts, non.

— Vous avait-elle jamais parlé de ses parents ? intervient Pierrino. Des raisons de sa fuite ?

— Elle voulait faire du théâtre », dit la directrice avec un léger haussement d'épaule, « son père s'y opposait.

— Était-il donc un tyran ? » insiste Pierrino, surprenant un peu Senso ; la réponse précédente était assez claire, pourtant : il s'agissait d'une dispute plutôt normale, quoique disharmonieuse, entre un père et sa fille.

La directrice le dévisage avec une certaine ironie : « Il vous a élevés, n'est-ce pas ? Vous devez le savoir mieux que moi.

— Nous n'avons jamais constaté rien de tel, s'empresse de répondre Senso. Mais notre père écrit que notre mère pensait la sienne prisonnière de son époux. »

Madame Andoriakis esquisse une petite moue : « Votre grand-mère vit-elle toujours ? demande-t-elle.

— Oui.

— Est-elle prisonnière ? »

Senso comprend où elle veut en venir. « De l'Édit, certainement », réplique-t-il cependant, pour voir. La directrice incline seulement la tête ; elle sait de quoi il parle : Agnès lui avait décrit sa mère, à défaut de lui en confier l'identité exacte.

Mais il est difficile de départager d'une volonté expresse de Grand-père le désir de Grand-mère de ne pas s'exposer aux regards, commentaires et dédains aurepains, songe-t-il soudain. Puis il se rabroue lui-même : voyons donc, elle vit dans sa propre maison, et seule à Aurepas pendant tous les mois d'été ! Si elle avait voulu s'enfuir, à l'époque, elle se serait enfuie, même sans ses serviteurs. C'est une pensée un peu irrespectueuse, mais madame d'Olducey avait peut-être raison : où leur mère est-elle allée chercher cette idée saugrenue ?

Ou bien, après la mort d'Agnès, Grand-mère a changé plus encore qu'ils ne peuvent le savoir, songe-t-il ensuite, le cœur un peu serré.

Il se sent obligé d'ajouter, comme pour la défendre : « Si elle s'est volontairement enfermée pendant plusieurs années après la mort de notre mère, elle s'est ensuite occupée de nous. Elle ne sort pas, mais…

— Oui, d'après ce que j'avais cru comprendre, votre grand-mère n'est de toute évidence pas d'aspect très européen. Mais, chez les géminites, une femme n'a pas à déférer de ses actions à son époux ni à son père. »

Senso perçoit là une amertume sous-jacente, qui lui en dit fort long sur madame Andoriakis.

« Si elle avait voulu partir, elle serait partie, poursuit-elle. Et on l'aurait laissée faire : on n'a qu'harmonie à la bouche, chez vous. C'est ce qui rend votre théâtre si ennuyeux… Mais Agnès semblait absolument convaincue. Qui étais-je donc pour juger de ce qu'elle avait vécu dans sa famille ? Les humains sont ce qu'ils sont, harmonie ou non. Que votre grand-père eût épousé une indigène, pour commencer, et l'eût ramenée en France ensuite, était la preuve à mon avis d'un fort caractère, même pour un géminite. Les forts caractères… ont tendance à devenir despotiques sur leur vieil âge. »

Elle a les sourcils froncés, le regard lointain. Oh, il y a une histoire là-dessous, Senso le sent. Si elle a repris la Compagnie à la mort de son père, peut-être n'était-ce nullement l'intention de celui-ci.

Avec un petit geste de la main, comme pour écarter des souvenirs importuns, elle reprend : « Toujours est-il que votre mère ne m'avait pas confié les détails de son plan. La Compagnie ne devait y jouer aucun rôle, du reste. »

Senso est vraiment étonné : « Sa mère ne devait-elle pas s'y cacher ?

— Et comment l'aurions nous "cachée" en pays géminite ? » rétorque la directrice avec un sourire sarcastique. « Non, elle aurait pris un autre chemin pour sortir de France au plus vite, je suppose, et un autre pour venir à Paris.

— Ou peut-être le plan impliquait-il quelque magie, remarque Pierrino.

— C'est ce que j'ai pensé au début, lorsque Jacquelin m'a appris que le magicien consulté par lui ne trouvait trace de personne. »

Ils hochent la tête sans commenter l'aisance désinvolte avec laquelle madame Andoriakis parle de magie. Paris est décidément une ville très libre, même sur sa rive nord… La directrice pousse un grand soupir : « Agnès et Henri, et vous, ne deviez servir que de diversion, et la tournée de justification. Agnès voulait surtout, à ce que j'ai compris, ramener les deux domestiques à sa mère, sous un bon prétexte. C'étaient eux qui devaient s'occuper de tout. »

Senso espère que son visage est aussi impassible que celui de Pierrino. Mais il ne sait avec quelle autre question revenir, et de toute évidence Pierrino non plus.

« Jacquelin m'a finalement appris leur décès, murmure madame Andoriakis. Je ne l'ai plus jamais revu ni n'ai entendu parler de lui après son retour à Olducey. Et ensuite, cette période de ma vie a été terminée. »

Elle s'est redressée un peu, d'un air résolu qui ne masque pas pour Senso un chagrin encore vif après tout ce temps.

Mais que dire? "Jacquelin est mort"? Ce serait une information plus attristante qu'utile.

La directrice semble méditer de son côté, les sourcils un peu froncés: « Dans ses lettres, dit-elle soudain, votre père parlait-il d'un monsieur de Pranoix?

—Il me semble avoir vu passer ce nom, dit Pierrino. Les lettres étaient très nombreuses. Nous avons sauté de prime abord quelques détails qui ne concernaient pas directement… nos intérêts.

—Eh bien, peut-être pourriez-vous aller le voir. C'était un ardent soupirant de votre mère, à l'époque. Avant votre père. »

Senso se hérisse: « Que voulez-vous dire, madame?

—Rien du tout, réplique-t-elle, agacée. Il l'a courtisée pendant près de deux ans sans succès, mais elle semblait du moins apprécier sa compagnie. Peut-être s'est-elle laissée aller avec lui à des confidences qu'elle ne m'a point consenties, ni à votre père. » Sa voix s'adoucit soudain, se fait lente, avec une intonation curieusement nostalgique: « Agnès pouvait être… très différente d'une personne à l'autre. »

Après une petite pause, Senso échange un regard avec Pierrino: il va être temps de prendre congé.

« Viendrez-vous assister à notre *Athalie* ? » demande soudain la directrice à Senso, sur un tout autre ton à présent, plus enjoué. « Puisque vous vous dites amateur de théâtre… J'aurais pensé pourtant que monsieur Racine ne fût point étudié chez vous : un Hutlandais…

— Notre grand-père possède une bibliothèque fort bien garnie. Toutes choses étant prises en considération, monsieur Racine était le plus grand des poètes de l'école tragique de Paris, si peu courus eussent-ils été à leur époque. Et puis, *Athalie* est une tragédie toute spéciale aujourd'hui. »

La directrice le dévisage avec approbation, sourit presque : « Oui, c'est la seule à connaître une vogue toujours renouvelée. On y veut voir un parallèle avec votre Reine folle… Le pauvre Racine doit se sentir bien vengé dans sa tombe, après la cabale qui a fait tomber sa pièce à l'époque pour quelques petits éléments fantaisistes ! C'est un succès de notre Compagnie depuis des années, notre pièce mascotte, pourrait-on dire. La joue-t-on donc chez vous ?

— Non, hélas, Madame, soupire Senso. Notre théâtre est encore des plus classiques. » Et plus encore celui d'Aurepas, il a pu le constater aux récits que Grand-père fait des spectacles auxquels il peut assister même à Toulouse. « Dans sa manière comme dans son répertoire, lequel est bien différent du répertoire christien, comme vous vous en doutez. »

Ne serait-ce que pour la peinture des amours entre les femmes et les hommes. Mais nombre d'autres situations sont longtemps demeurées incompréhensibles pour Senso, jusqu'à ce que monsieur Montferrier lui montrât comment les lire en se référant constamment aux doctrines christiennes. C'est un dépaysement intéressant, mais qui le trouble parfois profondément – lorsqu'il se rend compte de la capacité qu'il a de s'y livrer.

« Oui, soupire madame Andoriakis. Les grandes tragédies hutlandaises ne signifient pas grand-chose pour vous, Van Demeer, Enklaar, Meggheren… Elles sont peu traduites. Et de l'École de Paris, il n'y a pas grand-chose non plus pour des géminites, excepté peut-être certaines pièces de Corneille, comme *Le Cid*, qui finit bien et ressemble de quelque façon davantage aux pièces de Shakespeare. La comédie de Molière vous plaît plus aisément. Et chez nos auteurs plus modernes, seuls les moins tragiques et les plus irrévérencieux touchent le public géminite. Quant à nous, l'appréciation de vos tragédies tient le plus souvent aussi du malentendu. Nous trouvons vos pièces fort étranges, et plutôt ennuyeuses, du moins celles qu'il nous est permis de voir, où il n'est pas question de fantaisie. »

Parle-t-elle donc ainsi de magie ? Auquel cas, en effet, il ne reste pas grand-chose : la magie est bien entendu présente dans presque tout le théâtre géminite. Et de fait, à part les vraiment grandes tragédies des Scudéry, *Jeanne d'Arc, La Trêve de Jérusalem*, ou encore le cycle de madame de Valmorens sur les Atlandies – surtout *Azipal*, et *La Prise de Québec* –, Senso trouve lui aussi assez grise une grande partie du répertoire. Il doit s'avouer plus ému parfois par les grandes catastrophes royales de Shakespeare, ou de même, chez Racine, par la folie de Phèdre ou d'Hermione, ou même les nobles tristesses impuissantes de Bérénice et d'Andromaque.

« Quoique depuis quelque temps, continue la directrice, pensive, avec la vogue renouvelée du théâtre anglais, certaines d'entre elles, les moins fantaisistes, pourraient connaître un certain succès chez nous. »

Pierrino, dont le théâtre n'est pas la passion, remarque enfin : « Par "fantaisistes", vous voulez dire frottées de magie ? Nous entendons tout autre chose par "fantaisie"…

— Oui, bien sûr ! » L'ironie de la directrice n'est pas dirigée contre lui. « Mais nous avons tendance à dire ici "magie" sans le dire.

— "Fantastique" ne ferait-il point davantage l'affaire ? Le terme est grec, et vénérable.»

Madame Andoriakis hausse un sourcil amusé : « Ah, nous avons affaire à un lettré, de toute évidence. Eh bien, non, malheureusement. Les connotations de ce terme, "extraordinaire, fabuleux", sont encore trop proches de la magie pour une grande partie du public christien, et en particulier pour les censeurs.

— N'a-t-on pas enfin joué à Paris *La Tempête* de Shakespeare ? » demande Senso, curieux : une pièce bannie en son temps, même de l'Angleterre catholique toujours plus tolérante que le Hutland réformé quant aux licences théâtrales.

« Non, mais nous envisageons nous-mêmes sérieusement de monter *Le Songe d'une nuit d'été*. C'est une comédie, on y permet davantage. *Hamlet* peut-être, plus tard. »

Elle l'observe à la dérobée, il en a conscience : elle veut mettre ses connaissances à l'épreuve.

« Oui », fait-il donc avec la désinvolture appropriée, « il n'y a là-dedans qu'un simple fantôme. Mais *Macbeth* est hors de question pour vous, je suppose. »

Il peut voir qu'elle apprécie ; ses yeux noirs étincellent lorsqu'elle sourit, elle est presque belle : « Tout à fait. Les avez-vous donc vues jouer ?

— *Le Songe* et *Macbeth*. Je travaille aux décors et aux costumes pour le théâtre d'Aurepas.

— Qu'il s'essaie vaillamment à persuader de renouveler son répertoire, tout comme en ce qui concerne l'opéra », dit Pierrino. Avec un petit sursaut coupable, Senso se rend compte qu'il s'est laissé entraîner bien loin dans une conversation qui n'a plus rien à voir avec leur but initial. Mais Pierrino semble amusé et indulgent.

« Avec un succès mitigé, hélas, en ce qui concerne le théâtre de monsieur Shakespeare », précise Senso.

Passent encore *Macbeth,* où l'Harmonie, si l'on peut dire, est restaurée à la fin, et *le Songe*, qui est plutôt une fantaisie au sens géminite qu'au sens christien : invention absurde, culbutes, rebondissements, voire farce, car pour des géminites, la magie inventée par le christien Shakespeare n'a rien de commun avec celle qu'ils connaissent. Mais le mage de *La Tempête* tient vraiment trop du nécromant, même s'il est châtié à la fin. Et *Hamlet* n'est qu'une "affreuse et éprouvante accumulation de disharmonies… une pièce malsaine", lui a-t-on déclaré au théâtre lorsqu'il a suggéré de la monter. On n'a pas accepté son argument qu'elle était justement une splendide illustration des terribles conséquences de la disharmonie : "Trop, c'est trop, mon jeune ami. Il n'y a là-dedans pas un seul personnage, pas une seule action, pour racheter les autres."

« Nombre de vos tragicomédies se rapprochent du théâtre de Shakespeare, en tout cas », poursuit la directrice, décidément intéressée. « Par leurs mélanges des genres et des temps, sinon des lieux, et par la… magie. De quel côté du débat êtes-vous sur ce point, jeune homme ? Davantage de décors et d'action ? Votre théâtre moderne s'en va de ce côté, si je ne me trompe. Le drame…

— Ah, si seulement, Madame. Mais c'est dans sa substance bien plus que dans sa présentation. On est encore aussi très traditionnel sur ce point à Aurepas, en tout cas. Tout cela y reste bien sommaire.

— Et vous le regrettez, je vois », dit la directrice avec un sourire presque taquin.

« J'aime le spectacle, Madame, et pense que les émotions sont plus fortes lorsque tous les sens sont touchés. Je suis même d'avis qu'il faudrait une scène étendue, où l'on montrerait selon le sujet de la pièce différents endroits distribués de manière que le spectateur vît toute l'action, et qu'il y en eût une partie cachée pour les acteurs. Dans le monde ordinaire, les actions sont souvent simultanées, n'est-ce pas ? Des représentations concomitantes, en se fortifiant réciproquement, produiraient des effets bien plus impressionnants ! »

Madame Andoriakis approuve, avec un regret amusé : « Mais cela nécessiterait des productions bien coûteuses, avec toutes sortes de machines, sur des scènes et dans des théâtres bien plus grands que nous n'en possédons, même à la Comédie Parisienne. »

Senso est obligé d'en convenir. « Au siècle dernier, pourtant, on construisait chez vous des machines fort ingénieuses pour les opéras-ballets de monsieur Lully.

— C'étaient des spectacles royaux, à Amsterdam. Nous n'avons, quant à nous, jamais eu l'heur de jouer à la Cour.

— Peut-être devriez-vous faire une tournée à Orléans. Je suis certain que notre Cour vous y accueillerait mieux encore qu'il y a vingt ans. De fait, tout le pays ! »

Elle sourit, apparemment touchée par son enthousiasme : « J'y songerai. » Elle le dévisage avec un amusement plus doux : « Vous tenez bien de votre père. Écrivez-vous vous-même ? »

Il se sent rougir et se hâte de répondre avant Pierrino : « Pour mon frère et ma sœur, surtout lorsque nous étions plus jeunes. Des divertissements enfantins…

— Notre père a écrit pour votre Compagnie, n'est-ce pas ? dit Pierrino. Ses lettres en font mention.

— Mais oui, et avec un succès certain. L'une de ses pièces a même été publiée. » Elle sourit franchement à Senso : « Je pourrais vous en faire parvenir un exemplaire si vous m'indiquez votre adresse.

— Ah, Madame, ce serait fort aimable à vous ! » dit-il, ravi.

Elle sort un petit carnet d'une poche, et il y inscrit leur adresse à Aurepas.

« Vous connaissez l'adresse de ce monsieur de Pranoix ? demande Pierrino, toujours pratique.

– Il vit maintenant à Sceaux, chez vous, je veux dire en France, mais je ne saurais exactement où. Près de l'école militaire, en tout cas. » Elle ajoute avec ironie : « Il doit être au moins capitaine, à présent, voire colonel.

— Est-ce proche ? demande Senso.

— Ah non, mon jeune ami, fort loin au sud-ouest, à une quinzaine de kilomètres. » Elle rectifie après coup : « Un peu plus de quatre lieues.

— Oui », dit Senso, un peu agacé : on n'en est quand même pas resté au Moyen Âge à Aurepas ! Mais alors ils devront s'en occuper demain : il est près de quatre heures ; il faut rentrer chez Arnaud d'Ampierre et se préparer pour la fameuse soirée dont Pierrino doit tant attendre.

Ils prennent congé, tout en expliquant pourquoi ils ne pourront assister à une représentation d'*Athalie* : ils repartent bientôt pour le Midi. Madame Andoriakis, presque amicale à présent, promet de leur écrire en tout cas si jamais elle décide la Compagnie à cette nouvelle tournée en France qu'ils ont évoquée.

Et ils retournent à l'île Saint-Guillaume par les rues encombrées de la fin d'après-midi, sous un ciel où les nuages virent au gris, avec Larché qu'ils ont totalement oublié pendant tout cet intermède mais qui continue de les suivre telle une ombre.

15

Gilles couvre les deux indigènes d'un regard orageux. « Pourquoi vous croirais-je ? La secte Gôïtun ne dit-elle pas que je suis le Dragon Fantôme ? Gaohletzé n'en est-elle pas une adepte ? »

Le Ghât'sin ne détourne pas les yeux. « Gaohletzé a jeté ses dés. Les nôtres sont tombés autrement. Nous n'avons jamais été des Gôïtun. Nous désirons servir ici. »

Gilles les dévisage tour à tour. Chéhyélin, Nèhyélin. Les deux anciens serviteurs de la triade Phénix. Il ne les a pas reconnus tout de suite lorsqu'ils se sont présentés devant lui, mais cela fait plus de six ans qu'il ne les avait vus et ils sont vêtus comme des indigènes ordinaires, sans leur pagne vert et or de Ghât'sin. Et ils ont coupé leurs nattes : leurs cheveux sont désormais rassemblés en une unique queue de cheval sur le sommet de leur crâne, un peu comme ceux de Nathan, mais bien moins longs.

Ont-ils vraiment choisi de venir le trouver sur un lancer de dés ? Il a déjà entendu Xhélin user de cette expression pour évoquer un hasard qui n'en est pas un mais un dessein caché de la Déesse ou d'une des divinités secondaires du panthéon mynmaï, un dessein qu'il faut approfondir et comprendre. Un peu comme Jésus et Sophia à la Pâque – un écho qui ne laisse pas d'être étrange, en la circonstance.

Il est plus vraisemblable que Garang Xhévât les envoie. Mais dans quel but ? Certainement pas comme espions : on n'en a pas besoin, on est capable d'observer à distance sans difficulté depuis la ville sacrée. Xhélin et les deux Natéhsin doivent bien informer le pouvoir de Garang Xhévât, de toute façon. Quant à des intentions plus néfastes… Après six ans, n'est-il pas un peu tard pour le supprimer ? Et croit-on que ces deux-là pourraient le faire aisément, ou enlever Ouraïn ?

« Et qui donc voudriez-vous servir ? Xhélin sert Nandèhd'jo et Feïd'jo. Et je sers Kurun. »

Le regard de l'indigène vacille un peu. « Nul se sert votre enfant. »

Gilles se raidit : « Et nul ne la servira qu'elle-même. »

La même expression choquée passe sur le visage des deux hommes. Mais comme ils ne disent rien, Gilles reprend la parole : « Pourquoi ne pas être restés à Garang Xhévât ? Il y a sûrement à faire pour vous là-bas.

— Il n'y a rien pour nous à Garang Xhévât », dit Chéhyélin d'une voix soudain altérée – ou Nèhyélin : ils ne se sont pas présentés par leur nom tout à l'heure.

« Nous devions servir 'Xhaïgao, murmure l'autre, mais 'Xhaïgao en a choisi autrement. »

Gilles les observe tour à tour, avec un début de compassion : ils ne sont pas si impassibles, leur détresse est évidente. Certes, une fois serviteur d'une Maison, on y demeure, puisque ce sont les Natéhsin qui changent de Maison ; mais ces deux serviteurs-là, qui devaient être les nouveaux maîtres de la Maison Phénix, n'ont qu'une trentaine d'années. Les malheureux Ghât'sin sont-ils formés si tôt et si profondément à servir une Maison en particulier qu'ils ne sont capables de rien d'autre s'ils en sont écartés ?

Peut-être cela n'est-il jamais arrivé avant ce jour.

« Et on vous a laissés partir ?

— Il n'y a rien pour nous à Garang Xhévât », répète l'un des deux indigènes, dans un murmure.

Les en aurait-on chassés ? Ces deux-là pourraient-ils vraiment devenir des alliés, par ressentiment sinon par désir de liberté ? Mais aussi, malgré leur présente démarche, ne devrait-il pas craindre de voir ce ressentiment se retourner un jour contre lui et les siens ?

« Et que croyez-vous qu'il y ait ici ?

— Toi », réplique l'un des indigènes. Son visage s'est brusquement illuminé. « C'est toi que nous devons servir, car ce sera encore servir les Enfants du Dragon ! C'est pour cela que les dés nous ont amenés jusqu'ici. »

Il se tourne vers son compagnon, qui a froncé les sourcils mais se détend peu à peu et finit par dire : « Oui. Oui, c'est la volonté de la Déesse. Nous te servirons. »

Et il se prosterne aux pieds de Gilles, aussitôt imité par l'autre.

Il ne les relève pas tout de suite. Devrait-il les sonder pour s'assurer de la sincérité de cette allégeance ? Il lui faudrait pour cela faire appel à Kurun – ces Ghât'sin sont plus talentés que lui... Kurun l'est aussi, et bien plus qu'eux trois réunis, mais elle, il a d'excellentes raisons de ne pas douter de sa loyauté.

Et s'ils deviennent de quelque façon ses Ghât'sin, ne devraient-ils pas lui être liés, comme Xhélin l'est à Nandèh et à Feï ? Comme il l'est à Kurun ? Il ne s'agira jamais pour eux de "manifester son talent", évidemment, mais de partager le leur avec lui en synergie. Ce qui lui permettrait d'épargner à Kurun de participer trop souvent à la fabrication de l'ambercite.

Ils se refuseraient peut-être à cette fabrication, comme Xhélin – mais Xhélin ne lui est pas lié… Il faudrait en tout cas s'assurer qu'ils ne puissent se retourner contre lui, ce serait la plus élémentaire des prudences.

« Relevez-vous », dit-il.

Ils se redressent pour le regarder, toujours agenouillés. Il n'insiste pas.

« Si vous me servez, vous devrez contribuer à la fusion des substances primordiales », déclare-t-il pour vérifier leur réaction.

Ils tressaillent à peine. « C'est le recommencement, dit l'un.

— Le Fils du Dragon obéit à ses propres lois, dit l'autre.

— Nous servirons en tout les Enfants du Dragon », reprend le premier.

Et ils se prosternent de nouveau.

16

C'est une agréable surprise pour Jiliane : elle n'a jamais encore visité cet endroit. Le lieu est frais, sans doute à cause des arbres qui l'ombragent de toutes parts et de ses jardins, petits et grands, ordonnés ou sauvages, disposés dans un apparent hasard comme si l'on avait construit le palais autour de morceaux de jungle. De l'eau y coule aussi en cascade chuchotante de nombreux pans de murs où s'appuient des demi-vasques de toutes tailles. Dans les plus grandes, entre les fleurs de nénuphars, frétillent les mêmes carpes orange, rose et noir qui abondent dans l'étang du jardin-de-Grand-mère…

◆

… qui abondent dans la douve de Garang Xhévât.

Aussi peuplés qu'ils doivent l'être dans une résidence royale et dans une capitale, escaliers, couloirs et galeries du palais de Daïronur ne sont pourtant pas très bruyants – sandales et pieds nus éveillent peu d'échos sur les dalles de pierre ou les parquets où serviteurs, courtisans et fonctionnaires se croisent en tous sens. Mais une bulle de silence s'étend partout où Gilles passe avec ses deux compagnons, et s'attarde derrière eux. La plupart de ceux qu'ils croisent restent figés sur place, certains s'inclinent, quelques-uns se prosternent. Nul ne s'est détourné et il n'y a eu pour l'instant aucune expression de colère, pas un geste ni une invective même marmonnée dans leur dos. On les reconnaîtrait même si le scribe royal ne les précédait pas – lui avec ses cheveux flamboyants et sa taille qui dépasse d'une bonne tête celle de ses deux compagnons, eux avec leurs trois nattes qu'ils ont laissé repousser et le pagne vert et or des Ghât'sin. Il a choisi son simple pagne de couleur verte, mais d'une nuance bleutée, avec des broderies roses et dorées très apparentes, en écho discret aux couleurs des Natéhsin. Qui ne mettent jamais les pieds au palais royal, pas plus que leurs serviteurs, une autre raison pour la vague de stupeur et de respect effrayé qui les accompagne. L'Étranger de la Prophétie s'en va rencontrer la reine avec deux Ghât'sin !

Il jette un coup d'œil de côté à ses compagnons impassibles. Chéhyélin, Nèhyélin. Le Serviteur du Nez et de la Bouche, le Serviteur des Mains et des Jambes, comme la malheureuse Gaohletzé était Xhéhyélin, le Serviteur des Yeux, le nom qu'aurait reçu Xhélin après son initiation. Les Ghât'sin portent toujours les mêmes noms, seul celui de leur triade les distingue les uns des autres. Ils ont un nom à la naissance, mais ils le perdent en passant au service de Garang Xhévât. Seule la folie de Gaohletzé lui a rendu le sien. Xhélin a gardé en partie son nom d'aspirant même s'il sert deux Natéhsin – par humilité ou par défi, ce n'est pas clair. Chéhyélin et Nèhyélin ont refusé de raccourcir le leur – une façon sans doute de conserver une supériorité sur lui.

Un bref éclair d'irritation traverse Gilles. Xhélin a refusé tout net de l'accompagner à Daïronur en prétextant le refus de Nandèh et de Feï. Comme si les Natéhsin n'auraient pu, pendant quelques semaines, se servir eux-mêmes ou avoir recours aux deux Ghât'sin qui leur avaient anciennement été destinés. Mais tout a tourné pour le mieux, somme toute : Chéhyélin et Nèhyélin ne sont pas aussi avares d'informations que Xhélin, et ils l'ont abondamment instruit en cours de route de ce qu'il trouverait à Daïronur, à commencer par la composition du conseil royal qu'il s'en va rencontrer : les gouverneurs et vice-gouverneurs des trois provinces, la princesse héritière, la reine et une représentante des sectes.

Aucun Ghât'sin à la cour de Daïronur, pas même un *yuntchin*, et une seule représentante pour toutes les sectes. Comment cela est-il seulement possible ? Ils lui ont pourtant décrit plus d'une demi-douzaine de sectes importantes qui auraient certainement leur mot à dire. Il y a la secte dominante, Hulungasuchèn, celle des Natéhsin, qui s'est divisée au temps jadis en Gôïtun et Hexhaïngao sur l'interprétation de la Prophétie. Il y a la secte Hyundgun, ou "Voie du Dragon", qui adore les cinq divinités du panthéon mynmaï, ou les cinq composantes de Huètman', en alternance et en combinaisons diverses selon des rituels complexes en liaison avec les lieux, les saisons, les mois et les jours. Ensuite, deux sectes complémentaires et non rivales, également répandues dans toute la population, Unt'xhèngao qui prie et honore Huètman' en suivant la Voie de Droite liée à Yuntun la Mort et à Hétchoÿ la Lune, et Xhèngalao, qui honore aussi Huètman', mais suit la Voie de Gauche, celle de la Danse, Hundgao, et de 'Xaïo le Soleil – l'union des deux Voies constituant l'Harmonie des Mynmaï, la *tchènzin*.

Il y a encore, surtout dans le nord et l'est, deux autres sectes mineures, Hundu, qui suit Yuntun et

Hundgao, et Chépan'yèn qui suit Hétchoÿ et 'Xaïo. Chéhyélin – ou Nèhyélin, car ils se ressemblent terriblement, esquissait une légère grimace: ce sont des cultes quelque peu chaotiques, surtout Chépan'yèn, et qui rassemblent souvent les marginaux, dissidents et autres "fauteurs de troubles" (il y a donc des dissidents au Hyundzièn?). Enfin, et surtout chez les Bôdinh du Camtchin, trois animaux sont élevés au rang de divinités secondaires et adorés par leur propre secte, Zéuhsin, la Voie des Trois Parfums: 'xaïgaoma', l'oiseau-lyre, nomghuma', une énorme variété de python aquatique, et tihyundpenhma', le petit dragon des montagnes. Ces animaux correspondent évidemment aux trois Ancêtres et la secte est considérée comme une branche archaïque de la secte Hulungasuchèn.

Et tout cela, c'est sans compter avec les deux ou trois nouvelles sectes qui se sont formées depuis la naissance d'Ouraïn! Dont au moins une favorable, Untihyundgâneh: la secte de l'Enfant Élue; des indigènes qui y appartiennent ont commencé de venir s'offrir pour travailler à la fabrique, avec même des *yuntchin* pour participer à la fabrication de l'ambercite – aubaine inespérée!

C'est pis que la multitude des sectes qui florissaient aux premiers temps du géminisme. Et pourtant tout ce monde cohabite sans querelle, semble-t-il, puisque aucune de ces sectes n'est considérée comme schismatique ni hérétique. Même les Gôïtun et les Hexhaïngao? Chéhyélin a hoché gravement la tête: "L'univers dit toujours oui et non en même temps."

Et il n'y aura qu'une seule représentante des sectes au conseil. À quelle secte elle appartient... "Si on le savait, elle ne pourrait les représenter toutes."

À leur manière, lorsqu'on leur demande une opinion plus personnelle et non des informations factuelles, ces deux-là sont aussi hermétiques que Xhélin.

Une dernière massive porte de bois plus dorée et plus sculptée que les autres s'ouvre à deux battants. Instruit par les Ghât'sin, Gilles s'arrête sur le seuil. Le palais a été construit bien après Garang Xhévât, mais les architectures s'en ressemblent fort. Cette salle est toute en pierre, grès rose ou latérite, décorée du sol au plafond par des frises et hauts reliefs, chasse, combat, scènes de la vie quotidienne. Les caissons du plafond sont également sculptés mais plutôt d'animaux et de fleurs stylisés. Le tout est supporté sur deux côtés par des colonnes carrées au travers desquelles passe la lumière en provenance de galeries dont on aperçoit les balcons, à l'est et à l'ouest. On lui a dit que la salle est orientée de façon à représenter le pays: la plate-forme royale, constituée de cinq très larges degrés, se trouve au nord, comme Garang Xhévât, et les dignitaires y sont répartis selon leur provenance: les Kôdinh du Laotchin à gauche de la reine, à l'est, les Dinhga de l'Undchin face au sud, les Bôdinh du Camtchin à l'ouest. Il y a des portes de trois côtés de la salle, mais on l'a fait entrer par le sud – c'est plutôt bon signe, n'est-ce pas, si l'on n'a pas voulu souligner son statut d'Étranger de l'Ouest ?

Le scribe royal se prosterne par trois fois puis va prendre sa place aux pieds de la reine. C'est maintenant leur tour. Gilles se met en marche le premier pour s'avancer entre deux rangées de gardes dinhga de forte taille, rendus plus impressionnants encore par leur accoutrement: jambières et épaulettes de métal doré, demi-armure de languettes laquées rouge et or cousues ensemble par bandes, et surtout leur casque, laissant le visage à découvert mais pourvu d'une coiffe articulée qui protège la nuque, et orné sur le devant d'un demi-cercle métallique dessinant comme des cornes courbes et plates, gravées de motifs stylisés, oiseaux, tigres, éléphants et serpents.

Il s'agenouille puis se prosterne par trois fois un peu en avant du demi-cercle des conseillers, comme on le lui a recommandé – vers la reine, puis vers sa droite et ensuite sa gauche. Il se relève, attentif aux réactions de l'assistance. La reine et la princesse demeurent impassibles. Un froncement de sourcils chez quelques-uns, quelques soupirs étranglés chez les autres, mais rien de plus. Aucun talenté, quand il s'en trouve au palais, ne doit jamais se tenir debout en présence de la royauté. Seules les Natéhsin le pourraient – mais elles demeurent toujours à Garang Xhévât. Décidément, il aurait aimé avoir Nandèh et Feï avec lui : debout, tous les trois, un symbole approprié... Mais il est un Enfant du Dragon au même titre que Nandèh, Feï et Kurun, ils le lui ont assez répété. Et les deux Ghât'sin lui ont assuré qu'il avait comme tel le droit de se relever. Eux restent assis sur leurs talons, la tête baissée. Ils ne pourront dire mot pendant toute l'audience, mais ils ont tenu à être présents. Pour le défendre ? Il en est plus que capable si cela s'avère nécessaire – la distance n'influe pas sur son lien magique avec Kurun. User de magie au palais royal est interdit, évidemment, et peut-être y a-t-il un anneau de magiciens autour du palais pour y veiller, mais les règles ne s'appliquent plus de la même façon maintenant. Si on l'attaque, il se défendra.

Le silence se prolonge, mais ses Ghât'sin lui ont dit que nul ne parle avant la reine. Il leur jette un rapide coup d'œil. Leur allégeance n'était pas un subterfuge ; il en a appris davantage sur le Hyundzièn depuis qu'ils sont avec lui qu'avant eux avec Xhélin et les Natéhsin. Il attendra donc qu'on lui adresse la parole. Mais il ne baissera pas les yeux.

Les serviteurs font languidement aller leurs grands éventails de plumes autour de la reine, de son héritière et de leur scribe. Yajaladarsun Rajanbahkêp siège sur la plate-forme du trône. Sous elle, sur la première marche, la robe jaune safran de la représentante des sectes, une femme d'un âge indéterminé, visage rond, crâne rasé. Sur la deuxième marche, trois hommes que leurs riches habits, leur petite toque ronde et surtout leur éventail désignent comme les gouverneurs des trois provinces ; à leurs pieds sont assis leurs scribes ; en dessous, également assis sur des tabourets pliants, les neufs vice-gouverneurs, répartis à peu près pour moitié entre les deux sexes. Deux scribes sont prêts à consigner leurs paroles, assis à même la dernière marche. Enfin, installés en tailleur sur d'épais tapis à même les dalles rouge et or du sol, et formant un demi-cercle ouvert face à l'entrée sud, les divers ministres et conseillers, six de chaque côté. La numérologie n'est pas tout à fait la même qu'à Garang Xhévât : cinq marches, mais deux personnes, ou trois si l'on compte le scribe, puis une, puis trois, ou six, neuf, deux et douze. Trente-trois. Onze fois trois, tout de même.

Et eux trois. Cela donne en tout un chiffre pair. Mais divisible par trois pour donner douze. Il a décidément bien fait d'emmener les deux Ghât'sin plutôt que le seul Xhélin.

Le silence se prolonge. Il reste debout, mains croisées devant lui dans la posture détendue qui précède la méditation. Il ne dévisage pas la reine, ce serait interprété comme de l'insolence, il laisse son regard se perdre sans se fixer, mais il voit malgré tout qu'elle l'observe, immobile dans son grand fauteuil de teck massif au dossier très droit, aux sculptures extraordinairement fouillées mais sans autres ornements, ni dorures, ni pierres fines. C'est une femme vieillissante et robuste, encore majestueuse, aux cheveux argentés assemblés en multiples chignons tenus par des épingles ornées de pierreries, mais aux yeux noirs toujours vifs et perçants. Dans son fauteuil moins haut, à sa gauche, est assise la princesse héritière, Aulangsun, qui a vingt-deux ans mais en paraît quinze, une petite jeune fille bien en chair, la peau lisse et luisante comme une châtaigne et de la même belle nuance brun roux. Elle a les yeux de sa mère, et ses cheveux sombres et brillants sont aussi échafaudés en de savants assemblages. C'est leur seule coquetterie, dirait-on. Leurs robes sont de soie chatoyante et légère, bleu-vert pour la mère et mauve pour la fille, simplement drapées comme des saris indiens, laissant une épaule à découvert, mais avec une haute ceinture rouge qui semble servir aussi de bustier ; elles portent pour seuls bijoux de fines résilles d'or en collerette autour du cou et une large bande d'or cuivré à chaque poignet.

Des bracelets d'avers.

Gilles jette un rapide regard circulaire sur les bras nus des autres membres du conseil. Seuls en portent les deux scribes royaux et les trois gouverneurs. Mais les vice-gouverneurs, la représentante des sectes et tous les autres, ainsi que leurs scribes, arborent des bagues ou des colliers plus ou moins voyants, apparemment faits du même métal que les bracelets, souvent filigranés d'argent ou sertis de pierres précieuses.

Existe-t-il des bagues et des colliers d'avers ? Il n'a pas même songé à interroger ses Ghât'sin à propos de celui qu'il porte toujours, et ils ne lui ont pas dit non plus qu'il ne devrait pas le porter. Cela sera-t-il interprété comme arrogance de sa part ? Et chez ces gens qui lui font face, comment doit-il l'interpréter ? Si l'on craint son talent, est-ce un mauvais signe ? D'un autre côté, il est peut-être normal qu'on porte de ces bracelets au palais royal. Peut-être seuls ceux de la reine et de la princesse en sont-ils de véritables, ainsi que ceux des gouverneurs, et les autres portent des bijoux ordinaires dont les dimensions correspondent peut-être à leur rang, mais dont le métal sert à signaler leur statut de hauts dignitaires.

Il n'a nulle intention d'user de son talent. Il a d'autres arguments. Il rassurera la reine mynmaï et ses ministres en cela comme pour le reste. Très délibérément à présent, il laisse son regard se poser tour à tour sur les trois gouverneurs des Provinces en s'attardant sur celui de gauche. Ses seuls véritables adversaires, ou plutôt ceux qu'il devra persuader davantage que les autres: Kêlingdhût, le gouverneur kôdinh de la Province de l'Est, et ses trois vice-gouverneurs. Non seulement sont-ce presque tous des adeptes de la secte Gôïtun, mais ils épousent une version de l'antique fermeture du pays qui les fera s'opposer vigoureusement à ses projets. Pour eux, la magie des Mynmaï est la première, pure et originelle, parce qu'ils sont les premiers êtres humains, bien-aimés de Huètman'. Les autres peuples, créés plus tard par le seul caprice de Hyundigao, le Dragon Fou, sont des imitations imparfaites, faibles et abâtardies des Gzutchèn; leur magie même, malgré l'étincelle divine qui y subsiste, est profanée par l'usage vain ou malfaisant qu'ils en font; le pays sacré ne doit point être contaminé par ces races inférieures et c'est pour l'en protéger que Huètman' l'a fait disparaître du monde.

Il retient un sourire féroce. Il sait exactement ce qu'on va lui dire, ce qu'on va lui demander, les arguments et contre-arguments qu'on va lui jeter à la tête. Dragon Blanc, Dragon Fantôme, Fantôme de l'Ouest. Étranger. Sacrilège. Il lui sera facile de leur démontrer qu'ils ont tort: le Dragon de Feu ne lui a-t-il pas rendu son talent? La nouvelle triade du Phénix n'a-t-elle pas choisi de le suivre et de vivre avec lui? Kurun l'a appelé pour la servir, elle a porté leur enfant. Et si les trois Natéhsin l'aident à fabriquer l'ambercite, si Garang Xhévât n'y a pas réagi, ce ne peut être un sacrilège, n'est-ce pas ? Enfin, si la magie des géminites n'était pas digne de celle des Mynmaï, si leur race était inférieure en rien, la Déesse aurait-elle laissé tout cela arriver ?

Non, car c'est la secte Hexhaïngao qui détient la bonne interprétation de la Prophétie. Si le Dragon de Feu n'est pas revenu lors du dernier Grand Festival, c'est parce qu'il n'est plus nécessaire : l'ouverture du pays permettra la circulation renouvelée de la magie mynmaï dans le reste du monde. Et les Natéhsin continuent de jouer leur rôle par ailleurs : elles ont engendré des Ghât'sin au Festival et des Ghât aux deux petits festivals suivants, comme à leur habitude. Si c'était vraiment la fin du monde, les Natéhsin et leurs Ghât'sin se comporteraient-ils ainsi ? Les catastrophes annoncées par la secte Gôïtun ont-elles eu lieu, pendant les huit années écoulées depuis qu'il a abordé à la rive du Hyundzièn ? Non. La "maladie blanche" qui inquiète tant Xhélin n'est pas encore apparue bien loin de Garang Xhévât, l'on n'en a peut-être même pas entendu parler ici à Daïronur, et de toute façon elle n'est pas très grave, n'importe quel *yuntchin* digne de ce nom devrait pouvoir le leur dire : une réaction du psychosome indigène à tous ces bouleversements, et qui se guérira d'elle-même lorsque les Mynmaï auront pu constater que la fin du monde n'arrive pas.

Le seul changement à Garang Xhévât est somme toute assez minime : le pouvoir des Ghât'sin s'est resserré, il n'y aura plus désormais que trois triades – et non point deux, comme le prétend Xhélin. Le Ghât'sin a pourtant vu les Natéhsin de Hétchoÿ revenir bien en vie de la Chambre du Dragon ! Une confirmation, hélas, de ce qu'il s'était quant à lui toujours refusé à croire : le rituel s'accompagnait auparavant d'un sacrifice humain. Mais cela confirmait aussi l'hypothèse qu'il avait été amené à formuler: on s'y livrait bel et bien à une sublimation.

Si le sacrifice humain n'a plus lieu, ce ne peut être que pour le mieux. Pourquoi les Ghât'sin ont décidé de modifier ainsi leur rituel le plus sacré, il ne s'en est pas encore donné une explication bien satisfaisante, mais cela doit avoir rapport à la réouverture du pays. Comment ils modifieront le dogme par la suite, car ils le devront certainement, et quelles justifications ils en donneront à leurs fidèles, il n'en a pas trop idée non plus. C'est leur problème. Mais les neuf Natéhsin restantes continueront de donner ensemble naissance à leurs remplaçantes, et à des Ghât'sin avec les non-talentés, et ainsi de suite. Rien n'a vraiment changé là.

Le seul véritable changement, c'est à partir de Garang Nomh qu'il se produira, lorsque le comptoir géminite y sera établi.

Gilles laisse son regard se concentrer à nouveau sur l'assistance chamarrée qui lui fait face. Et pour cela, il va lui falloir convaincre tous ces gens que la Déesse a décrété l'ouverture du pays, qu'il est son humble serviteur et non le Dragon Fantôme Blanc, et qu'un nouveau cycle des temps vient de commencer. Il ne devrait pas y trouver de difficultés majeures: n'est-ce pas la vérité? N'est-ce pas ce que le pouvoir de Garang Xhévât désire, en fin de compte, puisqu'on l'a laissé se rendre jusqu'ici?

Ce que l'on sait à Daïronur de ce qui se passe réellement dans la ville sacrée est néanmoins une énigme encore irrésolue. Difficile de poser directement ce genre de questions à Chéhyélin ou à son compagnon. Les anciens Ghât'sin de Phénix se mouraient, lui ont-ils dit. Voilà qui confirmait ses soupçons: quelle meilleure occasion pour ceux des trois autres Maisons de mettre leur projet à exécution avec un minimum d'opposition, et d'éliminer la Maison

Phénix ? Désignés comme les nouveaux Ghât'sin de celle-ci, tout occupés avec leur compagne Gaohletzé à apprendre leurs devoirs, Chéhyélin et Nèhyélin ne devaient pas être au courant de ce qui se tramait, ni être assez informés des courants les plus secrets de la politique à Garang Xhévât. Ils demeurent d'ailleurs muets comme des carpes sur le sujet, mais ils sont si diserts sur presque tout le reste qu'il peut bien leur passer ce caprice ou cette prudence.

À voir la nature et la disposition des dignitaires dans la salle d'audience, en tout cas, et si stupéfiant que ce soit à admettre, il existe réellement ici une séparation totale entre talent et pouvoir politique et religieux. Un arrangement un peu semblable à celui qui a prévalu avec l'Accord de Ravennes, peut-être. On le dirait bien – bracelets d'avers inclus ! – mais de toute évidence un arrangement plus durable. Cela n'implique pourtant nullement qu'il n'y ait point de contacts entre les deux pouvoirs, ni que les Ghât'sin de Garang Xhévât, pour n'être pas présents en personne, n'ont point leurs alliés chez les uns ou chez les autres.

Aucun bruit, aucun mouvement sinon celui, comme au ralenti, des éventails de plumes. Il a tout son temps. Il est prêt à revenir se présenter au palais, encore et encore, jusqu'à ce qu'enfin rassuré quant à sa nature, on se décide à lui poser les questions importantes, sur le pays d'où il vient, sur les relations qu'il désire voir s'établir entre l'Ouest et le Hyundzièn. Il restera à Daïronur aussi longtemps qu'il le faudra pour rassurer ces indigènes timorés.

La reine se penche un peu en avant. Un friselis attentif passe dans l'assistance.

« Nous parleras-tu de ton pays, Hyunduntchinsèn ? » dit Yajaladarsun Rajanbahkêp, d'une voix calme et empreinte de respect.

17

Le glissement des pages du rêve ralentit, s'arrête, Jiliane se pose sur une page où une enfant pleure à petit bruit, tandis qu'avec tendresse, sans un mot, on coiffe ses longs cheveux lisses. C'est Xhélin, et c'est Ouraïn, et Kurun est là aussi, assise à quelques pas. Un bref espoir, mais c'est encore en Xhélin que se glisse le rêve, et Jiliane avec lui.

◆

L'enfant ne pleure presque plus. Seul un retour de sanglot la fait hoqueter par intermittence tandis que Xhélin tresse les nattes défaites. Elle ne comprend pas, bien sûr. Elle ne comprend pas pourquoi cette inconnue échevelée l'a poursuivie dans le verger en hurlant "Sintchènzin" et "Untitchènsu !". Son nom est Ouraïn, comment pourrait-elle comprendre qu'on l'appelle "Abomination" et "Fille du Dragon Blanc" ? Personne n'a jamais nommé Gilles "Hyunditun" devant elle. Ni devant Gilles, du reste.

Xhélin rassemble les nattes en diadème sur la tête de l'enfant, noue le dernier ruban et se relève en la prenant dans ses bras. Elle s'accroche à son cou en reniflant, il lui tapote le dos avec un murmure apaisant.

Le geste lui est venu si aisément, et la tendresse, et la colère navrée contre cette pauvre folle de Gaohletzé… Comme si cette enfant n'était qu'une petite Ghât'sin et lui son guide.

Ce qu'il est, somme toute, et ce qu'elle est aussi.

Il vient la déposer sur les genoux de Kurun, qui ouvre les bras avec un léger retard. Elle doit apprendre, elle aussi. C'est elle qui aurait dû aller chasser son ancienne Ghât'sin et ramener la petite à la maison. Mais elle installe volontiers l'enfant sur ses genoux en essuyant de la main les joues humides. Il faut être patient. Malgré ses innombrables enfants au cours de ses innombrables âges, l'Ancêtre Kurun n'a jamais auparavant été une mère.

« Pourquoi elle voulait me faire mal, Amah ? » demande la petite d'une voix encore éraillée par les larmes.

Kurun lève les yeux vers lui, mais il se retient de répondre, avec un soupir intérieur : cela ne lui demande presque plus d'effort, maintenant, de ne pas répondre à l'appel d'une Natéhsin. C'est Gilles, maintenant, le Ghât'sin de Kurun.

Elle revient à l'enfant, la berce un peu. « Elle ne t'aurait pas fait mal. Elle ne t'aurait pas touchée. »

Ouraïn contemple le visage de Kurun, déconcertée : « Mais elle le voulait, Amah ! »

Après une petite pause, Kurun répète : « Elle ne t'aurait pas touchée. Personne ne te fera jamais de mal. »

L'enfant peut sentir la certitude absolue de sa mère, non la comprendre. Elle penche un peu la tête de côté – un geste qu'elle a déjà pris de Kurun – et demande enfin : « Pourquoi, Amah ? »

Xhélin rend son regard à Kurun, impassible.

« Parce que tu es la fille des Natéhsin et du Fils du Dragon », dit Kurun.

Ouraïn renifle encore. « Pourquoi il n'est pas là, Gânu ?

— Il est allé rendre visite à la reine Yajaladarsun, à Daïronur. »

Kurun n'a pas compris : ce n'était pas ce que demandait la petite. Qui répète, d'un ton plus boudeur : « Mais pourquoi ? »

Xhélin observe Kurun avec intérêt. Elle semble avoir compris, cette fois : « Parce qu'il doit s'occuper du monde nouveau. »

La petite demande, carrément boudeuse cette fois : « Pourquoi il doit s'en occuper, du monde nouveau ? »

Du moins Kurun ne manifeste-t-elle pas d'impatience. Oh, elle peut être sévère, à sa façon laconique, dispenser une silencieuse tendresse, et même jouer quelquefois à des jeux tranquilles, mais elle n'est jamais impatiente, jamais fâchée, jamais inquiète. Même si Ouraïn est toujours dans son premier âge de cinq ans, ce n'est plus un bébé ; Kurun ne comprend pas bien encore que son calme déroute l'enfant, pourrait même la blesser. Nandèh et Feï l'ont compris avant elle, ce qui ne laisse pas d'être surprenant. Kurun s'était humanisée plus vite, au début. Mais on dirait qu'elles l'ont rattrapée et dépassée, depuis…

Il s'oblige à terminer sa pensée, malgré la terreur familière qu'il sent s'ouvrir en lui. Depuis le dernier Grand Festival de Hyundxhaïgao. Depuis que le Dragon de Feu n'est pas revenu.

Kurun installe Ouraïn sur ses genoux de façon à ce que l'enfant puisse la regarder. « Il y a très longtemps, et pour qu'il y ait un commencement, Huètman' avait séparé en deux la substance primordiale, et le haut était devenu le haut, avec le Souffle du Dragon, et le bas était devenu le bas, avec le Sang de la Forêt… »

Kurun apprend à être mère, malgré tout. Le visage d'Ouraïn perd son expression chagrine : Amah, qui ne parle pas souvent, va lui conter une histoire. Elle la connaît déjà, mais c'est une longue histoire, et pendant tout ce temps elle pourra rester sur les genoux d'Amah, dans les bras d'Amah. Elle s'y installe plus à son aise, en collant sa joue contre les seins de sa mère. Elle aime entendre les voix parler et les sentir résonner en même temps dans la poitrine. Cela lui rappelle-t-il son si long séjour dans le ventre de Kurun ? Elle y était pourtant dans sa propre Maison, et non dans celle de sa mère comme il aurait été normal pour une Ghât'sin. Xhélin retient un soupir : cela aurait dû les alerter tout de suite.

Mais il n'y a jamais eu de telle enfant.

« La première Création fut la Montagne et le Ciel, parce que le Souffle du Dragon était l'air, la terre et le feu. Ensuite furent créés le Fleuve et la Mer, parce que le Sang de la Forêt coulait alors comme de l'eau douce et de l'eau salée… »

Un instant, Xhélin se laisse bercer par le récit familier, il en énonce les phrases intérieurement en même temps que Kurun. La création accidentelle des Natéhsin par Huètman', la création illégitime des premiers humains par Yuntun et Hundgao… Il les contemple, Kurun et Ouraïn, un tableau paisible, une mère racontant une histoire à sa fille dans la lumière d'un bel après-midi d'hiver. Mais Kurun est une Natéhsin, et Ouraïn est la fille d'un Fils du Dragon ! Et Nandèh et Feï, qui sont là aussi à écouter, Nandèh et Feï n'ont pas changé comme elles l'auraient dû au dernier petit festival : Nandèh a gardé sa forme d'homme et Feï sa forme de femme. Elles ont pourtant échangé leurs pendentifs – alors qu'à Garang Xhévât toutes les autres Natéhsin ont désormais ôté le leur, en signe de deuil.

Rien n'est plus normal, rien !

Et le Dragon de Feu n'est pas revenu.

« Afin de sceller leur réconciliation », poursuit la voix paisible de Kurun, « Huètman', Yuntun la Mort et Hundgao la Danse décidèrent que les Natéhsin se joindraient aux Gzutchèn chaque fois que le Fleuve remonterait à sa source, permettant ainsi à la substance de Huètman' de se répandre dans le monde. »

Elle fait une pause, et Ouraïn en profite pour vérifier une fois de plus : « Mais ce n'était pas mal, Amah, qu'il y ait des Natéhsin et des humains. »

Elle observe avec attention le visage de sa mère. Kurun a-t-elle compris ? Elle secoue légèrement la tête et dit avec calme : « Non. Mais ni les unes ni les autres n'étaient prévus au Commencement.

— C'était une *surprise* », souffle Ouraïn en plissant le nez.

« Oui. Et cela changeait l'équilibre de la Création.

— Parce que les Natéhsin sont des nœuds », poursuit la petite.

Ouraïn a-t-elle décidé de contribuer à l'histoire, aujourd'hui ?

Kurun ne se trouble pas et reprend le fil au vol : « Oui, des nœuds de magie. » Et elle fait une pause pour permettre à la petite de commenter : « Et des nœuds, cela arrêtait la magie de Huètman'. »

Kurun hoche légèrement la tête avec même une esquisse de sourire : « Il fallait donc dénouer les Natéhsin. Et depuis ce temps-là, elles se joignent aux humains pour créer les Ghât'sin et les Ghât, et ceux-ci créent les yuntchin, et ainsi de suite, et la substance de Huètman' s'écoule des Natéhsin aux Ghât'sin, et des Ghât'sin aux yuntchin… »

Et elle laisse la petite l'interrompre encore : « … et ensuite aux humains…

— … et lorsque les humains retournent dans la terre, la tchènzin redevient le Souffle du Dragon et le

Sang de la Forêt dont se nourrit le feu de Hyundxhaïgao pour recréer les Ancêtres, qui créent des Ghât'sin, qui créent des yuntchin…

— … qui créent des humains, et ils rendent l'orcite et l'ambrose que mange le Dragon de Feu et tout recommence toujours ! » conclut la petite, triomphante.

Orcite. Ambrose. Kurun réagira-t-elle en entendant les deux mots étrangers éclater ainsi au milieu des termes mynmaï ? Mais non. Le cœur soudain broyé, Xhélin se mord les lèvres au sang pour ne pas crier : "Mais le cycle est rompu !" La phrase résonne pourtant longuement en lui, comme le grondement sourd d'un tambour des morts. Le cycle est rompu. Hyundxhaïgao n'est pas revenu. Il n'y a pas de nouvelle triade du Phénix. Il n'y en aura jamais plus. Les Natéhsin vont disparaître. Le cycle est rompu.

« Cela recommence toujours », dit Kurun, et quelque chose dans sa voix relève vers elle la tête de Xhélin. Les yeux dorés sont fixés sur lui. Elle sait son désespoir, son angoisse sans cesse renaissants. C'est pour le réconforter qu'elle a parlé ainsi. Il devrait en éprouver de la gratitude.

Elle a dit "Nous nous souvenons de ce qui sera", mais peut-il vraiment la croire ? Oh, comme il est tombé, comme il est tombé pour s'interroger ainsi, pour douter d'elle ! Mais si les Gôïtun avaient raison ? Gilles est le Dragon Fantôme de la Prophétie, et la fin du monde est proche. N'a-t-il pas vu Gaohletzé, tout à l'heure, dans le verger, si maigre, à demi folle, et la peau marbrée de blanc ? Et ce n'est pas la seule, il en a vu d'autres dans les villages proches de la ville sacrée, frappés eux aussi de cette étrange maladie.

Les Natéhsin le savent, à Garang Xhévât, avec leurs Ghât'sin. Comment peuvent-elles continuer de vivre comme s'il ne s'était rien passé ? Lorsqu'il se tient avec elles dans la ville sacrée, oui, il peut presque se persuader que rien n'a changé, que tout est comme avant, mais au Grand Festival… Oh, le silence, le grand silence dans la ville sacrée, quand ils ont vu, quand ils ont tous vu le Dragon de Feu ne pas apparaître, et la procession redescendre, et les Ghât'sin de Hétchoÿ ramenaient les trois malheureuses Natéhsin, et Nomghu les suivait et Hyundpènh, et il n'y avait pas de Phénix, il n'y aurait plus jamais de Phénix !

Et pourtant le Festival a continué, sur l'ordre des Natéhsin. Elles ont engendré des Ghât'sin, comme toujours. Et, peut-être rassurés de les voir parmi eux comme à l'accoutumée, les pèlerins ont engendré leurs propres enfants du Festival. L'habitude. La force de l'habitude. Mais ce n'est pas, non, ce n'est pas de la sagesse !

Il n'a pas été sage, lui. Il n'a pas engendré de Ghât. Il s'est enfui dans la forêt, comme après… ce qu'avait fait Gilles. Il y est resté. Il y serait resté, cette fois, si Kurun ne l'avait appelé. *Reviens, Xhélin. C'est le monde nouveau. Reviens. Ta place est avec nous. Reviens. Nous nous souvenons de ce qui sera.*

Il la regarde à nouveau. Elle a repris le fil de l'histoire, les yeux au loin, en berçant un peu la petite blottie contre elle. "Nous nous souvenons". Elle se souvient, peut-être. Nandèh et Feï n'ont jamais dit rien de tel.

Mais Nandèh et Feï n'ont jamais parlé de tout cela, depuis que Gilles…

Une brusque irritation le saisit. Ne peut-il se le dire, à la fin, même après tout ce temps ?

Eh bien non, il n'en est pas capable, seulement de façon indirecte, en utilisant les termes mêmes de Gilles, en français : "Depuis que Gilles a fabriqué son ambercite." Et qu'il en a encore fabriqué, et encore. Avec Kurun. Avec Nandèh et Feï. Il ne le lui a pas demandé plus d'une fois, à lui. Il a bien vu sa réaction. Il n'est pas fou à ce point.

Mais peut-être Gilles n'est-il pas fou du tout. Elles l'ont aidé, elles l'aident toujours. Toutes les trois. Et si elles l'ont fait, c'est qu'elles devaient le faire. N'est-ce pas ? Elles devaient le faire. C'est le monde nouveau. Deux années. La fin du monde ne prendrait pas aussi longtemps ? Deux années se sont écoulées depuis le dernier Grand Festival. Qui sera le dernier, il ne veut pas le penser, mais comment ne pas le penser ? Et pourtant, la vie continue comme avant. Aucun des cataclysmes annoncés par les Gôïtun ne s'est abattu sur le pays alors qu'ils devaient éclater dès…

Il s'oblige à terminer sa phrase, en français – de quelque façon, cela paraît moins épouvantable dans la langue de Gilles : dès la fusion des deux substances primordiales. De l'orcite avec l'ambrose.

Mais ce n'est pas comme dans le récit de la Création : Gilles n'a pas fusionné *toute* l'orcite et *tout* l'ambrose du monde, seulement une petite partie… Ah, c'est vrai, en français, c'est l'inverse : l'orcite est féminin, l'ambrose masculin. Gilles les a créés, ces mots, pourquoi l'avoir fait ainsi à l'envers ? C'est peut-être cela, le monde nouveau, tout s'y renverse. Non, il ne faut pas penser ainsi, c'est trop près de… du chaos. Mais ce ne peut être la fin du monde. Oui, seule Huètman' pourra fusionner tout ce qu'il y a de substances primordiales dans l'univers afin de refermer la fente entre le haut et le bas, et recréer le chaos, et l'ordonner à nouveau. Et ce sera le vrai Recommencement. Le Grand Recommencement. Rien n'empêche qu'il y ait des petits cycles à l'intérieur d'un grand, comme les Petites Années dans la Grande Année. Il faut croire en Kurun, bien sûr. Il faut avoir foi en les Ancêtres. "Nous nous souvenons de ce qui sera."

Qu'il y ait du désordre dans le monde nouveau, c'est peut-être normal. La naissance d'Ouraïn n'a pas été bien propre non plus. Très humaine, avec du sang, des gémissements et même des cris : il fallait respecter la volonté de Kurun. Le monde nouveau vient de naître, lui aussi. Les ébranlements en paraissent forcément disharmonieux au début, comme le dit Gilles. Cela arrive toujours, dit Gilles, lorsqu'un pays longtemps fermé s'ouvre au reste du monde.

Le pays est ouvert. Xhélin écoute en lui la profonde résonance de cette phrase. Le pays est ouvert et va le rester. Malgré ses conseillers, malgré les rivalités des provinces et les manœuvres des sectes, la reine Yajaladarsun ne pourra rien refuser au Fils du Dragon. Comment ne la convaincrait-il pas ? Les Dragons l'ont choisi. Kurun l'a appelé pour la servir. Il est accompagné des deux Ghât'sin qui étaient destinés à 'Xhaïgao et qui lui ont offert leur allégeance. Il convaincra et charmera la reine, la princesse héritière, les conseillers. Le reste du monde s'installera au port de Garang Nomh. Ou du moins cette partie du monde d'où Gilles est venu. La *France*. Des *Français*. Des *géminites*. Des yuntchin qui seront des ambassadeurs, venus négocier l'ouverture d'un *comptoir* à Garang Nomh.

Tout arrive trop vite. Gilles voulait l'emmener avec lui à Daïronur, mais Nandèh et Feï n'ont pas voulu y aller, et il devait rester avec elles, n'est-ce pas ? Même si les deux compagnons de la pauvre Gaohletzé sont revenus se joindre à eux, il est le Ghât'sin de Nandèh et de Feï. Il est toujours leur seul Ghât'sin. Cela du moins n'a pas changé.

« Les enfants des Ghât, et donc des Natéhsin, vivaient autour du Lac des Ancêtres, comme il avait été établi au Commencement… »

Tiens, c'est Feï qui raconte à présent. On arrive à l'autre partie de l'histoire. Mais bien que la petite écoute avec attention, elle n'a pas bougé des genoux de Kurun. Si Nandèh et Feï conservent leur nom lorsqu'elles changent, elles ne se soucient pas de s'habiller selon leur aspect: elles sont toujours vêtues en toute saison du même sarang rouge et doré. La confusion où a été plongée Ouraïn lorsqu'elle a pris conscience de leur transformation, deux ans plus tôt, s'efface bien lentement. Elle avait pris l'habitude de les voir comme deux femmes, mais Nandèh est devenue un homme, et Feï est restée une femme, et ensuite elles ont changé en sens inverse l'an dernier, pour changer encore cette année: noms et personnes ne s'accordent plus, la petite en est toute tourneboulée malgré les explications qu'on lui a données. Il lui a fallu plusieurs jours avant de venir les trouver avec la question qu'il attendait quant à lui bien plus tôt: « Et moi, je vais changer aussi? » "Pas avant longtemps", a dit Kurun – mais le sait-elle, était-ce une hypothèse, ou a-t-elle simplement voulu rassurer l'enfant en ne répondant pas réellement à la question? Elle est capable de ces habiletés, désormais.

Car enfin, l'enfant ne pourra jamais se transformer: elle a été arrêtée dans sa forme, comme sa mère, en même temps que sa mère. Et ce, même si elle n'aurait pas dû être affectée par le choix de Kurun, puisqu'elle n'était pas dans la même Maison! Un mystère de plus. Et elle a cessé de grandir. Mais elle grandira – la question qu'elle ne posait pas et à laquelle Kurun a sans doute choisi de répondre. Un jour. Pas avant longtemps – ou jamais, qui sait? Qui sait ce qu'est Ouraïn, ce qu'elle peut être?

« … et c'est ainsi qu'ils édifièrent Garang Xhévât, la ville sacrée où ne vivaient d'abord que douze fois douze personnes. Car encore très magiques eux-mêmes, les humains étaient capables de supporter la proximité des Ancêtres. »

Nandèh enchaîne, en modulant sa voix pour la rendre assez différente de celle de Feï: « Mais à mesure que le nombre des humains augmentait et que la magie coulait en s'amenuisant ainsi qu'il est nécessaire et prescrit, les humains devenaient de moins en moins capables d'en côtoyer de si près la source à Garang Xhévât, et d'autre part trop nombreux pour vivre tous dans la ville sacrée. Ils commencèrent donc à s'installer le long du Fleuve et de plus en plus loin du Fleuve, et c'est ainsi que le Hyundzièn fut peuplé par les Bôdinh, qui sont les descendants directs des Ancêtres.

— En ce temps-là, reprend Feï, puisque la magie devait se répandre partout pour bien couler, le pays était grand ouvert des trois côtés de l'horizon, au Sud et à l'Est et au Nord. Les Dinhga arrivèrent de l'Est et se joignirent aux Bôdinh. Ainsi furent créés les Kôdinh, qui s'en allèrent vivre dans le Nord et dans l'Est. D'autres étrangers arrivèrent encore, et l'on se joignit aussi à eux. Et des Mynmaï partaient vers les trois côtés de l'horizon pour se joindre aux humains qu'ils rencontraient dans leurs voyages. »

Ni Nandèh ni Feï ne continuent. Attendent-elles que Kurun le fasse ? Mais Kurun se contente de bercer la petite, plongée dans ses propres pensées. Nandèh reprend la parole : « On était loin déjà du temps du Commencement. Des pays habités de nouveaux peuples s'étaient formés au voisinage du pays sacré. Plus jeunes, moins sages, quand ils n'avaient pas peur de la magie des Ancêtres, ils l'enviaient et la convoitaient.

— Mais pourquoi ils avaient peur ? Les Ancêtres ne faisaient rien », dit Ouraïn, comme toujours à ce point de l'histoire, et Feï lui donne la réponse habituelle : « Ils ne comprenaient pas notre magie. »

Nandèh reprend : « Et ainsi, à cause de leur peur ou de leur avidité, ils déclenchaient des catastrophes fatales pour eux.

— Et cela faisait de la peine aux Ancêtres », dit Ouraïn. Elle s'est laissé prendre au jeu, elle n'entend plus qu'une histoire racontée à deux voix. Elle n'a pas idée, bien sûr, qu'elle parle aux Ancêtres. Lorsqu'elle le comprendra, comment réagira-t-elle ? Mais il sait déjà quelle question elle finira par poser : "Et moi, en suis-je une aussi ?"

Que répondront-elles ? Aura-t-il lui-même trouvé une réponse alors ? Il le faudra bien, ou il n'y aura que les réponses des Gôïtun, ou de la malheureuse Gaohletzé : *Sintchènzin. Untitchènsu.* Abomination. Abomination.

Nandèh acquiesce gravement à la remarque de la petite : « Et cela faisait peine aussi à Huètman'. C'est ainsi que, pour protéger les peuples plus jeunes, et aussi pour protéger les Ancêtres et leurs Ghât'sin ainsi que tous leurs enfants, car tous ces malheurs ébranlaient leur harmonie, Huètman' décida de fermer le pays sacré. »

La secte Gôïtun, et les Kôdinh parmi ses adeptes, ont adopté une tout autre version. Quelqu'un, hélas, la contera bien un jour à Ouraïn.

« Huètman' appela Kempo, la Reine de l'Ouragan, Mère de tous les Dragons d'Eau, et Elle appela Hyundpènh, le Dragon de la Montagne, père de tous les dragons des terres et des rivières. Elle leur ordonna de protéger les frontières du pays sacré. Nul ne pourrait y entrer, et ceux qui voudraient le quitter ne pourraient jamais y revenir », conclut Feï.

Kurun semble sortir de sa rêverie. Elle se redresse, et l'enfant se tourne vers elle. « C'était le monde ancien, et la magie y coulait sans heurt grâce au sacrifice de 'Xaïo et au retour des Trois Ancêtres sur lesquelles la Lune avait veillé en compagnie de son frère le Soleil. Mais Huètman' est la Jongleuse, Elle se tient avec Yuntun, la mort qui est la renaissance, et Hundgao, la danse dont le pas change sans cesse. Un jour Huètman' envoya un rêve à Uètéhlin, la fille cadette d'un yuntchin de la province de Kéraï... »

La Prophétie. Mais quelle foi peut-on réellement avoir en la Prophétie ? Elle vient d'une simple humaine. Elle se perd dans la nuit des temps. Elle est couchée dans un langage obscur qui se prête à bien des interprétations, la prolifération des sectes le prouve. On se demande pourquoi la Divinité accepterait de voir un étranger provoquer la fin des temps dont Elle est seule responsable, comme de leur commencement !

Il a entendu ce récit des centaines de fois, pourquoi réagir ainsi aujourd'hui ? Mais ce n'est pas le récit de la Prophétie qui l'irrite, qui le chagrine. C'est se sentir si incrédule, si plein de questions impatientes. Il a trop fréquenté Gilles. Depuis trop longtemps, il ne fait plus assez silence ; le silence intérieur lui-même est de plus en plus difficile à maintenir. Et même se dire qu'arrive ce qui doit arriver ne semble plus lui suffire, ou du moins pas aujourd'hui. Est-ce d'avoir vu Gaohletzé tout à l'heure, ses yeux fous, ses cheveux emmêlés, sa peau trop blanche sous la terre et les meurtrissures de la forêt ? Gaohletzé, qui avait pour seul désir d'être la Ghât'sin de Kurun, et dont toute la vie a basculé dans le sillage de la Prophétie.

Et pourtant, chaque fois qu'il retrace en esprit l'enchaînement des circonstances... Comment ne pas y voir la main même de la Déesse ? L'intervention de Kempo, sa propre présence à lui sur la plage après l'ouragan, le choix du Dragon de Feu dans la montagne...

Il se force à demeurer assis, à se détendre, à écouter la voix paisible de Kurun. Oui, elle avait raison, il devait revenir, sa place est auprès d'elles, et auprès d'Ouraïn.

Et de Gilles. Il le connaît, il le regarde vivre depuis près de huit années. Gilles n'est pas le Dragon Blanc. Il est curieux et volontaire, parfois imprudent et d'autres fois trop méfiant, et il a tendance à trop se fier à ses raisonnements. Mais c'est le compagnon dévoué de Kurun, le père aimant d'Ouraïn, l'ami malgré tout de Nandèh et de Feï, et le sien. Gilles ne veut que leur bien. Il n'en a pas nécessairement conscience, mais il manifeste les desseins de la Déesse. Ils le font tous.

« … et maintenant le pays est ouvert », conclut Feï, qui a pris le relais de Kurun.

« À cause de Gânu », murmure Ouraïn, les yeux écarquillés. Xhélin sourit, envahi d'une soudaine tendresse : la petite commence de bien connaître ces histoires entrelacées, mais la façon dont la fin en rejoint brusquement sa propre histoire à elle par l'intermédiaire de son père la déconcerte toujours.

18

Gilles observe l'enfant : elle est absolument immobile. Les chats de Kurun sont installés autour d'elle en couronne, comme ils le font souvent avec Kurun elle-même lorsqu'elle est dans sa transe. Les quatre chats, et Tchènzin en retrait, comme pour éviter le nombre six. "Tchènzin", le nom que lui a bizarrement donné Ouraïn, peut-être à cause du contraste entre sa tête de feu et le reste de son pelage fuligineux, qu'elle voit complémentaires comme les deux substances primordiales de l'Harmonie mynmaï. C'est le seul des chats qui ait un nom pour l'instant, et le plus capricieux de tous, mais le seul qui ne le fuie pas et se laisse même caresser. Et le seul qui regarde Ouraïn en cet instant. Que voient ces yeux aussi dorés que ceux de la petite ? D'où Gilles se tient, à la porte, il ne distingue qu'un pan de ciel gris perle et les frondaisons immobiles dans l'air lourd.

Ouraïn, elle, semble simplement fixer la fenêtre ouverte derrière le rideau de mousseline. Assise en tailleur, du moins lui ont-ils appris cela – sa légère robe de coton grège étalée en corolle autour d'elle, mains à l'abandon sur ses cuisses. Elle était ainsi lorsqu'il est passé il y a cinq heures, en route vers la fonderie, et elle n'a pas bougé depuis. Il sait qu'il ne doit pas s'en inquiéter, mais c'est toujours étrange de la trouver ainsi, de savoir qu'elle pourrait demeurer dans cette posture pendant des journées entières.

Du moins les heures passent-elles pour elle comme des minutes, et les jours comme des heures. Plus de six ans se sont écoulés depuis sa naissance, mais non pour elle. “Il n'y a pas de temps pour les Natéhsin”, lorsqu'elles sont plongées dans leur transe. Le matin devient le soir, le soleil la pluie, en un éclair.

Si ce n'était de sa fixité, et de ce qu'il sait, elle semblerait si substantielle, si ordinaire, cette petite indigène, avec ses nattes noires attachées en diadème sur la tête. Fille d'une Natéhsin et d'un *yuntchin*, Natéhsin et Ghât'sin… Non, il n'y a jamais eu de telle enfant – un tel nœud de talent. Et pourtant, il n'est arrivé aucune des catastrophes dont les mages géminites tirent prétexte, en Europe, pour suspendre le talent à la naissance : Ouraïn est parfaitement gardée, et en semble tout à fait inconsciente. Elle n'a pas encore éprouvé non plus le besoin ou la curiosité d'user de son talent – l'incident qui a mis fin à l'imprudente expérience de stimulation constante à laquelle il s'est livré, l'année précédente, n'était pas délibéré de la part de l'enfant, mais un débordement de son talent dû à l'absence forcée de transe cette journée-là.

Même pendant l'incident avec Gaohletzé, l'autre jour, il a fallu que Kurun envoie Xhélin secourir la petite. Non qu'elle eût couru un grand danger : malgré sa folie, Gaohletzé n'use jamais de son talent puisqu'elle ne sert aucune Natéhsin. C'est d'ailleurs peut-être ce qui l'a rendue folle, autant que l'humiliation, sa croyance en la fin prochaine du monde, ou la maladie blanche qui l'a frappée... Elle se contentait de suivre la petite en lui criant des injures – mais qu'aurait fait Ouraïn si la pauvre folle avait essayé de la blesser ? Se seraitelle défendue ?

Lorsqu'il a appris la nouvelle par Kurun, s'il avait su comment, il se serait transporté en un clin d'œil de Daïronur au domaine. Jamais il n'a tant regretté qu'on n'apprît plus cette magie à la Maîtrise – trop coûteuse en contrecoup, disait-on. Il devrait expérimenter avec Kurun ou les autres, mais il n'en a pas le temps : la priorité va à la fabrication de l'ambercite. Et somme toute, ce n'était qu'un incident mineur. Il ne faut pas protéger la petite à l'excès, si on la veut humaine. Lorsqu'il lui arrive de tomber et de s'égratigner, on la laisse avoir mal, même si elle pleure ou crie très peu : cela appartient aux apprentissages des enfants ordinaires. Mais d'un autre côté, tout cela l'angoisse, il ne peut s'en empêcher. Et que la petite se fût rendue si loin dans le parc sans que quiconque eût réagi, que Gaohletzé eût pu même s'approcher d'elle. Le sortilège écarte les animaux dangereux et la Ghât'sin n'était ni un animal, certes, ni dangereuse au sens restreint du sortilège... Mais Chéhyélin et Nèhyélin ont vu à en rectifier la formulation.

Il s'approche. Ses pieds nus ne font aucun bruit sur les lattes du plancher mais les chats subitement éveillés s'en vont les uns après les autres, faussement indifférents, sauf Tchènzin, qui se lève et vient se planter devant lui avec un miaulement impératif. Il se penche pour caresser la tête panthérine qui se tend vers lui. Puis, tandis que le cliquetis des griffes s'éloigne dans le couloir, il va se placer devant l'enfant.

Il ne peut s'empêcher d'ouvrir son talent. Même lorsque Kurun lui prête le sien, il ne perçoit jamais rien, mais il s'y essaie chaque fois qu'il a l'occasion d'être celui qui sort l'enfant de sa transe – et il l'est souvent : elle revient plus vite pour lui que pour d'autres, à l'exception de Kurun.

L'Entremonde déploie ses volutes de lumières et de flammes toujours aussi éblouissantes, et lorsqu'il appelle, *Ouraïn!* les vagues s'en propagent avec la même urgence scintillante. Mais Ouraïn n'est nulle part, pas une miette, pas un atome. Rien ne s'en vient du fond des sphères divines, ou alors cet infime changement dans la vibration de la lumière, cette esquisse de condensation – qui pourraient tout aussi bien répondre seulement à son désir. Et pourtant, dans le registre ordinaire, après une longue attente, il voit les yeux d'Ouraïn se fixer sur lui avec son habituelle expression de légère surprise à le trouver soudain là où il n'était point pour elle l'instant d'avant – aussitôt remplacée par la joie. Elle bondit dans ses bras tendus en s'écriant "Gânu ! Tu es rentré !", un énergique petit paquet de chair douce qui sent le lait et le jasmin, son enfant magique qui est aussi une simple enfant, sa fille, et l'amour qu'il éprouve pour elle en cet instant est si violent qu'il a peur de la serrer trop fort et la repose à terre, en s'asseyant devant elle sur le plancher afin d'être à sa hauteur.

Il détache les petits bras de son cou, mais garde les menottes entre ses mains. « Maman m'a dit que tu as eu bien peur, l'autre jour, ma chérie ? »

Elle secoue la tête. « Non, pas peur ! Je comprenais pas…

— Je *ne* comprenais pas », rectifie-t-il avec douceur. La négation en français lui donne encore du fil à retordre, décidément.

« Je ne comprenais pas, mais Maman et Oncle Feï et Tante Nandèh ont expliqué. »

Il hoche la tête d'un air bien grave : « Eh bien, moi, je m'inquiète lorsque je suis obligé de partir loin de toi. » Il prévient la remarque qu'il voit déjà se former dans la moue de la petite : « Tu sais pourquoi j'étais obligé de partir. »

Elle se tortille un peu dans son étreinte, mais répond avec obéissance : « Parce que tu es le Fils du Dragon et que tu fais des choses importantes dans le nouveau monde.

— Oui, et je me rends dans des endroits où je ne puis encore t'emmener parce que tu es trop petite.

— Tu emmènes Maman et les autres.

— À la fabrique, en effet, mais ce n'est pas très loin, n'est-ce pas ? Et tu sais pourquoi nous ne pouvons t'y emmener. »

Elle baisse la tête : « Parce que c'est dangereux.

— Et quand je pars en voyage, je n'emmène pas Maman ni les autres non plus. »

La petite moue s'accentue : « Chéhyé et Nèhyé y vont…

— Oui, mais ce sont des Ghât'sin. Et puis nous devons être trois lorsque nous rencontrons les gens importants. » Il retient un sourire : l'argument porte encore, mais un moment viendra bien où elle rétorquera qu'avec elle et Kurun cela ferait cinq, et que ce serait bien aussi ! Il s'empresse d'ajouter : « Mais nous pourrions être ensemble tout de même, si tu le voulais.

La petite s'illumine : « Comment, Gânu ?

— “Comment, Papa”.

— Papa. Je veux être ensemble avec toi quand tu es pas… quand tu n'es pas là, Papa. »

Il lui sourit, désarmé : « Partout où je vais, nous sommes ensemble, ta maman et moi. Dans l'Entremonde. » Il hésite puis précise, pour voir : « Là où tu te trouvais tout à l'heure. »

Elle penche un peu la tête sur le côté. « Je dansais partout, tout à l'heure, dit-elle d'un air hésitant. Mais tu ne danses pas, toi. »

Il soupire intérieurement. « Et pourtant, quand Maman ne danse pas, nous sommes toujours ensemble dans l'Entremonde, elle et moi. Et nous pourrions l'être aussi, toi et moi, de la même façon. Quelle que soit la distance, si Maman n'est pas en train de danser, je puis toujours savoir où elle se trouve, et l'appeler. Et elle peut en faire autant avec moi lorsqu'elle le désire. »

À vrai dire, cela va plutôt dans un seul sens : Kurun ne fait jamais appel à lui comme à un Ghât'sin ; et elle n'use encore que trop rarement elle-même de son talent ; ses réflexes ont la vie dure. Mais c'est néanmoins la vérité.

La petite écarquille les yeux : « Vous tirez sur la corde dorée ? Je pourrais tirer aussi ? »

Il vaudrait mieux fixer des limites : « Pas n'importe quand, mais quand tu en aurais véritablement besoin. Parfois, je ferais des choses dangereuses, comme à la fabrique, et il ne faudrait pas me déranger dans ces moments-là. »

La moue boudeuse menace de reparaître : « Mais comment je saurais ?

— Je te l'apprendrai. Tu veux bien que je te l'apprenne, n'est-ce pas ? »

Elle hoche la tête, très sérieuse.

« Tu vas venir dans l'Entremonde avec moi, et je te montrerai. Ensuite, tu sauras toujours quand il faut attendre. Et lorsque je serais en voyage, je pourrais te dire bonjour et bonsoir… »

Elle réfléchit un moment : « Et me raconter des histoires ? »

Oh, c'est bien une enfant humaine ! Il la serre contre lui avec une tendresse amusée : « Et te raconter des histoires. »

19

Parfois le rêve est pour Jiliane un livre où tournent des pages, mais parfois, tel un caillou lancé à la surface tranquille d'un étang, il ricoche, et Jiliane avec lui, précipitée d'un instant à l'autre, d'un lieu à l'autre, sans savoir le temps ni l'endroit mais seulement qu'elle a plongé, brièvement, dans un psychosome autre que le sien, et trop souvent celui de Gilles. Il en est ainsi à présent, une suite un peu saccadée de perceptions et de sentiments : exaltation, curiosité, la longue houle de la mer sous une moitié de lune qui navigue à travers sa propre mer de nuages argentés, la silhouette sombre d'un galion poussé par ses voiles gonflées, une pensée triomphante : le transport éthéré a réussi, à une telle distance ! Voici maintenant l'intérieur d'une cabine où seule la luminescence de l'Entremonde permet de distinguer un visage de femme endormie. La curiosité se mue en stupeur, puis en méfiance inquiète. Sans transition, une autre cabine obscure, un autre visage à travers la lueur de l'Entremonde, celui d'un homme cette fois, mais familier lui aussi. La surprise est plus brève, l'irritation point plus vite, pour prendre ensuite une teinte goguenarde… mais le caillou du rêve a déjà ricoché plus loin : Gilles observe l'arc étincelant dessiné par les rames de la grande chaloupe chaque fois qu'elles sortent de l'eau. Après n'avoir vu pendant tant d'années que des jonques, des sampans et des pirogues, il trouve le spectacle presque étrange. Même la silhouette haute et massive du navire ancré en eau plus profonde, voiles ferlées, lui paraît déplacée dans la rade, malgré la visite nocturne qu'il y a effectuée l'avant-veille…

Jiliane a beau résister, le caillou coule dans l'eau de Gilles.

◆

Les deux Ghât'sin sont décidément pleins de ressources. Il leur a demandé d'envoyer les lettres à Sardopolis sans user de magie et ils y sont parvenus en un minimum de temps. Seulement huit mois depuis que les documents sont partis vers la côte orientale des Indes à travers jungle et montagnes ; à partir de Sainte-Pierre, le réseau des mages a dû être mis à contribution, et on a fait diligence ensuite : un bon signe… Il a davantage craint d'apprendre l'abordage d'un autre navire étranger au Hyundzièn pendant ces huit mois que pendant les huit ans écoulés depuis son naufrage ! Mais il avait heureusement sous-estimé la force de l'habitude pour les marins et voyageurs mynmaï comme celle de l'interdit qui entoure le Hyundzièn chez les peuples avoisinants.

Il a malheureusement sous-estimé aussi la timidité des habitants de Garang Nomh. Le quai est désert. Certes, les jonques des pêcheurs sont en mer à cette heure, mais il aurait pensé que des curieux se seraient rassemblés dans le petit port. Sans doute sont-ils tous terrés chez eux, même s'ils ont bien constaté que ses Ghât'sin l'accompagnent, tout comme les gardes royaux avec les deux somptueux palanquins, et que le gouverneur Shangaxsun s'est installé dans la plus belle résidence de la ville, décorée tant bien que mal par les soins de son entourage afin de recevoir dignement les émissaires de l'Ouest. Ils iront à lui et non lui à eux, comme il est habituel chaque fois que l'on vient proposer des traités commerciaux sur la Ligne, mais on n'a pas même jugé bon de discuter en haut lieu, ni en France ni à Daïronur, le fait que Gilles les accueillerait en premier. Un autre bon signe.

On relève les rames et la chaloupe file sur son erre vers le débarcadère en pente. On manœuvre l'embarcation de biais, afin de permettre à ses occupants de descendre à pied sec. Et d'abord la comtesse de Châteaudin, une femme bien découplée au visage plongé dans l'ombre par son grand chapeau de paille, l'ambassadrice, qui doit mourir de chaleur sous ses riches habits protocolaires malgré leurs tissus légers. Ensuite les deux mages dans leurs robes bleues également étouffantes, mais qui font bonne figure malgré tout. Le secrétaire de la comtesse débarque à son tour, portant la serviette contenant les documents officiels, mais elle ne les lui fera pas présenter, ce qui est somme toute normal: il n'est pas ici le représentant officiel du gouvernement mynmaï. Deux serviteurs commencent de décharger les bagages des visiteurs, avec l'aide des marins.

Il ne bouge pas, flanqué des Ghât'sin tout aussi immobiles. Madame de Châteaudin gravit la pente du débarcadère, s'arrête au sommet, déconcertée. Elle voit bien les gardes royaux en splendide appareil, et les palanquins avec leurs porteurs, mais elle s'attendait sans doute à plus de fanfare. Il fait un pas en avant, jouissant de la surprise un peu choquée de la comtesse qui la maîtrise cependant aussitôt, et ôte même son chapeau pour le saluer comme si elle n'avait pas devant elle un individu aux courtes boucles rousses, aussi brun que les indigènes qui l'entourent, quoique d'une nuance différente, sans autre bijou qu'un pendentif barbare, vêtu en tout et pour tout d'un long pagne de soie verte rebrodée de rose et d'or, et tenant sur son épaule un léger parasol.

« Monsieur Garance, dit-elle d'une belle voix bien modulée, la Divinité est avec vous. Je suis madame de Châteaudin, mandatée par leurs Majestés pour négocier l'ouverture de notre comptoir. »

Gilles lui rend son salut avec une courbette accompagnée d'un sourire aimable. Il fait un signe et l'un des Ghât'sin ouvre un parasol pour en abriter l'ambassadrice. « Nous sommes fort honorés de votre présence, Madame, et heureux que vous ayez pu vous rendre sans incident.

— Vos cartes marines étaient fort claires. » L'ambassadrice se retourne vers les mages en leur faisant signe à son tour. Ils s'approchent, les yeux plissés dans la lumière crue du soleil.

« Voici domma Antoinette de Margens et dom Philippe de Carusses. » Elle sourit, savourant ce qu'elle croit être une surprise. « Vous vous connaissez, je crois. »

Gilles hausse les sourcils, écarquille les yeux, prend tout le temps nécessaire pour se remettre de la stupéfaction qu'on attend de lui : « Antoinette ? Philippe ? Est-ce bien vous ? »

Ils lui sourient apparemment sans arrière-pensée et viennent l'étreindre, indifférents à sa quasi-nudité, Antoinette la première.

« Est-ce plutôt bien toi, Gilles ? » s'exclame-t-elle, amicale, d'un air presque amusé.

Comme si dix ans ne s'étaient pas écoulés depuis leur dernière rencontre – après leur initiation réussie, avant leur nomination à Lyon. Comme s'ils n'étaient pas au courant de ce qui lui est arrivé par la suite à Aurepas. On leur a sans aucun doute ordonné de feindre que tout était oublié, ou pardonné. Le croit-on vraiment aussi naïf ? À tout le moins, ils sont censés savoir qu'il a "échoué" à l'initiation et qu'il a "résisté" à la séparation d'avec son talent.

Mais ils doivent être parfaitement au courant de tout ce qui s'est passé là, et ensuite à Sardopolis. La Royauté peut bien être heureuse de voir ses projets se réaliser, il est certainement des gens à la Sainte Vigilance qui auraient préféré les voir menés à bien par un autre que lui. Jakob Ehmory, passe encore : si c'était un homme à la foi incertaine, c'était aussi un explorateur célèbre. Mais un talent sauvage mal détalenté !

Étonnant, il n'y avait presque jamais pensé depuis des années, mais l'amertume est là, aussi fraîche qu'aux premiers jours. Allons, tout cela est fort loin, il a désormais toutes les cartes en main, et ces deux-là l'ignorent, comme au reste l'ambassadrice, même s'ils ont certainement été prévenus contre lui.

Les deux ecclésiastes doivent bien savoir pourquoi on les a envoyés, cependant. Des figures de connaissance, d'anciens condisciples avec lesquels il a partagé études et jeux, il se méfiera moins d'eux, pense-t-on. S'ils ne sont pas accompagnés d'au moins un mage plus âgé, c'est ou bien qu'on le croit stupide et oublieux, ce qui jouera à son avantage, ou qu'après avoir passé tout ce temps au voisinage de la Hiérarchie ils sont devenus aussi habiles et rusés qu'ils le doivent pour s'être vu confier une mission aussi délicate, même le bon gros Carusses – qui n'a pas perdu ses généreuses dimensions. Antoinette s'est enrobée un peu aussi, mais elle a toujours le même visage aigu et intelligent, les mêmes yeux vifs.

Il se dégage de l'étreinte de l'ecclésiaste, écarte les bras d'un air penaud : « Mais oui, c'est moi. Je me suis trop bien acclimaté, je le crains.

— Tu as toujours aimé la chaleur, dit Antoinette, indulgente.

— Et pour être tout à fait honnêtes, Monsieur Garance », enchaîne l'ambassadrice en s'éventant de son chapeau à large bord, « nous vous envions quelque peu ! »

Il ne fait pourtant pas si chaud en ce beau mois sec de février. Mais Gilles sourit : « Il fera plus frais dans la résidence, je le crois bien. » Il désigne les palanquins : « On va vous y conduire à l'instant. »

Il dirige la comtesse vers le premier, où il monte après elle. Si elle s'en offusque, elle ne le manifeste pas. Croyait-elle qu'il allait marcher près des porteurs ? Il est son égal dans les négociations – et même son supérieur, mais cela, elle n'a pas à l'apprendre tout de suite, ni jamais. Il n'a nul besoin de prouver son prestige, ni à elle ni aux autres. De fait, plus ordinaire ils le croiront, et plus longtemps, mieux cela vaudra.

Ils commencent de gravir la pente menant à la résidence, un des rares édifices de briques de la ville. La comtesse observe les rues désertes et les huttes de torchis.

« C'est donc ici que vous proposez d'établir notre comptoir ? » dit-elle enfin avec une petite moue sceptique.

« On pourra tout bâtir à neuf, Madame. La baie est large et profonde, bien située et bien abritée à l'embouchure de la Nomhuéthiun, elle-même reliée au grand fleuve Nomhtzé et aux canaux qui en irriguent la plaine fertile. Comme je l'ai indiqué dans mes lettres, il remonte son cours après les premières moussons de printemps et se prête aisément alors au transport depuis le sud. Et les montagnes ne sont pas loin, avec les gisements nécessaires à la fabrication de l'ambercite. »

La comtesse hoche la tête. « Vos mines.

— Elles m'ont en effet été accordées par la reine Yajaladarsun, ainsi que l'endroit où se trouve la demeure que j'ai fait construire dans les environs.

— "La Miranda", dit l'ambassadrice avec un léger sourire.

— Oui, c'est ainsi que je l'appelle, Madame, car je m'émerveille chaque jour d'avoir survécu, et des voies impénétrables de la Divinité qui m'ont amené là. »

L'ambassadrice hoche la tête, pensive : « Un vaste domaine, de fait, qui se rend presque jusqu'au Nomhtzé.

— Oh non, Madame, seulement jusqu'aux canaux reliant notre petite rivière Nomhlilun au fleuve, à travers la plaine.

— Mais votre propre comptoir, en somme. C'est très inhabituel, vous en conviendrez. »

S'ils s'imaginent parvenir à le déposséder en arguant des lois françaises sur l'établissement des comptoirs commerciaux, leur réveil sera douloureux ! Il est seul détenteur du secret de fabrication de l'ambercite – avec les Natéhsin et ses fidèles Ghât'sin ; selon l'accord passé avec Daïronur, aucun étranger n'aura le droit de mettre les pieds dans le reste du Hyundzièn à l'exception de lui et de ses héritiers, et seuls ils auront la permission d'exploiter les gisements et de fabriquer l'ambercite. La comtesse le découvrira bien assez tôt – mais en croyant exigées par Daïronur ces conditions qu'il a obtenues de Yajaladarsun.

Il prend un ton d'excuse : « Je n'avais pas espoir de jamais reprendre contact avec la France, Madame. J'ai découvert par accident les propriétés de ces minerais fusionnés ensemble, et je n'ai eu de cesse depuis que je n'aie convaincu Daïronur de me laisser envoyer mes lettres. »

La comtesse incline de nouveau la tête, avec un sourire : « Et vous vous êtes avéré très persuasif, heureusement pour nous. » Elle s'évente un peu avec son chapeau, reprend : « J'ai bien hâte de voir de mes propres yeux les effets de votre fameuse ambercite. Leurs Majestés y sont fort intéressées. Nul doute que domma de Margens et dom de Carusses y soient intéressés aussi. Il faut dire que vos exposés étaient des plus étonnants. »

Est-ce un avertissement ? On doute de ses assertions en haut lieu ? Les réticences s'effaceront bientôt, une fois des billes rapportées à Sainte-Pierre où des mages pourront les examiner tout à loisir. Ils n'y trouveront rien d'autre que ce qu'il y a lui-même découvert, et pas la moindre miette de magie : aucune trace nulle part, incompréhensiblement, de la suspension et de la sublimation qui permettent sa fabrication. Seule demeure dans le matériau le souvenir de la fusion, une fusion des plus ordinaires. Il en a été fort soulagé : rien de ses projets n'aurait pu sinon se réaliser.

Il répète : « Étonnants, Madame ? » tout en songeant au sentiment que doivent éprouver les deux ecclésiastes, perdus pour la première fois si loin de leur élément. C'est leur tout premier contact avec ce Quartier du monde : ils ne disposent pas de leurs pouvoirs ici. Et ils n'ont pas la moindre idée qu'il est quant à lui en pleine possession de son talent. Bien plus important, ils n'ont rien perçu de ses observations nocturnes ni de celles des deux Ghât'sin avant que leur vaisseau n'eût dépassé en mer la limite du Quartier géminite au-delà de laquelle, comme il le prévoyait et l'espérait, ils ont senti leur talent diminuer et disparaître. Le talent géminite ordinaire ne semble bel et bien pas à même de déceler la magie mynmaï. Mais ils n'y verront rien que de très normal tant que l'Harmonisation n'aura pas eu lieu.

« Eh bien, oui, dit l'ambassadrice, vous nous contez tant de merveilles, on en a la tête un peu chavirée. » Elle agite vigoureusement l'éventail qu'elle a déployé aussitôt après s'être assise dans le palanquin. « Nous avons eu maille à partir avec quelques patrouilles de la Ligne, malgré les sauf-conduits, mais nous n'avons pas vu l'ombre d'un de vos dragons magiques, par exemple. »

Elle se met à rire, c'est une plaisanterie, et Gilles l'imite, soulagé. Il a évoqué les Dragons dans ses lettres seulement comme une croyance des indigènes, et non comme une création de magiciens mynmaï – lesquels se doivent d'être impuissants contre les visiteurs tant que l'Harmonisation n'aura pas eu lieu. Personne ne risque de constater qu'il n'en est rien : si l'on ne s'est pas attaqué à lui depuis plus de huit ans, on n'essaiera certainement pas de s'attaquer à des nouveaux venus pourvus d'une autorisation royale et d'autre part implicitement sanctionnés par Garang Xhévât ! Au besoin, il y veillera lui-même. Par la suite, lorsqu'ils auront recouvré leur talent, les mages géminites supposeront que celui des mages mynmaï aura retrouvé son efficace contre le leur. Confinés à Garang Nomh, ils n'auront de toute façon guère l'occasion d'observer la magie mynmaï en action, puisqu'on en use si rarement, et si discrètement. S'ils s'essaient à la percevoir, une fois leur talent revenu, et s'ils y parviennent malgré tout… Eh bien, ce sera alors le problème des ecclésiastes et des théologiens d'accommoder la doctrine à un talent si différent du leur. Il doute fort néanmoins que cela ferait obstacle au commerce du comptoir.

Au reste, les indigènes n'iront pas d'eux-mêmes parler des Natéhsin aux étrangers, et s'ils le font, on croira à des contes. Quant à ce qui le concerne… il en ira de même. Oh, on pourra bien constater le respect quelque peu effrayé dont il est entouré, même s'il a l'intention de se rendre le moins possible à Garang Nomh. Mais la réalisation fortuite d'une superstitieuse prophétie indigène n'a rien non plus pour troubler la Royauté ni même la Hiérarchie françaises, surtout quand elle en sert les ambitieux projets.

Troisième partie

20

À leur retour de l'Hôtel des Deux-Rives, Arnaud les invite à un dîner léger dans un tout petit salon de l'aile gauche : des domestiques s'affairent à préparer la salle à manger principale, comme la grande salle de réception. « Parlez-nous un peu de vos amis que nous allons rencontrer ? » demande Pierrino, un peu inquiet de l'ampleur des préparatifs qu'il a entraperçus en passant dans le corridor pour se rendre au petit salon.

« Oh, une quinzaine, répond Arnaud, et de toutes les sortes. Vous verrez. Paris est une ville d'une belle diversité. »

Pierrino espérait qu'il s'agirait d'une soirée plus intime. Plutôt déconfit, il ne participe guère à la conversation qui s'ensuit et qui, ainsi qu'il fallait s'y attendre, roule essentiellement sur le théâtre. Arnaud la fait cependant dériver vers les articles sur les belles-lettres dans l'Encyclopédie, puis vers d'autres sujets plus dans les cordes de Pierrino. « Il y aura quelques encyclopédistes, d'ailleurs, à notre petite réunion », dit-il en lui adressant un sourire indéniablement complice.

Il est six heures, les invités commenceront d'arriver vers huit heures, ils s'en vont dans leurs appartements se préparer. Cabinets et salle d'eau ne sont pas aussi modernes que ceux d'Aurepas, mais il y a une baignoire presque assez grande pour deux que l'on a remplie pendant qu'ils dînaient. Ils s'y lavent en hâte, les cheveux noués sur le dessus de la tête, comme des Huns – ils n'auraient pas le temps de les sécher. Pierrino est bien heureux des habits neufs achetés pour leur présentation à la Royauté, qu'on a sortis de leurs bagages, repassés et pendus dans la garde-robe. Au moins n'auront-ils pas l'air de provinciaux parmi tout ce beau monde.

Ils sont à s'habiller lorsqu'on frappe à la porte. Pierrino va ouvrir, mais c'est seulement Larché.

« Nous nous en tirons très bien par nous-mêmes », souligne Pierrino, sarcastique. C'est le valet de Grand-père et non le leur. Ils n'ont jamais eu de valet personnel, et il envisagerait difficilement d'en avoir un.

« Pourrais-je vous parler, Messieurs ? »

Pierrino le dévisage, surpris : l'homme semble presque préoccupé, ma foi !

« Entrez donc, Étienne», lance Senso, qui ajuste son catogan devant le grand miroir en pied.

Larché se tient un moment en silence devant la porte refermée, les mains dans le dos.

« Il vaudrait mieux que vous n'alliez point rencontrer monsieur de Pranoix à Sceaux, demain », dit-il enfin.

Pierrino se raidit. Les mains de Senso s'immobilisent, retombent. Il se retourne.

« Vous avez l'oreille bien fine, Étienne », dit-il simplement, avec ce timbre si rare chez lui mais auquel Pierrino pense de plus en plus comme à sa “voix de commandement”.

Le regard de Larché ne se détourne pas. « Le colonel de Pranoix est le neveu du baron Darlant », dit-il avec une tranquille obstination. « Il en est même les yeux et les oreilles à Paris. »

“Et alors ?” va pour dire Pierrino, “nous allons le voir à propos de notre mère.” Mais Senso le devance, un peu moins irrité : « En quoi cela vous concerne-t-il ? »

Larché semble hésiter, puis se résigner, si du moins on peut lire de telles émotions sur ce visage neutre, mais Pierrino commence d'y être habitué.

« Les brigands qui ont attaqué vos parents étaient des hommes de main, qui désiraient apparemment enlever votre mère, énonce-t-il avec sa calme précision habituelle. L'attaque n'a pas tourné comme espéré, votre père s'est défendu, les chevaux se sont emballés, la voiture a versé. Vous connaissez le reste. Mais ces brigands n'étaient pas après des bourses. »

Pierrino sent l'épaule de Senso contre la sienne. Il ne sait lequel a bougé pour se rapprocher de l'autre. Peut-être l'ont-ils fait ensemble.

« Enlever notre mère ? » souffle Senso complètement défait. « Mais… »

Pierrino, avec une dure et immédiate certitude, sait pourquoi : « Un chantage ? On voulait faire pression sur Grand-père. Le secret de l'ambercite ? »

Larché incline la tête en silence.

« Le baron Darlant, dit enfin Senso, accablé.

— On n'a jamais rien pu prouver », répond Larché.

Pierrino prend une grande inspiration pour essayer de calmer le battement douloureux de son cœur. « Et Grand-père ne nous a jamais rien confié de tout cela. »

Le regard de Larché se fixe sur lui. Pour la première fois, avec une acuité bizarre, Pierrino remarque qu'il a les yeux gris, et non bruns comme il le pensait.

« Il ne s'est jamais pardonné ce qui s'est passé », dit-il ; et, oui, il y a là une note de compassion.

Un long silence immobile. Puis Senso murmure, d'une voix assourdie : « Mais ce n'était pas de sa faute à lui. Qui aurait pu croire…

— Vous comprenez cependant pourquoi il serait imprudent d'aller à Sceaux », reprend Larché, avec une exaspérante patience.

Pierrino sent le bras que Senso passe autour de ses épaules – il ne sait si c'est pour se soutenir ou le soutenir. Un léger bourdonnement dans les oreilles, il s'entend murmurer “Oui” en même temps que son frère.

Après un autre silence, Larché va prendre la veste de l'habit de Pierrino et la lui présente. Il l'enfile, l'esprit flottant, avec un sentiment de curieuse irréalité. Puis l'habitude reprend le dessus, ses doigts boutonnent la veste, font bouffer la cravate de dentelle, lissent les cheveux sur ses tempes. À côté de lui, Senso en fait autant.

En longeant le corridor, ils jettent un coup d'œil par une fenêtre : à la lueur des lampadaires allumés sur tout le pourtour de la cour, on peut apercevoir une bonne demi-douzaine de voitures. Et de brillantes lumières illuminent les fenêtres de la salle de réception ; des silhouettes y passent déjà.

« Regarde, Arnaud vient te chercher », dit Senso. Comment peut-il être taquin ? Mais il ajoute, brusquement grave, et presque implorant : « Allons nous changer les idées, Pierrino. »

Arnaud arrive en effet dans le corridor, une vision printanière en vert mousse à parements bouton d'or pour la veste, et en noisette pour la culotte. Il les détaille l'un après l'autre : « Ah, vous êtes décidément splendides », dit-il avec un grand sourire. Il passe ses bras sous les leurs pour les entraîner : « Venez, venez, on a bien hâte de vous rencontrer. »

La quinzaine de personnes annoncée en est finalement une bonne trentaine. « Vous avez bien des amis, Arnaud », ne peut s'empêcher de lui glisser Pierrino à l'entrée de la salle.

« Le bouche à oreilles, j'en ai bien peur », répond-il, ajoutant d'un air entendu. « Mes amis ont des relations, qui ont des amis. »

Et sans doute plusieurs sont-ils des pions dans ses manœuvres politiques pour se faire élire au Conseil de Ville, ou ils veulent se servir de lui aux mêmes fins, mais du moins n'essaie-t-il pas de prétendre le contraire. Pierrino s'avance en se plaquant sur la figure le sourire attendu. Se changer les idées, il y aura du mal : sa petite soirée intime avec Arnaud s'est métamorphosée en une grande réunion mondaine, et s'il peut quant à lui briller en petit cercle, Senso est toujours plus à l'aise dans cette autre sorte de situation.

On les présente à deux ou trois échevins en titre, dont monsieur Greillebon (le premier nom entendu, et donc le seul que Pierrino retiendra de toute la soirée) ; Arnaud en est le protégé et premier secrétaire ("le barreau du milieu dans l'échelle", avait-il précisé la veille) ; ensuite viennent trois ou quatre jeunes autres secrétaires, plus haut et plus bas dans l'échelle, Pierrino le devine à la dimension des sourires et à l'inclinaison des courbettes – il a appris à interpréter ces signes au fil des années, grâce à Senso. Ah, enfin, des femmes : trois jeunes et jolies actrices de la Comédie Parisienne. Et en voici d'autres, accompagnant un avocat, un médecin et son collègue apothicaire, ces deux derniers portant le collet vert de rigueur chez les magiciens – mais on ne présente les dames que sous le titre d'épouses. Il y a plusieurs collaborateurs et deux collaboratrices de l'Encyclopédie, qu'Arnaud introduit comme si l'on devait les reconnaître et Pierrino réagit en conséquence, mais il ne les connaît pas et oublie de toute façon les noms à mesure : c'est surtout Senso qui a ce genre de mémoire, pour le monde et pour le théâtre, presque exclusivement. Lui n'a pas le cœur à y faire l'effort ce soir ; il aura intérêt à rester à côté de Senso s'il ne veut pas commettre d'impair.

Une autre dame, tout de noir vêtue, se tourne vers eux, le visage illuminé d'un sourire, et Pierrino, surpris, puis avec un stupide sentiment de gratitude, reconnaît mademoiselle Lamarck.

« Nous avons appris votre deuil pendant notre voyage, ma chère Mademoiselle », dit Senso en lui baisant les mains. À Poitiers, en lisant dans *La Gazette d'Orléans* une note enfouie en dernière page, mais ils ne le lui diront pas ; elle doit s'en douter, de toute façon.

Le sourire se fait peu plus mélancolique : « Cher Senso, cher Pierrino, je ne pourrai rester bien longtemps, mais je tenais à venir : c'est si agréablement inattendu de vous voir à Paris ! J'ai bien reçu votre lettre à tous deux, et celle de votre grand-père. Quelle délicatesse de votre part, en plein milieu d'un aussi long voyage ! J'en ai été très touchée, merci infiniment.

— C'était la moindre des choses. Comment vous portez-vous ? » s'enquiert Senso avec sollicitude. Il a conservé un faible pour mademoiselle Lamarck.

« J'ai pu constater que mon père avait bien des amis, à ses funérailles. » Le ton a un mordant certain ; puis l'éclair disparaît : « Mais nos vrais amis m'ont bien soutenue. Je poursuis son travail, notre travail, pour l'Encyclopédie, tout en continuant d'enseigner la musique.

— Jouerez-vous ce soir ? » demande aussitôt Senso.

Elle sourit : « Non, ce n'est pas ce genre de soirée et je ne resterai pas longtemps. Mais je compte bien retourner à Lamirande, si votre grand-père m'y invite, bien entendu. » Puis d'un ton désinvolte : « À propos, avez-vous eu des nouvelles de monsieur Saramon ?

— Il est venu l'été dernier et reviendra certainement, surtout s'il sait que vous y serez, Mademoiselle », ne peut s'empêcher de dire Pierrino pour voir sa réaction. Elle s'est épanouie avec la maturité : elle n'a plus ses airs de biche traquée. Mais elle rosit encore joliment. Pour répliquer ensuite sans se troubler davantage, cependant : « Je l'espère bien ! » Elle a fini par s'accoutumer à l'air de Paris, il faut croire.

Arnaud les entraîne plus loin. La salle de réception est interminable – de fait, elle communique par ses portes ouvertes à deux battants avec la grande salle à manger où sont étalées avec des rafraîchissements les prouesses de quelque traiteur pour le souper, car la cuisine d'Arnaud ne peut en avoir produit tant, ni si variés, en si peu de temps ; des valets en livrée circulent avec des vins fins. De toute évidence, Arnaud est habile à organiser des soirées "impromptues".

Les habits, surtout ceux des dames, sont parfois éblouissants – certaines dames aussi, Senso doit être à la fête. Pierrino quant à lui est simplement soulagé de ne pas détoner. De fait, songe-t-il en continuant de circuler avec Arnaud, cela ressemble de plus en plus à un bal costumé : tout le monde ou presque paraît en représentation. Quel jour est-on, déjà ? Ah, le Bal des Loups est dans cinq jours. Observe-t-on cette coutume dans la Principauté ? Du coup, son amusement naissant retombe, tandis qu'il porte par réflexe la main à sa poitrine, là où le pendentif repose sous sa chemise : Jiliane sera bien seule, ce soir-là. Peut-être n'ira-t-elle pas ? Mais sans doute Émilie l'y traînera-t-elle, avec Guillaume et Luc-Antonine. Et les Bénazar, en guise de chaperons.

La grande salle à manger révèle d'autres groupes, parsemés de jolies femmes qui ne sont pas toutes des épouses, c'est clair ; la trentaine d'invités passe à la cinquantaine. Tout en buvant pour se donner une contenance, Pierrino continue d'oublier les noms que Senso engrange sans doute : quelques membres du

Club des Girondins – ils n'ont pas l'allure bien révolutionnaire, ces messieurs d'âge mûr –, un éditeur, un libraire et deux poètes austères comme des greffiers pour représenter la gent littéraire, et un négociant en objets rares – qui les détaille tous deux avec une plus franche curiosité encore que tous les autres. Pierrino a l'impression de plus en plus distincte que ces gens veulent moins rencontrer les petits-enfants de Sigismond Garance qu'examiner des jumeaux identiques ! Divine, n'en ont-ils donc pas à Paris ?

Heureusement, Arnaud reste auprès d'eux, les tient par le bras ou par les épaules, plaisante en faisant mine de les défendre de la presse. Car cette fascination prend chez les dames des allures bien coquettes, avec des allusions parfois osées. Ces gens sont décidément des libertins – comme on dit chez les christiens ; Pierrino s'y attendait, mais à un libertinage plus intellectuel qu'érotique. Ceci ressemble davantage au butinage honni de la pauvre Madeline. D'un côté, ce n'est pas pour lui déplaire, car il commence d'être légèrement ivre ; de l'autre côté… Eh bien, il commence d'être légèrement ivre et ne sait plus trop s'il y a un autre côté.

Juste après que mademoiselle Lamarck eut pris congé d'eux et de leur hôte, il se fait un brouhaha à la porte d'entrée, des applaudissements, des vivats, des rires et un pizzicato de violon qui fait se retourner Senso. « Ah, dit Arnaud, la musique est arrivée. »

Il les entraîne en sens inverse. Quatre jeunes gens sont en effet à s'installer avec leurs instruments dans un coin de la salle de réception d'où l'on a tiré les fauteuils. Deux violons, un violoncelle, une guitare. Ils portent tous le même costume et sont tout ébouriffés. L'un d'eux saisit un verre sur un plateau qui passe et le lève à la santé d'Arnaud : « Quelle soirée, mon cher ! Excuse le retard : notre Francesca a eu huit rappels ! »

Arnaud les présente ; Pierrino se rappelle seulement que l'un des violons est fort attirant, brun et râblé, avec des dents parfaites, tandis que leur hôte l'entraîne ensuite vers un groupe pressé autour de ce qui se révèle être une jeune femme encore en costume de scène. « Ma chère Francesca, je ne vous espérais plus ! » s'exclame Arnaud en lui baisant les mains.

Arrivent-ils donc de l'opéra ? Est-il si tard ? Pierrino se rend compte qu'il a presque perdu la notion du temps. Mais non, il n'est pas dix heures. Une représentation privée, peut-être.

« Oh, Divine ! » souffle Senso, les yeux écarquillés. Puis, se reprenant, il s'incline avec un panache tout spécial : « Madame, je ne pensais pas avoir jamais un jour le plaisir et l'honneur de rencontrer la merveilleuse Grimaldi ! »

Ce nom-là dit quelque chose à Pierrino. La fameuse cantatrice. La Coqueluche de Paris, la Reine de l'Opéra, la Soprano du Siècle. Il s'empresse à son tour. Elle accepte les hommages avec la désinvolture d'une longue habitude, les dévisage l'un après l'autre, puis déclare avec une petite moue : « Vous devriez vous habiller de la même façon, tous les deux. Ce serait… étourdissant. » Malgré son nom italien, elle n'a pas une trace d'accent.

« Ah, mais, Madame », dit Senso sans se troubler de ce qui chez toute autre serait une impolitesse (mais peut-être pas à Paris ?), « c'est que nous préférons étourdir chacun à notre manière. »

Elle l'observe à travers ses cils : « Avez-vous donc des manières bien particulières ?

— Mais bien sûr, Madame », dit Pierrino, se piquant au jeu. « Si vous nous connaissiez mieux, vous le sauriez sans aucun doute. »

Elle le regarde à son tour : « J'espère bien en avoir l'occasion », sourit-elle.

Pierrino, qui se sent soudain toutes les audaces, pose la question à la cantonade : « N'avez-vous donc point de jumeaux à Paris ?

— Bien sûr », répond quelqu'un, le joli musicien. « Mais ils ne sont pas tous aussi séduisants que vous.

— Savez-vous qu'en christienté, ou du moins dans les campagnes, dit quelqu'un d'autre, c'est encore de mauvais augure ? Il paraît même qu'on en abandonne toujours un.

— La fille, évidemment, s'il y en a des deux sexes, remarque une dame.

— En effet, Madame, la fille, et à double titre. Mais je ne sais pourquoi nous en sommes si entichés à Paris. Surtout depuis la réunification, dirais-je.

— Parce que les deux moitiés de Paris se sont réunies et commencent de se ressembler ? suggère un troisième.

— Seriez-vous aussi fascinés si nous étions deux femmes ? demande Pierrino.

— Eh bien, cela dépend des goûts », réplique le musicien en éclatant de rire.

Des remarques plus ou moins suggestives qui s'ensuivent, dans un de ces brefs silences non concertés qui s'établissent parfois dans un groupe, il en ressort soudain une d'une tout autre nature, du moins Pierrino veut le penser : « Et si Jésus avait eu un *frère* jumeau ?

— La face du monde en eût été changée ! » plaisante l'un des Girondins.

Pierrino en discuterait volontiers : il trouve quant à lui l'idée plutôt intéressante. Mais l'une des actrices demande : « Et s'ils avaient été deux filles ? »

La protestation est générale : « Ah non, Artémise, c'est trop facile !

— Cela n'aurait jamais fait l'affaire, ma chère. La pauvre Sophia a déjà eu assez de mal : il lui a fallu laisser Jérusalem et la Palestine à Jude et ses disciples ! »

Pierrino voit bien que Senso est choqué ; Senso n'a pas assez bu.

Pourtant, malgré les leçons de dom Patenaude, malgré Lamirande et le Club du café Douzelat, qui les ont habitués à considérer aussi d'un point de vue historique les récits traitant des Gémeaux et de l'évangélisation du monde antique, Pierrino doit admettre qu'il est un peu surpris lui-même de l'aisance avec laquelle on en parle ici – christiens et géminites mêlés, sans aucun doute, quoique ce détail n'ait pas fait partie des introductions. De fait, on ne saurait dire qui est de quelle foi, à les écouter. Du moins admet-on ici que Sophia a existé.

« Vous êtes tous bien trop sérieux ! s'exclame la Grimaldi. Serais-je arrivée encore trop tôt ? » Puis, à Arnaud : « Mon cher, je m'en vais retirer ce costume. Ne commencez rien sans moi.

— À la Divine ne plaise, ma chère ! » réplique Arnaud.

Elle s'éloigne dans un grand froissement de brocart et de taffetas, accompagnée de deux des actrices.

« N'est-elle pas magnifique ? » fait Arnaud en la suivant des yeux d'un air fervent.

« Magnifique », acquiesce Senso. Il se met à rire : « Et je ne l'ai pas même encore entendue chanter. Quelle chance vous avez à Paris ! »

Pierrino finit son verre de champagne et cherche où le reposer, en est délesté au vol par un valet attentif. Ma foi, oui, elle est splendide, cette femme, dans le genre Diane chasseresse. On l'imagine assez bien l'arc à la main, demi-nue sous une tunique qui dévoilerait sa gorge, ses cuisses et ses bras blancs, déesse farouche de la sylve profonde. Et que disait-elle ? Elle va se déshabiller ? Ou changer de vêtements.

Habite-t-elle donc ici ? Mais Arnaud ne le leur aurait-il pas appris ? Ou il voulait leur en faire la surprise. Ou bien elle va simplement retirer son costume de scène – oui, c'est cela, elle est venue directement de son spectacle en apportant ses habits de ville.

Le sujet de la gémellité étant enfin épuisé, semble-t-il, des groupes se forment, dans des fauteuils, sur des sofas et des chaises. On boit toujours, on grignote, mais le temps des présentations et des politesses anodines est passé aussi. La Grimaldi sera désappointée : la conversation se tourne vers la politique.

Dans un premier temps, Pierrino trouve cela quelque peu vertigineux, et il est certain que Senso aussi, qui ne s'y mêle pas non plus : ces gens, géminites "libérés" et christiens qui n'ont jamais été soumis à l'Édit, discutent avec une légèreté prodigieuse, comme de choses ordinaires, de ce qu'ils ont été tous deux longtemps – et naïvement – persuadés d'être parmi les seuls à connaître.

Et de tout ce qu'ils ne connaissent pas, il s'en rend compte avec une irritation croissante.

On évoque la situation des autres pays géminites en attente d'ambercite, bien pressés de retrouver leur suprématie européenne, tandis que les pays christiens espionnent avec frénésie en essayant d'évaluer où l'on en est de la véritable levée de l'Édit et de l'Embargo – l'annonce officielle du retour à l'ambercite en étant la pierre de touche. Pierrino ne se laisse pas aller à des commentaires sur le sujet, même lorsque Arnaud glisse dans la conversation qu'ils ont accompagné leur grand-père à Orléans pour une rencontre avec la Royauté. Amoureux et excité, oui, frustré et un peu ivre, peut-être, mais pas stupide !

« Si les Kôdinh ont résolu d'en rétablir le commerce avec la France, demande une des dames encyclopédistes, croyez-vous qu'on tentera en dernier recours du côté christien un blocus de leur côte ?

— Mais les mages indigènes ne le permettront pas », répond l'avocat – ou est-ce l'un des secrétaires ? « Et puis, ce serait une déclaration de guerre indirecte à la France.

— Les Kôdinh sont les Émoriens de l'est, et non de l'ouest, leurs mages ne sont pas de la même force.

— Ce ne sont pas vraiment des Émoriens », rectifie un des encyclopédistes. « C'est une peuplade différente. Ils font la chasse aux mages émoriens, même, et avec succès, paraît-il.

— C'est que les Émoriens doivent être aussi léthargiques qu'ils l'étaient au temps des géminites », dit l'apothicaire, ou le médecin, en tout cas l'un des collets verts. « Pour ce qu'on en sait, ce sont vraiment d'étranges créatures.

— Mais qu'en sait-on aussi, après tout, de ces Kôdinh ? fait le libraire. Ils ont verrouillé tout le pays et seuls les Hutlandais, des christiens, ont vraiment eu affaire à eux alors qu'ils les agitaient pour les soulever contre nous. Et ils en ont été dupes, puisqu'ils se sont fait jeter dehors aussi.

— Bah », dit monsieur Greillebon.

Il n'a encore rien dit et on lui prête déjà une attention respectueuse.

« Croyez-vous le pouvoir hutlandais si prisonnier de sa doctrine qu'il répugne à employer des talentés quand il en a vraiment besoin ? On ne les jette plus au bûcher comme autrefois. Et à ce que j'en sais, ce sont d'après ceux-ci les Kôdinh eux-mêmes qui ont ouvert les pourparlers avec la France. »

On médite un instant, puis on objecte, toujours avec respect : « Peut-on absolument se fier à ces informations, à votre avis ? Des talentés peuvent fort bien être manœuvrés par les mages kôdinh. Voire des mages émoriens, qui pourraient manœuvrer les

Kôdinh eux-mêmes. Après tout, si le pays est redevenu inaccessible comme aux temps d'avant la découverte, c'est que les Émoriens l'ont bien voulu ainsi. Peut-être ne sont-ils point du tout opprimés, et toutes ces rumeurs d'intérêt des Kôdinh pour le renouvellement de liens commerciaux avec nous ne sont-elles que cela, des rumeurs, un désir pris pour une réalité, ou quelque incompréhensible subterfuge… »

Pierrino grignote un craquelin, plutôt chaviré, en se demandant fugitivement s'il y en a en France, de ces espions talentés du Hutland ou de l'Angleterre. Mais non, bien sûr: ils seraient immédiatement décelés par les mages. Et quelle sorte de talentés accepteraient d'aider leurs oppresseurs? Quoique, dans des circonstances particulières… une menace, un chantage impossible à contrer…

Senso quant à lui est extrêmement agité et ne va pas garder bien longtemps le silence, c'est certain. Voilà, il se lance dans le débat: « Mais vous semblez tous considérer la magie émorienne comme bien puissante! C'est seulement par surprise qu'elle a pu agir à Kéraï, en permettant ensuite à la flotte hutlandaise, dans une bataille conventionnelle, de prendre le dessus. »

Après la première surprise devant cette soudaine sortie, on lui sourit avec une certaine indulgence: « Mais non, dit l'un des encyclopédistes, les Kôdinh, convertis par les christiens ou feignant de l'être, ont décidé de libérer leurs compatriotes du sud et de l'ouest…

— … ou d'envahir enfin une région longtemps convoitée et qui n'était apparemment plus protégée par l'interdit ancien, glisse quelqu'un d'autre.

— … et ils ont en tout cas persuadé les Émoriens d'utiliser leur magie lors de la bataille de Kéraï, à l'insu des Hutlandais, avec la terrible efficacité que l'on sait. »

Senso cherche encore une réplique lorsque quelqu'un enchaîne – l'encyclopédiste, de nouveau : « Et les mages géminites auraient dû le savoir, n'est-ce pas ? L'argument de la surprise et de la panique est difficilement acceptable, vous en conviendrez, si l'on prend en compte la fameuse puissance de la magie géminite. Une fois que les indigènes s'étaient déclarés, les mages auraient au moins dû pouvoir remonter à la source de cette magie et lui livrer bataille, mais ils n'ont pas même défait les sortilèges qui protégeaient les vaisseaux hutlandais des canons géminites. »

On hoche la tête dans le cercle.

« Mais ne sont-ce pas les éléments déchaînés par la magie indigène qui auraient coulé le vaisseau royal et semé ensuite la panique dans la flotte géminite ? » remarque un peu timidement l'une des épouses. « J'ai entendu dire qu'il s'agissait de terribles monstres marins, des créatures indestructibles… »

Tout le monde proteste : « Ah non, ma chère, inutile d'en ajouter ! » dit un monsieur qui est peut-être l'époux.

« Des Prospero par dizaines commandant aux éléments, comme dans *La Tempête* », s'exclame l'avocat, ou le notaire, mais ce doit plutôt être l'un des poètes, « c'est déjà plus qu'assez pour moi ! »

Senso veut revenir au sujet : « Mais après l'Harmonisation…

— L'Harmonisation a pris très longtemps, soupire l'encyclopédiste. Elle n'a laissé percevoir aucune magie chez les indigènes. Et comme ni avant ni après ceux-ci n'avaient jamais voulu parler de magie avec nous, il était trop facile de croire qu'il n'y avait point chez eux de talentés.

— On n'a rien pu apprendre parce que la magie des indigènes s'y opposait, bougonne monsieur Greillebon. Et si, après l'Harmonisation, si longtemps se fût-elle fait attendre, la magie géminite n'a pas réussi à persuader et à convertir les indigènes en masse, c'est que ceux-ci n'en ont pas été impressionnés, et donc que leur magie était au moins égale, sinon plus forte, que celle des géminites. *Quod erat demonstrandum.*

— C'est bien vrai, renchérit un autre secrétaire. Les mages géminites n'ont jamais rien pu non plus à la Mélancolie.

— Il n'y avait là rien de magique, proteste le médecin.

— Cela n'y ferait rien, au contraire, même : ils auraient dû être capables de toucher l'âme des indigènes, mais ils ne l'ont pas pu ou pas su.

— Du moins pouvait-on suspendre et sublimer tous ces malheureux après leur trépas, soupire l'épouse.

— Quoi donc ? » dit enfin Pierrino, étourdi par tout ce qu'il entend sans le comprendre.

Une maladie étrange s'est emparée des indigènes peu après l'ouverture du comptoir géminite de Garang Nomh, deux ou trois années après la découverte du pays par Gilles Garance. On a d'abord cru à une épidémie ordinaire, comme il arrive parfois, puisque les populations indigènes semblent particulièrement sensibles aux maladies européennes. Mais ce n'était pas cela. « Une maladie de l'âme plutôt que du corps », conclut gravement l'un des poètes – évidemment christien.

« Du psychosome, le corrige aussitôt l'un des collets verts.

— Toujours est-il que ces malheureux se laissaient mourir à petit feu par centaines, intervient une dame.

— Notre charité envers eux n'a pas servi à grand-chose, grogne monsieur Greillebon. Ils ne nous en ont voué aucune reconnaissance, au contraire ! Ils se sont retournés contre nous.

— Mais si l'Harmonie avait été rompue… murmure Senso d'une voix atone.

— … eh bien, l'Harmonie s'est rétablie avec pertes et fracas à vos dépens, et avec la bénédiction de votre Divinité, bien entendu », fait l'un des musiciens, le guitariste, en plaquant un accord sombre et discordant sur son instrument.

« De ce point de vue, déclare doctement le médecin, l'Édit de Silence est à mon avis un effort excessif, et donc disharmonieux et déplorable à long terme certes, pour défaire notre trop grande implication en Émorie, ce qui ajoutait encore à son efficace chez ceux auxquels il était appliqué, car il s'appuyait sur les sentiments partagés par de nombreux individus : culpabilité à l'égard des indigènes décimés, repentance, désir excessif de rétablir l'Harmonie… Le pendule s'est précipité à son extrême opposé, avec les funestes conséquences que l'on sait. »

On médite un bref instant. Puis l'autre collet vert reprend : « Non, quant à moi, je ne crois pas que la magie émorienne soit plus forte que la nôtre. Mais *différente*, oui. D'une autre substance que la nôtre. »

Des réactions diverses passent dans l'auditoire. S'il y avait davantage de verdure, Pierrino se croirait presque à Lamirande, dans la verrière. Arnaud s'en souvient-il ? Il lui jette un regard de côté : le jeune homme écoute avec un sourire secret, adossé dans sa chaise, les bras croisés. Il n'a rien dit depuis très longtemps. Sent-il son regard ? Il tourne la tête vers lui, lui adresse un rapide clin d'œil. Pierrino y répond avec un temps de retard, Arnaud ne l'a peut-être pas même vu ; il devrait arrêter de boire.

« Oh-oh, attention ! s'exclame quelqu'un. De là à parler d'une substance issue d'une puissance autre que la Divinité, c'est-à-dire d'une puissance *égale* à la Divinité, mais maléfique, il n'y a qu'un pas… et c'est l'hérésie manichéenne, comme après les Atlandies !

— Oui, dit l'un des secrétaires, qui s'enhardit. Si l'Édit ne s'était abattu sur la France, votre Hiérarchie aurait eu fort à faire.

— Vous auriez réinventé le Diable ! » s'exclame l'actrice qui n'a pas accompagné la Grimaldi.

Laquelle n'est toujours pas revenue, remarque Pierrino. Elle met donc bien longtemps à se changer !

On rit de la boutade de la jeune femme, puis un autre secrétaire intervient : « Mais non. Il y a eu une vague de conversions à l'époque, mais dans l'autre sens, rappelez-vous : des christiens ont pensé que, puisque des leurs avaient été vaincus par la magie des indigènes, leur dieu, qui les met sans cesse à l'épreuve, voulait peut-être cette fois leur indiquer par là qu'ils avaient été dans l'erreur tout du long en refusant la magie. »

S'il y a des christiens dans l'auditoire, le moins qu'on puisse dire, c'est qu'ils sont des plus désinvoltes à l'égard de leur foi, puisque nul ne réplique. Quoique, somme toute, les géminites ne fassent pas tellement mieux.

Le guitariste tambourine un rythme funèbre sur la table de sa guitare : « Ce à quoi les autorités religieuses christiennes ont répondu à leur habitude par des autodafés de livres et de pamphlets, des arrestations, et l'antienne : 'Oui, nous avons été punis, et cette fois pour avoir échoué à l'épreuve en nous alliant aux païens indigènes contre les démoniaques géminites.' »

On rit de nouveau. Quelqu'un qui doit être christien intervient enfin : « Je dirais quant à moi que vos mages ont copié l'argument pour le faire servir à leur propre contre-feu à l'égard de l'hérésie, du moins hors de France : 'La magie émorienne est différente parce qu'elle a si longtemps été coupée de reste du monde et des autres magies.'

— Ne vous semble-t-il pas curieux, remarque pensivement un autre encyclopédiste, qu'on élabore cette nouvelle théorie sur un mode évolutionniste, puisque cette idée est en train de faire son chemin chez nos savants, tout comme on l'a fait de façon géographique pour les Quartiers dans un temps d'exploration du monde ?

— La théorie des Quartiers n'était pas uniquement géographique, mon cher. Sûrement vous avez lu le livre de monsieur d'Aubernet ?

— Ah, non, proteste un des deux collets verts, ne me parlez pas de d'Aubernet ! Un hurluberlu qui voulait à toute force voir des gaz partout. La magie comme un gaz…

— Pardon, un nuage !

— Cela revient au même, un nuage ou un gaz s'élevant de chaque nation et qui, poussé par des vents de la volonté divine, se mélange peu à peu avec les nuages voisins, d'où l'Harmonisation !

— Eh bien, mais c'était ingénieux, dit l'une des épouses.

— Comme par hasard », réplique l'encyclopédiste sans lui prêter attention, « on étudiait alors les propriétés de l'eau, et la transformation des liquides en solides ou en gaz. Chaque époque choisit les modèles qui lui conviennent, ceux qu'elle peut comprendre.

— Mais si d'Aubernet est un fou avec sa théorie des gaz magiques, les inventeurs de celle des Quartiers, avec leurs parfums ou leurs couleurs, ne l'étaient pas ?

— Je n'ai pas dit cela, seulement que d'Aubernet prenait bien trop à cœur sa métaphore des gaz, comme on a pris trop à cœur celle des Quartiers, comme on risque de le faire encore avec cette nouvelle théorie évolutionniste de la magie. »

Monsieur Greillebon s'agite dans son fauteuil : « Tout cela penche trop du côté matérialiste, à mon avis. La religion, la foi, ne devraient pas avoir recours à ces images – c'est un retour sournois à la situation d'avant la Réforme: les images sont celles de la science au lieu d'être celles de l'art, voilà tout. »

L'argument est plus familier, mais Senso n'intervient pas, ce qui ne lui ressemble guère dans une telle discussion. Il doit être aussi frappé de stupeur que moi par tout ceci, songe Pierrino avec un amusement maussade. Mais moi, j'ai bu. Avec un peu de chance, je n'ai pas l'air aussi stupide que je me sens.

Arnaud se redresse dans sa chaise, en passant avec vigueur ses mains dans ses boucles blondes. « Ah, je suis d'accord avec vous là-dessus, Monsieur, une autre Réforme est bien due. » Il se lève. « Mais toutes ces idées m'ont donné des fourmis dans les jambes: trop de psyché, pas assez de soma. » Et, aux musiciens: « Vous sentez-vous d'humeur à nous faire danser?

— Toujours! » dit le guitariste.

Et tandis qu'on acquiesce avec enthousiasme, du moins les plus jeunes alentour, Arnaud entraîne Pierrino vers les musiciens, à l'autre extrémité de la salle. « Comprenez-vous mieux maintenant ce que j'essayais de vous dire ce matin à propos des secrets de la Hiérarchie et du clergé? lui souffle-t-il.

— Ai-je donc l'air si éberlué? » rétorque Pierrino, de nouveau irrité. Tout cela est énorme, en effet, mais ce qui est encore plus énorme, c'est qu'ils dussent l'apprendre ainsi, alors que Grand-père eût pu le leur dire depuis longtemps. Les petits-enfants de Sigismond Garance, en vérité! Deux ignorants de province!

« Peut-être votre grand-père voulait-il vous protéger, dit Arnaud, comme s'il avait deviné sa pensée.

— On se demande de quoi! » fulmine Pierrino. Mais ne leur avait-il pas dit de rentrer directement à

Orléans ? Ah, non, c'était à cause de Darlant et de ses manigances. Dont il ne leur a pas parlé non plus. En quoi l'ignorance pouvait-elle les protéger ? Lui qui prône toujours le savoir, l'instruction, la curiosité ! Ha ! C'était plutôt pour se protéger lui-même !

« Votre grand-père ne tenait peut-être pas à vous parler du statut assez particulier des Garance en Émorie », reprend Arnaud, pensif.

C'est Senso qui dit : « Quoi donc ? » Bien sûr : Senso est à l'autre bras d'Arnaud. Vont-ils danser tous les trois ensemble ? Tiens, voilà qui serait divertissant. Mais non, il ne va pas, absolument pas danser. Pas dans cet état. Il tient debout et peut faire illusion tant qu'il ne bouge pas trop vite, mais danser ! L'idée seule lui donne le vertige.

Arnaud soupire : « Eh bien, Gilles Garance et ses descendants étaient traités avec une déférence toute particulière par les indigènes. Ceux-ci en avaient peur, disait-on. Ils faisaient tout ce qu'ils voulaient. »

L'un des collets verts s'est arrêté pour les attendre, ou pour les entendre, car il enchaîne, en observant Pierrino avec une curiosité qui lui semble soudain maligne : « Même lorsque les troubles ont commencé, les Garance ont pu s'enfuir sans problème d'Émorie. D'autres n'ont pas été aussi chanceux. »

Arnaud hausse les épaules : « Les Garance connaissaient bien le pays et ses habitants, ils ont senti le vent et sont partis avant tout le monde, voilà tout.

— Mais justement, insiste l'autre, comment l'ont-ils su ? Il est des talentés séparés qui trouvent moyen de ne plus l'être… »

Senso arrache son bras à Arnaud ; il est livide. « C'est une absurdité, Monsieur, et du reste je vous interdis de parler ainsi de notre grand-père ! Rétractez-vous à l'instant ! »

Il a tout de même bu : ce n'est pas la voix de commandement, et le visage du magicien s'assombrit plutôt de colère. Pierrino lâche le bras d'Arnaud pour faire un pas hésitant en avant.

Mais Arnaud s'interpose : « Monsieur Vanœuvre s'est laissé emporter », dit-il avec un regard sévère à l'intéressé. « Toutes ces histoires d'Émorie se prêtent aux spéculations les plus folles, on en sait si peu… Et l'on est bien trop excité en ce moment par toutes ces rumeurs qui courent sur le retour à l'ambercite.

— Mais oui », dit l'autre, qui semble à présent terriblement embarrassé. « Je vous prie d'agréer mes plus sincères excuses, Monsieur, je ne pensais point à mal. De fait, je pensais mal, tout simplement. Votre champagne est terrible pour l'harmonie autant que pour la raison et les bonnes manières, Arnaud. Encore une fois, Monsieur Garance, je vous prie de m'excuser. »

Senso accepte d'une brève inclinaison de tête. Il doit être complètement bouleversé, si même le mot "harmonie" ne lui rend pas son équanimité.

Pierrino se sent flotter dans une espèce de dégoût accablé, mais c'est peut-être seulement son estomac trop noyé d'alcool qui se rappelle à son souvenir. Il prend le bras de Senso, se retourne vers Arnaud : « Vous aviez raison, lui dit-il, les secrets empoisonnent. »

Arnaud esquisse pourtant une petite mimique plus amusée que navrée : « Mais il n'y a pas de secrets entre nous, n'est-ce pas, Pierrino ? fait-il de son air le plus charmant.

— Allons danser », dit Senso, les dents serrées, encore sous le coup de la colère. Comme Pierrino se tient à lui, et qu'Arnaud a glissé son bras sous le sien de l'autre côté, il est forcé de suivre leur mouvement. Les dames sont ravies de les voir apparaître, fort déçues quand il se laisse tomber dans un fauteuil et résiste de son air le plus résolu aux cajoleries.

La Grimaldi est revenue avec ses compagnes, le chignon un peu plus lâche qu'auparavant, vêtue d'une de ces robes droites et plissées imitant les tuniques à l'ancienne, à taille sous les seins et profond décolleté, qui semblent être la rage à Paris ; sa silhouette le lui permet, admet Pierrino, ce qu'on ne pourrait dire de quelques épouses ici présentes. Sa cour l'entoure aussitôt. Mais dès qu'elle voit arriver Senso, elle fond sur lui. Jette un regard en direction de Pierrino, qui secoue la tête – avec précaution : la salle semble entraînée dans un lent mouvement giratoire, comme si elle voulait danser elle aussi. La cantatrice entraîne Senso dans la danse, bientôt rejointe par Arnaud. C'est elle qui devrait être échangée dans les figures de ce quadrille, mais c'est Senso qu'ils s'échangent, il le voit bien.

Il se sent sombrer dans un désespoir soudain – tristesse d'ivrogne, a-t-il beau se dire, écœuré de lui-même, cela n'en émousse pas l'aiguillon. Il attendait tant de ce voyage, de Paris, de cette soirée, et voilà où il en est rendu ? Sous ce déluge d'informations déboulant de toutes parts, toutes plus inattendues et accablantes les unes que les autres ? Leur mère, Darlant, les mensonges de Grand-père, de la Hiérarchie, de la Royauté ? C'est là qu'il en est, ivre dans un fauteuil, à regarder Arnaud danser avec Senso et avec cette femme, son bel Arnaud qui n'est plus son bel Arnaud, qui ne l'a peut-être jamais été non plus, une illusion blonde et dorée, un mirage de jour d'été ?

Il regarde passer un autre valet avec un autre plateau de flûtes pleines de champagne pétillant. Pour un peu, il le hélerait, il s'achèverait ; mais non, il ne va pas se disgracier davantage. Que doit penser Arnaud de lui en ce moment ?

Ou bien – idée plus consternante encore – s'imagine-t-il danser avec lui et non avec Senso ?

21

Pierrino constate soudain qu'il y a davantage d'espace dans la salle. Tandis qu'il ruminait sombrement, la soirée a tiré à sa fin. Les plus rassis sont repartis – peut-être l'a-t-on salué, peut-être même a-t-il répondu comme il convenait, il en a un vague souvenir. Quelques-uns des jeunes dansent encore, la plupart se lutinent dans les coins ; certains dorment dans des fauteuils ; tout le monde est bien ivre ; somme toute, il ne dépare pas trop l'assemblée.

Mais justement, il se sent un peu moins incertain de ses jambes. Il se lève, abandonne les accoudoirs du fauteuil… Oui. Il s'agit simplement de traverser la moitié de la salle afin de rejoindre le corridor et de là, bénédiction, sa chambre et son lit. Les musiciens ne sont pas encore lassés de musiquer. Senso, avec un entrain furieux, fait danser la plus jeune des actrices et ne le voit pas lorsqu'il passe. Tant pis. Tant mieux.

Il marche avec une prudente lenteur dans le couloir, en tendant la main de temps à autre pour s'assurer aux embrasures des fenêtres, quand Arnaud apparaît comme par magie à sa droite, et à sa gauche, la Grimaldi. Ils lui prennent chacun un bras. « Mon cher

Pierrino, vous sentez-vous bien ? » demande Arnaud avec sollicitude, en lui effleurant le front, la joue.

Il voudrait répondre : “Moi aussi, j'ai bu plus que de raison”, mais il s'entend dire : « Oui, maintenant que vous êtes là. »

Arnaud sourit, les candélabres aux bougies presque éteintes du couloir accrochent des étincelles bleues dans son regard, Divine, comme il est proche, leurs hanches se frôlent quand ils marchent, Pierrino peut sentir l'odeur de sa sueur à travers celle de son parfum, un musc intime, troublant. Il se laisse aller contre lui sans plus de vergogne, plein d'une gratitude repentante : comment a-t-il pu croire qu'Arnaud l'abandonnerait ?

Ils entrent dans sa chambre. La Grimaldi entre aussi, mais c'est qu'elle le soutient. Deux lampes à huile sont allumées sur le linteau de la cheminée et agitent leurs ombres élancées sur les murs. Ils l'accompagnent jusqu'au lit, où ils l'aident à s'asseoir. Arnaud lui touche encore le front, la joue, dénoue sa cravate de dentelle, s'agenouille pour lui retirer ses souliers. Pierrino proteste faiblement, mais Arnaud lui caresse un genou avec tendresse : « Laissez-moi m'occuper de vous, Pierrino. »

La Grimaldi lui tend un petit verre empli d'un liquide bleuâtre : « Buvez, cela aidera à dissiper l'ivresse. Vous vous en ressentirez moins au matin.

— Magie, Madame ? » dit-il, essayant de plaisanter.

Elle sourit : « Si vous voulez. »

Il boit. C'est sucré, avec un arrière-goût âcre, mais pas désagréable. Il repose le verre sur la table de chevet.

L'instant d'après, mais il a le sentiment d'avoir perdu les étapes intermédiaires, il est étendu sur le lit, chemise et culottes délacées ; Arnaud, à demi assis, à demi couché près de lui, caresse son visage d'un geste lent, apaisant. Le contact de cette main sur sa peau est un plaisir exquis. Un lent frisson lui part des reins pour irradier vers ses cuisses, sa poitrine, sa gorge, s'échappe en un soupir de ses lèvres entrouvertes. Il renverse la tête, l'enfonçant un peu dans l'oreiller moelleux. « Arnaud…

— Chut. Vous sentez-vous mieux ? »

Il se sent bien, très bien. Il doit le dire, car Arnaud sourit en plongeant ses yeux dans les siens. Sa main descend le long de son cou, sur sa poitrine. Pierrino regarde sa propre main se lever avec lenteur, comme s'il était dans l'eau, mais ce n'est pas effrayant, il ne se noie pas, il est bien, très bien. Ses doigts trouvent la joue d'Arnaud sous les cheveux soyeux, puis le cou, se referment sur l'épaule musclée. Le visage attentif est à présent tout près du sien. Il en sent le souffle contre ses lèvres, il ferme les yeux. Si chaudes, les lèvres d'Arnaud, un vague parfum d'alcool y flotte encore, chaudes, fermes, qui se posent à petits coups sur le pourtour de ses lèvres, puis plus insistantes, la langue qui pointe, qui explore par touches, et enfin le vrai baiser, long, profond, doux et mordant, le goût d'Arnaud, sa texture, son corps qui se presse contre le sien, une autre ivresse, et celle de l'alcool a disparu, il en est lointainement étonné, comme il s'étonne, après le premier plaisir irrépressible sous la main d'Arnaud, d'être de nouveau prêt, très vite, pour sa bouche, un tourbillon de sensations délicieuses. L'étonnement disparaît. Il n'y a plus qu'Arnaud, leurs corps soudain nus l'un près de l'autre, l'un sur l'autre, c'est lui maintenant qui explore, qui caresse, qui embrasse, mordille, lèche, qui admire à la lumière des lampes la mousse dorée à l'aine, fine et dure comme une mousse d'or en vérité, l'arc élégant du vit court et mince qui en jaillit, luisant tel un dauphin, tandis qu'Arnaud l'enduit d'une crème transparente au lointain parfum de noix de coco.

Arnaud est à genoux, penché au-dessus de lui à présent, il lui a pris les jambes pour les plier sur ses épaules ; en appui sur une main, il lui enveloppe le sexe de l'autre, et son propre sexe le cherche, et le trouve, s'arrête à l'orée lorsque Pierrino balbutie, ivre d'un plaisir inquiet : « Je n'ai jamais... »

Arnaud se penche, souffle : « Moi, oui », et l'embrasse en le pénétrant par à-coups, réglant le mouvement de sa main sur celui de ses hanches, une double sensation inouïe, pénétrée, pénétrante, parfaite...

Qui tout d'un coup se fêle. Le rythme n'a pas changé, pourtant, le liseré étincelant de la tête blonde qui se détache dans l'ombre, la ligne harmonieuse des épaules, du torse, sous son dos la dureté chaude des cuisses qui le soulèvent telle une offrande, le souffle d'Arnaud qui s'accélère, devient un gémissement bas... Mais l'essor de son propre plaisir ralentit, s'arrête. C'est une mer étale à l'éclat intense mais trop calme, presque douloureux. Il manque... il manque un autre souffle, un autre mouvement, un autre rythme.

Et le plaisir vient, sans plaisir. Et la pulsation d'Arnaud en lui, qui aurait dû être parfaite, et qui ne l'est pas.

Arnaud se laisse tomber près de lui, haletant, la peau irisée de sueur, des mèches collées sur le visage, qu'il écarte d'un geste impatient. Il caresse le torse de Pierrino, où la marque de ce qui aurait dû être son propre plaisir s'est inscrite en diagonale ; en souriant, il en étale le liquide comme une onction. Pierrino se sent flotter dans une curieuse tendresse distante qui ressemble à de la tristesse.

Un mouvement saisi du coin de l'œil lui fait tourner la tête. Francesca Grimaldi s'est penchée. Elle est toujours là, dans un fauteuil, tout près du lit. Il sursaute, mais la main d'Arnaud l'empêche de se relever. « Cela te dérange-t-il ? » lui souffle-t-il à l'oreille, avant d'en mordiller le lobe.

Il dit "non", machinalement, parce que cela ne l'a jamais dérangé lorsque Jiliane était présente au cours de ses rencontres avec Renaud – ce n'était pas la même chose, bien sûr, mais si Jiliane était ici maintenant, il lui semble que cela ne le dérangerait pas. Cette autre femme, cependant… oui. Parce qu'il ne la connaît pas, sûrement. Et parce qu'elle observe. Jiliane est simplement… là. Elle regarde, mais elle n'observe pas. Elle ne prend rien. C'est difficile à expliquer.

Mais pourquoi donc songer à Jiliane en un pareil moment ?

La Grimaldi lui passe un doigt le long de la cuisse. Le muscle en tressaute malgré lui. Le doigt remonte jusqu'à l'aine, et plus haut, caressant la peau tendre autour de l'os du bassin.

Pierrino est surpris de sentir son sexe s'ériger de nouveau. Le doigt y retourne, en suit la hampe avec lenteur, redescend. Pierrino se mord involontairement la lèvre inférieure, tant la sensation est délicieuse.

Francesca Grimaldi se lève, en même temps qu'Arnaud. Il va la dévêtir – elle ne fait pas un geste pour l'aider. Quand elle est nue, elle vient prendre sa place auprès de Pierrino. Elle est blanche en effet, avec de beaux seins lourds et une peau lisse qui luit comme du marbre. De plus en plus dégrisé, avec un détachement curieux car son sexe, lui, bat et se tend, il se redresse sur un coude pour poser une main sur cette blancheur brûlante. Mais la femme secoue légèrement la tête, lui ôte la main de sa poitrine. Sa main à elle va se refermer sur son sexe. Il se couche sur le côté, ignorant pourquoi il obéit. Arnaud commence de la caresser.

Un autre mouvement, alors, attire son attention.

À la porte qui sépare les deux chambres.

Senso.

Depuis combien de temps se trouve-t-il là ? La chemise de nuit ouverte sur le torse, le visage trop marqué d'ombres pour qu'on puisse y lire une expression. Mais son érection est bien visible.

La cantatrice doit observer Pierrino à cet instant, car elle tourne la tête pour suivre son regard et dit, satisfaite : « Senso. Venez, mon cher. Venez nous montrer votre manière à vous. »

Arnaud s'est retourné aussi. « Oui, dit-il avec une avidité souriante. Venez donc, mon beau Senso. »

Senso fait un pas raide en direction du lit. Il ne regarde pas Arnaud, ni la femme. Il regarde Pierrino. S'immobilise.

Pierrino flotte toujours, il ne sait dans quelle émotion, ni même s'il en éprouve une. Sa seule ancre, c'est son sexe, et cette main qui le tient. Il ne bouge pas.

Arnaud, avec un petit rire bas, se tourne à nouveau vers la Grimaldi, la caresse encore un moment, puis la monte. Elle commence de parler, en italien. Ce n'est pas l'italien que Pierrino a appris, il le devine vulgaire, peut-être obscène. Le ton en est impérieux, ce sont aussi des indications que l'on donne, des ordres : le mouvement d'Arnaud s'accélère ou ralentit en conséquence. Elle, sa main ne bouge pas autour du sexe de Pierrino, sinon par le contrecoup des mouvements d'Arnaud, mais le plaisir en est aussi aigu que si elle le masturbait vraiment.

Senso fait demi-tour. La porte de sa chambre se referme.

Quand le plaisir vient pour Pierrino, c'est un plaisir mécanique, incomplet, frustrant. Et pourtant, cela lui est égal. Il reste couché sur le côté, observant le visage de Francesca, celui d'Arnaud. À un moment, toujours avec cette tendresse triste, il caresse longuement le dos en sueur. Arnaud tourne la tête vers lui et souffle : « Oui, oui », presque implorant. Il continue de le caresser. Arnaud secoue la tête. « Non, viens ! Viens sur moi ! »

Pierrino obéit, là encore. Quelle importance ? C'est comme si son sexe seul était présent, déjà redressé, et lui ailleurs, dans un autre espace. Il se couche sur Arnaud, en appui sur les bras, sa poitrine épousant le creux du dos, les fesses dures logées contre son aine, et son sexe s'imbrique tout naturellement dans leur sillon, plaqué contre son bas-ventre. Il ne bouge pas, il n'a qu'à se laisser bercer, puis emporter quand le mouvement s'accélère, même s'il ne jouit pas lorsque Arnaud pousse un cri rauque en s'abattant sur la cantatrice.

C'était trop tôt. Elle est furieuse. Tout en se travaillant sous lui, le clouant dans l'étau de ses bras, de ses jambes entrelacées aux siennes, elle vocifère un flot d'obscénités incompréhensibles auxquelles sa voix magnifique donne des accents étrangement somptueux, qui s'envolent vers les aigus lorsqu'elle commence de jouir enfin. Ses saccades violentes détachent une de ses mains de l'épaule d'Arnaud. Ses doigts trouvent la chaîne du médaillon de Pierrino qui pend de son cou, s'y agrippent, et l'arrachent dans le paroxysme de son plaisir.

Pierrino a l'impression qu'on lui arrache le cœur.

Foudroyé par une douleur trop brûlante même pour crier, il tombe d'Arnaud, il tombe du lit, il n'en finit pas de tomber même s'il est recroquevillé en chien de fusil sur le parquet. Il connaît cette brûlure, ce déchirement, il ne les a pas oubliés, comment pourrait-il jamais les oublier ? Des bras le soulèvent, on le pose sur le lit : chaque mouvement, chaque contact lui lacère la peau. Une voix aux réverbérations douloureuses,

Arnaud: « Pierrino! Pierrino, Divine, que se passe-t-il, nous n'aurions pas dû... Pierrino! » Avec un effort surhumain, il parvient à ouvrir les yeux, c'est comme s'il s'arrachait les paupières. Il ouvre la bouche pour souffler « ... médaillon... », c'est comme s'il s'arrachait la langue.

« Médaillon? » fait la voix déconcertée, vaguement irritée de Francesca. Mais il la sent fouiller dans les draps, et ensuite, le poids du médaillon sur sa poitrine.

La douleur disparaît. Si brusquement qu'il a l'impression de tomber à nouveau. Quand il sent qu'il le peut, il se redresse, une main refermée sur le médaillon. Il peut voir le visage éberlué d'Arnaud, derrière lui le visage plutôt curieux de Francesca; il entend leurs questions, mais il n'a qu'un désir: se lever, franchir la porte qui le sépare de Senso.

Il se lève. Il se déprend des mains qui essaient de le retenir, il va vers la porte. Un semblant de normalité lui revient alors, peut-être le simple geste de prendre la poignée. Par-dessus son épaule, il lance quelques mots au hasard, pour rassurer ou pour finir, peu importe, « ... besoin de dormir... bonsoir... », il tourne la poignée et tire la porte.

Sur Senso qui vacille légèrement, pieds nus, en chemise de nuit, un bougeoir à la main, l'autre main encore tendue vers la poignée de son côté, ses yeux, deux immenses trous noirs.

22

Senso a l'impression de se réveiller, s'ébroue. Que fait-il à la porte ? Par réflexe, il recule d'un pas lorsque Pierrino entre, le regarde refermer le battant à l'aveuglette pour s'y adosser, une main collée sur la poitrine, soufflant comme une forge.

Enfin, sa voix lui revient : « Pierrino, que s'est-il passé, j'ai cru… » Il va pour le prendre par les épaules, se rend compte qu'il tient toujours le bougeoir. Alors qu'il cherche des yeux un endroit où le poser, Pierrino prononce quelques mots, d'une voix si enrouée qu'elle en est incompréhensible. Il revient vers lui, va pour lui passer au moins un bras autour du cou, mais Pierrino l'arrête d'un geste : « Ton médaillon ! »

Abasourdi, Senso porte machinalement la main à sa poitrine, se rend compte au même instant que Pierrino n'a plus de chaîne au cou.

« Qu'est-ce que…

— Enlève-le ! » lance Pierrino à mi-voix, mais avec une intensité farouche.

Senso fait jouer le fermoir de la chaîne, ôte le médaillon, le présente dans sa paume ouverte. Pierrino secoue la tête, le visage convulsé par il ne sait quelle émotion : « Va le mettre sur la table de chevet ! »

Senso, au bord de la panique à présent, va poser le médaillon près du lit, se retourne pour revenir vers Pierrino.

La fulgurance de la douleur l'abat sur place. Ses jambes se dérobent sous lui. Aveugle, sourd, écorché vivant, il s'agrippe en tombant aux couvertures du lit et les entraîne dans sa chute.

Et la douleur disparaît, avec une soudaineté qui lui laisse la tête sonnante, des étincelles lumineuses devant les yeux, le cœur battant à tout rompre. Pierrino est à genoux près de lui dans le dégât de couvertures et de draps, il lui caresse les cheveux, lui couvre le visage de baisers en murmurant des paroles décousues, il sanglote presque. Senso porte la main à sa poitrine. Le médaillon y est revenu.

On frappe à la porte de communication. Pierrino sursaute violemment.

La voix d'Arnaud, basse, très inquiète : « Pierrino ? Pierrino, que se passe-t-il ? Senso ?

— Laissez-nous tranquilles ! » crie Pierrino, mais sa voix n'est qu'un chuchotement rauque.

Senso entend la poignée tourner. Il se redresse sur un coude et lance en direction de la porte, en forçant sa voix à ne pas trembler : « Tout va bien. Nous sommes ensemble. »

Silence de l'autre côté. Enfin, un bruit de pieds nus sur le parquet. On s'assied sur le lit, on chuchote. On se lève. On s'habille sans doute. D'autres bruits de pas, une porte qui s'ouvre et se referme. Puis plus rien.

Senso se tourne vers Pierrino qui ne bouge pas, la tête basse, le visage voilé de ses cheveux. Il tient toujours contre sa poitrine une main refermée en poing. Senso la touche avec douceur. Elle résiste un peu puis s'ouvre.

Senso n'ose prendre le médaillon. Il l'examine du bout d'un doigt. Un maillon de la chaîne est brisé.

Un long frisson secoue Pierrino. Senso ramasse drap, couvertures et couette, les arrange autour d'eux et serre Pierrino contre lui. Il attend de sentir les muscles noués se détendre peu à peu. Et encore un peu, le temps que le corps de Pierrino se laisse aller contre le sien. Alors il prend avec prudence la chaîne dans la main de Pierrino, en tirant petit à petit dessus et en laissant le médaillon en contact avec la paume. Pierrino ne réagit pas. Il noue les maillons en s'assurant que le nœud tiendra, la lui passe vivement autour du cou. Demain, tout à l'heure, il verra s'il peut utiliser un cordon pour la réparer.

Ensuite, il murmure: « On serait mieux dans le lit. »

Ils se lèvent, replacent tant bien que mal la literie. Après être allé chercher son autre chemise de nuit dans la commode, Senso aide Pierrino à la passer, puis il va mettre quelques bûches dans le poêle. C'est seulement en se glissant à son tour sous les couvertures qu'il se rend compte que, tout du long, comme Pierrino, il a tenu son médaillon de l'autre main sur sa poitrine.

Il force ses doigts à se desserrer, à lâcher. À aller se poser sur le bras que Pierrino a jeté autour de sa taille. Il ne ressent rien. Bien sûr. Ou du moins seulement cette sensation familière, qui ressemble plutôt à un souvenir de douleur, ou à un bleu qui ne guérirait pas.

Après un long silence, Pierrino murmure: « Cela n'a jamais été aussi violent.

— La retraite, pour notre première Confirmation », murmure-t-il en retour. Pierrino a raison, pourtant. Ils ont été malades alors, oui, une terrible nausée, une migraine à leur faire éclater les tempes, de la difficulté à respirer... Mais à l'instant, c'était comme si toutes ces années où la douleur était devenue lointaine, tolérable, et même oubliable par instant, s'étaient accumulées quelque part pour crouler sur eux d'un seul coup, avec férocité.

Mais comment les âmes de leurs parents pourraient-elles encore après tout ce temps vouloir leur infliger un tel supplice ?

« Jiliane », dit Pierrino, la voix étouffée contre son épaule. « Quand a-t-elle eu son médaillon ?

Senso essaie de se rappeler. « Bien après notre première Confirmation…

— Nous avons *vu* le médaillon bien après… »

Et Jiliane ne semblait pas avoir tellement envie de le leur montrer, c'est vrai.

« … mais le fil a commencé de se desserrer à ce moment-là.

— C'est *Grand-mère* qui le lui a donné… » La voix de Senso ralentit à mesure qu'il entend ce qu'il dit. « … qui nous a donné ces médaillons », termine-t-il dans un souffle.

Grand-mère qui n'est pas talentée, Grand-père le leur a dit !

Grand-père leur a caché bien des choses. Grand-père leur a *menti* sur bien des choses.

« Ce sont peut-être seulement les médaillons, pas elle », murmure-t-il enfin, accablé. « Peut-être les avait-elle rapportés de là-bas. »

Ils ont assisté à des Offices et à des offrandes avec ces médaillons. Ils ont été présentés à la Royauté elle-même. Sans que nul en décèle la présence magique.

Pierrino ne bouge pas. Toujours de la même voix lente et sourde, il remarque : « C'est un sortilège spécialement destiné à nous permettre d'être séparés. »

Il a donc dû être élaboré sur place et non…

« Mais c'étaient les médaillons de nos parents ! Grand-mère avait dû les donner à notre mère lorsqu'elle est partie. Peut-être qu'entre elles, c'était comme nous avec Jiliane ?

— Pourquoi lui donner deux médaillons ? » reprend Pierrino. Sans émotion, méthodique, comme s'il attendait tous ses arguments, embusqué, pour les abattre un à un. « Et il y en a un troisième, celui de Jiliane. Il appartenait aussi à notre mère.

— Grand-mère les lui avait peut-être tous donnés pour plus tard, pour ses enfants, alors. » Mais Senso voit aussitôt la faiblesse de son argument : elle ne pouvait savoir qu'Agnès rencontrerait Henri, ni qu'elle aurait trois enfants.

Et Pierrino a raison : les médaillons ont dû être ensorcelés exprès pour eux trois, et cela n'a pu se faire qu'à Aurepas.

Une autre idée lui vient, grosse de tant de possibilités stupéfiantes qu'il a peine à la formuler de façon cohérente. « Les cheveux, souffle-t-il. C'est toi qui en as eu l'idée…

— Je ne suis pas talenté », répond Pierrino, toujours de la même voix morne et obstinée. « Ni toi, ni Jiliane. Et quand bien même nous le serions sans le savoir : nous sommes nés ici. Nous sommes des Européens. »

Et les mages auraient décelé des médaillons imprégnés de magie européenne.

Pierrino reprend : « Veux-tu refaire l'expérience en retirant seulement les cheveux ? »

Son intonation à peine interrogative indique bien qu'il connaît la réponse, et Senso garde le silence.

Après un moment, Pierrino se lève pour se rendre à la salle d'eau avec le bougeoir repris sur le linteau de la cheminée. Il ne ferme pas la porte. Avec le broc d'eau, il grimpe dans la baignoire et se déverse l'eau froide sur le corps, pour se frotter ensuite longuement avec des gestes maladroits. Puis, après s'être séché, il vient reprendre sa place entre les bras de Senso, sans un mot. Il a posé le bougeoir toujours allumé sur la table de chevet ; le plafond vacille d'ombres légères. Senso ferme les yeux, hébété de fatigue et de trop d'émotions contradictoires. Il sent le corps de Pierrino vibrer encore d'énergie nerveuse contre le sien. Et puis Pierrino se serre convulsivement contre lui en murmurant d'une voix éraillée par les larmes qu'il refuse de laisser couler : « Que se passe-t-il ? Que nous arrive-t-il, Senso ? »

Senso lui caresse le dos, le cœur broyé de tendresse impuissante, et murmure en retour : « Je ne sais pas. » Puis, malgré la soudaine angoisse qui le saisit à cette idée, il ajoute : « Nous allons rentrer.

— Oui », dit enfin Pierrino ; cela sonne étrangement comme une menace, non comme une défaite. « Nous allons rentrer à la maison. »

23

Senso ouvre les yeux, surpris : ils ont un peu dormi malgré tout, même s'il est bien tôt, à peine sept heures. Avec tout ce que Pierrino avait bu au cours de la soirée, il aurait cru aussi que le réveil serait difficile, mais c'est Pierrino qui s'est levé en premier, car il a tiré les rideaux des fenêtres, laissant entrer dans la chambre une lumière grise. Il se tient, nu, appuyé à l'embrasure ; la porte de communication est ouverte sur l'autre chambre, où les rideaux sont tirés aussi. « Il pleut », dit-il, d'une voix sans inflexion. Puis il se retourne vers Senso : « Veux-tu prendre un bain ? »

Senso ne réfléchit que quelques instants : « Non, je veux partir. »

Pierrino hoche la tête et commence de revêtir ses habits de voyage. À part des cernes mauves sous les yeux, il ne semble pas affecté outre mesure par ses excès de la veille. Et il a déjà réparé lui-même la chaîne de son médaillon, y ayant noué l'un des rubans de velours qui attachent ordinairement leurs cheveux.

Senso tire sur la sonnette et quelques minutes plus tard, on frappe à la porte. « Veuillez dire à Larché que nous partons bientôt », dit-il au domestique entré à son invitation.

« Déjeunerez-vous, Messieurs ? »

Un regard à Pierrino, qui secoue la tête.

« Faites-nous préparer de quoi manger en route, décide cependant Senso.

— Et faites atteler le cabriolet », ajoute Pierrino.

La porte se referme sur le valet. Senso adresse un regard un peu surpris à Pierrino, mais s'abstient de commenter. Après tout, ils sont des invités ici, on leur a prêté la voiture la veille, le valet n'a pas bronché. Et Arnaud doit encore dormir. Une légère inquiétude traverse Senso : ils devaient rester encore une journée, le réveillera-t-on avant leur départ en constatant qu'ils ont avec eux leur bagage ?

Il range rapidement ses affaires, sans se soucier de tout bien plier. Lorsqu'on frappe de nouveau à la porte, c'est seulement deux autres domestiques avec Larché, qui leur souhaite le bonjour et, sans rien ajouter d'autre, disparaît dans l'autre chambre, tandis que les domestiques prennent la malle prête et disparaissent.

Pierrino va pour quitter la chambre ; Senso le retient : « Nous devrions tout de même laisser un mot.

— C'est fait », dit Pierrino, en désignant sur le linteau de la cheminée une enveloppe scellée. Puis, avec une ombre d'ironie : « Bref et diplomatique. »

Il s'est vraiment levé tôt.

Ils traversent la grande salle de réception et la salle à manger, où l'on s'affaire à nettoyer les dégâts de la réception. Les craintes de Senso ne se réalisent pas : Arnaud doit dormir à poings fermés, et les domestiques sans doute coutumiers du fait ont certainement des instructions strictes à cet égard. Senso se charge des échanges obligés avec le majordome venu à leur rencontre : oui, ils ont fait un bon séjour, oui, un séjour bien bref, mais transmettez à monsieur d'Ampierre notre gratitude et nos amitiés.

Larché les attend dans le foyer du rez-de-chaussée, la voiture est prête, ils s'en vont.

La pluie tourne en petite bruine, diffusant une curieuse lumière douce une fois que le jour s'est assez levé. Pierrino est très silencieux pendant tout le parcours – il ne s'anime qu'au tout début pour dire, d'un ton d'excuse morne : « Nous reviendrons, pour la cathédrale, Senso », lorsque Senso ne peut s'empêcher de se retourner, une fois sur les quais, pour un dernier aperçu de la haute tour qui s'élève tel un doigt désignant le ciel.

Il sourit, il dit « Ce n'est pas important », mais Pierrino regarde ailleurs, le visage sans expression. Au moins accepte-t-il de manger un peu, lorsque Senso ouvre avec curiosité et un certain appétit le panier qu'on leur a remis.

Ils repassent la frontière. Encore des questions – parce qu'ils repartent plus tôt, cette fois, mais on est donc bien pointilleux dans le nord ! Ils retrouvent ensuite le *Gil-Éliane* sans plus d'encombres et le bateau quitte aussitôt le quai, alors que la pluie a complètement cessé et qu'un soleil timide s'affirme dans le ciel à travers les nuages.

Senso s'accoude au bastingage, parce que Pierrino y est accoudé. Il regarde passer les quais, puis les façades qui se mirent dans l'eau calme, là où il n'y a pas de chalands. Ensuite, à mesure que l'on s'éloigne de la ville, l'odeur de l'eau devient plus fraîche, et c'est le retour de la campagne, les grands arbres dénudés mais aux branches d'un noir subtilement moins net, où flotte une promesse de bourgeons. Tout à l'heure, il le sait, Pierrino ira se coucher pour rattraper un peu de sommeil et peut-être même en fera-t-il autant, mais pour l'instant, ils sont encore débordants d'énergie nerveuse – ce réveil précoce, ce prompt départ qui ressemblerait presque à une fuite, mais non, c'est simplement qu'ils n'avaient plus rien à faire à Paris. Les pensées de Senso se tournent vers le sud, et vers Orléans d'abord où Grand-père fulmine peut-être de leurs désobéissances.

Puis il jette un coup d'œil au profil de Pierrino, et son inquiétude se colore d'une autre nuance.

« On se demande pourquoi ils étaient en voiture », dit Pierrino.

Ses pensées ont suivi une voie si différente – ou sont si en avance sur les siennes – que Senso est d'abord complètement déconcerté. Puis il comprend. Leurs parents.

« Peut-être ne voulaient-ils pas prendre le bateau qui s'arrête partout? Il y a vingt ans, peut-être était-il même encore plus lent. Alors qu'une voiture, avec de bons chevaux aux relais… »

Même si Agnès était alors enceinte de quatre mois, les lettres d'Henri soulignent sa bonne santé; et d'autre part, peut-être étaient-ils pressés d'aller reprendre leurs enfants à Lamirande pour retourner à Paris, justement pendant qu'Agnès pouvait voyager sans problème.

« J'aurais quand même bien voulu parler à ce monsieur de Pranoix », marmonne Pierrino entre ses dents.

Senso ne commente pas. Pierrino doit savoir à quel point ç'aurait été imprudent. Surtout maintenant, songe-t-il avec une soudaine alarme. Si vraiment l'on s'apprête à revenir à l'ambercite… Puis il s'efforce au calme. Non, si Grand-père avait vraiment craint pour eux, il ne les aurait même pas laissés partir d'Orléans. Et même si on les a peut-être suivis tout du long, il n'est rien arrivé sur la route de Senlis. Divine sait pourtant que la forêt d'Ermenonville se serait prêtée à des embuscades !

Mais justement, n'est-il pas curieux qu'on eût attaqué la voiture en France, en plein pays géminite, alors qu'Agnès avait vécu pendant quatre ans à Paris, dont deux années avant la réunification, et sur la rive nord, en christienté, où un tel enlèvement eût été bien plus facile ?

De Pranoix n'était peut-être pas encore autant qu'aujourd'hui le neveu de son oncle, à ce moment-là. Madame Andoriakis n'a-t-elle pas remarqué que leur mère en appréciait la compagnie ? Quoiqu'il aurait pu jouer alors la comédie. Mais elle avait avec elle Nadine et Félicien : en auraient-ils été dupes ?

Nadine et Félicien.

Senso prend un grand respir, sans pouvoir dissiper le lourd malaise qui soudain l'accable. Il ne voulait pas penser de ce côté, mais c'est comme si le silence de Pierrino exigeait d'être empli de cette façon. Les domestiques de Grand-mère. Les domestiques *mynmaï* de Grand-mère. Qui est née là-bas, fût-elle métisse. La magie mynmaï est-elle moindre, si l'on est une métisse mynmaï talentée ?

« Jiliane doit être au courant », murmure Pierrino.

Ses réflexions ont-elles donc suivi le même cours ? Pas tout à fait : « Tu as vu comme elle a réagi, lorsque Grand-mère nous a donné les médaillons. »

Senso voudrait protester, mais il se rappelle trop bien. Tout ce qu'il peut dire, en exagérant malgré tout sa certitude, par loyauté, c'est : « Si elle ne nous en a pas parlé, depuis tout ce temps, c'est qu'elle doit avoir une très bonne raison. » Il voit l'expression soudain butée de Pierrino et ajoute délibérément : « Elle aussi. »

Il pensait à Grand-mère. Pierrino réplique : « Il nous a menti », et Senso se rend compte que non, après tout, leurs pensées ne suivent pas les mêmes chemins.

« Peut-être craignait-il notre réaction », dit-il avec précaution, en prenant plus clairement conscience de la situation. Il se sent quant à lui plus d'affliction perplexe que de colère ou de ressentiment, mais il en va autrement pour Pierrino. Pierrino, le préféré de Grand-père, et qui lui ressemble tant. Le logique Pierrino, qui n'admettra pas sa peine et sa déception de sitôt.

Et qui s'exclame : « Craindre ? Grand-père ? Ha ! Non, il doit y avoir d'autres raisons. »

Senso peut en imaginer plusieurs. Il connaît cette humeur de Pierrino, cependant : il faut les lui laisser trouver par lui-même.

Mais Pierrino souffle, très bas, comme malgré lui : « Un tyran… », et non, Senso ne le laissera pas aller de ce côté-là.

« C'est *Grand-père*, Pierrino ! Nous le connaissons depuis toujours.

— Nous le connaissons depuis dix-huit ans », rectifie Pierrino. « Et même un peu moins. Et ce n'est pas seulement Grand-père : c'est Sigismond-Antoine Garance. »

Une vague de chagrin froisse soudain son visage : « Les gens ne sont pas toujours ce qu'ils paraissent », ajoute-t-il d'une voix qui s'enroue, en détournant les yeux.

Ah, Divine, Pierrino pense-t-il aux événements de la veille, maintenant ? À Arnaud ?

Il doit admettre que la Grimaldi l'a quelque peu surpris, lui aussi.

« Les gens sont plus complexes parfois qu'ils ne le paraissent », rectifie-t-il avec douceur.

Un sarcasme silencieux secoue les épaules de Pierrino. Mais il semble avoir retrouvé un certain calme lorsqu'il dit : « Tu as tout entendu, hier soir. »

Senso lui jette un coup d'œil : est-ce un vague amusement qu'il voit au coin de ses lèvres ? Il essaie, avec prudence : « Difficile de ne pas entendre. »

Pierrino hoche la tête et, oui, il esquisse un petit sourire lorsqu'il murmure enfin: « Tu l'as entendue chanter, après tout, ta cantatrice. »

En l'étudiant toujours avec attention, Senso pousse juste un peu plus loin la note de légèreté: « Il faut admettre qu'elle a une belle voix. »

Pierrino finit par laisser échapper un grand soupir, où Senso veut déceler une certaine volonté de mettre tout cela derrière eux. « Oui, mais son vocabulaire laisse à désirer. »

Ils regardent passer une longue péniche pleine de billots de bois, traînant derrière elle un souvenir d'odeur de pin. La porte de la cabine de pilotage se referme avec un claquement derrière eux.

« Eh bien, jeunes gens », dit le capitaine en venant s'accouder à leur côté. « Travaillerons-nous dans la soute aujourd'hui ?

— Ah, plutôt demain, Capitaine, fait mine de protester Senso.

— Oui, la vie parisienne peut être parfois trépidante », commente l'autre avec un petit clin d'œil. Puis il sort une pipe d'écume qu'il commence de bourrer avec soin.

« Dites-moi, Capitaine, demande soudain Pierrino, Grand-père a dû laisser ici la plus grande partie de ses affaires ? Nous sommes repartis bien vite d'Orléans, l'autre jour. Nous pourrions vous en débarrasser, si vous voulez jouir plus à l'aise de votre cabine.

— Oh, votre grand-père sait voyager léger. Il a un pied-à-terre à Orléans, de toute façon. Il n'a laissé qu'une malle. Le plus encombrant, de fait, c'est le coffre. Et votre cabine n'est pas très grande non plus.

— Eh bien, seulement le coffre, alors.

— Ah non », sourit le capitaine d'un air de regret (est-il vraiment dupe ?), « monsieur Garance me l'a expressément confié.

— Très bien, alors, la malle », dit Pierrino sans se troubler, jouant le jeu.

« Nous réaménagerons tout cela quand nous nous arrêterons ce soir à Melun, acquiesce le capitaine. C'est très aimable à vous. » Il allume sa pipe et en tire quelques bouffées. Puis il se dirige vers la proue, les mains dans le dos, une des petites promenades qu'il effectue autour de son bateau pour se dégourdir les jambes.

« C'est un coffre à combinaison », dit Larché près de Senso qui tressaille : il ne l'avait pas entendu arriver. « Mais monsieur Garance emporte toujours ses papiers importants avec lui dans sa sacoche. »

Cet homme a décidément des oreilles qui traînent. Mais Senso en est désormais plus intrigué qu'irrité. Étienne Larché n'est de toute évidence pas un simple domestique. Et pourquoi donc prend-il la peine de leur dire ainsi que le plan impromptu de Pierrino aurait échoué de toute façon ?

« Et vous, Larché », demande Pierrino, avec une expression durement narquoise, « quelle est votre combinaison ? »

L'autre hausse un peu les sourcils : « Je suis le valet personnel de monsieur Garance, et son garde du corps », énonce-t-il avec son calme coutumier. « Et les vôtres pour la durée de ce voyage. »

Pierrino le dévisage, à la recherche d'un autre angle d'attaque. Mais Larché donne à Senso une impression de solidité à toute épreuve : une forteresse aux défenses discrètes mais inexpugnables, qui ne s'ouvre que lorsqu'elle le désire. Il s'entendrait bien avec Félicien, s'il le connaissait. Mais peut-être le connaît-il.

« Vous êtes depuis longtemps avec notre grand-père ? » demande Pierrino, toujours aussi sec.

« Il m'a engagé après le décès de vos parents. Quand il a été en état de le faire, c'est-à-dire, après plusieurs mois.

— Y a-t-il eu d'autres attaques ?

— Non. »

La tentative de leurs grands-parents d'Olducey peut difficilement être considérée comme telle.

Senso observe le visage impassible, où il lui semble pourtant lire une attente. « Vous portez toujours un pistolet, Étienne ? »

Le regard gris-bleu se pose sur lui : « Oui.

— Vous n'en avez pas fait usage lorsque madame d'Olducey a tiré sur Grand-père. »

Larché soupire légèrement : « Le premier coup avait fait long feu. Il n'est pas dans mes habitudes de tuer des vieilles dames. Surtout en présence de six adversaires armés. »

Senso ne peut qu'acquiescer, en songeant avec une horreur rétrospective à l'éventuelle tuerie ainsi déclenchée.

« Elle a essayé par deux fois, remarque aussitôt Pierrino.

— J'ai pensé dès le premier coup que votre grand-père y avait vu. »

Pierrino se mord les lèvres, de plus en plus exaspéré : « Grand-père nous a dit n'y être pour rien !

— Il l'a surtout dit aux domestiques », remarque Larché, toujours sans se troubler.

« Êtes-vous un talenté, Larché ? » lance enfin Pierrino, sans plus se retenir.

Le visage de Larché reste impassible : « Non. » Il se redresse : « Pour ce qui est de votre grand-père, monsieur Pierre-Henri, ne préjugez point trop avant d'être à Orléans », dit-il avec une douceur curieuse, pour lui presque implorante.

Pierrino est trop déconcerté, sans doute, ou trop furieux, pour trouver une répartie. Senso regarde Larché s'éloigner vers la poupe. L'homme essaie encore de protéger Grand-père, voilà la raison de ses interventions. Garde du corps, certes. Mais, après tout ce temps, sans nul doute aussi un ami.

À Orléans, six jours après, Grand-père n'est pas là. Il n'a jamais reçu leurs messages. Il a par contre laissé une lettre pour eux : comme ils se trouvent en compagnie de Larché, il ne se fait pas trop de souci ; puisque le voyage s'est si bien passé à l'aller, il a bon espoir qu'il en sera de même au retour. Ils peuvent s'attarder un peu à Orléans s'ils le désirent – il les confie à madame Salvail et aux de Caujours. Les affaires qu'il était venu traiter se sont réglées d'une façon plus fructueuse qu'on ne s'y attendait, il est urgent pour lui de retourner à Aurepas afin de mettre en branle un certain nombre de choses. Il repart en voiture jusqu'à Châlon-sur-Saône puis redescendra rapidement par le canal du Rhône et celui du Midi. S'ensuivent des conseils de prudence, et l'ordre réitéré d'obéir à Larché. La lettre est datée du 10 mars, le jour de leur anniversaire, le jour de leur départ vers la région parisienne ; Grand-père doit être du côté de Valence ou de Montélimar au moment où ils lisent cette missive.

24

Un bruit de course dans le couloir, on cogne avec urgence à la porte de l'étude, on entre avant même qu'il n'ait répondu : Jacques Lanmaire, le contremaître responsable de l'entrepôt d'ambercite. « Monsieur Garance, Monsieur Garance, il faut venir tout de suite ! »

Gilles se lève, aussitôt inquiet : un accident ? Il n'a entendu ni senti d'explosion… Et son talent ne lui montre rien aux alentours de l'entrepôt, sinon l'affolement général des ouvriers géminites, qui ont évacué les lieux. Dans les deux mines, comme à la poudrerie, le travail se poursuit comme à l'accoutumée. À la manutention aussi. À la fonderie… il n'y a plus aucune activité. Les *yuntchin* sont tous prosternés, apparemment en prières. Nandèh et Feï les observent, imperturbables. Auprès d'eux, les deux Ghât'sin essaient d'imiter ce sang-froid mais sans beaucoup de succès. *Que se passe-t-il ?* leur demande-t-il. Ils sursautent comme ils ne le faisaient plus depuis longtemps lorsqu'il leur parle à distance.

À l'entrepôt… répond l'un.

… *La magie sauvage…* enchaîne l'autre.

Ils sont terrifiés, malgré leur effort pour se contrôler.

« Tu devrais aller voir », dit Feï à haute voix – elle sait qu'il est là, évidemment.

J'arrive. Venez me retrouver à l'entrepôt.

Quelques secondes à peine se sont écoulées. « Venez, Monsieur », balbutie Lanmaire, hors d'haleine, « venez vite ! » L'homme est passé à cheval droit à travers le parc, apparemment : sans chapeau, les habits couverts de brindilles, tout égratigné.

« Voyons, calmez-vous, Jacques, que se passe-t-il ?

— Il neige, Monsieur, il neige ! »

Le malheureux semble prêt à s'effondrer. Après l'avoir obligé à s'asseoir, Gilles lui verse une rasade de porto que le contremaître engouffre d'un trait, ses mains tremblant sur le verre de cristal.

Il neige ? Gilles va reposer le carafon, perplexe : il ne perçoit absolument rien de tel. Il cherche Xhélin. Le Ghât'sin se trouve à l'étang avec Ouraïn, en train de pêcher depuis la jetée. Ou du moins pétrifié sur le quai, les mains rivées à sa canne de bambou tiraillée en tous sens par un poisson hameçonné, tandis qu'Ouraïn le regarde sans comprendre, l'épuisette prête. *Que se passe-t-il à l'entrepôt, Xhélin ?*

La magie sauvage !

Le Ghât'sin semble encore plus terrifié que les deux autres.

Ramène Ouraïn à sa mère et viens me rejoindre à l'entrepôt.

« Restez-là, mon ami. Je vais m'en occuper. »

C'est la journée de repos de Kurun. Il ne fera appel à elle qu'en tout dernier recours.

◆

Il neige à l'entrepôt.

Il neige *dans* l'entrepôt, un ouragan miniature qui se déplace en tourbillons erratiques entre les rangées, abandonnant des traînées blanches qui fondent presque aussitôt. Si c'est une illusion, n'aurait-il pas dû la percevoir auparavant ? Ne devrait-il pas pouvoir en localiser l'origine ? Ne devrait-il pas, surtout, pouvoir la faire disparaître ? Il a beau s'y essayer, et même en empruntant le talent de Chéhyé, c'est comme s'il n'avait sur elle aucune prise, comme si elle n'était littéralement pas là. Il en touche les flocons, il les voit, mais lorsqu'il essaie de les suivre dans l'Entremonde, ils disparaissent.

Le blizzard est subitement remplacé par un parfait petit arc-en-ciel aux nuances vives et lumineuses, arrondi avec une impossible élégance entre deux piles de caisses. Et qui s'avance ensuite vers eux en changeant de taille, comme prêt à les engouffrer.

Xhélin recule avec un petit cri étranglé, se prosterne en balbutiant des paroles incompréhensibles. Comme s'ils n'avaient attendu que ce signal, les deux autres Ghât'sin se prosternent à leur tour. L'arc-en-ciel s'immobilise au-dessus de leurs silhouettes accroupies.

En essayant de maîtriser sa panique naissante, Gilles se tourne vers Nandèh et Feï, qui n'ont pas bougé. « Savez-vous ce qui se passe, à la fin ? Quelqu'un est-il à l'origine de tout ceci ? »

Feï hausse légèrement les épaules : « Non. C'est la substance du chaos. »

Il lui faut un petit moment pour trouver une traduction qui ait un sens. « L'ambercite ? C'est l'ambercite qui produit ces effets ? Mais comment, pourquoi ?

— Comment le saurions-nous ? murmure Nandèh. Il n'y a jamais rien eu de tel.

— Est-ce dangereux pour les humains ?

— C'est la magie sauvage », répète Feï, telle une évidence.

« Mais ce sont des illusions ! »

Feï tend les doigts au travers de l'arc-en-ciel, les en ressort colorés. « Oui et non », dit-elle. Elle semble légèrement amusée.

L'arc-en-ciel disparaît comme une bulle éclate. À sa place, une grande nuée de colibris multicolores s'élève en tournoyant vers le plafond de l'entrepôt, puis retombe en pluie.

Ni la colère ni la terreur ne serviront de rien. Gilles se force à respirer à plusieurs reprises sans rien dire, sans rien penser, en se concentrant sur son souffle. Il se tourne de nouveau vers Feï : « La percevez-vous dans l'Entremonde, cette magie sauvage ?

— Sa Maison est partout. »

Il prend un autre respir. « Pouvez-vous me la montrer ou dois-je appeler Kurun ?

— Tu ne percevras rien. Ce n'est pas ta Maison. C'est à peine la nôtre.

— Mais pouvez-vous… suivre cette magie jusque dans sa Maison ?

— C'est trop plein. Cela déborde. »

Feï s'assied souplement par terre en tailleur, et Nandèh en fait autant. Le regard de Gilles passe de l'un à l'autre, incrédule. Le leur s'absente. Mais enfin, ce n'est pas le moment de tomber en transe !

Il observe d'un œil fixe les flaques d'eau qui prennent peu à peu la consistance du vif-argent tout en rampant entre les caisses. Le long des caisses, à la verticale. En formant peu à peu de minuscules figures humaines.

Si c'est une manifestation liée à l'ambercite, un effet magique de l'ambercite, pourquoi ici, pourquoi maintenant ?

Trop plein. Cela déborde. Dès l'arrivée de l'ambassadrice, on s'est mis à en produire en quantité afin de constituer les réserves en prévision de l'ouverture du comptoir, certes, mais cela fait deux ans, et rien de tel n'est jamais encore arrivé !

Il jette un coup d'œil à Xhélin et aux deux autres Ghât'sin prostrés, aux Natéhsin plongés dans leur transe. Soudain glacé, il essaie de repousser sa crainte. Puis se force à l'affronter. Et si la légende disait vrai ? S'il avait de quelque façon recréé… le chaos ? Ou de quelque façon perverti la substance même de l'univers ? Si cette terrible disharmonie avait d'abord envahi l'Entremonde et commençait maintenant seulement de se répandre dans le monde ordinaire ?

Mais comment serait-ce possible ? La substance divine ne peut être corrompue ! Et puis, les Natéhsin au moins l'auraient de quelque façon perçu, ils le lui auraient dit… Le lui auraient-ils dit ?

Kurun le lui aurait dit.

Et puis non, non, non ! Avant d'envisager le pire, il faut avoir éliminé tout le reste. Raisonnons. S'il y a un effet, il y a une cause. Compte tenu de la multiplicité des manifestations, et puisque les ouvriers les perçoivent tout comme eux, cela affecte le psychosome indépendamment du talent. Les phénomènes ordinaires le font tout comme la magie. L'ambercite produit des effets ordinaires. Elle produit de la chaleur. Les billes produisent de la chaleur lorsqu'elles sont assemblées dans les bonnes quantités…

Les billes produiraient-elles des effets magiques désordonnés lorsqu'il y en aurait trop rassemblées au même endroit, même rendues inertes parce qu'elles sont réunies par paires dans leurs caisses ? *L'entrepôt* est-il trop plein ? Et viendrait-on d'atteindre la limite au-delà de laquelle ces effets commencent de devenir sensibles ?

Il n'y a qu'une seule façon de le vérifier. Il va prendre une des petites brouettes abandonnées par les ouvriers et se met à y empiler de nouveau des caisses renversées lors de leur fuite, pour les rouler hors de la bâtisse.

◆

« … en deçà, le matériau redevient stable. Nous ne pouvions le savoir avant d'avoir atteint et dépassé cette masse dans l'entrepôt, évidemment. Il suffit de séparer les caisses de billes d'un empan et demi. Nous les entreposerons désormais en tenant compte de ces contraintes de distance et de quantité, et les prochains entrepôts seront construits en conséquence. »

Les deux ecclésiastes le dévisagent en silence, fort pâles d'apprendre à la fois l'accident, ses terribles conséquences possibles et leur évitement.

« Tu as toujours eu l'esprit rapide, Gilles, la Divinité en soit louée », murmure enfin Antoinette en se signant. « Nous en ferons une offrande spéciale de louanges à l'Office, ce dimanche.

— Je ne désire point vous retenir plus longtemps, mes amis », dit-il après avoir observé la nécessaire pause pieuse, « je vous sais fort occupés, mais je voulais vous mettre au courant le plus vite possible si vous devez traiter certains des ouvriers à l'hospice après cet incident. Ce qui ne m'étonnerait point : ils ont eu très peur, en particulier ce brave Lanmaire. »

Ils hochent gravement la tête en se levant, et il les accompagne à la porte de son bureau. Il a encore parfois un peu honte en voyant comme ils gobent aisément ce qu'il leur dit, ses mages inconscients d'être apprivoisés. Mais il a bien fallu les subjuguer un peu, ne fût-ce qu'à cause des étrangetés d'Ouraïn. Ils ne se portent pas plus mal de ce qu'ils ignorent. Ils sont déjà assez désespérés de leur impuissance à soigner les indigènes atteints par la Mélancolie, et surtout de constater jour après jour que l'Harmonisation continue de ne point avoir lieu. Heureusement que leur talent opère au moins dans les limites du village géminite, avec les géminites, sinon les pauvres vireraient fous.

Comme c'est là, ils écouteront avec compassion les récits des ouvriers et apaiseront leurs insomnies ou leurs cauchemars sans se rendre compte qu'il s'agit d'illusions. Les ouvriers sont bien persuadés d'avoir assisté au début d'un incendie : l'eau impuissante à éteindre les billes ardentes, les caisses en flammes. Son arrivée sur les lieux, son intuition salvatrice : diminuer le nombre des caisses, les séparer davantage.

Il ne va pas se rasseoir tout de suite, se rend plutôt à la fenêtre donnant sur le parc, les mains croisées dans le dos. Il doit tenter d'envisager toutes les conséquences de ce développement si inattendu avant d'élaborer le prochain rapport qu'il enverra à Garang Nomh.

Quand bien même il doit concéder – pour lui-même seulement – qu'il y a quelque magie dans l'ambercite, c'en est une si bizarre que les Natéhsin mêmes n'en perçoivent pratiquement que les effets dans le monde ordinaire. Les mages géminites ne les percevront donc point du tout lorsque l'Harmonisation leur aura rendu leur talent – un de ces jours.

L'entreposage au domaine ne constitue pas un problème : il y a assez de place. On bâtira des entrepôts plus petits et plus nombreux le long de la rivière, voilà tout. À cent quarante-quatre dodèces de billes par entrepôt, cela fait tout de même une quantité respectable – la production de deux mois de travail ! Les jonques qui transportent les billes jusqu'à Garang Nomh seront moins chargées, on en utilisera davantage : une hausse des coûts, mais relativement minime… L'entreposage ne fera pas problème non plus à Garang Nomh ni en Europe, une fois connues les contraintes.

Non, le seul problème épineux, ce sera celui du transport par mer. Il faudra absolument prévenir tout risque d'accident, et ce, sans avoir recours au talent éclipsé des mages, même s'il leur revient normalement une fois dans leur propre Quartier, à la bonne distance en mer ; on ne peut compter sur l'Harmonisation avant qu'elle n'ait eu lieu.

Des filets ou des cloisons, par gros temps… Non. Et les premiers navires chargés d'ambercite devront quitter Garang Nomh dans deux ans, trois au plus. L'ambassadrice a donné 1590 comme date butoir pour l'ouverture officielle du Comptoir.

Il faudra faire modifier ces navires afin d'embarquer un nombre maximal de caisses tout en en garantissant la sécurité… Peut-être même envisager des navires expressément conçus pour le transport de l'ambercite, avec des compartiments répartis dans les ponts et la cale. Des coûts imprévus et qui, dans l'un et l'autre cas, ne seront pas minimes, eux.

Il revient s'asseoir pour se livrer à quelques rapides calculs. Il va falloir convaincre la Royauté d'ouvrir plus largement les cordons de sa bourse. Ou de rechercher plus activement des partenaires dans les autres pays géminites. Mais évidemment, elle préférerait être seule à faire commerce de l'ambercite.

Il se rend soudain compte qu'en réfléchissant ainsi, il a commencé d'esquisser un plan de cale de navire. Oui, c'est le bon choix, des vaisseaux construits exprès. Une dépense initiale plus importante, mais assurément une garantie de sécurité. Il fera exécuter une maquette par Darquois, l'un des menuisiers, et s'en ira convaincre le gouverneur et l'ambassadrice à Garang Nomh tandis que son message ira rejoindre plus vite ses véritables destinataires à Sardopolis – mais il faut bien feindre de suivre les voies protocolaires afin de préserver la fiction de l'accident ayant permis la découverte du Pays des Dragons : à Divine ne plaise qu'on croie la Royauté française impliquée dans des manœuvres sournoises au défi des lois de la Ligne.

Il a même un nom pour le premier de ces vaisseaux : *L'Ehmory*.

25

Aurepas, le 22 de mars 1800

Très chers Senso et Pierrino,

Je vous expédie cette lettre à Agen, où j'espère que vous irez malgré tout à la poste restante comme nous en étions convenus pour votre voyage de retour. Votre lettre nous avertissant de la prolongation de votre séjour à Senlis nous est arrivée hier, en même temps que la lettre envoyée de Charenton nous avertissant de votre détour par Paris : celle-ci est allée plus vite, étant passée par Lyon. S'écrire devient parfois bizarre lorsque l'on est en voyage. J'ai prévenu Émilie. Elle en sera bien déçue…

"Aussi". Non.

Grand-père, lui, est arrivé avant-hier par le bateau de huit heures du soir. Nous l'attendions, car il nous avait écrit d'Orléans. Il a été très mécontent d'apprendre votre séjour à Paris chez monsieur d'Ampierre.

Absolument furieux, de fait, mais elle ne veut pas trop les inquiéter – et d'ailleurs ils doivent bien s'en douter.

Quant à moi…

"Je suis fort triste que votre retour soit retardé ainsi". Non plus.

… j'espère que vous êtes bien en route cette fois-ci et qu'il vous sera arrivé des choses passionnantes à Paris, que vous aurez le temps de me raconter au moins un peu avant de revenir. J'ai lu avec beaucoup d'émotion et de surprise ce que vous me dites de madame d'Olducey et de notre père. Il faut admettre que la vie de madame d'Olducey (elle n'arrive pas à écrire "notre grand-mère", c'est tout de même curieux) *en Atlandie est des plus romanesques. Et je comprends mieux maintenant sa tentative de Lamirande. La perte de son fils l'a certainement fait basculer dans une sorte de folie, qui a duré longtemps. C'est bien triste, mais il faut espérer en effet que leurs âmes se sont rejointes, malgré les croyances erronées de cette pauvre femme.*

Jiliane fait une petite moue. C'est assez véridique, elle comprend mieux. Mais elle ne pardonne toujours pas – un manque de charité, dirait Senso. Car enfin, cette femme était une talentée ! Elle aurait dû savoir que sa religion était fausse, surtout avec son Jacquelin à ses côtés.

Un petit éclair de mélancolie la fait soupirer : Jacquelin, leur autre aïeul. Senso et Pierrino ont eu bien de la chance de le rencontrer avant son passage. Ils savent maintenant mieux d'où ils viennent, avec leur mine d'Atlandiens. Mais c'est bien : la chaîne a été renouée de ce côté, la protection de leur père et de toute sa lignée leur sera désormais assurée.

Par ailleurs, ce que vous me dites de la profession de nos parents à Paris m'a réjouie pour Senso : c'est d'eux sûrement qu'il tient son amour du théâtre !

Ils ne les ont pourtant pas connus longtemps, tous les deux, leurs parents. Et elle aussi aime le théâtre, même si elle ne les a pas connus du tout. Comment se passent donc ces sortes de traits de parents à enfants ? On a cela "dans le sang", disait Madeline en parlant de ces choses. L'idée emplit Jiliane d'un sourd et incompréhensible malaise qu'elle écarte en reprenant sa lettre.

J'attends avec intérêt de connaître les résultats de votre rencontre avec la célèbre madame Andoriakis ! Et savez-vous, j'ai fait du théâtre hier, moi aussi, à ma façon : c'était le Bal des Loups à la Maîtrise. Grand-père était encore un peu fatigué de son voyage, mais il a tenu à m'y accompagner. J'y ai retrouvé Émilie revenue exprès de Lavelanet, et Guillaume, qui lui servait de cavalier ou du moins de cavalière. Elle était déguisée en matelot, avec des moustaches, et elle a eu beaucoup de succès même si Senso n'a toujours rien à craindre. Moi, j'étais déguisée en licorne, et Guillaume en princesse, qu'il a prétendue vierge toute la soirée afin de pouvoir me suivre partout. Je soupçonne Émilie d'avoir bavardé, car je lui avais confié mon déguisement dans une lettre, ignorant qu'elle eût l'intention de venir me surprendre. Vous pourrez admirer le masque de la licorne à votre retour. Je l'ai fabriqué moi-même comme Senso me l'a montré. Nadine et Félicien m'ont aidée à y attacher des fils de soie pour la crinière, et à peindre la corne torsadée la plus ressemblante qu'on ait jamais vue.

Je me suis malgré tout plus amusée que je ne l'aurais cru, car j'ai dansé toute la soirée ou presque avec Guillaume, monsieur Bénazar et plusieurs autres messieurs fort aimables, mais surtout avec Guillaume, sans avoir à fuir les assiduités d'Augustin de Breilhat, qui est retourné la semaine dernière, et pour de bon, à Bordeaux. Nous avons visité les parterres de la Maîtrise, qui sont vraiment magnifiques même de nuit, surtout le soir du Bal, avec toutes les lanternes multicolores.

Sa main ralentit sur le papier. Les parterres de la Maîtrise. Toujours aussi familiers, et non parce qu'elle les a vus l'année précédente, mais comme si elle les connaissait intimement, comme si… elle les avait entretenus, y avait planté des fleurs, s'y était promenée tous les jours pendant des années. Ou l'avait fait en rêve, car ces souvenirs sont enveloppés de la même brume scintillante que ses autres rêves, ceux dont elle se souvient presque parfois, une image, une sensation, l'esquisse d'une scène qui viennent la prendre par surprise alors qu'elle est occupée à tout autre chose. Une maison de bambou qui flotte sur l'eau d'un petit lac, jamais à la même place ; cette neige qui tombait à l'intérieur d'un grand entrepôt, se transformant en arc-en-ciel puis en minuscules figurines aussi fugitives que du mercure ; des osselets qui roulent, une poupée dans un berceau qui devrait être un véritable enfant… Et surtout ce jeune homme roux, et cette petite fille aux longues nattes et aux yeux dorés qu'il lui semble connaître depuis toujours mais dont les noms toujours près d'être énoncés se dérobent sans cesse à elle.

On dit que la psyché vit parfois une autre existence dans l'Entremonde. Mais elle ne se rappelle pas ce qu'elle fait, elle, dans cette autre vie rêvée. C'est pourtant sa psyché à elle qui rêve, n'est-ce pas ?

Non, elle ne va pas leur parler de tout cela, c'est trop étrange, peut-être s'en inquiéteraient-ils. Senso inventerait des histoires. Peut-être même... se rappelleraient-ils la Carte. Et il vaut mieux que personne n'y pense plus, à la Carte.

Mais cette lettre est bien courte. Leur écrira-t-elle comment Guillaume l'a embrassée ? Si jamais Grand-père voulait lire la lettre, ce serait embarrassant... Non qu'il y eût grand-chose à raconter. Un premier baiser léger sur les lèvres, et un autre ensuite plus pressant, et ensuite avec la langue – c'était plutôt bizarre, elle avait envie de rire. Mais c'était agréable et même assez excitant de tenir ce grand corps chaud, de palper les muscles durs des épaules et du torse sous la chemise de coton blanc toute moite de la danse. Elle comprend bien mieux Pierrino, maintenant. Mais sans doute n'aime-t-elle pas assez Guillaume. Ce doit être plus agréable lorsqu'on est en galante.

Nous avions l'intention d'aller à l'autre Bal des Loups, Émilie, Guillaume et moi, celui du café Douzelat, mais Grand-père était bien fatigué, et je suis plutôt rentrée avec lui à la maison. Il semble très heureux et très affairé depuis son retour. Il a écrit quantité de lettres, et en particulier à Lily Haizelé, et oui, L'Aigle des Mers *sera bientôt à Narbonne et la capitaine viendra nous rendre visite à Aurepas, quoique sans son navire.*

Elle a eu pour interroger Grand-père là-dessus des finesses dont Pierrino serait fier, mais la prudence la retient de l'indiquer. Elle conclut plutôt : “Voilà une bonne raison pour Pierrino de vouloir rentrer au plus vite !"

Et maintenant, comment poursuivre ? Grand-père lui a recommandé d'être discrète, sans préciser, mais elle sait bien ce qu'il voulait dire. Il s'agit de Senso et Pierrino, cependant, et peut-être Grand-père, pendant leur voyage, leur en a-t-il déjà un peu parlé. Ils comprendront ce qu'elle leur confie à mots couverts.

Grand-père a beaucoup apprécié son séjour à Orléans. Les temps changent, dit-il, et plus vite que nous ne l'espérions. Ses négociations sont sur le point d'aboutir. Ses affaires en prendront du mieux, et nous pourrons tous trois l'y aider, m'a-t-il dit. Il m'a invitée à dîner ce soir au pavillon, et nous avons eu une grande conversation fort sérieuse sur ce sujet. J'étais un peu inquiète…

Elle était terrifiée, en réalité. Dès que Grand-père a parlé de l'ambercite, elle a pensé que sa pire crainte se réalisait : Senso et peut-être Pierrino allaient être envoyés Divine savait où, et elle resterait là. Mais non, pas du tout, au contraire.

Grand-père m'a expliqué qu'il aura besoin de nous trois, que les opérations principales n'auront pas lieu en France mais à l'étranger…

Il a été bien plus explicite : "le plus près possible de la source des minerais", ce qui ne peut avoir qu'un seul sens.

… et qu'il nous déléguera à tous trois ensemble le devoir de les gérer. Nous devrons apprendre toutes sortes de langues et de coutumes nouvelles…

Elle ne lui a pas dit, évidemment, qu'ils ont déjà bien commencé avec Grand-mère et ses domestiques. Mais il s'en doute certainement.

Et – surprise ! – elle aura elle-même un rôle très important à jouer dans la transformation, ou du moins dans sa surveillance, grâce à la fameuse "résonance avec les éléments du monde sensible" confirmée par son orientation: elle a soudain compris pourquoi elle avait été mise en apprentissage auprès de monsieur Bénazar. « S'agit-il donc de magie verte, Grand-père ? » a-t-elle demandé ; elle n'était pas trop sûre d'en aimer la perspective. Mais Grand-père a souri : non, il ne sera pas nécessaire pour elle de devenir magicienne, rien de si long ni de si compliqué. Mais une sorte de magie verte, en effet, très circonscrite : la transformation du minerai en ambercite nécessite certaines opérations chimiques délicates et potentiellement dangereuses. Heureusement, tous ces apprentissages ne commenceront pas avant deux ou trois ans. « Je te le dis maintenant, afin que vous sachiez à quoi vous attendre », a expliqué Grand-père avec un sourire complice et affectueux.

Sa plume s'immobilise: "Je *te* le dis afin que *vous sachiez...*" Il s'en doutait bien, qu'elle le leur écrirait !

Il vaut mieux cependant ne pas entrer dans ces détails. Afin de satisfaire au désir de discrétion de Grand-père, elle a tourné tout le paragraphe de manière qu'on pût la croire en train de parler de meubles, de bois, de tissus et de teintures – un exercice amusant – mais l'illusion se dissiperait. Et puis, à écouter Grand-père, elle a eu le sentiment que son rôle à elle serait plus important que les leurs. Elle en est dérangée, de quelque façon. Elle en sait déjà bien trop qu'ils ne savent pas.

Quoique, de ce point de vue, les nouvelles de Grand-père soient excellentes: s'il songe à les envoyer tous trois si près de là-bas, c'est que les secrets ne seront bientôt plus nécessaires, elle n'aura plus à les porter seule.

Mais cela, bien sûr, elle ne peut l'écrire à Senso et Pierrino.

26

Les deux ecclésiastes s'ébrouent sous le porche en secouant leurs grands parapluies, tandis que la voiture à capote fait demi-tour devant l'entrée pour retourner à l'écurie sous la pluie crépitante de la mousson. Le vent s'est calmé, heureusement, le gros de l'orage est passé.

« Bonsoir, Gilles », dit Antoinette en remettant son parapluie à l'un des Ghât'sin, « la Divinité est avec toi.

— Et avec vous, mes amis. Entrez vite ! »

Elle semble toujours préoccupée, Carusses aussi, avec ce léger froncement de sourcils qui ne s'efface pas, qui s'accentue même. Ils n'ont toujours pas résolu l'énigme. Il n'a fait que les rencontrer brièvement pour les offrandes du matin et du soir au temple du village, mais c'est vendredi, aujourd'hui : ils soupent ensemble et devisent habituellement de choses et d'autres après le repas, car il fait trop chaud et humide même en cette fin de mousson pour jouer d'un instrument et même aux cartes. Il doit bien interrompre temporairement pour leur visite le sortilège qui rend le manoir plaisant en toute saison – autre nuisance nécessaire.

Vont-ils se décider à lui parler ? Curieusement, c'est Antoinette qui pencherait pour et Philippe qui regimbe contre. Il aurait cru que ce serait le contraire : Antoinette a toujours été la plus intelligente des deux, elle doit bien appréhender toutes les conséquences de ce qui se passe ? Mais Philippe est plus à cheval sur l'ordre et estime sans doute que la terrible nouvelle doit demeurer secrète tant que la Hiérarchie n'aura pas statué. Certainement pas une information à partager avec un Gilles Garance, malgré l'impeccable piété dont il fait preuve depuis dix ans qu'ils vivent à ses côtés, n'est-ce pas, Philippe ?

Il les précède dans la salle à manger, où ils s'asseyent tous trois à leur place habituelle et baissent la tête en silence pour l'offrande. Puis, sur un "Amen" des deux ecclésiastes, apparemment plus fervent qu'à l'accoutumée, Gilles déplie sa serviette pendant que Chéhyé (ou Nèhyé, il les distingue toujours aussi mal) présente le premier service.

Carusses toussote : « Ne verrons-nous point madame Ouraïn et sa fillette aujourd'hui ? »

Il parle sans réelle curiosité : il veut simplement remplir le silence.

« Ainsi que je vous l'ai dit, ma fille a perdu l'habitude des Européens lorsqu'elle est retournée vivre avec sa mère Kurun. Elle préfère pour l'instant rester dans ses appartements avec Ourane. À quatre ans, ma petite-fille est trop jeune pour paraître à table, de toute façon. » Il sourit, bonhomme : « Elles finiront certainement par s'apprivoiser. »

Pas avant deux ans, lorsque "Ourane" sera censée en avoir six. Non qu'il eût l'intention de voir Ouraïn mener une vie très publique, non plus que Kurun. Mais du moins pourront-elles être vues ici ou là pour bien établir leur nouvelle identité, et rencontrer de temps à autre les ecclésiastes.

« Cela doit te faire peine, remarque Antoinette, que ta compagne eût exigé de ne point leur faire donner une éducation géminite. »

Il soupire : « C'est l'accord que j'avais passé au tout début avec sa famille, et j'y avais consenti alors. Seul au milieu des indigènes, cela me paraissait un sacrifice nécessaire si je voulais vivre en paix avec eux. Et notre foi a toujours préféré convertir par la persuasion de l'exemple. » Il esquisse un sourire attristé : « Il faut croire que j'avais surestimé la force de mon exemple.

— Ou sous-estimé la réticence indigène », dit Carusses entre ses dents. « Ne t'accuse pas trop vite de ton insuccès, Gilles : nous avons rencontré le même à Garang Nomh et ici. »

Ils mangent un instant en silence.

Allons, cela a assez duré.

« Vous avez la mine bien sombre, mes amis », dit-il avec une sollicitude inquiète, la cuillère en suspens au-dessus de son consommé froid. « Y a-t-il un regain de la maladie blanche dans la région ?

— Non, soupire Philippe, la Mélancolie suit son cours ici comme autour de Garang Nomh. »

Antoinette prend une autre cuillerée de consommé, puis une autre, avec des gestes de plus en plus lents. Va-t-elle se décider ?

Elle se décide : elle repose sa cuillère. « L'Harmonisation a eu lieu, Gilles », déclare-t-elle tout à trac.

Il feint la stupeur, puis une joie teintée de soulagement, tout en notant le raidissement désapprobateur de Carusses : « Enfin ! Divine soit louée ! Comment l'avez-vous découvert ? »

Il le sait bien, il les observe à distance tous les matins ; mais jusqu'où sont-ils prêts à lui faire confiance ?

« Nous essayons toujours un petit sortilège sur un animal du village indigène, après l'offrande du matin, admet Antoinette.

— Et cela a fait effet », conclut Carusses, en s'abstenant avec soin de préciser quand. Toujours cette manie du secret, chez les ecclésiastes !

Il les dévisage tour à tour, avec une expression déconcertée : « Mais c'est une excellente nouvelle ! Depuis… quoi, 1585, lorsque le Comptoir a été officiellement ouvert ? Presque dix ans ! C'est inouï. » Il insiste, faussement perplexe : « Pourquoi ces longues mines ? »

Les deux autres échangent un regard par-dessus la table, et Divine sait ce qu'ils peuvent se dire en silence. Mais le chat est hors du sac. Ce qui l'intéresse, lui, c'est comment ils le lui présenteront.

« Nous n'avons perçu aucun talent, Gilles », dit enfin Antoinette à mi-voix.

Il laisse échapper un petit rire, comme s'il ne saisissait pas ce qu'elle veut dire : « Je croirais bien qu'aucun de mes ouvriers n'est un talenté ! »

Elle secoue la tête avec vivacité : « Non, dans la région ! Il n'y en a pas un seul ! Et non plus à Garang Xhévât ! Cette cité est pratiquement déserte, une centaine de personnes à peine. »

Il laisse le silence se prolonger pendant la durée appropriée et dit enfin, avec l'hésitation appropriée : « Eh bien, lorsqu'on m'y a amené, en 1577, c'était leur grand festival religieux, il est normal que je l'aie trouvée plus peuplée… » Il prend soudain une mine incrédule : « Vous ne croyez tout de même pas à ces contes voulant que les magiciens les plus puissants du pays s'y soient rassemblés ? »

Ils le regardent sans rien dire, anxieux et graves.

« Voyons, les marins et les indigènes de Garang Nomh, passe encore, mais vous ? Encore une fois, je n'ai rencontré nulle magie à Garang Xhévât !

— Toi-même n'as jamais pu y remettre les pieds, et on nous interdit de sortir de Garang Nomh.

— Mais c'est la loi de la Ligne ! Et les indigènes eux-mêmes ne se rendent à Garang Xhévât que pour les festivals. Ils n'approchent autrement jamais à moins de cinq lieues de la cité. »

Ils baissent la tête, la relèvent pour échanger un regard.

« Un pays sans talentés », murmure Antoinette, le visage contracté, « c'est impossible, impossible !

— Avez-vous donc sondé tout le pays ?

— Non, dit l'ecclésiaste, notre talent ne va pas si loin. Mais rien à Garang Xhévât ? Rien dans un rayon de trente lieues ? »

Elle doit être bien bouleversée : c'est la première fois qu'elle lui indique la limite de leur talent conjoint. Non que cela soit nécessaire pour lui.

« Eh bien, cela prouve simplement que les contes ne sont que cela, des fables superstitieuses ! »

Il fait délibérément l'imbécile, et Carusses lui-même se laisse appâter, consterné : « Mais, Gilles, ne comprends-tu point ce que cela signifie ? Un peuple entier dénué de talent ? Nous n'avons jamais… Personne n'a jamais rien rencontré de tel nulle part, personne ! »

Après une hésitation feinte, il demande d'un ton raisonnable : « N'est-il pas trop tôt pour le déclarer, si votre talent ne se rend qu'à trente lieues ? Avez-vous communiqué avec Garang Nomh ?

— Non, sans relais, ils se trouvent au-delà de nos capacités, mais nous leur avons fait envoyer un message ordinaire et… »

Ah, il vient de prendre conscience de ce que cela implique quant au retard de leur révélation, mais Antoinette enchaîne : « Il en va de même pour eux tout autour du comptoir. Or c'est impossible, Gilles, impossible ! »

Elle est vraiment dans tous ses états, la pauvre. Il fallait s'y attendre. Il est même étonnant qu'ils aient tenu six jours avant de se vider le cœur. Il fait mine de réfléchir aux implications de ce qu'ils lui ont confié tandis qu'Antoinette continue sur sa lancée, maintenant que la brèche a été ouverte : « S'il n'y avait point ici de talent, comment aurait-on interdit le pays avec tant d'efficace depuis tant de siècles ? Car enfin, même si l'on n'avait point usé de magie, si l'on avait simplement massacré tous les visiteurs par terre et par mer, il y en aurait toujours bien qui seraient passés au travers, d'une part, et d'autre part le pays est assez riche et bien situé pour qu'on désire le conquérir par la force, s'il est dépourvu de magie ! On y serait parvenu depuis longtemps, il est environné d'assez de royaumes ou d'empires puissants ainsi enclins !

— Mon naufrage était des plus ordinaires, pourtant », dit-il en feignant la plus profonde déroute. « Quand bien même il y aurait eu une barrière magique, elle ne m'a pas arrêté, moi. »

Les deux mages échangent un autre regard.

« Justement », dit Antoinette. Elle se tourne vers lui, pose même une main sur la sienne dans sa soudaine ardeur : « Gilles, dis-nous encore exactement comment tu t'es retrouvé sur le rivage, et parle-nous encore de cette Prophétie. »

La Prophétie ? Qu'ont-ils été inventer ? Doit-il s'en inquiéter ? « Je ne vois point quoi ajouter. Et quant à la Prophétie, ce ne sont que légendes et superstitions, vous le savez bien. »

Antoinette le dévisage d'un air pénétré : « Mais non, nous ne le savons pas. Plus maintenant. Ceci change tout !

— Je ne vois point comment. »

Elle prend un grand respir. « Gilles, nous croyons qu'une barrière magique existait bien autour de ce pays.

Les talentés mynmaï l'entretenaient, mais lorsque tu es arrivé et qu'elle n'a pas agi sur toi, comme il se devait parce que tu venais d'un Quartier bien trop éloigné de celui de leur talent, ils l'ont laissée s'évanouir en pensant leur Prophétie réalisée. »

Il n'a nul besoin de feindre la stupéfaction. L'œil étincelant, emportée par sa logique, l'ecclésiaste poursuit : « Peut-être ont-ils alors restitué en masse leur talent à la Divinité, et trop brutalement… » Elle doit se rappeler alors à qui elle parle, car elle semble un peu embarrassée. Mais elle reprend : « … ou encore, par quelque effet de leur magie que nous ignorons, ils étaient suspendus dans leur talent pour maintenir cette barrière, ils ont été rassemblés et…

— Je tiens plutôt pour cette hypothèse », intervient Carusses, soudain animé lui aussi. « La Mélancolie ne ressemble-t-elle pas à l'état des lazares ? Les indigènes qui en sont frappés ne sont-ils pas aussi apathiques, aussi taciturnes ? »

Gilles éclate presque de rire, le dissimule en se passant une main sur le visage. Stupéfiant ce que l'on peut inventer lorsqu'on est poussé par un besoin assez pressant ! Un conte ingénieux, en l'occurrence. Il n'y avait pas même pensé – mais il connaît la vérité, lui. Il les laisserait bien se persuader, mais cela donne trop d'importance à son arrivée tout en attirant trop l'attention sur le rôle qu'il aurait pu jouer dans tout ceci. Après un moment d'apparente hébétude, il prend une expression d'incrédulité consternée : « Vous croyez que les gens frappés de la maladie blanche sont des anciens talentés ? » dit-il avec lenteur. « Qui auraient été suspendus pendant… des dizaines et des dizaines de siècles ? Et auraient néanmoins usé de leur talent pour entretenir un sortilège d'une durée inouïe ? Les suspendus sont *suspendus*, ma chère Antoinette, qu'ils soient talentés ou non, et ils n'ont pas accès à leur talent.

— Nous ne savons rien des magies indigènes », s'obstine Antoinette. C'est elle qui a dû élaborer ces fantaisies. Elle a toujours été douée d'une imagination fertile.

« Et à vous en croire, il leur aurait fallu tout ce temps, voyons… dix-huit ans depuis mon arrivée, pour manifester des effets aussi limités de leur rassemblement, alors que les plus anciens lazares connus meurent au bout de quelques années, voire de quelques mois ?

— Ou bien encore l'autre hypothèse est la bonne, et ils ont restitué en masse leur talent à la Divinité, en constatant que leur sortilège ne t'avait point arrêté ! »

Il fait mine de réfléchir, déclare enfin, très sérieux : « Je n'ai constaté absolument rien des effets qu'auraient dû avoir de tels événements alors que j'étais à Garang Xhévât. Je ne crois pas qu'on me l'eût dissimulé. C'est leur festival le plus sacré. Tous auraient été plongés dans une grande consternation, ne le pensez-vous pas ? »

L'expression d'Antoinette redevient anxieuse, presque désespérée : « Mais quelle autre explication ? Cette barrière magique devait exister, et il devrait y avoir des talentés dans ce pays ! »

Elle se lève brusquement en faisant grincer sa chaise sur le plancher, se met à marcher de long en large, se frappant légèrement les lèvres de ses index joints. Puis elle se retourne vers eux. « Gilles », fait-elle d'une voix altérée, « dis-nous toute la vérité, je t'en prie. As-tu rencontré des talentés à Garang Xhévât lorsque tu y es allé, et au cours de tes voyages dans le pays ? »

Il feint une surprise légèrement chagrine : « Mais j'ai tout rapporté dans mes relations et mes lettres ! On comprend ici l'existence du talent, mais on m'a toujours dit que l'on n'en usait point. Jamais on ne m'a présenté de magiciens. La royauté, les nobles et les prêtres mynmaï ne sont pas talentés, on me l'a volontiers confirmé. Vous pouvez me sonder à nouveau, si vous le désirez. Mais pourquoi mentirais-je ?

— Tout cela n'implique point l'absence de talent », remarque Antoinette.

Elle arpente encore un moment la salle à manger, s'immobilise : « Il *doit* y avoir des talentés ici ! » répète-t-elle entre ses dents. « Ou bien cette barrière magique a existé pendant des siècles pour interdire l'accès à ce pays, ou bien elle n'a jamais existé, auquel cas comment a-t-il pu demeurer interdit pendant si longtemps ? »

Après avoir feint une profonde réflexion, il déclare, comme hésitant : « Ma chère Antoinette, peut-être y a-t-il une troisième possibilité : elle y était, et elle a cessé d'y être.

— Comme je le disais ! La Prophétie ! »

Il esquisse un sourire apaisant : « Mais non. La barrière magique aurait pu cesser d'exister bien avant le naufrage de *L'Hirondelle*, mais personne ne l'aurait su parce que personne n'essayait plus depuis longtemps d'en vérifier l'existence d'un côté ni de l'autre. N'avez-vous pas constaté bien souvent que la force de l'habitude, surtout l'habitude superstitieuse, est aussi forte qu'un sortilège ? »

L'ecclésiaste examine l'hypothèse sans en être d'abord convaincue, comme il s'y attendait : « Mais pourquoi aurait-elle soudain disparu, cette barrière, sinon à cause de ton arrivée ?

— Pas forcément de manière soudaine », dit-il avec une inflexion légèrement interrogative.

Antoinette ne le déçoit pas : elle ramasse la balle au bond : « Pas soudainement », murmure-t-elle, les yeux agrandis. « Si les talentés avaient disparu petit à petit… »

Il feint de s'illuminer: « Mais oui, comme la magie ancienne avant la venue des Gémeaux ! Et parce que ce pays a été si longtemps fermé, elle y a complètement disparu ! »

Heureusement qu'ils ignorent l'existence des bracelets d'avers portés par la royauté et les nobles mynmaï, cela aurait rendu l'argument plus difficile: ils auraient beau jeu alors de dire que si les monarques portent de tels bracelets, c'est qu'il existe une magie contre laquelle ils doivent être prévenus et protégés. Quoique, à la réflexion, ce pourrait être aisément contré: on les porterait en souvenir de temps anciens, par habitude aussi, un rituel et une marque de noblesse. Mais il n'en a jamais parlé: l'existence de ces bracelets au Hyundzièn, où ni les Gémeaux ni aucun apôtre n'ont jamais mis les pieds, ç'eût été un peu trop pour la Hiérarchie géminite.

Hésitant à se croire soulagés de leur fardeau, pas encore tout à fait convaincus, les deux ecclésiastes gardent le silence. C'est encore Antoinette qui s'étonne: « Et nous avons attendu l'Harmonisation pendant si longtemps, alors qu'il n'y avait rien à harmoniser ?

— Voyons, Antoinette, l'Harmonisation ne touche pas que les talents, elle porte aussi sur toutes les substances d'une nouvelle contrée: votre magie ne pouvait rien sur les indigènes, leurs animaux, leurs plantes, le climat… Le Hyundzièn a été si longtemps séparé du reste du monde, et d'une manière si particulière…

— Mais pourquoi ? » Une note angoissée s'est de nouveau glissée dans la voix de l'ecclésiaste. « Pourquoi avoir usé du talent octroyé par la Divinité pour se couper d'Elle ainsi par cette barrière ?

Il hausse les épaules: « Peut-être avaient-ils autrefois tellement peur du reste du monde qu'ils ont décidé de s'en isoler en inspirant la peur à leur tour.

Qui sait les caprices dont peuvent être saisies des peuplades encore dans leur enfance ? Rappelez-vous les superstitions que nos mages ont rencontrées partout. Ce n'en serait qu'une plus bizarre, et longtemps agissante. »

Antoinette semble toujours sceptique. Il savait que ce serait elle qui ferait problème. Il pourrait aisément les persuader à leur insu et mettre fin à la discussion, mais cela l'amuse plutôt de voir comment les deux mages s'accommodent de cette énigme formidable pour eux. Et cela lui donne une bonne idée des débats qui doivent faire rage en cet instant à Garang Nomh, le feront bientôt dans toute l'Europe géminite – à moins que l'on ne décide en haut lieu de garder le silence, et plus longtemps que ces deux malheureux mages.

« Mais comment tout talent peut-il avoir disparu ? » souffle enfin Antoinette. « Il en restait dans l'ancien monde, même affaibli, quand les apôtres et leurs disciples y sont allés répandre la bonne parole. Les Atlandies étaient loin aussi, et il y avait là des talentés, et des talentés puissants ! » Elle s'anime peu à peu : « Pourquoi la Divinité se serait-Elle détournée à ce point de ce peuple ? Est-il donc si coupable ? Est-ce un châtiment qui les frappe, pour avoir usé de sa magie afin de se retirer si longtemps du monde ? »

Une Divinité qui se venge, mais l'argument est presque christien, ma foi ! Surpris, il a presque envie de pousser l'ecclésiaste en ce sens afin de voir jusqu'où elle irait dans l'hérésie, mais Carusses intervient avant lui : « Point vraiment coupable, seulement par ignorance, comme nous l'étions, bien pis que nous ne l'étions, avant les Gémeaux. Comme l'ancien monde, mais pis que l'ancien monde à cause de leur enfermement. Les Mynmaï auront reçu le salaire de leur propre disharmonie en voyant leur talent si mal employé s'amenuiser et disparaître au cours des siècles. »

Dans le silence qui suit, Antoinette vient se rasseoir ou, plutôt, se laisser tomber sur sa chaise. « Ce serait cela, alors, la Mélancolie », murmure-t-elle, accablée. « Tu aurais eu raison, Gilles : leur Prophétie s'est réalisée et c'est pour eux la fin du monde, car ils ont compris que leur barrière magique a disparu avec leur talent. »

Il a recours à son habituel commentaire apaisant : « Cela leur passera assurément lorsqu'ils constateront que cette fin du monde n'arrive pas.

— Ne devraient-ils pas l'avoir compris, depuis tout ce temps ? Nous sommes ici depuis 1585 et toi depuis plus longtemps encore !

— Quand bien même. Nous ne sommes arrivés en nombre dans le pays que depuis une dizaine d'années. Et surtout, l'on a si peu de contacts avec le reste du pays, à Garang Nomh ! Même vous ici, au domaine. Il est sans doute normal que l'Harmonisation ait pris si longtemps. Quant aux indigènes… Il faut être patient. Cela dépend des personnes. Il y en a qui travaillent ici pour moi, qui suis censé être le fameux Étranger de l'Ouest ! Et ils se portent fort bien.

— Mais cette Prophétie dans tous ses détails, murmure Carusses, d'où leur vient-elle donc ? »

Ah, il n'aurait pas dû la leur rappeler ainsi. Il hausse les épaules : « On se souvient simplement d'un temps où le pays n'était pas fermé et où l'on commerçait avec l'ouest.

— La fusion des substances primordiales… » commence le mage.

Gilles retient une mimique agacée. Il se doutait que cela soulèverait des difficultés, mais il était bien obligé de mentionner l'intégralité de la Prophétie dans ses rapports : il devait justifier son autorité auprès des indigènes, expliquer pourquoi ils lui manifestaient tant de respect craintif. Et puis, mieux valait prévenir :

il ne pouvait courir le risque qu'on l'apprît par d'autres que lui. N'empêche que les mages y reviennent sans cesse, comme un chien ronge un os.

« Ah, voyons, mon cher Philippe, tu ne prêtes toujours pas foi à ces croyances indigènes ? On a assez constaté que l'ambercite est une substance totalement dépourvue de propriétés magiques, et que les minerais dont elle est composée sont des plus ordinaires aussi. N'abandonnons point tout bon sens, je vous en prie. Le Hyundzièn est un pays fort ancien, il se peut qu'on ait expérimenté autrefois avec ces substances et causé quelque catastrophe dont les légendes gardent le souvenir, c'est la seule explication raisonnable et je m'y tiendrai. »

Il laisse une certaine sévérité percer dans sa voix. Carusses garde le silence. Antoinette baisse la tête. Ils ne font pas mine de revenir à leur souper interrompu, cependant, et il doit respecter leur réflexion. Au bout d'un moment, Antoinette reprend d'une voix angoissée : « Mais nous ne pouvons attendre qu'ils comprennent d'eux-mêmes leur erreur : la Mélancolie aurait dû s'apaiser, or il n'en est rien, elle s'aggrave plutôt ! Comment éclairer ces malheureux et leur rendre espoir et salut ? Nous n'avons pas accès au reste du pays !

— Et les indigènes auxquels nous avons accès sont des plus réticents, murmure amèrement Carusses. Non seulement ils se refusent à parler de talent ou de magie, mais les sujets religieux sont des plus difficiles à aborder avec eux.

— Ceux qui acceptent de parler, renchérit Antoinette, et il n'y en a pas un qui soit aussi disert que celui qui t'a recueilli autrefois… »

Il se demandait quand ils essaieraient cette approche.

« Ne pourrais-tu le retrouver ? N'accepterait-il pas encore de te parler, à toi du moins ? Tu pourrais lui poser d'autres questions, maintenant que l'Harmonisation a eu lieu. Puisque les indigènes te respectent tout particulièrement…

— Je n'ai jamais revu mon sauveur depuis Garang Xhévât », déclare-t-il avec la tristesse appropriée. « Et le respect des autres indigènes ne va pas jusqu'à me confier ce qui leur est trop sacré. »

Carusses s'essaie à son tour : « Et… ta compagne, ses compagnons ? »

Il hausse légèrement les épaules d'un air chagrin : « Je ne les vois plus. Du reste, s'ils m'écoutaient volontiers lorsque je leur parlais de ces choses telles qu'elles sont chez nous, ils n'ont jamais rien proposé d'eux-mêmes, sinon quelques fables ou légendes dont j'ai rendu compte dans mes relations écrites à la Royauté. »

Un petit silence. En ont-ils terminé avec lui ? On le dirait : Antoinette se redresse dans sa chaise : « Du moins les indigènes ne sont-ils pas opposés à l'idée de notre magie, dit-elle d'un ton plus ferme. Maintenant que nos Quartiers se sont Harmonisés, nous pourrons mieux répandre chez eux les bienfaits de notre foi. Notre exemple pourra les persuader davantage désormais.

— La Divinité en soit louée », murmure-t-il avec piété. Après un bref recueillement, il reprend sa cuillère. Ils en font autant, machinalement, encore plongés dans leurs réflexions.

Il est à la fois soulagé et surpris : ils n'ont à aucun moment évoqué la possibilité d'une magie si différente de la leur qu'ils ne la percevraient point. Mais ce serait pour eux glisser vers la tentation de l'hérésie manichéenne, n'est-ce pas, comme au temps des Atlandies. Le talent est issu d'une seule et unique Divinité. Si la magie mynmaï est très différente de la magie géminite – et même simplement son égale –, faudrait-il la supposer issue d'une autre puissance, et dans ce cas, laquelle ? Et puis, si les géminites sont les élus de la Divinité parce que leur magie s'est avérée jusqu'à ce jour supérieure à toutes les autres, que devraient-ils penser s'ils rencontraient une magie trop différente ? Qu'ils ne sont pas les élus de la *bonne* Divinité ?

Il fut un temps où tout cela lui donnait un peu le vertige s'il l'envisageait trop sous cet angle, mais plus maintenant. Nathan lui avait trop ouvert l'esprit. Et il a trop appris depuis, trop compris. Le talent est un don merveilleux de la Divinité, certes, mais il n'en a jamais été un mystique comme certains à la Grande Maîtrise, dans les dernières années du noviciat. La substance divine, oui, cette joie de lumière issue de la Divinité, il la perçoit chaque fois qu'il y accède, elle baigne l'Entremonde : comment n'y croirait-il point ? Mais tout le reste, le catéchisme de la doctrine, la doctrine elle-même dans toutes ses complexités… Constructions des croyants comme des puissants au fil des siècles, touchantes et admirables d'ingéniosité en bien des points, et fort utiles aussi, mais fables ni plus ni moins que celles des Mynmaï. Si elles étaient vraies, il aurait depuis longtemps rencontré l'âme de Sidonie lors de ses incursions dans l'Entremonde. Si bonne eût-elle été, si charitable et pieuse, elle ne pourrait avoir déjà transmigré trop loin. Si subtiles que deviennent les âmes, si différente l'existence qu'elles mènent dans les sphères divines, jamais sa mère n'aurait manqué à répondre à son appel, à son amour repentant, à sa fierté d'être devenu enfin ce qu'elle avait désiré pour lui.

Non, il lui faut l'admettre bien qu'il en soit assez chagrin, les âmes se fondent dans la Divinité après la Sublimation et ne se soucient plus des humains ni de leurs affaires. Les lazares n'en disent rien parce qu'il n'y a rien à dire. Les âmes perdues… Elles errent invisibles dans le monde, et sans doute cela ne peut-il faire de mal de prier pour elles, il n'y manque jamais – pour Jakob, et tous les autres. Ce qui l'a touché dans l'Entremonde, la toute première fois, cette présence ailée, chaude et protectrice… il n'a plus l'arrogance enfantine de croire que c'était la Divinité elle-même, certes ! Des âmes… Peut-être. Mais c'était surtout ce qu'on lui avait appris, il a donc cru qu'il devait le percevoir, il l'a perçu. N'est-ce pas, Nathan ? Une construction. Tout comme ces saintes femmes ou ces saints hommes que leurs extases emportent parfois dans l'Entremonde et qu'il a rencontrés un peu partout dans ses voyages autour de l'océan Indien – un Entremonde qui porte d'autres noms, et où ils voient ce que leur foi leur enjoint de voir. Il n'y a rien d'autre que la lumière, en réalité, cette flamme divine où il est né à son destin, où il y renaît chaque fois qu'il la touche.

Il jette un regard dérobé aux deux ecclésiastes qui terminent leur bouillon. Ils ont toujours l'air absent. Ils songent encore à toutes les désolantes ramifications de ce qu'ils ont découvert. Il retient un sourire un peu sarcastique : que diraient-ils s'ils savaient de quel côté l'ont emporté ses propres réflexions !

27

Senso se réveille brusquement avec une grande inspiration suffoquée. Il se retrouve assis dans sa couchette, la main refermée sur son médaillon, le cœur battant à tout rompre. De l'autre côté de la cabine exiguë, Pierrino en a fait autant. Ils se regardent à travers le rayon de lune qui tombe du hublot, avec la même stupeur déjà affolée : le manque de Jiliane, cette sensation atténuée par les talismans mais qui ne les quittait jamais, s'est transformé en la totale absence de Jiliane. Aucune douleur, même lointaine. Rien.

Pierrino, d'un geste convulsif, ôte son médaillon et le laisse tomber sur le plancher. Senso l'imite.

Rien.

Senso bondit de sa couchette. Pieds nus dans l'air froid de la nuit, il court avec Pierrino vers le coin où Larché dort.

Où Larché ne dort pas : il vient à leur rencontre, un pistolet à la main.

« Non, balbutie Senso, c'est Jiliane, elle a disparu ! »

Larché hausse un peu les sourcils : « Avez-vous reçu un message ? dit-il enfin.

— Non…

— Le fil d'or, intervient Pierrino. Nous ne le sentons plus du tout. »

Larché les dévisage l'un après l'autre.

« Nous ne sentons plus Jiliane ! Ce n'est jamais arrivé ! » Senso essaie de penser mais n'y parvient pas – il y a seulement la présence de cette absence, et cela le rend comme fou.

« Je comprends », dit Larché.

Un des marins de garde arrive, avec le capitaine sorti de sa cabine et qui vient aussi aux nouvelles en nouant la ceinture d'une ample robe de chambre : « Que se passe-t-il ?

— Peut-être des problèmes à Aurepas », fait Larché avec son calme exaspérant. « Nous allons consulter un magicien.

— À cette heure-ci ?

— C'est une urgence. »

Pierrino a déjà fait demi-tour pour aller s'habiller dans leur cabine ; Senso le suit en courant.

28

« Ah Divine, Gilles, vous n'avez pas changé ! »

Il sourit en s'inclinant, serre les mains tendues. « Vous non plus, Madame », dit-il comme il le doit. Mais l'ancienne ambassadrice ne proteste pas comme elle le devrait, car elle a changé, elle, en dix ans. Elle continue de l'examiner avec une surprise qui ne s'atténue pas.

« Monsieur Garance a en effet très bonne mine », renchérit le gouverneur, monsieur de Ponchartrain. Il donne une petite tape familière au bras de Gilles. « Nous le lui disons assez souvent.

— Une vie saine en un lieu sain », réplique Gilles en souriant. « Notre plateau de La Miranda jouit d'un climat plus clément que celui du comptoir, à dire vrai. Mais vous avez pu apprécier les progrès qui ont été accomplis ici pour assainir celui de Garang Nomh. Vos plans, Monsieur, étaient des plus appropriés.»

Monsieur de Ponchartrain, qui se targue d'être ingénieur, se rengorge visiblement, comme si les mages n'avaient eu rien à voir dans la surveillance et l'exécution des travaux de drainage. Il se lance derechef dans une description détaillée des merveilles accomplies. On l'écoute avec une déférente politesse, même si chacun ici connaît tout cela par cœur. Madame de Châteaudin hoche judicieusement la tête aux bons endroits, mais Gilles peut sentir qu'elle lui jette des coups d'œil dérobés, qu'en elle la surprise refuse de s'éteindre. Qu'est-ce donc ?

« Nous allons désormais pouvoir employer davantage d'indigènes, et les travaux avanceront encore plus vite », conclut l'ambassadeur.

À ce rappel de l'Harmonisation, il se fait un léger flottement dans l'assistance. On s'est rembrunis, du moins les deux évêques, et madame de Châteaudin, dont Gilles est soulagé de sentir l'attention se détourner de lui. Monsieur de Ponchartrain, inconscient de son impair, saisit au passage un verre sur un plateau, le lève avec un grand sourire : « Louée en soit la Divinité. »

On fait écho à son salut, bien entendu, avec ou sans verre, mais le cœur n'y est pas tout à fait, si le gouverneur n'a pas l'oreille assez fine pour l'entendre. L'évêque madame de Tarbezan soupire pourtant de manière assez évidente. Ponchartrain se rend enfin compte de l'atmosphère soudain refroidie de la conversation et décide apparemment que faire comme si de rien n'était lui sera moins dommageable que d'essayer de se rattraper, car il se tourne vers Gilles avec un sourire juste un peu trop large : « Et vous, mon cher Gilles, comment cela se passe-t-il à La Miranda ?

— Cela n'a rien changé, dit véridiquement Gilles. Mais je ne m'attendais point à ce que des talentés indigènes se présentassent en foule ! Ni d'autres au demeurant. Vous savez la réticence des Mynmaï à ce propos. Nul doute cependant que nos ecclésiastes seront désormais mieux en mesure d'aborder avec eux celui de notre foi. »

Madame de Tarbezan se détend à ces paroles, et il aide ensuite discrètement la conversation à dériver sur les meilleures façons de présenter la religion géminite aux Mynmaï, compte tenu de leurs mythes et croyance, ou du moins de ce que l'on en sait. L'évêque monsieur de Groult y est fort versé : il a bien lu tous les rapports, à l'évidence, ceux de Gilles comme ceux des ecclésiastes et savants qui ont pris son relais, et Gilles se fait oublier, se gardant d'intervenir dans les échanges ; il parvient à se détacher peu à peu du groupe jusqu'à s'en éloigner sans être remarqué.

Il s'écarte du cœur chamarré de la réception. Pourquoi la surprise de madame de Châteaudin en le revoyant continue-t-elle de le poursuivre ainsi ? Ce n'est pas la première fois qu'on lui dit qu'il a bonne mine ou qu'il porte bien ses quarante-trois ans. Mais il y avait à cette surprise une note si profonde, presque inquiète… *Vous n'avez pas changé*. C'est la formulation, peut-être, qui s'est accrochée dans son esprit telle une bardane à des chausses ? Il vit avec des créatures qui ne changent pas. Ou qui changent trop, mais du moins Nandèh et Feï le font-ils hors de sa vue. Il a tellement pris l'habitude de voir des visages sans âge autour de lui, Kurun, Nandèh et Feï, les Ghât'sin… Même les quelques *yuntchin* de la fonderie ont l'aspect physique toujours un peu trompeur des indigènes.

Il se voit passer, reflet en mouvement, dans un des miroirs rectangulaires importés à grands frais de Venise par le gouverneur. Eh bien, quoi, c'est lui, c'est son visage. Pourquoi cette soudaine angoisse, vraiment ?

Il presse le pas pour quitter la salle de réception et se diriger vers la chambre mise à sa disposition à l'étage. Dans sa tête, la petite roue incompréhensiblement mise en branle par la remarque de l'ambassadrice continue de tourner. La Miranda. "Une vie saine..." Et pourtant, on y travaille dur. Mais les ouvriers font preuve d'une excellente santé, même ceux des fronts de taille et les préposés au concassage des roches dont le travail est pourtant le plus pénible.

Des vieillards robustes, de rares malades qui guérissent vite, tout comme les inévitables blessés... Le contremaître Lanmaire, qui a douze ans de plus que lui, et ne fait pas ses cinquante-huit ans. S'en rend-on compte, au village? Sans doute pas plus que lui jusqu'à présent. On doit l'attribuer, comme tout le monde, à une vie harmonieuse.

Nul ne l'arrête en chemin dans les couloirs ni les escaliers : il désire n'être pas arrêté. Après avoir refermé la porte de sa chambre, il va se planter devant le miroir de la salle d'eau, moins splendide sans doute que ceux du rez-de-chaussée mais qui fera l'affaire. Il s'examine, avec un malaise croissant. Il ne se regarde jamais ainsi lorsqu'il se rase ; son menton, ses joues ou sa lèvre supérieure ne sont alors que des fragments de surfaces à gratter avec soin pour en ôter mousse et poils. Il les touche, et son front, et ses cheveux toujours aussi roux, à peine quelques fils plus blonds ici et là, mais non gris. Si peu de rides. Il ne paraît point du tout ses quarante-trois ans, de fait, mais il n'y a jamais songé. Il y a fallu la surprise de madame de Châteaudin. On le voit assez souvent à Garang Nomh pour que d'autres ne s'en soient point encore étonnés.

S'en étonnera-t-on à un moment donné ?

Doit-il s'interroger lui-même ? Doit-il s'inquiéter ?

Y a-t-il là autre chose qu'une vie saine dans un milieu sain ? Car enfin, si le plateau a un climat moins débilitant que les côtes ou la plaine du Nomhtzé, c'est tout relatif.

Il y a les mines, sur le plateau. Il y a la fabrique.

Il y a l'ambercite.

Il fixe les yeux bleus de son reflet, l'esprit soudain en ébullition, avec la sensation qu'une pièce vient de tomber en place dans un trou qu'il ignorait jusqu'en cet instant. L'ambercite. L'ambercite, bien sûr.

Du moins serait-ce là un effet discret, et bénéfique.

Pourquoi alors cette angoisse qui refuse de se dissiper ?

Y en aura-t-il d'autres, de ces effets inattendus – magiques ?

Voyons, ce n'est qu'une hypothèse encore invérifiée ! Il se force avec peine à demeurer logique : si c'était vraiment le cas, qui d'autre pourrait en être affecté, à part les ouvriers ?

Les marins de *L'Ehmory*, de *L'Hirondelle II*, des trois autres vaisseaux de sa flotte. Des équipages qui demeurent en mer pendant des mois – au milieu de cales et de compartiments bondés d'ambercite.

Les deux ecclésiastes, aussi.

On ne voit pas vieillir les gens avec qui l'on se tient couramment, comme on ne se voit pas vieillir soi-même. Mais en l'occurrence, Antoinette ni Carusses, qui ont à deux ans près le même âge que lui, n'ont guère vieilli non plus, quoiqu'ils ne semblent pas s'en être rendu compte.

Il fronce les sourcils : un effet bénéfique et discret – pour l'instant. Mais dans quinze autres années, dans vingt ans, dans trente ans, qu'en serait-t-il ? Pour ce qu'il en sait, ils se mettraient peut-être tous à rajeunir ! Ou à vieillir tout soudain !

La lance d'angoisse devient soudain plus aiguë. Ouraïn ! Les âges étranges d'Ouraïn seraient-ils de quelque façon en rapport avec l'ambercite, malgré tout ? Serait-il responsable de sa condition ?

Mais il naît des enfants au village géminite, des enfants parfaitement normaux.

Qui n'ont jamais été des talentés – il fait sélectionner ses ouvriers avec soin. Et de toute façon, il n'y a jamais eu rien de semblable àOuraïn !

Il faut appeler Kurun sur-le-champ, examiner…

Non. La panique n'est jamais bonne conseillère. Et que pourrait-elle lui dire – que pourraient-ils lui dire, tous les quatre ? "Il n'y a jamais eu de telle enfant." "Il n'y a jamais eu rien de tel que cette substance en de telles quantités." Il doit réfléchir par lui-même d'abord, comme toujours.

Ouraïn. Ouraïn est demeurée trois ans dans le ventre de sa mère, certes, mais les quantités bien réduites d'ambercite qu'il fabriquait alors avec Kurun n'auraient pu produire cet effet sur elle après sa naissance. Il devrait exister une relation avec la quantité en cela comme en tout le reste – la chaleur et la lumière, les coulées de magie sauvage… Ceux chez qui cette longévité serait la plus nette ne devraient-ils pas être ceux dont le contact avec l'ambercite est le plus étroit et le plus prolongé ? Il n'y en a pas au manoir, d'ambercite. Ouraïn n'a jamais mis les pieds à la fonderie, ne s'est même jamais approchée des entrepôts, qui se trouvent au-delà des limites du parc. Quand bien même sa nature de Natéhsin la rendrait plus sensible, les trois autres devraient manifester les mêmes effets… Mais à vrai dire, puisque Nandèh et Feï sont tous deux suspendus dans leur âge comme Kurun, il est impossible d'en juger.

Oh, inutile de ruminer ainsi, cela n'aboutit nulle part. Il tentera d'en discuter avec eux trois lorsqu'il sera de retour au domaine. Ils ne constitueraient point un problème, du reste. Ils ne vont jamais à Garang Nomh, et ils se tiennent le plus possible à l'écart des bien rares visiteurs à La Miranda. Chéhyé, Nèhyé… Ils l'accompagnent toujours dans ses déplacements mais sont si effacés que nul ne leur prête attention ici. Et leur magie pourrait sans difficulté assurer qu'on leur en prête moins encore. Pour ce qui est d'Ouraïn et de Kurun, il a déjà veillé à ce qu'elles ne soulèvent point de questions.

Mais lui-même, et les deux ecclésiastes, les ouvriers, les marins… Et en France, les ouvriers des entrepôts, et ceux qui s'occupent du transport… Ils ne sont pas constamment en contact avec l'ambercite, ni au voisinage d'aussi grandes quantités qu'au domaine ; les effets en seraient sûrement moins visibles. Au pire, le domaine et les bateaux ont pour l'instant la réputation d'être sains ou chanceux. Il faudrait simplement voir à ce qu'il n'y ait point de rumeurs d'une autre nature.

Ses allées et venues dans la pièce l'ont approché de la fenêtre. Il en ouvre les battants sur le balcon de fer forgé où il s'appuie pour contempler la mer, les navires à l'ancre dans la rade, les formes fantasques des nuages dans le ciel assombri par la nuit proche. La saison sèche se termine. Bientôt la chaleur torride d'avril et de mai, et ensuite, la douteuse bénédiction des premières pluies. Le travail cessera dans les mines, et le double temps commencera à la poudrerie et à la fonderie. Davantage d'ambercite dans les entrepôts.

Il soupire. Si véritablement il y a problème, il n'y voit de solution qu'un autre lien secret plus étroit pour ouvriers et marins. Tous les ouvriers, pas seulement ceux de la poudrerie. Un lien qui les empêcherait de remarquer l'étrangeté ou d'en parler, ce qui serait moins difficile à établir et à entretenir. On pourrait ne pas se soucier des ecclésiastes en fonction sur les navires, ils n'y sont que pour cinq ans en raison des accords passés avec le Magistère : sans doute ne remarqueraient-ils rien.

Ah, mais cela laisserait intact le problème de ses mages à lui, au domaine. Il n'irait pas les renvoyer –

on lui en enverrait derechef d'autres, et il ne serait pas plus avancé. Ils ne semblent pas avoir remarqué sa persistante jeunesse – ni la leur, un peu moins marquée. Ce qui semblerait confirmer un rapport avec l'ambercite : s'il use de leur talent à leur insu à la fonderie après les avoir plongés en léthargie, ils ne sont ni l'un ni l'autre en contact direct avec le matériau.

Il soupire en refermant les battants de la fenêtre et revient dans la chambre pour y reprendre ses allées et venues. Cela l'aide à penser, il a toujours été plus doué pour la méditation en mouvement.

En ce qui concerne Antoinette et Philippe, la suggestion suffirait pour un temps, mais non indéfiniment. Il faudrait toujours surveiller leurs perceptions et les rectifier lorsque ce serait nécessaire ; et la suggestion devrait être plus forte à mesure que le temps passerait et que la disjonction entre les faits et ce qu'ils en construiraient dans leur esprit serait plus grande. Heureusement, en ce qui concerne Ouraïn et Kurun, il s'est fort bien tiré d'affaire avec l'invention d'Ourane, il n'y a là presque rien à suggérer. Nathan avait raison, l'esprit humain échafaude de lui-même les fables dont il a besoin : les mages se sont persuadés sans son intervention que Nandèh, ou Feï, ou du moins celui des deux qui est d'aspect masculin lorsqu'ils séjournent au domaine, est le père d'"Ourane", venu rendre visite à sa fille…

Mais à un moment donné, il serait sans doute plus simple de subjuguer totalement Antoinette et Philippe. Ils ne devraient rien percevoir ni raconter qui pût lui causer des torts, à lui, à sa famille ou à ses entreprises. Il devra faire appel à Kurun, s'il veut être absolument certain que ce lien soit invisible aux autres mages géminites.

C'est tout de même une idée plutôt déplaisante. Il doute fort maintenant que les deux mages soient des espions placés auprès de lui par la Hiérarchie : ils ne lui ont jusqu'à présent causé aucun ennui, à ce qu'il sache. Il apprécie même leur compagnie : Philippe joue joliment du clavecin, la conversation d'Antoinette est pleine d'esprit. Et surtout, ils possèdent tous trois en commun bien des souvenirs qu'il ne peut guère partager avec d'autres. Non qu'il prenne un égal plaisir à tous les évoquer, mais il en est d'agréables. Et surtout les mages, avec les ouvriers géminites, sont les seuls qui lui permettent de garder un contact avec ce qui reste en lui de la France malgré tout, et qui est toujours utile à Garang Nomh.

Mais une subjugation si totale… Il y aurait là une disharmonie certaine, il faut l'admettre, quand bien même on devrait aussi en admettre la nécessité.

Serait-elle réellement nécessaire ? Un peu surpris, presque amusé, il examine la nouvelle idée qui point en lui. Que feraient les deux mages s'il leur apprenait les éventuels effets bénéfiques de l'ambercite, qu'ils en jouissent depuis qu'ils vivent au domaine – et qu'ils pourraient en jouir davantage s'ils l'aidaient à la fonderie ? Il ne leur dirait pas, évidemment, qu'ils y aident déjà depuis longtemps… Devant la vérité, ou du moins une majeure partie de la vérité, quelle force auraient leurs principes face à leurs intérêts ? S'ils réagissaient mal, oui, alors seulement il les subjuguerait… Et ce serait une bonne indication de la conduite à observer sur le sujet avec la Royauté et la Hiérarchie françaises – entre autres.

Oui, à quels intérêts penseraient-ils en premier ? Accepteraient-ils un marché, s'il le leur proposait alors, ou saisiraient-ils aussitôt dans toutes ses dissimulations l'occasion de le déposséder du domaine, des mines et de la fabrique ? Voudraient-ils tout révéler aussitôt aux hiérarques de ce bienfait qui pourrait encore allonger leur règne ? Ou bien estimeraient-ils que l'origine en est trop douteuse ? Ou que cela va trop contre l'ordre ordinaire du monde ?

Ils n'auraient pas tort, en l'occurrence. Car enfin, comment déciderait-on qui en bénéficierait ? Et quel secret à protéger ! Si l'on ne le maintenait pas, par contre, quels troubles en perspective ! Il n'avait pas réfléchi assez avant. Quand bien même tout le monde bénéficierait de cette longévité, cela ne créerait-il pas le chaos ? Tous ces enfants engendrés par tous ces gens qui ne passeraient que très lentement, toutes ces bouches à nourrir… Ce ne serait pas un bienfait ! Tout le contraire !

Il se laisse tomber dans un fauteuil, consterné, presque horrifié. Non, si vraiment l'ambercite possède cette propriété – il lui faut un effort pour se rappeler que rien n'est encore confirmé –, il doit se résoudre pour le bien de tous à le celer à tout prix. Les mages ne pourraient en être mis au courant sans être subjugués ensuite. Et profondément. Tout un fardeau en perspective. Mais peut-être pourrait-il l'alléger : il leur donnerait l'apparence appropriée à leur âge, par exemple, avec la suggestion de la renouveler eux-mêmes chaque fois qu'on remarquerait devant eux leur persistante jeunesse. Un sortilège complexe, difficile, mais un intéressant défi magique…

Il serait bien prêt à parier, cependant, qu'ils ne refuseraient pas le marché s'il le leur proposait. Qui ne l'accepterait, en échange d'une plus longue et meilleure vie ?

29

À la taverne du port, encore ouverte bien qu'il soit minuit passé, Pierrino interroge discrètement la tenancière. Elle leur indique la maison du magicien le plus proche, une magicienne en l'occurrence, madame Chambrin. Pas un rai de lumière à ses volets. Larché frappe à la porte de l'officine, qui s'ouvre après une éternité sur une lampe à huile et une femme à l'aspect oriental, très brune en robe de chambre, jeune, les cheveux dénoués. Elle hausse un peu les sourcils en les regardant l'un après l'autre, mais s'efface pour les laisser entrer sans poser de question.

Malgré les ombres mouvantes, la boutique d'apothicaire est presque rassurante dans sa familiarité, avec ses vitrines et ses rangées d'étagères, mais la jeune femme les entraîne dans une petite pièce adjacente, meublée de la façon la plus austère : une table où sont posés un verre et une carafe d'eau, un fauteuil d'un côté, deux chaises en face, aucune décoration, un candélabre à sept branches perdu dans la pénombre du plafond haut et dont la lampe à huile projette les ombres bizarrement griffues sur la tapisserie pâle et unie des murs.

Larché dit, depuis la porte d'entrée: « J'attendrai dehors. »

Après l'avoir dévisagé, les sourcils un peu froncés, la jeune femme hoche la tête et referme la porte. Elle pose la lampe sur la table puis se laisse tomber dans le fauteuil en leur indiquant les chaises: « De quoi s'agit-il ? » demande-t-elle d'un ton où la compassion le dispute à une légère lassitude.

Constatant que Senso est toujours incapable de parler, Pierrino commence d'une voix entrecoupée: « Notre sœur, Jiliane, elle a disparu… » Il prend un grand respir et continue un peu plus lentement: « Nous avons toujours été en contact. Notre mère est morte… en lui donnant naissance. Les mages nous ont dit que c'étaient les âmes de nos parents. Ils voulaient nous garder ensemble, pour nous protéger. Ils s'inquiétaient trop pour nous. Nous avons beaucoup offert, les mages ont intercédé, et finalement… »

Son visage se contracte, il est arrivé au bout de son calme imposé; il est soulagé d'entendre Senso enchaîner: « … nous avons été capables de nous éloigner les uns des autres. Nous sommes en voyage, vous comprenez. Elle est restée à Aurepas. C'est là que nous habitons, dans le duché de Toulouse. Mais nous sentions toujours sa présence, même de loin, et maintenant… » Il sent sa gorge se nouer de nouveau.

« Vous ne la sentez plus », dit la jeune femme, les sourcils froncés.

« Ce n'est jamais arrivé, murmure Pierrino.

— Quel âge a-t-elle ?

— Elle a eu seize ans au début du mois.

— Elle a régulièrement ses roses ?

— Depuis trois ans.

— Vous n'êtes talentés ni les uns ni les autres ?

— Non. »

Après cette série de questions rapides, la magicienne s'adosse dans son fauteuil: « Il se peut que les âmes de vos parents se soient définitivement apaisées », dit-elle après une petite pause.

Dans un élan de soulagement qui le laisse presque tremblant, Senso échange un regard avec Pierrino. Ils n'y avaient pas même songé !

« Nous préférerions… en être certains, alors », dit Pierrino.

La jeune femme laisse échapper un léger soupir : « Je comprends. Avez-vous quelque chose qui lui appartient ? »

Avec une petite hésitation, Senso ôte la chaîne de son cou. La jeune femme ne réagit pas en voyant le médaillon. Il l'ouvre pour en sortir avec précaution la mèche de cheveux roux.

La magicienne hausse les sourcils. Pierrino se hâte de remarquer : « Elle était tout de même très triste de nous voir partir. Lorsque nous nous sommes quittés, nous avons échangé de nos cheveux. Par jeu, vous comprenez… »

La jeune femme esquisse un sourire : « Ah, oui, bien sûr. » Elle tend la main sur la table et Senso dépose les brins de cheveux dans sa paume. Elle place son autre main par-dessus.

« Voudriez-vous mettre la lampe devant moi, je vous prie ? Merci. Et vous devrez rester tout à fait silencieux et tranquilles pendant que je consulte mon guide. Ne me répondez pas, même si je semble poser des questions. »

Elle fixe la mèche incandescente de la lampe, en murmurant des mots indistincts, une ligne presque mélodique qui se répète en devenant peu à peu muette : l'incantation qui lui ouvre une voie vers l'Entremonde et l'âme qui a choisi de l'aider dans ses travaux. Senso se mord la lèvre. C'est la première fois, comme Pierrino, qu'il voit la magie verte à l'ouvrage. Jiliane y est accoutumée avec monsieur Bénazar et leur en a décrit plusieurs procédures, mais ce n'est pas la même chose d'y assister. Une autre sorte de silence exsude à présent des murs, pleut en pluie fine et sèche du plafond, la lumière même de la lampe en semble voilée.

La magicienne s'affaisse un peu, puis rouvre les yeux en se redressant. Mais elle ne les voit pas. Son regard se déplace dans la pièce, elle tourne un peu la tête de çà et de là, d'un air attentif. Tout son corps semble animé de mouvements infimes – seules ses mains ne bougent pas sur la table. « Aurepas », dit-elle d'une voix vive, comme si elle était maintenant plus éveillée que lorsqu'elle les a accueillis. « Le temple est fort beau... Et les sculptures de ces couverts sont des plus pittoresques. Anciennes. Elle en avait peur, je crois ? Ah, voici la maison. Votre chambre à tous trois est à l'étage. Son lit est celui qui se trouve au fond, devant la fenêtre, sous un tableau. » Elle fronce un peu les sourcils, lève la tête en plissant les yeux : « Du XVIe siècle. Un sujet exotique. » Elle hausse légèrement les épaules, semble regarder plus bas : « Le lit n'a pas été défait. »

Senso se rend compte qu'il a pris la main de Pierrino, ou que Pierrino a pris la sienne.

« Quel beau parc ! » La magicienne sourit : « Le printemps est plus avancé chez vous. Ah, voici l'autre maison. Votre sœur y vient souvent et vous aussi, mais vous n'y habitez pas. Elle s'y est trouvée, mais elle n'y est plus. »

Elle se raidit en fronçant les sourcils : « Quelqu'un est étendu devant la cheminée. Un homme âgé. »

Senso se plaque une main sur la bouche pour ne pas laisser échapper un cri et les ongles de Pierrino lui rentrent dans la paume de l'autre main.

La magicienne se détend un peu : « Non, il est vivant, la Divinité en soit louée. Inconscient. Il se réveillera. »

De nouveau, ses yeux bougent, les mouvements de sa tête se font plus amples, comme si elle observait maintenant un espace bien plus vaste, vers le haut, vers le bas, tout autour d'elle. Son visage a une expression de plus en plus perplexe. « Non… non… je ne la vois nulle part… elle n'est nulle part… »

Elle a un sursaut et ses mains s'ouvrent, laissant échapper la petite boucle rousse. Elle reste ainsi un moment. Enfin, ses yeux agrandis se fixent sur Pierrino, puis sur Senso – et à présent, elle les voit. Senso se sent devenir plus glacé encore lorsqu'elle répète dans un souffle, avec une incrédulité presque épouvantée : « Elle n'est nulle part ! »

Puis elle doit voir leur expression, car elle se hâte d'ajouter d'une voix encore mal assurée : « Non, elle n'est pas morte, même par accident : sa substance serait perceptible à mon guide. Mais elle n'est… nulle part. »

Elle a toujours cette expression de profonde incrédulité alors qu'elle se sert un plein verre d'eau et le boit à gorgées avides. Après s'être essuyé la bouche, elle se passe une main sur le visage en murmurant : « Mais voyons, en pleine nuit, pourquoi une enfant de cet âge…

— Quoi, à la fin ? » s'exclame Senso, exaspéré de terreur.

La jeune femme essaie visiblement de se calmer. « C'est comme si… elle avait été excommuniée », dit-elle enfin – et son incrédulité renaît sur ce dernier mot.

« Excommuniée », dit Senso. Il connaît le mot. Il sait ce que le mot signifie. Et en même temps, cela n'a aucun sens.

« Oui, c'est absurde, dit la jeune femme. Mais la seule autre hypothèse… »

Elle secoue la tête, sa phrase ralentit pour se perdre dans le silence.

Senso retrouve enfin, à peine, sa propre voix : « De la magie rouge ? »

Elle lui jette un regard un peu surpris, se redresse en fronçant les sourcils : « Avez-vous quelque raison de penser que votre sœur serait en contact avec… un nécromant ?

— Non », dit enfin Pierrino, d'un ton curieusement neutre. « Mais qu'un nécromant l'eût attaquée, oui, peut-être. »

La magicienne se lève, sévère à présent, et très agitée : « Pourquoi ? Que savez-vous de tout ceci ? Qui êtes-vous ? »

L'ignore-t-elle donc, à ce stade ? Mais peut-être n'y a-t-il plus de noms, dans l'Entremonde. Senso va dire "nous sommes les petits-enfants de Sigismond Garance", mais Pierrino le devance : « Pierre-Henri et Alexandre Garance. »

Il voit la compréhension se faire jour sur le visage de la magicienne. « Aurepas, murmure-t-elle. Je n'avais pas fait le rapport. »

La porte s'ouvre dans leur dos. Un tout petit garçon en vêtement de nuit se tient sur la pointe des pieds, accroché à la poignée. « Maman… » dit-il d'un ton à la fois implorant et effrayé.

« Gilbert, je t'ai dit de ne jamais… » Elle contourne la table pour aller prendre l'enfant dans ses bras et le serrer contre elle : « Tout va bien, mon poussin, n'aie pas peur. Anselme ne t'a-t-il pas dit que tout allait bien ? Il ne fallait pas te réveiller. Et il ne fallait pas descendre dans le noir, ne te l'ai-je pas déjà dit ?

— Je vois, dans le noir », dit le petit d'un ton buté.

La jeune femme soupire en le reposant à terre. « Eh bien, remonte te coucher comme un grand, alors, je vais te rejoindre bientôt. J'en ai terminé ici. Va, mon chéri, va ! »

Le garçonnet – il ne doit guère avoir plus de quatre ans – dévisage Senso et Pierrino avec une moue fâchée, puis surprise et curieuse lorsqu'il constate sans doute leur ressemblance, mais il s'en va, en laissant la porte ouverte.

La jeune femme secoue la tête avec un sourire d'excuse : « Mon Gilbert a un tout petit talent. On ne l'en a même pas séparé. Mais lorsque je consulte Anselme, mon guide, il en ressent toujours le contrecoup, même dans son sommeil. D'habitude, son père s'en occuperait, mais il est en voyage.

— C'est nous qui sommes désolés de vous avoir dérangée à cette heure, Madame, dit Senso. Combien vous devons-nous ?

— Non, je vous en prie, dans ces cas-là… Mais il vous faut consulter des mages sans attendre. Continuez à droite en sortant d'ici, vous passerez trois rues, tournez à gauche, continuez encore tout droit en traversant deux autres rues, et vous trouverez le presbytère de la paroisse. C'est juste en face du temple.

— Nous y allons à l'instant, Madame, dit Pierrino. Merci infiniment.

— J'espère que les mages découvriront une autre raison à tout ceci, dit-elle. Et surtout que vous retrouverez votre sœur.

— Nous aussi, Madame », murmure Senso, accablé. Il ramasse la boucle de Jiliane et la replace dans le médaillon. Mais il n'a pas le cœur à repasser la chaîne autour de son cou.

30

Gilles observe Ouraïn, qui s'affaire joyeusement à déguiser en poupée l'un des chats de Kurun – la birmane : la petite n'est pas folle, elle n'a pas choisi l'angora ou, pis encore, Tchènzin. L'animal se laisse faire, sur le dos, la tête renversée en arrière, les pattes écartillées, avec un ronronnement béat presque continu, tel un gros bourdon.

La petite. Qui a l'apparence d'une enfant de six ans depuis près de dix ans. Son psychosome va-t-il bientôt connaître un nouveau regain de croissance ? Il faut l'espérer. Elle pourra demeurer "Ourane" encore un moment ; les deux ecclésiastes, qui de toute manière ne la voient pas souvent, ne s'étonneront pas de sa quasi-absence de changement, qu'on peut de toute façon déguiser un peu : ils sont persuadés que les indigènes de la famille de Kurun sont de plus petite taille et gardent plus longtemps encore que les autres Mynmaï une apparence de jeunesse – ce qui n'est après tout que la vérité.

Là n'est pas le problème, hélas. Antoinette et Philippe lui font de plus en plus fréquemment la remarque, discrète mais insistante, qu'il devrait songer à l'Harmonie. Il en est certainement d'autres, à Garang Nomh et ailleurs, pour penser la même chose. Sa première compagne indigène est retournée vivre avec les siens, il vit au domaine sans épouse depuis bien trop longtemps. Ce qui lui importe, à lui, est d'une autre nature : si sa "petite-fille" ne peut être instruite dans la foi géminite, la considérera-t-on plus tard comme une héritière légitime ? D'après les réflexions glanées çà et là au comptoir, il semblerait bien que non. La tolérance a des limites. On ne laisserait pas le domaine, c'est-à-dire l'ambercite, tomber entre les mains d'une indigène non convertie.

À dire vrai, ayant inventé l'accord imaginaire avec la famille imaginaire de Kurun, il pourra tout aussi bien le révoquer. Ouraïn passe encore en transes la majeure partie de son temps. Elle finira par être éduquée comme elle le doit – il s'en chargera. Pas avant très longtemps, hélas, si rien de change au rythme de sa croissance, mais elle le sera. Pour ce qui est de l'instruction religieuse, non seulement il ne peut l'exposer aux mages, à moins de les subjuguer totalement dès maintenant et il n'en est pas pressé, mais surtout il ne tient nullement à remplir la tête de la petite des sornettes du catéchisme géminite à propos du talent, au risque de borner l'usage qu'elle en fera plus tard !

Il s'assied dans l'embrasure de la fenêtre, à demi voilé par le rideau, pour continuer d'observer Ouraïn insouciante. Il n'avait jamais songé à se marier. Il avait vécu avec Kurun et en avait eu une enfant comme dans une galante ordinaire ; même maintenant, avec la trop Sainte Vigilance, ce n'est pas défendu par les mœurs géminites, n'est-ce pas ? Les ecclésiastes n'y voyaient nul inconvénient, c'est fréquent dans les premiers contacts avec un nouveau pays. Et il n'a jamais abordé ces sujets avec Kurun : conversion, mariage, leur Harmonie est d'une nature supérieure et peut faire fi de ces règles ordinaires. Ils se sont épousés dans la Chambre du Dragon, c'est le seul sacrement dont ils ont besoin.

Mais il doit admettre à présent, à son grand dam, qu'il va sans doute lui falloir une épouse. Pour une apparence d'Harmonie qui sera mensongère, ce qui n'est pas dépourvu d'une attristante ironie.

Il pourrait épouser une Européenne. Les partis ne manquent ni à Sardopolis ni à Garang Nomh pour le découvreur de l'Émorie. Mais jusqu'à quel point les dérangements causés par cette épouse seraient-ils compensés par le vernis de normalité qu'elle lui conférerait ? Car enfin, il ne pourrait en avoir des enfants ! D'une part, il ne veut point d'enfants non talentés, et si d'autre part ils étaient talentés, et de nature géminite, cela attirerait sur lui une attention indésirée. Ils pourraient bien sûr être dotés d'un talent métissé, voire plus proche de celui des Mynmaï, et comme tels seraient éventuellement invisibles. Mais rien n'est certain en ces choses, et dans tous les cas le risque serait trop grand. Il se refuse à le courir.

Il ne veut pas non plus autour de lui davantage de gens ordinaires auxquels il faudrait dissimuler trop, ou qu'il faudrait trop étroitement lier afin d'en assurer le silence. Or cette épouse garante de sa normalité aurait une famille et des amis des plus normaux. Et non seulement le secret de la fabrication de l'ambercite mais ses propriétés secondaires sont mieux gardées si le moins possible de gens en sont au courant. Il a déjà secrètement lié beaucoup trop de monde ! Mieux vaut avoir une réputation d'ermite quelque peu bizarre et “trop bien acclimaté aux mœurs indigènes” qu'user trop souvent de son talent de façon si disharmonieuse !

Il pourrait faire croire qu'il est désormais infertile. Ses mages apprivoisés en attesteraient. Il adopterait en secret une fille à Sardopolis. Une fois au domaine, nul besoin de lui donner des précepteurs : il pourrait l'éduquer lui-même, comme il en a l'intention pour Ouraïn : il a reçu après tout une excellente éducation ! L'enfant étant adoptée, la question du talent – et la trop grande vigilance du Magistère – ne se poserait pas comme avec une épouse et une enfant par le sang ; excellente façon de détourner une fois pour toutes cet intérêt importun : à peine amorcée, la lignée des Garance serait "interrompue".

Il croise les bras, irrité. Mais non, non, il n'en est pas question ! C'est le sang de Guillaume et de Sidonie, il ne le laissera pas se perdre. Ouraïn est sa fille légitime, il ne la spoliera pas de son héritage légitime. Il doit tout arranger en fonction de la lenteur de sa croissance et s'assurer que le domaine sera toujours là lorsqu'elle sera en mesure d'en prendre les rênes – et que ce sera toujours le domaine Garance.

Et pourtant, ne doit-il pas penser de façon plus décisive aux conséquences de son propre trop lent vieillissement, nonobstant les étrangetés de Kurun, d'Ouraïn et des deux autres Natéhsin ? Ne doit-il pas même envisager la possibilité qu'il vivra beaucoup plus longtemps que quiconque ne pourrait le trouver normal ?

Et s'il usait pour lui-même du subterfuge qu'il a élaboré pour Kurun et Ouraïn devenues Ouraïn et Ourane ? Prétendre être son propre fils, quitte à se rajeunir par artifice, magique ou non, lorsque cela deviendrait nécessaire. Un fils d'aspect bien européen, alors – car, hélas, conséquence ou non du lien établi entre Kurun et lui, Ouraïn ne peut davantage se transformer que ne le peut désormais sa mère.

Non, décidément, il faut bel et bien songer à une épouse européenne, avec tous les inconvénients que cela suppose. Une union empoisonnée au départ, car enfin, il ne s'agirait pas là d'harmonie entre une épouse et un époux aimants, quand bien même il pourrait trouver une compagne avec qui la convenance serait réciproque. Et il devrait tant lui dissimuler !

À commencer par le fait qu'elle n'aurait pas l'enfant qu'elle croirait avoir, ce qui serait un sortilège majeur à lui imposer jusqu'à la fin de sa vie.

La seule idée en est intolérable. Kurun, Ouraïn, Xhélin et les deux Natéhsin, ses deux Ghât'sin, tous connaissent la nature de tous et ils n'ont rien à se dissimuler les uns aux autres. L'existence est plaisante à La Miranda parce qu'ils sont entre eux ; ils pourvoient à leurs propres besoins et n'ont pas de domestiques – bien que les deux Ghât'sin jouent ce rôle lorsqu'il y a des invités. Il n'a eu nul besoin de persuader les mages, tout au début, d'aller vivre parmi leurs paroissiens au village des ouvriers géminites : le seul endroit où leur magie leur revenait ! Mais cette possible épouse, ses éventuels domestiques, ses parents et amis en visite… Non, non, c'est impensable !

Les autres chats arrivent les uns après les autres, mystérieuse marée féline de l'après-midi : ils ont senti qu'Ouraïn commence de se lasser de son jeu, qu'elle va bientôt s'abandonner à sa transe. La chatte décide soudain qu'elle ne veut plus être une poupée. Les autres sautillent de biais, queue dressée, se jettent dans des luttes feintes, viennent se frotter à Ouraïn, s'en vont de nouveau en bondissant : ils veulent jouer à chat avec la petite. Estiment-ils qu'il est encore trop tôt ? Elle consent au jeu encore un moment, faisant mine de poursuivre l'angora puis tournant les talons afin d'aller l'attraper là où il se précipitait pour lui échapper.

Il sourit de la fantaisie qui lui est venue à l'esprit : si des âmes des chats revenaient comme parfois celles des humains, cela expliquerait bien des énigmes. Et l'aiderait quelque peu dans sa recherche d'une épouse: il n'aurait qu'à en trouver une qui a été chatte, en garderait caprices et réticences, et partirait un beau jour sans prévenir ni jamais revenir.

Il se redresse, brusquement saisi d'une idée nouvelle: mais justement, cette épouse n'aurait nul besoin de demeurer toute sa vie au domaine! Après sa grossesse illusoire et la naissance de son enfant fictif, elle pourrait se découvrir une profonde antipathie pour les lieux et leurs habitants et décider de retourner vivre à Garang Nomh ou ailleurs. Elle passerait seulement quelques années au domaine. Malgré toutes les galantes préalables, il est des mariages qui déçoivent les espoirs qu'on y avait mis: ce pourrait être le cas. On en trouverait même assurément des explications en l'en rendant responsable: marié si tard, un ancien talenté sauvage, une personnalité instable… – mais que lui importerait ces médisances satisfaites?

Pour ce qui est du fils fictif, les deux mages seraient là pour constater qu'il n'est pas talenté – dûment subjugués, alors, oui, c'en sera le temps, il le faudra bien. Et l'on s'en accommoderait fort bien puisque le père en serait justement un talenté sauvage, une anomalie: la lignée retourne à la normale, penserait-on; on surveillerait de loin, par principe, mais sans plus.

Son imagination s'échauffe à mesure que l'idée prend de l'ampleur. Il n'emmènerait pas l'enfant dans ses rares séjours à Garang Nomh ou à Daïronur, pour des raisons de santé, par exemple. Il le prétexterait invisible pour les mêmes raisons, ou encore, dans les rares visites qu'on lui rend désormais au domaine, il le dirait parti ailleurs pour des raisons éducatives… Puis il deviendrait lui-même "trop âgé" pour les visites à l'extérieur, et son fils le remplacerait en tout.

Il se rembrunit. Cela impliquerait donc bien de subjuguer profondément sa future épouse afin de la persuader qu'elle est enceinte, qu'elle donne naissance à un fils…

Et la persuader de ne point emmener l'enfant avec elle lorsqu'elle repartirait. Et de se contenter de visites espacées de celui-ci à Garang Nomh. À moins de la convaincre d'aller vivre à Sardopolis, voire même plus loin…

Voyons, pourrait-on procéder autrement ? Seulement faire croire à l'épouse qu'elle est enceinte, lui donner un nouveau-né européen qu'on se serait procuré discrètement, dont on se débarrasserait tout aussi discrètement par la suite en lui assurant une bonne famille le plus loin possible du Hyundzièn ? Il a besoin des deux Ghât'sin à la fonderie, mais il pourrait s'en passer le temps pour eux d'aller prendre les arrangements à Sardopolis, par exemple…

On devrait cependant influencer bien du monde : les parents du bébé si on l'adopte d'eux, le personnel d'une Maison des Enfants si on s'adresse là… Et l'enfant lui-même, peut-être, à un moment donné ! Et tout cela sans pouvoir faire l'économie de subjuguer malgré tout l'épouse.

Non. S'il faut subjuguer ainsi, il faut ne subjuguer qu'une seule personne, et ce doit être l'épouse – un sortilège majeur, comme pour les mages, mais on ne peut l'éviter. Et pour elle, cela ne durerait que deux ou trois ans. Il peut même la choisir telle qu'elle accepterait un contrat de noces particulier : si elle décide de mettre fin au mariage pour des raisons de disharmonie, elle sera compensée, mais l'enfant restera avec son père. Il existe assurément des femmes qui accepteraient bien volontiers un tel contrat…

Mais il ne peut en choisir une trop intrigante non plus : son épouse doit être respectable, et géminite, si elle n'a nul besoin d'appartenir à une famille riche et illustre, n'est-ce pas ?

Ah ! Il pourrait arranger leur galante de façon à ce que la future épouse soit bien séduite et, toute à son béguin, accepte sans trop y penser les termes du contrat – il ne sortirait pas tellement de l'ordinaire après tout. Elle tombera ensuite en désamour et, de surcroît, s'accommodant mal de la vie à La Miranda, si austère, si isolée, si ennuyeuse, elle consentira avec soulagement à le quitter aux conditions stipulées par le contrat. On peut arranger aussi qu'elle ne devienne pas très attachée à son enfant imaginaire. Elle repartira libre, fort bien nantie, et sans avoir subi de préjudice majeur. Qui sait, le fait même d'avoir été l'épouse de Gilles Garance lui conférera un éclat et un intérêt tout particuliers aux yeux de bien des gens !

Les chats ne jouent plus. Ils se sont couchés en cercle devant Ouraïn, qui s'est assise en tailleur sur le tapis. Elle s'habitue : c'est comme si elle sentait venir ces transes, même si elle n'en a aucunement conscience. Et comme toujours, il ne perçoit rien, lui. Un instant elle est là, cette constellation vibrante, si familière, et l'instant d'après… elle n'y est plus.

Avec un soupir, il se replonge dans ses réflexions et ses plans. Tout cela, il le fait et le fera pour elle, et la dynastie des Garance en Émorie. Un jour, elle saura, elle comprendra, elle l'aidera. En attendant, il doit accepter tous ces fardeaux et les porter du mieux qu'il le peut. C'est sa destinée.

31

Larché se décolle de la porte de la boutique lorsqu'elle s'ouvre. « Nous allons… commence Senso.

— … au bateau, l'interrompt Pierrino. Nous retournons au bateau. »

Senso se retourne vers lui, stupéfait.

« Crois-tu qu'on n'aura pas mis les mages au courant à Aurepas ? poursuit Pierrino. Ceux d'ici ne pourront rien faire de plus. Nous rentrons, le plus vite possible. »

Senso va pour dire "on n'a peut-être pas encore trouvé Grand-père dans son bureau, à Aurepas !", mais il se tait : Pierrino lui a pris la main qui tient le médaillon et la serre vivement.

« Que vous a-t-elle dit ? demande Larché.

— Que Jiliane a disparu. Elle n'est nulle part. »

Larché reste silencieux pendant un long moment, même pour lui. Puis il tourne les talons en disant : « Monsieur Pierre-Henri a raison. Nous rentrons. »

Ils vont retrouver le capitaine qui les attend avec anxiété et lui expliquent la situation. Il leur reste environ quatre cents kilomètres à parcourir ; s'ils partent maintenant et voyagent sans arrêt toute la journée et toute la nuit, ils peuvent être à Aurepas le lendemain dans l'après-midi.

« Nous aiderons dans la soute », dit Pierrino.

Le capitaine se mordille la lèvre. « Il faudra quand même arrêter quelquefois pour recharger du charbon et laisser reposer la machine. Et compter avec la circulation aux écluses. Quoique demain, dimanche, ce sera plus calme… Nous pourrons certainement y être lundi tôt dans la matinée. »

Deux jours ! Mais Pierrino hoche sombrement la tête : « Très bien. »

Ils ne servent de rien sur le pont ou dans la soute pour l'instant, et se résignent à retourner dans leur cabine. La porte à peine refermée, Senso explose : « Nous aurions dû… »

Pierrino met un doigt sur ses lèvres.

« … aller consulter les mages ! termine Senso à mi-voix. Je ne crois pas que Larché s'abaisse à écouter aux portes, ajoute-t-il, agacé.

— Réfléchis, Senso, murmure Pierrino avec intensité. Magie rouge ou non, s'il ne s'agit pas de magie géminite, les mages ne trouveront pas Jiliane non plus.

— Mais c'est encore Darlant ! Comme…

— Nous n'en savons rien ! » Le visage de Pierrino se contracte. « On n'a jamais rien prouvé, pour nos parents. Nous ne pouvons écarter aucune possibilité. Réfléchis ! Quand notre mère s'est enfuie avec Nadine et Félicien, quelqu'un a bien dû les dissimuler aux mages ! Crois-tu que Grand-père ne les ait point fait rechercher ? »

Senso se laisse tomber sur sa couchette. Pierrino s'assied sur la sienne, une jambe tressautant d'énergie nerveuse. Senso, lui, a l'impression de penser dans du coton.

« Si… Grand-mère… Mais les talentés étrangers ne peuvent exercer leur magie avec efficace une fois chez nous !

— Ils ne sont pas censés le pouvoir, réplique Pierrino d'un ton mordant. On ne nous a évidemment pas tout dit de la magie émorienne.

— Mais pourquoi Grand-mère voudrait-elle dissimuler Jiliane ? »

Pierrino le regarde fixement sans rien dire. Senso a l'impression que son crâne est un grand vide résonant.

« Un homme âgé, dit enfin Pierrino d'une voix sourde. Inconscient devant la cheminée. »

Senso ne comprend toujours pas, même si son cœur se serre en pensant à Grand-père ainsi vulnérable : « Mais justement, ils ont tous deux été attaqués d'une façon ou d'une autre, et… »

Le visage de Pierrino se convulse, crainte, chagrin, colère ; sa voix est si basse qu'elle en est presque incompréhensible : « Ou bien il s'est passé quelque chose avec Grand-père, et Grand-mère en protège Jiliane comme elle l'a fait de notre mère. »

Les idées s'ajustent les unes aux autres dans l'esprit de Senso, avec une lenteur glaciaire. « Mais pourquoi Jiliane se serait-elle querellée avec Grand-père ? Et… au point de… l'assommer ? C'est absurde ! »

Pierrino le considère un moment, yeux d'ombre derrière le rayon de lune. « Je sais, dit-il enfin avec désespoir. Je sais. »

La chaudière est enfin sous pression : les pistons se mettent en branle ; ils en sentent le martèlement qui s'accélère peu à peu. Puis le mouvement du bateau devient perceptible.

Pierrino s'étend sur sa couchette, un bras sur les yeux. Senso reste assis un moment, prend enfin conscience de la crispation de sa main droite. Il en desserre les doigts un à un, contemple le médaillon. Le remet à son cou.

QUATRIÈME PARTIE

32

Madeline avait bien raison de dire que la psyché vit d'autres vies pendant le sommeil, dans l'Entremonde, se dit Jiliane en reconnaissant le lieu de son rêve. La pauvre chère Madeline, elle n'y est pas, dans l'Entremonde. D'un côté, il faut s'en réjouir, puisque cela signifie qu'elle a transmigré plus avant vers la Divinité ; de l'autre… Jiliane aurait aimé la revoir, même si elle devait ne pas s'en souvenir au réveil, comme d'aucun de ces rêves de Là-bas. Un peu agaçant : elle se souvient qu'elle a déjà rêvé ainsi, elle sait qu'elle n'en gardera rien au réveil, ou si peu, et elle a beau se dire que cette fois-ci, cette fois-ci, elle trouvera un moyen de se souvenir, chaque fois, en retrouvant le rêve, elle se rappelle qu'elle a oublié…

C'est tout de même curieux, ces morceaux d'histoires à suivre. Il doit bien y avoir une raison pour ces rêves, même s'ils s'effacent au réveil. Devrait-elle être inquiète ? Elle n'a pas le temps de se poser la question, d'habitude. D'habitude, elle se fond presque tout de suite dans la page qu'elle partage avec ces vies lointaines, ces vies passées, mais rien ne passe dans l'Entremonde, sinon les âmes transmigrées :

tout le reste y demeure dans un éternel présent, ainsi que le dit le catéchisme.

Et comment se fait-il donc qu'elle y demeure si longtemps, aujourd'hui, sans être aimantée, sans couler, sans se perdre ? Elle peut observer le décor familier, malgré les changements : la grande place du village géminite, à La Miranda, une grande place tout endimanchée. C'est la fête. Les longues tablées des ouvriers sont installées en éventail autour du temple, à l'ombre d'auvents attachés à des bambous ornés de guirlandes de fleurs et de lanternes de papier qu'on n'a pas encore allumées. Devant l'entrée principale du temple, la table des invités d'honneur, une trentaine de personnes. Elle peut même y distinguer Gilles, mais sans ressentir l'attraction habituelle qui la précipiterait en lui. C'est comme si elle se déplaçait dans une bulle invisible, qui la protège car elle avance, mais elle ignore qui avance ainsi. Quelqu'un que nul ne regarde… que nul ne voit ? Et il y a avec elle, reliées de quelque façon à sa bulle en mouvement, trois, quatre, cinq autres présences étrangement familières qui se dérobent à son regard.

Sous un petit dais tendu sur le parvis se tiennent des musiciens vêtus à l'européenne ; c'est le milieu de la saison sèche, et bien qu'il fasse bon en cette fin de janvier, ils doivent avoir chaud tout de même, d'autant qu'ils jouent de jolis airs pleins d'entrain sur leurs violons ; mais la plupart des convives sont encore attablés.

Tout le monde a l'air bien heureux, un peu moins peut-être les gens qui portent les grands plats et font le service, trop occupés. Aux tables, on mange et boit encore de bon cœur, même s'il est déjà tard dans l'après-midi. On ne travaille pas aujourd'hui, on ne travaillera pas demain, les ouvriers sont contents. Elle les observe au passage, les hommes en beaux habits, les bébés endormis dans les bras de plusieurs femmes, les enfants qui courent sur la place – ils bougent trop vite, ils crient trop fort. Elle ne vient pas souvent au village, même maintenant qu'elle a le bon âge pour sortir. Et aujourd'hui, en particulier, elle ne devrait pas être là.

Mais aujourd'hui n'est pas une journée comme les autres. Aujourd'hui, Papa se marie.

Ouraïn ! Elle est Ouraïn !

Et Jiliane, joyeusement, se perd.

◆

… aujourd'hui, Papa se marie. Il lui avait bien ordonné de rester à l'écart, mais c'est sûrement mieux de venir en personne que d'observer à distance ? Puisqu'on ne la voit pas, c'est comme si elle n'était pas vraiment là, elle ne désobéit pas vraiment.

Les chats l'ont suivie, elle ne sait comment, et eux, les gens les voient. Mais c'est bien : on ne s'étonne pas lorsqu'on la sent passer malgré toutes ses précautions. On croit que ce sont les chats, comme lorsqu'elle a fait tomber la chaise, tout à l'heure. Elle était distraite, trop occupée à observer cette vieille petite dame à la table d'honneur, si étrange dans sa robe violette, si frêle, avec ses maigres mains un peu crochues, comme des serres d'oiseau, et ses cheveux tout blancs, et son visage tellement creux et plissé, comme une variété inconnue d'écorce ! Elle est très vieille, comme l'a expliqué Papa hier. Il y en a d'autres parmi les invités qui sont plissés et creusés, mais il n'y en a pas d'aussi abîmés que cette vieille dame. Un instant, elle s'est demandé si la dame était malade, comme la pauvre Gaohletzé, mais Gaohletzé n'a jamais été aussi plissée. Et puis, la dame n'avait pas de taches blanches sur la peau. Seulement les cheveux blancs.

Tous ces gens qui viennent de l'ouest n'ont jamais la peau blanche. Elle ne comprend toujours pas pourquoi Xhélin les appelle "Itun" – quand ni Papa ni Maman ne sont là. "Fantômes blancs". Mais ce ne sont pas des fantômes, elle ne voit pas au travers, et ils ne sont pas plus blancs que Gânu ou les ouvriers et leurs familles ne le sont vraiment là où le soleil ne les a pas colorés de brun.

Il est là-bas à la table d'honneur, Papa, avec la jeune dame qui s'appelle Armande Pujols, bien lisse et bien tendue, les cheveux dorés, la peau toute rose. Tous les invités sont plus roses que blancs, sauf la vieille dame, qui semble presque grise. Ce n'est pas si laid d'être rose. Armande Pujols est plutôt jolie, même, dans son ample robe vert pâle qui couvre ses épaules et ses bras et sa poitrine jusqu'au cou sous toutes ces dentelles – blanches, alors là, oui, comme une écume mousseuse. "La mode du nouveau siècle", a dit Papa en souriant lorsqu'elle s'en est étonnée en observant de loin les invités avec lui ; elle aurait bien pu continuer de regarder en se cachant, même quand il est allé les retrouver, mais il lui a dit de retourner au petit pavillon. Elle ne devrait pas être là. De bizarre façon, elle se sent comme davantage satisfaite parce qu'elle ne devrait justement pas être là. Plus satisfaite que coupable. Est-ce mal ?

Autour des nouveaux mariés à la table, les demoiselles d'honneur aussi sont en vert et blanc. C'est bizarre, tout ce blanc, pour un jour de fête. Le blanc est la couleur de Yuntun, c'est pour quand il y a des morts. Pas pour les gens de l'ouest, c'est vrai… Mais les robes sont plutôt jolies quand même. Différentes.

Papa lui a bien expliqué pourquoi elle devait rester avec Maman et les autres au pavillon, mais il ne se fâchera pas trop s'il la surprend ? Il aime qu'elle soit curieuse, d'habitude. Il est très occupé, de toute façon. C'est son mariage. Il était obligé de se marier avec une femme rose, Papa. Qu'il ne faut jamais appeler "Papa" devant les autres gens roses quand il en vient à la maison, ni devant les mages. "Grand-père", elle doit dire. Elle pourrait l'appeler *Gânu*, qui entendrait la différence ? Ils ne parlent que le français, tous ces gens-là. Mais elle devra toujours parler le français avec Armande, quand elle la verra. Et avec Papa qui est Grand-père. Et elle, elle est Ourane. Du moins Maman reste-t-elle Maman, même si, maintenant qu'elle s'appelle Ouraïn, elle doit prétendre être la fille de Papa ; mais Maman ne l'appelle pas "Gânu" – toujours "Gilles".

Le jeu de cache-cache dans les noms est amusant, mais quelquefois compliqué. Il le faut, pourtant. Comme il faut que Papa fasse semblant de se marier. Parce qu'il ne vieillit pas vite, elle a bien compris. Mais elle non plus, elle ne vieillit pas vite, et Maman non plus, et elles ne se marient pas ! Ce n'est pas la même chose, il a dit, parce qu'elles ne vont jamais à Garang Nomh, et presque jamais au village des ouvriers : personne ne remarque qu'elles ne changent pas beaucoup. Mais on ne le remarque pas non plus pour lui ! Elles aussi, elles pourraient faire semblant et se déguiser !

Maman ne le veut pas, c'est vrai. Et puis, ce serait ennuyeux, à force, Papa a raison. Il le fait parce qu'il est obligé, et il est bien heureux de pouvoir les retrouver tous à la maison et de ne plus devoir faire semblant.

Sauf que maintenant, il sera forcé tout le temps. Cette femme rose va habiter avec eux à La Miranda, avec sa femme de chambre. "Tu t'en rendras à peine compte", il a dit. "Vous ne la verrez qu'aux repas, et encore, pas tous les jours."

Il a promis qu'il ne passerait pas tout son temps avec sa nouvelle femme. Et Maman était d'accord, même si Xhélin n'a rien dit – mais elle a bien senti qu'il n'était pas très content. Oncle Nandèh et Tante Feï… on ne sait jamais trop ce qu'elles pensent, du jeu de cache-cache ou de n'importe quoi d'autre. Depuis un moment, il faut les appeler Papa quand il y a des gens roses à la maison en même temps qu'elles. Mais laquelle des deux faut-il appeler "Papa" ? Il a dit : "N'importe laquelle des deux qui sera sous sa forme d'homme !" Il n'a pas l'air de savoir que maintenant, lorsqu'elles échangent leur pendentif en se transformant, pour le petit festival, elles échangent aussi leur nom ; du coup, c'est toujours Nandèh qui peut être "Papa", même quand c'est Feï !

Elle s'approche de la table d'honneur en contournant les petits groupes de gens qui se sont levés pour bavarder en se dégourdissant les jambes. Les chats, qui l'accompagnent à distance, sautent sur les genoux ou sur les longues tables en déclenchant des petits cris – de crainte quand c'est Tchènzin, de surprise plutôt charmée pour les autres. Osera-t-elle s'approcher en même temps qu'eux de la table d'honneur ? Papa ne semble pas du tout savoir qu'elle est là ! Encore un pas. Un autre. Il parle avec domma Antoinette assise à sa droite. Un dernier pas. Elle se trouve juste en face de lui de l'autre côté de la table, maintenant. C'est drôle, elle a peur qu'il ne la voie, et en même temps, elle le voudrait…

Elle se fige : il vient de lever les yeux pour jeter un coup d'œil exactement à l'endroit où elle se tient… et il ne l'a pas vue ! Il fait semblant de continuer à parler avec domma de Margens, mais son expression est un peu distraite. Il observe les chats, regarde encore de son côté, et autour d'elle… Comment peut-il ne pas la voir ? Ne sait-il pas toujours où elle se trouve, lorsqu'il la cherche ?

Ouraïn, mais que fais-tu ? Où es-tu ?

Son cœur se serre brusquement: Oh, il est fâché ! Il sait qu'elle est là, bien sûr, mais il ne la voit pas et il est fâché !

Repentante, elle va pour répondre "ici", mais il dit très vite *Où que tu sois, restes-y ! Ne te montre pas !*

Il ne parle plus avec domma de Margens. Il ne regarde pas non plus là où elle se tient devant lui. Il a pris une orange qu'il épluche avec soin. Mais elle entend sa voix courroucée: *Où est Xhélin ? Où est ta mère ?*

Au petit pavillon. Je voulais juste voir les nouveaux fantômes blancs, dit-elle. Elle se rend compte trop tard de son erreur.

Ne les appelle jamais ainsi !

Non, Papa, dit-elle, penaude ; elle ajoute, un peu timidement: *Ils sont roses, de toute façon.*

Gânu lève les yeux, les abaisse de nouveau sur son fruit. Sourit-il ? Il semble moins fâché.

Tu es vraiment là ? Tu as traversé les protections, le parc et la rivière, et tu es vraiment là ?

Elle ne sait trop que répondre. *Non, mais je suis vraiment là.*

Comment cela, non ?

Je n'ai pas traversé le parc ni la rivière.

Gânu se fige un instant, recommence d'éplucher le fruit avec application, les sourcils légèrement froncés.

Tu es venue directement ? Tu t'es transportée ? Comment as-tu fait ?

Elle est bien obligée de dire: *Je ne sais pas. Je voulais te voir avec les gens roses. Pourquoi tu ne voulais pas que je vienne ? Parce que je ne suis pas rose ? C'est bien plus joli d'avoir la peau couleur de thé.*

C'est très joli en effet, ma chérie. Mais les gens n'ont point l'habitude de voir apparaître des petites filles là où il n'y avait personne, et je préférerais que tu demeures invisible. Comprends-tu ?

Elle n'est pas sûre, mais elle soupire *Oui*. Il vaut toujours mieux dire oui quand Gânu pose cette question.

Il a fini de peler l'orange et d'en ôter les petites peaux amères. Il l'ouvre maintenant, dans une giclée de jus parfumé. Du coup, elle sent l'eau lui monter à la bouche. Il referme ses dents sur un quartier, et voilà qu'elle en sent la texture entre sa langue et son palais, elle en goûte le suc. Il sourit en levant les yeux vers l'endroit où elle se trouve, mais il ne la voit toujours pas.

Tu as senti cela.

Oui. Est-ce que c'est mal ?

Non point. Je voulais seulement savoir si tu le sentirais.

Armande Pujols se penche vers lui pour lui murmurer quelque chose à l'oreille. Il sourit encore et lui glisse un quartier d'orange entre les lèvres.

Je n'ai rien senti, cette fois-ci, remarque-t-elle, surprise.

J'espère bien ! Cela va entre nous deux, ma chérie, mais il faut bien t'en garder avec les autres, comprends-tu ?

Garder quoi ?

Il lève brièvement les yeux, puis secoue un peu la tête avec un soupir. D'un bond aérien, l'un des korats bleus vient se poser sur la table pour examiner les restes de gâteau dans l'assiette qui se trouve devant lui.

Ma chérie, tu vas t'en retourner au pavillon avec les chats. Je t'expliquerai tout cela ce soir, lorsque je viendrai te dire bonne nuit.

Tu viendras ?

Je viendrai, dit-il d'un ton ferme. *Rentre au pavillon, Tyènlun, ma petite merveille.*

Et il se tourne de nouveau vers Armande Pujols pour lui donner un autre quartier d'orange.

Elle s'en va, et les chats la suivent. Xhélin et Maman n'ont pas l'air surpris, eux, quand ils la voient apparaître sur la jetée, et pourtant, ils n'en ont pas l'habitude non plus, c'est la première fois qu'elle le fait ! Ils sont assis en tailleur sous la galerie du pavillon, autour de la petite table à thé. Ils ne disent rien. Ils poursuivent leur geste – Kurun porte la tasse à ses lèvres, Xhélin repose la théière.

Les chats regardent autour d'eux avec intérêt. Puis l'angora blanc va droit à Kurun, ainsi que les deux korats. Tchènzin, après s'être étiré de tout son long en griffant langoureusement les planches de la jetée, saute à l'eau et s'éloigne en traînant un sillage tranquille qui s'ouvre comme un éventail. Poupée, la birmane, va se laisser tomber aux pieds de Xhélin, le ventre offert. Il y passe une main distraite, sans la regarder.

« Viens là, Ouraïn », dit-il.

Vont-ils la gronder, eux aussi ? Elle obéit, la gorge un peu serrée, et après s'être assise en tailleur entre Kurun et Xhélin, dispose bien sagement autour d'elle les plis de sa robe.

« Comment es-tu allée au village ? »

Il n'a pas l'air irrité, à peine curieux. Comme elle ne sait pas, elle répond à côté : « Je voulais voir les nouveaux invités blancs, mais ils sont roses comme les autres. Je voulais les voir danser. Je voulais… voir Papa et sa nouvelle femme. »

Il hoche la tête, comme si elle avait répondu sa question. « Et les chats ?

Elle fait une moue : « Ils sont juste venus avec moi. Ils vont où ils veulent, les chats.

— Il faut apprendre à ne pas vouloir, dit Kurun.

— Pourquoi ?

— Regarde derrière toi sur ton chemin. »

Elle tourne machinalement la tête, puis elle comprend : Maman veut dire dans l'Entremonde, l'autre Maison. Obéissante, elle regarde.

Tout est en désordre ! Des vagues de lumière s'entrechoquent dans tous les sens, des ondulations s'étirent en déformant tout, le paysage, les oiseaux, les animaux, même les insectes, même la substance d'habitude paisible de la terre coule et vibre et se tord.

« Mais je n'ai rien fait !

— Tu as voulu, cela s'est fait, et c'en est le résultat, dit Xhélin. Tu aurais dû marcher. »

Elle le regarde sans bien comprendre : « Mais si j'avais marché, cela aurait pris bien trop longtemps à travers le parc, et la fabrique et la rivière et tout.

— Tu serais arrivée quand même.

— Mais tout le monde m'aurait vue !

— S'il ne fallait pas que l'on te vît, il ne fallait pas y aller du tout.

— Il faut apprendre à ne pas vouloir », répète Kurun de sa voix douce et un peu lointaine. Elle se penche par-dessus la petite table à thé pour caresser la joue d'Ouraïn. « Nous sommes les Filles du Dragon. »

Pour une fois, la caresse n'apaise pas entièrement Ouraïn. Eh bien oui, et elles sont différentes, et personne ne doit le savoir pour l'instant parce qu'elles sont *trop* différentes, Papa le lui a déjà dit, souvent ! Mais à part la couleur de la peau, elle ne voit guère de différences. Les autres enfants, au village, ils ont les yeux plus ronds, et jamais dorés, et les cheveux de plusieurs autres couleurs que noir, mais c'est tout. Elle suit du doigt les creux et les bosses de la table, la courbe d'un arc d'ébène, la croupe nacrée d'un cheval, la joue ivoirine d'une des chasseresses.

« Est-ce que c'est mal d'être différente ? »

Kurun hausse un peu les sourcils : « Les Filles du Dragon ne sont pas différentes. Elles sont, et c'est une grande merveille. »

Xhélin soupire : « Non, ce n'est pas forcément un mal, Ouraïn, mais cela dépend de ce que l'on fait de sa différence. »

Elle se tourne plutôt vers lui, même si elle n'a pas très bien compris non plus : « Pourquoi personne ne doit le savoir si ce n'est pas mal ? insiste-t-elle, perplexe.

— Gilles ne veut pas qu'on le sache », dit Xhélin, en accentuant légèrement le premier mot.

Que veut-il dire ? « Il ne devrait pas vouloir, lui non plus ?

— Il est le Fils du Dragon », dit Kurun avant que Xhélin ait pu ouvrir la bouche. « Tout recommence avec lui. Il a ses propres lois et il participe à sa manière à la danse de la Déesse. Mais nous, ma Tyènlun, toi et moi et Nandèh et Feï… non, nous ne devons pas vouloir ainsi. »

Ouraïn jette un regard à Xhélin. Il a baissé la tête vers sa tasse de thé, qu'il tient entre ses mains en coupe ; ses yeux sont invisibles. Le silence se prolonge, rendu plus profond encore par le ronronnement feutré des quatre chats, aux rythmes désaccordés.

« Mais on ne ferait jamais rien, alors », finit-elle par dire à mi-voix, désemparée.

Xhélin pose sa tasse sur la table à un endroit plat entre les reliefs des cavalières et de leurs petits chevaux. « Si l'on rencontre un serpent venimeux, Ouraïn, a-t-on envie de se sauver ?

— Il n'y a pas de serpents qui piquent dans le parc. »

Xhélin soupire encore. « Il y en a ailleurs. A-t-on envie de se sauver ? »

Bien que sa voix soit égale, il faut vraiment répondre, cette fois-ci : « Oui.

— Mais que doit-on faire ?

— Ne pas bouger et attendre qu'il soit passé. »

Xhélin hoche la tête : « Il faut penser avant de vouloir.

Elle regarde Kurun, qui a baissé les yeux vers l'angora blanc grimpé sur ses genoux et le caresse d'un geste régulier. Pourquoi laisse-t-elle si souvent Xhélin parler à sa place ? Mais c'est une leçon, Ouraïn en a reconnu les signes. Elle doit réfléchir.

« On ne ferait jamais rien, alors, répète-t-elle enfin, boudeuse.

— Ne pas bouger, comme avec le serpent, n'est-ce pas aussi faire quelque chose ? » dit Xhélin avec douceur.

Elle doit bien admettre que oui et hoche la tête en silence.

« Ne pas agir, dit Kurun, c'est aussi agir. Ne rien dire, c'est aussi agir. Ne pas vouloir, c'est aussi agir. »

Xhélin la regarde et s'incline légèrement vers elle. Puis il se tourne de nouveau vers Ouraïn : « Il y a beaucoup de dangers dans le monde, reprend-il, et ils ne ressemblent pas tous à des serpents venimeux. Parfois, il faut très longtemps avant de comprendre leur nature et leurs effets néfastes. C'est pourquoi il faut observer mais sans essayer de prendre. Vouloir, Ouraïn, c'est prendre sans savoir si ce que l'on prend est dangereux ou non. Il faut d'abord se laisser porter par la Déesse sur la Voie, s'abandonner à la Déesse, faire silence et ne pas bouger pour laisser place à la danse de la Déesse. Et alors, c'est la bonne décision qui vient, la bonne parole ou le bon silence, le bon geste ou la bonne absence de geste. »

Elle voulait seulement voir le mariage ! Y avait-il là du danger ? Tout le monde était très joyeux, pas effrayé du tout… Mais il y a dans la voix un peu chantante de Xhélin une assurance douce et calme qui oblige à la réflexion. Gânu pensait que c'était dangereux ? Il craignait qu'elle ne soit pas sage, qu'elle ne l'appelle “Papa” devant tout le monde ?

Eh bien, alors, c'est facile : elle lui montrera qu'elle a bien compris. Elle se tiendra toujours très bien pendant les repas et chaque fois qu'elle sera avec lui et Armande ou d'autres personnes roses. Elle ne l'appellera même plus "Papa" dans sa tête, s'il le faut. Elle l'appellera… elle l'appellera "Gilles", comme Maman et Xhélin et Nandèh et Feï, et ainsi elle ne se trompera jamais !

Rassérénée, elle sourit à Xhélin : « Je ne le ferai plus, je le jure. » Elle s'étend sur le tapis, la joue sur la cuisse de Kurun, la nuque appuyée au mol oreiller de l'angora. « Est-ce que je pourrais avoir un peu de thé, Maman ? »

Le regard et le sourire et la main de Kurun se posent sur elle, et Xhélin se lève pour rentrer dans le pavillon. Elle va pour lui demander "et des biscuits, s'il te plaît, Xhélin !", mais elle choisit de ne pas le faire. On verra bien s'il aura deviné de lui-même.

33

Dans la matinée pluvieuse, alors que le *Gil-Éliane* attend son tour à l'écluse de Marmande, une silhouette féminine vêtue d'un long manteau sombre à capuchon s'engage sur la passerelle du canal. Senso se trouve à la poupe avec Pierrino, à regarder l'eau monter tout en essayant de faire taire sa douloureuse impatience.

« Alexandre et Pierre-Henri Garance ? »

Avec un tressaillement d'anxiété plus aiguë, Senso distingue sous le manteau une robe bleu mage.

« Oui », dit Pierrino d'une voix enrouée. Il se racle la gorge.

« Je suis domma Danglade. » L'ecclésiaste rejette en arrière sa capuche, dévoilant des cheveux argentés rassemblés en un chignon lâche : « J'ai reçu pour vous un message urgent par le réseau des mages, de dom Patenaude, un des ecclésiastes de votre paroisse.

— Oui ? » souffle Senso, en serrant de toutes ses forces le garde-fou métallique du pont.

« "Jiliane a disparu. Rentrez le plus vite possible à Aurepas." » La mage les observe tour à tour avec une grave compassion non dénuée cependant de curiosité. « C'est tout. Mais puisque vous êtes déjà ici, je pense que vous étiez au courant. »

Senso est heureux de pouvoir se tenir : sa déception est si intense que ses jambes se déroberaient presque sous lui. Il espérait encore que Pierrino se trompait, que la magie bleue aurait retrouvé Jiliane. « Oui, murmure-t-il.

— Merci de nous avoir transmis ce message », dit Pierrino avec une morne politesse. « Pourriez-vous leur dire que nous arriverons lundi très tôt ? »

Le reste de la journée du 25 mars et toute la nuit, ils travaillent comme des forcenés dans la soute, pour reprendre le 26, par roulements avec le soutier, s'interrompant pour des pauses qui sont davantage un écroulement hébété que du sommeil ; on charge une dernière fois du charbon à Auterive dans la soirée du 26. « Mais non, on n'a pas besoin de vous pour cela », leur dit le capitaine avec une gentillesse navrée. « Allez plutôt aux bains du port vous laver, vous ne retournerez plus dans la soute d'ici Aurepas. »

Ils arrivent enfin au Boccan à l'aube du lundi 27 mars, dans un état de profond épuisement qui n'a rien atténué de leur terrible angoisse.

On les attend au débarcadère : dom Patenaude, qui les embrasse avec une expression accablée, et deux hommes en redingotes brunes, mal réveillés, qui s'avèrent être des policiers – "pour votre protection". Ils montent sans plus attendre, avec Larché, dans la voiture.

« Ah, mes enfants… soupire enfin dom Patenaude.

— Dites-nous », l'interrompt Pierrino, sèchement.

On a constaté le 25 au matin que Jiliane n'avait pas dormi dans son lit. Une partie de ses affaires de toilette avaient disparu, ses habits et ses bottes de monte, ainsi que des vêtements de Pierrino et de Senso – chemise, culottes, habit. Et il manquait un cheval à l'écurie du pavillon, qu'on a retrouvé par la suite attaché au port du Boccan.

Incrédule, avec un soulagement presque douloureux, Senso se tourne vers Pierrino : « Mais alors, elle est partie de son plein gré ! »

Pierrino n'a pas changé d'expression ; il regarde toujours fixement dom Patenaude. « C'était il y a deux jours, Senso, dit-il entre ses dents. On ne l'a pas retrouvée depuis.

— Hélas, non, murmure l'ecclésiaste. Au pavillon, ses domestiques ont découvert votre grand-père inconscient dans son bureau. Il est sorti de cet état en fin de matinée. Il va bien, rassurez-vous. Il n'avait aucune idée de ce qui s'était passé. Il est parti pour Lamirande. »

Cette fois, Pierrino sort de son immobilité métallique : « Quoi ?

— Il était sous le choc, Pierrino, et il ne savait rien. Il se sentait plus en sécurité à Lamirande, avec les protections qu'il y a fait établir. L'hypothèse la plus plausible est qu'il s'agit… »

Il hésite et Senso achève pour lui : « D'un complot du baron Darlant, comme pour notre mère. Nous sommes au courant. »

Dom Patenaude soupire de nouveau : « De lui ou d'un autre, mais si c'est le cas, pour dissimuler ainsi cette attaque et votre sœur, et aussi longtemps, une effrayante nécromancie est à l'œuvre. »

Il y a un petit silence. « Je ne comprends pas, balbutie Senso. Si elle a pris ses affaires…

— On peut les avoir prises pour elle, dit Pierrino. Ou elle a agi sous la contrainte. »

Le silence qui suit dure plus longtemps. Senso se laisse un peu aller contre Pierrino ; il se sent saisi d'un léger vertige ; c'est sans doute la fatigue.

« Et personne n'a rien entendu, reprend Pierrino.

— Non. Votre grand-père et Jiliane avaient assisté à une réunion du Club, ce soir-là. Ils en sont rentrés très tard et sont allés dans le bureau de Sigismond, pour un souper léger. Il a dit aux domestiques d'aller se coucher. Les Beaupretz, dont le logis est le plus proche du pavillon, n'ont rien entendu. Mais les fenêtres étaient fermées, évidemment. »

On roule à présent dans les rues encore endormies d'Aurepas. « Emmenez-nous à la maison d'abord », dit Pierrino en se rencognant contre la fenêtre et en fermant les yeux, les bras croisés.

Dom Patenaude cherche Senso du regard, et Senso ne peut que hocher la tête en signe d'assentiment. L'ecclésiaste ouvre la petite lucarne pour l'indiquer au cocher, et la voiture les arrête bientôt sur la place, devant le Couvert.

Senso pousse la porte sans sonner, mais Nadine est là, ou Félicien, immuable, impassible, qui prend leurs habits, mais non ceux de dom Patenaude, des policiers ou de Larché, et les précède dans le couloir en leur indiquant la porte de l'appartement de Grand-mère.

« Je vais au pavillon, déclare Larché.

— Et nous vous attendrons ici », dit dom Patenaude en entrant dans la cuisine où il va s'asseoir à la table avec les deux policiers.

Félicien ou Nadine reste en leur compagnie ; des bruits de bouilloire qu'on met sur le poêle, de tasses et de soucoupes, résonnent derrière eux tandis qu'ils traversent la salle à manger ; Nadine ou Félicien ouvre la porte de l'appartement de Grand-mère et s'efface pour les laisser entrer. « Votre grand-mère se trouve au jardin. »

Pierrino envoie valser ses souliers dans l'appartement, en ôtant d'un geste brusque son gilet qu'il laisse tomber par terre. Dans le passage, il ne prend même pas les sandales, arrache presque la deuxième porte donnant sur la serre, dont le carillon les suit longuement dans l'allée principale.

34

Ouraïn entre avec Kurun dans le petit salon, en lui tenant la main très fort. Il y a bien là une vingtaine de personnes. Elle n'a pas encore l'habitude des foules; au village, ce n'est pas pareil, il y a davantage d'espace. On ne les remarque pas tout de suite. Tout le monde est très occupé à bavarder. Elles ne vont pas rester longtemps, mais c'est une occasion particulière où elles doivent se montrer, en tant que fille et petite-fille de Gilles: on a baptisé le bébé d'Armande aujourd'hui dans la chapelle privée de la maison. Et ensuite, on a organisé un petit vin d'honneur à la maison, parce que les contremaîtres voulaient venir féliciter Gilles et Madame Armande et apporter des cadeaux de baptême au nom des ouvriers. Où sont les cadeaux? Elle les aperçoit à travers les invités, sur la table près de la fenêtre. Il y en a vraiment beaucoup. Elle sourit. Ils seront pour elle après, sûrement, puisque le bébé n'est pas un bébé.

Le berceau est un peu à l'écart, surveillé par Ursule, la femme de chambre, un berceau à l'européenne avec un toit de mousseline, cadeau de la famille d'Armande. Le bébé est pratiquement invisible, enfoui dans les langes et les draps. Un bébé bien sage et bien endormi, pour sûr.

Un des deux Ghât'sin passe devant elles, s'immobilise avec une petite courbette devant Kurun en lui présentant son plateau, mais elle le renvoie d'un signe de tête. Ouraïn aurait bien aimé goûter l'un des petits canapés, mais tant pis. Elle examine les invités. Elle ne les connaît pas trop. Il y a les contremaîtres, ces visages-là lui sont plus familiers. Et Armande, moins rose qu'avant, et qui paraît lasse – l'accouchement a eu lieu la semaine précédente. Elle est assise dans un grand fauteuil, entourée de ses parents, de sa très vieille grand-mère et de son frère aîné, mais ce sont les seuls qui ont obtenu des sauf-conduits pour se rendre au domaine, et Armande en est un peu triste; elle aurait aimé revoir aussi sa sœur et ses amies. Mais comme elle est encore fatiguée de l'accouchement difficile, il n'aurait pas pu y avoir de fête, de toute façon, a-t-elle dit l'autre jour avec un soupir.

Ouraïn détourne les yeux, un peu mal à l'aise comme toujours, parce qu'elle sait, elle. Il n'y a pas eu d'accouchement, le bébé Clément est une poupée, enveloppée d'une illusion. C'est nécessaire et elle comprend pourquoi, comme pour les autres aspects du jeu de cache-cache – elle-même doit encore être Ourane pour un temps, et Kurun Ouraïn, et Gilles sera plus tard Clément. Les gens seraient trop dérangés s'ils savaient qu'ils vieillissent si lentement, ils commettraient peut-être des actes imprudents dont les conséquences seraient graves pour eux: c'est pour leur propre bien qu'on le leur dissimule. Mais c'est la première fois que le jeu devient si… sérieux: Armande a vraiment cru qu'elle attendait ce bébé, et même son psychosome l'a cru, car elle est devenue grosse, et elle avait des nausées le matin! Les deux mages l'ont cru aussi – surtout pour l'accouchement.

C'était trop étrange tout à l'heure, à la chapelle, de les voir baptiser le bébé. Non qu'elle voie la poupée : il faudrait vouloir, et Gilles aussi lui a dit qu'il valait mieux pour elle ne pas essayer de traverser les illusions. Mais elle le sait. D'un côté, ce serait presque drôle, comme toujours, de savoir que tout est bien caché. Mais de l'autre… non. C'est même plutôt triste que les gens doivent se tromper ainsi. Surtout Armande.

Domma Antoinette les a vues : elle vient vers elles avec un sourire aimable. Elle essaie de leur parler chaque fois qu'elle les rencontre, ce qui n'arrive pas souvent, mais quelquefois quand même pour Ouraïn. Kurun a choisi de rester le plus souvent invisible, mais depuis qu'"Ourane" a six ans, Gilles veut que les mages ou les gens en visite à la maison la voient ; il l'emmène plus souvent au village ou à la fabrique – mais jamais au temple. Cela dérange les mages, on dirait. Surtout depuis qu'ils ont de nouveau accès à leur Maison et que leur magie leur est revenue.

Elle n'a pas très bien compris leurs histoires sur les Quartiers de l'Entremonde, et d'ailleurs Gilles n'était pas très content qu'ils les lui aient contées, et il lui a dit ensuite que c'était vrai pour les géminites, mais ni pour elle ni pour lui, ni pour Kurun ou les autres talentés mynmaï, et qu'elle ne devait point s'en soucier. Elle ne s'en soucie pas, ce sont de simples histoires ! Mais elle aime assez les autres récits des mages, comme ceux qu'ils lui ont contés à l'Avent, la naissance des deux enfants magiques, la créature de lumière venue y assister et qui monte dans le ciel comme un feu d'artifice, et les animaux de l'étable qui soufflent sur les bébés pour les réchauffer, parce qu'il faisait froid en décembre dans leur pays, il y avait même de la *neige*. Et là, Gilles s'est mis à rire : « De la neige en Judée, Antoinette ? Sûrement pas. »

Mais il a tout de même laissé domma Antoinette finir l'histoire. C'est quand elle a commencé d'expliquer qui étaient ces *Gémeaux* qu'il l'a arrêtée. "Ni Ouraïn ni Ourane ne doivent être instruites dans la religion géminite, nous devons respecter cette volonté de leur famille."

Et c'est vrai : il ne le veut pas. Même si elle ne comprend toujours pas très bien pourquoi. Il lui a pourtant appris à lire et à écrire comme les géminites ! Mais il dit que ce n'est pas pareil.

Domma Antoinette ne pourra pas beaucoup leur parler dans cette foule, de toute façon, surtout avec Gilles qui surveille, mais elle leur sourit en demandant : « Eh bien, Madame Ouraïn, que pensez-vous de votre neveu ? »

Kurun sourit en inclinant légèrement la tête, sans répondre. Un peu déconcertée, mais elle en a l'habitude à présent, l'ecclésiaste se tourne vers Ouraïn : « Et toi, Ourane, comment trouves-tu ton oncle ? N'est-il pas amusant de penser qu'il sera toujours plus jeune que toi ? »

Comme Ouraïn ne sait que répondre, elle dit poliment : « Oui, Domma de Margens.

— Viens, allons le voir. »

L'ecclésiaste lui prend la main. Ouraïn jette un coup d'œil à sa mère, dont l'expression demeure indéchiffrable, mais elle se refuse à la lâcher. Après une légère pause, Kurun leur emboîte le pas. On s'écarte sur leur passage et Ouraïn a conscience de la curiosité qui les suit – on les voit si rarement, c'est normal. Et puis, elles sont habillées comme des Mynmaï.

L'ecclésiaste écarte les rideaux du berceau en faisant "chut, il ne faut pas le réveiller", et Ouraïn contemple le visage du bébé endormi, tout rose, avec le duvet de cheveux blonds qui déborde un peu du bonnet. Soudain, elle a presque envie de traverser l'illusion, mais la main de Kurun se resserre sur la sienne.

« Cela te fera un petit compagnon de jeu, plus tard », dit domma Antoinette en souriant.

Ouraïn hoche la tête sans rien dire. Si c'était un vrai bébé, il grandirait pour devenir comme les enfants du village, et elle n'est pas sûre qu'elle voudrait jouer avec quelqu'un d'aussi bruyant et d'aussi agité.

Et puis, ils ne pourraient pas jouer souvent puisqu'elle passe le plus clair de son temps en *igaôtchènzin*. C'est très important qu'elle le fasse, tout le monde en est bien d'accord, et un véritable Clément la dérangerait plutôt ; c'est pour cela que Gilles ne veut pas que les enfants du village viennent à la maison. Et puis, même s'il avait d'autres enfants avec Kurun, ils ne seraient pas comme elle. Elle est unique. Elle est son enfant magique à lui. Il n'en aura jamais d'autres. C'est pour cela que le bébé d'Armande doit être une poupée.

35

Grand-mère porte sa tunique brodée d'oiseaux bleus, celle qu'aime Jiliane ; elle est assise dans un des fauteuils de bambou au bord de l'étang, à la table ovale ; le service à thé y est posé sur son plateau, à côté d'un coffret incrusté de nacre. Elle lève la tête à leur approche. Pas un cheveu ne s'échappe des coques lisses de ses chignons. Mais les yeux opaques qu'elle tourne vers eux sont profondément cernés.

Nadine ou Félicien vient se tenir près d'elle, une main sur le dossier du fauteuil – protectrice ?

Et l'on doit être Félicien, car on devance les paroles de Pierrino, quelles qu'elles eussent pu être : « Nous n'avons rien entendu.

— Vous dormez à l'étage près de notre chambre !

— Nous ne l'avons entendue ni monter ni redescendre. » Puis, après une petite pause, au moment où Pierrino prend son souffle pour parler de nouveau : « La dernière lettre qu'elle vous a écrite est revenue d'Agen samedi. Monsieur de Dun a pris sur lui de la lire. »

Félicien présente l'enveloppe décachetée. Avec un serrement de cœur, Senso reconnaît l'écriture ronde et penchée de Jiliane. Il tend la main pour la prendre, mais Pierrino l'a devancé. Il lit la lettre en silence – un simple feuillet recto-verso – puis il la tend à Senso, qui la lit à son tour et sent son dernier espoir s'écouler de lui à mesure, comme du sang. *Partir tous les trois… travailler ensemble…* Il n'y a là aucune raison pour Jiliane de se quereller avec Grand-père, ni de s'enfuir. Au contraire.

Un des perroquets, dérangé dans ses habitudes matinales, s'envole en protestant au ras de l'étang. Comme si le cri discordant venait de faire sauter sa dernière retenue, Pierrino explose : « C'est vous qui la cachez, Grand-mère, avec votre magie de là-bas !

— Pourquoi le ferais-je, Pierrino ? » souffle-t-elle.

« Vous ne nous avez rien dit des médaillons », reprend Senso, hésitant.

Grand-mère le regarde à son tour, les yeux soudain étincelants de larmes : « Il n'en était pas temps », dit-elle d'une voix si déchirée d'angoisse et de chagrin que Senso reste interdit.

Pierrino s'est mis à arpenter la petite esplanade, en remontant ses manches avec impatience dans la touffeur de la serre. Il s'immobilise brusquement : « Notre mère était somnambule, Jiliane aussi, dit-il d'un ton accusateur. Grand-père s'est-il livré à des expériences magnétiques avec Jiliane, Grand-mère ? Des expériences qui ont mal tourné ? »

Senso le regarde avec stupeur. D'où cela vient-il ? Grand-père ne voulait pas même que Jiliane assiste à la séance, l'été passé, à Lamirande !

Mais le visage de Grand-mère s'est figé. Son regard redevient opaque ; elle dit d'une voix sourde, avec une sorte de résignation : « C'est possible.

— S'il l'a fait, poursuit Pierrino, il a peut-être suscité du talent chez Jiliane, ce qui l'aurait terrifiée, et… »

Senso voudrait tant le croire ! « Les mages le sauraient.

— Pas s'il s'agit d'un talent mêlé, atlandien, géminite et mynmaï… Peut-être Jiliane se cache-t-elle elle-même ! »

Senso ne sait à partir de quoi Pierrino a échafaudé cette histoire, mais elle a des résonances vaguement plausibles ; il hausse les épaules, davantage pour se rappeler de ne pas trop espérer : « Et de nous aussi ?

— Peut-être le choc de la transe… »

La transe magnétique : comme une crise de somnambulisme, mais qui ne cesserait pas ? Non, non, ce serait pis encore pour la malheureuse Jiliane ! « Dans cet état, où serait-elle allée ? Il pourrait lui être arrivé n'importe quoi ! »

Pierrino se tourne vers Grand-mère avec férocité : « Usez de votre magie ! »

Elle ne nie pas, elle ne proteste pas, elle murmure simplement : « Crois-tu que je ne l'aie point fait ?

— Recommencez ! »

Pendant un moment, rien ne bouge ; les chants lointains de la volière eux-mêmes se sont tus. Puis Félicien retire de la table le plateau à thé. Après l'avoir posé à terre, il ouvre le coffret et en tire un gros paquet oblong qu'il place devant Grand-mère.

Ce sont les très anciennes cartes avec lesquelles elle avait coutume autrefois de leur conter mythes et légendes mynmaï. Sont-ce donc des cartes divinatoires ?

Grand-mère coupe les cartes, prend le paquet de droite et écarte quatre cartes sans les regarder. Elle retourne la cinquième.

« Hétchoÿ, murmure Félicien, la Lune qui est le Dragon d'Eau, le Cheval d'Argent. Maison de Mémoire. Un voyage sur l'eau. »

Il prend le paquet de gauche, Grand-mère celui de droite, et ils trient rapidement les cartes en deux paquets inégaux, arcanes majeurs et mineurs. Puis Grand-mère place le paquet des arcanes mineurs devant Pierrino.

« Coupe vers ta droite », dit Félicien.

Pierrino s'exécute après avoir fermé les yeux, comme il le fait toujours lorsqu'il doit couper aux cartes.

« Prends la carte du dessous de coupe à ta gauche et pose la face cachée sur la table, à gauche de ta grand-mère. Puis recommence en coupant de nouveau le paquet à ta gauche. Cinq fois en tout. »

Senso contemple le dos des cartes, avec leurs symboles roses et dorés si curieusement intacts alors que les cartes semblent si anciennes.

« Et maintenant ? » demande Pierrino.

Grand-mère retourne les cartes, dans l'ordre où elles ont été tirées.

« Cinq de Vengeance, inversé, murmure Félicien. Mort par suicide ou accident d'un être cher, qu'on peut empêcher ; parmi nos proches se trouve un traître. » Il ajoute aussitôt : « Ne dites rien. Il faut attendre que toutes les cartes soient tirées et retournées. »

La deuxième carte est la princesse d'Oubli, inversée : « Une fille tentera de rétablir l'Harmonie dans la famille, mais échouera par ignorance », dit Félicien.

Senso se mord les lèvres au sang.

« Deux d'Oubli : nouvelle amitié ou nouvel amour. Difficultés enrichissantes. Coopération, harmonie, union. Chevaliers de Mémoire, à l'inverse : divergences de vues, conflit, déception. Choix entre deux solutions qui décideront de votre vie. Manque de nouvelles. »

Félicien connaît-il donc par cœur la signification de toutes les cartes ?

« Chevaliers d'Équité : on voyage pour revenir chez soi. »

Sûrement, c'est un bon présage ? Senso fixe le visage de Grand-mère, qui n'exprime rien. Regarde Félicien, qui la regarde prendre le paquet des arcanes majeurs pour le poser devant Pierrino.

« Coupe encore, et prends la carte de la même façon, trois fois », dit Félicien.

Grand-mère ne doit-elle donc pas plus parler qu'eux ? Cela fausserait-il le résultat ? C'est en tout cas différent de ce que dom Patenaude leur avait décrit autrefois, en leur parlant des arts divinatoires…

Des arts divinatoires géminites, que Maîtres et magiciens ne pratiquent qu'avec la plus grande circonspection, et jamais pour lire l'avenir, réservé à la seule Divinité. L'angoisse de Senso devient plus lourde encore : ne sont-ils pas en train de commettre un grave péché ? Peuvent-ils vraiment espérer retrouver Jiliane grâce à cette infraction à la loi divine ?

Ou à la loi des mages, songe-t-il brusquement.

Et c'est pour retrouver Jiliane.

« Hétchoÿ, encore », murmure Félicien. Cela doit vouloir dire quelque chose lorsqu'une carte se répète ainsi, mais est-ce positif ou négatif ? « Patience, observation du théâtre de la vie humaine, contacts avec le monde des esprits, voyage sur l'eau, recherches longues et difficiles. »

Pierrino fronce les sourcils et va pour ouvrir la bouche, mais Félicien pose un doigt sur ses lèvres et il s'adosse dans son fauteuil en croisant les bras.

« Téligun, L'Arc-en-Ciel, l'Aveugle, poursuit Félicien. Générosité, sacrifice ou dévouement couronnés de succès. Force de conviction, abnégation, intuition, initiative, aptitudes aux inventions pratiques. Alliances protectrices. Découvertes fortuites et positives. »

Le cœur de Senso bondit dans sa poitrine. Mais la voix de Félicien se tait lorsque Grand-mère retourne le troisième arcane : « Hyundigao, le Dragon Fou. Chaos, accident, hasard, chance, renversement de fortune… » dit-elle d'une voix blanche – ne devait-elle donc pas se taire ?

« … Ce qui est en haut est ce qui est en bas, enchaîne Félicien. Circulation entre les mondes, nouvelles perspectives, découvertes et révélations. »

Grand-mère replace les cartes dans leurs paquets respectifs, mais non la première tirée, qu'elle avait posée de l'autre bord de la table. Elle tend le paquet des arcanes mineurs à Senso : « Mélange-les. »

Avec précaution, Senso obéit. Le dos des lames est un peu rugueux, ce qui, avec leur épaisseur, rend l'opération encore plus délicate. Après avoir reposé le paquet, il le coupe, vers sa droite, comme l'a fait Pierrino, et tire la carte du dessous de coupe, en répétant quatre fois l'opération.

Lorsque les cinq cartes ont été déposées devant Grand-mère, il se penche un peu, coudes sur les genoux, le cœur battant, en énonçant intérieurement le nom de la première carte lorsqu'elle la retourne : Mages de Mémoire. Une femme et un homme en tuniques bleues, tous deux des Mynmaï, ici ; en appui sur la jambe droite, ils se font face, en miroir, le bras gauche replié, la main ouverte dans le dos, l'autre levée, mais leurs paumes ne se touchent pas.

« Mages de Mémoire, dit Félicien. Une âme qui vous veut du bien se manifestera bientôt. »

Quatre de Mémoire.

« Plaisirs procurés par les divertissements mondains. Réconfort de l'art. Une amie ou un ami charmants. » Si Félicien est surpris, sa voix ne le laisse point paraître. Mais quel rapport avec Jiliane ?

« Six d'Oubli. Événements passés apportant une satisfaction présente. Éléments du passé qui perdurent.

Bonheur reposant sur les sacrifices et les efforts du passé. »

Le Six de Vengeance, ensuite, a davantage de sens: « Voyage en quête de la justice. Et Chevaliers de Pardon: recours à une entremetteuse ou un entremetteur de bonne volonté, avec des résultats mitigés. »

Sont-ce Grand-mère et Félicien, ces entremetteurs? "Avec des résultats mitigés" ne peut être de bon augure…

Senso tire rapidement les trois cartes des arcanes majeurs: Upadisin, Le Palanquin – le Chariot du jeu de cartes géminite. Il n'est pas trop surpris que le sens en soit "mouvement, voyage sur terre, évolution dans le monde matériel, richesse et pouvoir". "Triomphe, maîtrise, harmonisation pacificatrice et civilisatrice" sont un peu plus curieux – mais surtout sans rapport aucun avec la situation!

Le second arcane majeur l'est encore moins: 'Xaïo, le Soleil, le Dragon de Feu. Une des cartes de chance, pourtant, l'équivalent du Cheval d'Or. « Objectivité, clarté spirituelle, noblesse, générosité, grandeur d'âme. Croissance. Le moment transitoire de la métamorphose. Gloire et honneurs. Goûts et talents artistiques. »

Le dernier arcane est Hundgao, la Danse, inversée – de sorte qu'on y reconnaît distinctement le Dragon Fou qui y vole à l'envers à l'arrière-plan. L'immédiate appréhension de Senso se résout en effroi lorsque Félicien soupire: « Impulsivité, aliénation, folie. Influence de forces occultes, sujétion, esclavage. » Il lui faut toute sa volonté pour ne pas laisser échapper une exclamation horrifiée. Jiliane a bien été enlevée! C'est bien un nécromant qui est derrière tout ceci!

Grand-mère reprend les cartes et mélange de nouveau les deux paquets. Après avoir coupé, elle tire la carte du dessous du paquet de gauche, puis celle du dessus de l'autre paquet, en la retournant, celle-là. Elle écarte ensuite deux cartes, retourne la troisième, la place à côté des deux autres.

Elle retourne la carte cachée. 'Xaïo, le Soleil, le Dragon de Feu, inversé. « Le passé, murmure-t-elle.

— Yidchin, la Maison d'Oubli, dit Félicien. Un tyran, un despote soumis à la secrète influence des faibles. »

Grand-mère effleure la carte du milieu, comme une caresse. C'est 'Xhaïgao, le Phénix – la carte de Jiliane ?

« L'avenir, dit Grand-mère, tout bas.

— Mort et renaissance, recommencement douloureux mais positif. »

La troisième carte, Senso la reconnaît, il avait pris l'habitude de la considérer comme la sienne : Nomghu, le Fleuve-Serpent.

« Pengcao, qui est aussi Nomghu, dit Félicien. Le Fleuve Ascendant, les Ancêtres. Yungtchèn, la Maison d'Équité. Résurrection, justice, tradition, réparation de torts subis. »

Grand-mère reste immobile un moment, puis replace les cartes dans le jeu, et le jeu dans le coffret. Après l'avoir refermé sans bruit, elle pose ses mains croisées sur la table.

« C'est tout ? » dit Pierrino, incrédule et furieusement moqueur. Mais à quoi s'attendait-il donc ? Magie géminite ou mynmaï, la divination est un art obscur.

« Grand-mère doit interpréter, je suppose », dit Senso, un peu hésitant.

Félicien secoue légèrement la tête : « Vous le devez. Ce sont vos cartes.

— Et nous sommes supposés nous souvenir de chacune ? proteste Pierrino.

— Desquelles te souviens-tu ?

— Un voyage sur l'eau », dit aussitôt Pierrino. Puis, d'une voix assourdie : « Il y a un traître parmi nos proches. Un tyran, un despote. Influence de forces occultes, aliénation, sujétion.

— Jiliane a été enlevée par des hommes de Darlant », murmure Senso, accablé.

Pierrino hausse un peu les épaules. « Pas forcément.

— Et toi, Senso, que te rappelles-tu ? » dit Félicien avant que Senso puisse demander à Pierrino d'éclaircir sa remarque.

« Un voyage par voie de terre. 'Xhaïgao le Phénix, Jiliane, dans l'avenir. On voyage pour revenir chez soi. Nous allons la retrouver. Nous ferons justice. »

Dans un grand froufroutement d'ailes, le perroquet multicolore vient se poser sur les dalles de l'esplanade pour s'approcher ensuite de la table en se déhanchant. Félicien fouille dans une poche invisible, en tire quelques croûtes et les lui lance. L'oiseau les attrape au vol.

« Des miettes, murmure Pierrino. C'est tout ce que vous avez à nous donner ?

— Plutôt un fil, réplique Félicien sans se troubler. Mais il faut le dévider. Et ce sont vos cartes. La divination n'est jamais claire, Pierrino. »

Senso s'accoude sur la table : « C'est comme… une histoire, en quelque sorte. Il nous faut reconstituer une histoire, c'est cela ? »

Félicien hoche la tête ; Grand-mère, avec un temps de retard, acquiesce aussi.

Une histoire. Il ne peut imaginer d'abord que des horreurs. Jiliane enlevée, captive, subjuguée par un nécromant. Mais le cheval, les habits ? Une diversion, disait Pierrino ; si elle avait réussi à s'enfuir malgré tout, grâce… grâce à une intervention de l'Entremonde ? Les âmes de leurs parents veillent toujours sur eux, n'est-ce pas ? Les cartes n'ont-elles pas mentionné un contact avec le monde des esprits ? "Une âme qui vous veut du bien" !

« Ce sont eux qui la dissimulent ! » conclut-il avec une joie presque douloureuse. « Elle se sera enfuie sous leur protection afin de nous rejoindre ! Elle connaît notre itinéraire par cœur : elle a dû prendre un bateau pour aller vers le nord, à notre rencontre : voyage sur l'eau. Si nous voyageons par voie de terre, nous pourrons aisément la retrouver en suivant le canal. »

Pierrino le contemple sans le voir, les sourcils froncés. « Les âmes de nos parents la dissimulent, et les mages ne sont pas capables de la retrouver ? résume-t-il enfin.

— Nos parents sont dans *l'Entremonde*, Pierrino ! Qui sait combien d'âmes saintes ils ont persuadées de les aider ? Peut-être faut-il la dissimuler aux mages, si on veut la dissimuler aussi à ce nécromant. »

Pierrino finit par secouer la tête, avec un certain regret : « Il me semble pourtant que les mages le sauraient, d'une façon ou d'une autre. » Il pousse un long soupir. « J'ai une autre histoire : Grand-père a essayé de magnétiser Jiliane… » Il lève une main pour arrêter la protestation de Senso : « … ou Jiliane a fait une crise de somnambulisme plus grave que d'habitude, provoquée ou non. Ou un talent latent chez elle s'est déclenché subitement pour une raison ou une autre… » Il fronce les sourcils d'un air encore plus farouche, mais poursuit : « Peut-être sans même savoir qu'elle se dissimulait elle-même, elle a sellé le cheval et s'est rendue au Boccan. Et peut-être dans l'intention de nous retrouver, en effet.

— Tu ne sembles pas très convaincu, remarque Félicien.

— C'est une *histoire*, rétorque Pierrino, les dents serrées. Qui n'utilise pas grand-chose de vos cartes. D'ailleurs, n'y en avait-il pas une qui disait "divergence…"

— Divergences de vues, conflit, déception, acquiesce Félicien. Les Chevaliers de Mémoire, inversés: “choix entre deux solutions qui décideront de votre vie”.

— Eh bien, si le choix du port du Boccan était bien un subterfuge – une supercherie, une diversion de Jiliane même ? Si elle n'était pas partie à notre rencontre ?

Senso ne peut s'empêcher de hausser légèrement les épaules : « Mais partie où, alors ? À pied ?

— Pas forcément. Sur un bateau, mais dans l'autre sens… »

Il se redresse brusquement en plaquant une main sur la table. Le perroquet s'envole avec un cri de protestation rauque.

« *L'Aigle des Mers !* Jiliane en parle dans sa lettre. Il se trouve à Narbonne, Haizelé devait venir vers le 30 mars. Tu te rappelles, Senso, quand Haizelé est venue rendre visite à Grand-mère… »

Un moment éberlué, Senso se redresse à son tour dans le fauteuil, l'éclair d'espoir est aussi acéré qu'une piqûre de dague, mais oh, oui, il veut bien recommencer de saigner, si c'est pour être vivant de nouveau ! Oui, oui, il se rappelle : les paroles d'adieu de Grand-mère, “Merci d'être là”.

« Jiliane s'en est peut-être souvenue aussi », lance Pierrino, tout excité à présent. « Elle a peut-être pensé qu'elle serait davantage en sécurité avec Haizelé ! »

Plus qu'avec nous ? songe Senso. Puis il fait taire son réflexe blessé. Le 24, ils se trouvaient bien plus loin que Narbonne ne l'est d'Aurepas, et Jiliane ne pouvait savoir exactement où. Et Haizelé a son équipage, et son navire qui peut prendre la mer…

« Tu supposes tout de même qu'elle aurait été attaquée, alors. »

Pierrino va pour parler, serre les lèvres, puis réplique avec un calme forcé : « Pas nécessairement.

Le déclenchement de son talent a pu la plonger dans une grande confusion. C'est ce que nous expliquait dom Patenaude, autrefois, ne t'en souviens-tu pas? Le problème des talents sauvages qui s'ouvrent n'importe quand, n'importe où, sans mages pour les protéger comme les talents détectés avant la naissance. Peut-être… peut-être a-t-elle confondu les temps, et pensé nous retrouver à bord de *L'Aigle* pour le voyage futur dont elle parle dans sa lettre. »

Il se tourne vers Grand-mère: « Pouvez-vous la trouver à Narbonne?

— Pas si elle se dissimule elle-même », dit Félicien.

Pierrino hausse les épaules avec violence: « Quelle magie est-ce là, à la fin!?

— Une magie qui n'est pas la vôtre », réplique Félicien sans se troubler.

Pierrino reste un instant décontenancé, puis il se reprend: « Alors, il faut y aller! »

Il semble prêt à bondir à l'instant. Senso, incertain, angoissé, lui pose une main sur le bras: « Mais, Pierrino, les cartes parlent aussi d'un voyage par voie de terre. Jiliane est peut-être allée à notre rencontre. Elle est peut-être quelque part le long de l'itinéraire que nous avons suivi avec le *Gil-Éliane*. »

Les muscles de Pierrino vibrent sous sa main, les yeux de Pierrino lancent un éclair fiévreux, désespéré; il se laisse brusquement tomber dans un fauteuil: « On ne doit négliger aucune possibilité », murmure-t-il d'une voix altérée.

Cela en fait deux. Le nord, l'est.

… "divergences de vues, conflit; choix entre deux solutions qui décideront de votre vie"…

Du chaos d'idées qui se bousculent dans la tête de Senso, une seule se dégage avec clarté: ils ne peuvent non plus confier cette tâche à des étrangers, quels qu'ils soient.

Mais cela signifie… qu'ils devront se séparer.

Voilà ce que veulent aussi dire les cartes !

Senso fait un pas vers l'étang. Observe un instant les miroitements des carpes, tout en aspirant les bonnes odeurs vertes de la serre. Dans le silence moite et tiède, il peut entendre la petite cascade de l'étang sur ses rochers, les oiseaux de la volière, les froissements de clochettes éveillés par les envols des oiseaux libres dans les bambous. Tant de paix.

« Tirons aux dés », dit-il en se retournant, soudain envahi d'une calme certitude.

Pierrino relève la tête, l'œil terne. « Quoi ?

— Qui ira où, pour chercher Jiliane. Le nord, l'est. Tirons-le aux dés. »

Pierrino se redresse dans son fauteuil. Grand-mère et Félicien restent immobiles un moment, puis Félicien se penche pour ouvrir de nouveau le coffret.

Un petit compartiment intérieur dévoile des dés ; Senso n'en est pas surpris. Félicien les laisse tomber dans sa paume ouverte : cinq cubes taillés dans des pierres semi-précieuses, chacun d'une couleur différente, chacun gravé d'un des signes devenus familiers, les cercles concentriques, le serpent dans le cercle, le triangle à l'envers… Xhèngan, Yungtchèn, Xhingan, Yidchin, Ugépan : blanc, bleu, vert, rouge et jaune. Et sur la sixième face de chaque dé, noire, le symbole du Dragon Fou, Hyundigao : un triangle inachevé posé, la tête en bas, dans un cercle inachevé la tête en haut.

Senso ne lance pas les dés sur la table. Il lui semble qu'il doit pour cela être à genoux. Il s'agenouille donc sur une dalle et, sans secouer les dés, pénétré de ferveur sacrée, il les lance. Pierrino est venu s'accroupir sur les talons près de lui. Avec lui il les regarde rouler, hésiter, s'arrêter. Le dé blanc présente sa face marquée du symbole d'Équité, tout comme le dé bleu et le dé rouge, qui a cependant failli s'arrêter sur Yidchin ; le dé vert s'arrête sur Xhingan, le jaune tournoie longuement pour s'immobiliser sur Xhèngan.

« Yungtchèn », murmure Senso, hésitant. « C'est moi, cela. » Le signe qu'il avait choisi lors de leurs jeux d'enfants, Nomghu qui ondule entre deux moitiés de cercle.

Le silence se prolonge. Il relève la tête vers Grand-mère. Elle regarde l'étang. Félicien dit enfin : « Oui. Vers le nord. »

Le long des canaux. Son cœur bondit. C'est là qu'il désirait aller.

Pierrino semble satisfait aussi, mais il ramasse les dés d'un geste vif et les lance. « Pour voir », dit-il, avec un sourire tordu.

Trois triangles – Xhingan, le signe choisi par Pierrino autrefois – vert, blanc, bleu ; Ugépan sur le dé rouge. Et la face noire du dé jaune : le Dragon Fou.

« Eh bien, je suppose que c'est clair aussi », dit Pierrino en se relevant.

Félicien se penche et ramasse le dé vert : « L'est et le nord », dit-il. Puis il reprend tous les dés et les replace dans le coffret.

Senso se lève aussi, en s'époussetant machinalement les genoux, même si les dalles sont toujours d'une propreté impeccable. Quant à lui, cartes et dés concordent bien assez. Si Sophia et Jésus ont tiré aux dés celui des deux qui partirait en premier, le choix des dés mynmaï est assez bon pour eux aussi.

« Dom Patenaude va s'impatienter, remarque Félicien. Les évêques et le chef de la police vous attendent au pavillon. »

Les évêques et le chef de la police ? Pierrino a l'air éberlué, puis vaguement sarcastique. Senso s'oblige à penser de nouveau à l'autre monde au-delà du jardin-de-Grand-mère. Eh bien, oui, si l'on soupçonne un complot de Darlant ou d'un autre baron du charbon, et s'il y a nécromancie majeure dans les circonstances présentes, c'est une affaire d'État. Pierrino a sans aucun doute tenu le même raisonnement, car son visage prend une expression résolue.

« Allons nous débarrasser de tout cela », dit-il.

36

« Et voici mon présent pour toi, Nuyèntitéh », dit Antoinette avec un sourire bienveillant, en tendant à l'enfant une grosse boîte oblongue ornée d'un magnifique ruban de soie multicolore.

La petite hésite. Gilles sourit : « Mais oui, prends-la aussi, Nuyèn. »

Ouraïn esquisse une petite courbette, mains jointes, puis saisit la boîte avec une impatience retenue. L'impassibilité coutumière de "Nuyèntitéh" commence de s'effilocher, les adieux ont duré trop longtemps – et ces cadeaux qui s'empilent… Mais on ne les ouvrira pas maintenant, il lui faudra attendre au soir. Les ecclésiastes ne se sont pas essayés à des cadeaux interdits, cette fois, comme avec la première pupille – les évangiles traduits en mynmaï, vraiment ! Mais ils ont appris leur leçon après "Xhèngaosu" : les pupilles mynmaï envoyées au domaine par la tribu de Kurun ne doivent pas plus être éduquées dans la religion géminite que ne l'ont été, en leur temps, Ouraïn et sa fille Ourane. Toute l'audace d'Antoinette a consisté cette fois à offrir à la fillette une splendide poupée blonde vêtue à la géminite, en habits de cour.

Nandèh ou Feï, méconnaissable de toute façon puisqu'ils se sont tous deux donné d'autres traits, prend le cadeau des mains d'Ouraïn pour le placer avec les autres dans le grand coffre. C'était le dernier. Ouraïn s'incline une fois de plus devant les ecclésiastes, puis devant Gilles, qui la prend par les épaules pour l'embrasser avec toutes les marques, sincères, de la plus grande affection.

Il se redresse en faisant mine d'essuyer un pleur – les vieillards ont la larme facile, on l'attend de lui : on sait comme il est attaché à ses petites pupilles indigènes. Puis Nandèh et Feï prennent chacun une poignée du coffre et, sans plus de cérémonie, ils descendent le grand escalier d'honneur, suivis d'Ouraïn qui marche avec une grave lenteur. Il sent bien qu'elle a envie de rire, mais aussi qu'elle se retiendra, le temps de grimper dans le palanquin. Le jeu de cache-cache l'amuse toujours, et plus encore maintenant, semble-t-il, puisqu'il implique vraiment pour elle d'être cachée sous l'illusion d'un visage un peu différent. Non que ce soit si nécessaire – elle continue de ne voir que rarement les ecclésiastes et les autres Européens du domaine –, mais tout cela fait partie de la fable élaborée pour pallier ses âges si longs. Elle est dans ses neuf ans, et Nuyèntitéh est censée en avoir onze, comme l'était Xhèngaosu au moment de son départ –, il n'y avait pas tellement de différence entre l'aspect de cet âge et celui d'Ouraïn. Mais cette fois, avec la nouvelle pupille, "Lilunzin", la concordance sera plus problématique.

Après avoir adressé un dernier signe de main à Ouraïn, qui referme le rideau du palanquin, Gilles renifle discrètement. Antoinette pose sur son bras la main attendue : « Pense à ta nouvelle petite protégée, Gilles, et comme elle sera aussi heureuse ici que les précédentes.

— Je le sais, dit-il de sa vieille voix cassée. Mais elle est si jeune, à peine trois ans ! Je crains bien de ne point la voir grandir.

— Allons, intervient Carusses avec gravité, il ne faut pas entretenir de telles pensées. Songe plutôt au beau mouvement de charité dont tu as donné l'exemple. Toutes ces petites orphelines privées de leur foyer par la maladie blanche, et qui bénéficient malgré tout de l'amour d'une famille…

— Et Clément sera là pour veiller sur celles qui continueront de séjourner au domaine, renchérit Antoinette. Quand revient-il de son petit voyage, au fait ?

— Après-demain.

— Ce sera bon pour lui d'avoir une enfant si jeune dans la maison, il pourra s'exercer à être un peu père », dit Antoinette. La vieille femme sourit, mais l'intonation était assez claire : à vingt-trois ans, "Clément" n'est toujours pas marié. Ils harcèlent son fils comme ils l'ont fait pour lui, avec discrétion mais sans relâche. Il n'a pas encore trouvé la compagne qui conviendrait. De fait, il n'est point pressé, après Armande, de renouveler l'expérience.

Avec un soupir intérieur, il regarde la tache rose et or du palanquin qui s'éloigne entre les grands arbres. Et pourtant, il va devoir y songer. On est en 1625. Il va bientôt être temps pour Gilles de mourir.

37

« Gilles ? »

Antoinette, livide, tombe à genoux à l'entrée de la pièce en se signant d'une main tremblante. Carusses souffle à son tour : « Gilles ? »

L'ecclésiaste se reprend le premier – bien sûr, des deux, ce serait le moins surpris de voir une âme leur apparaître ; il contourne Antoinette pour entrer dans la pièce et s'agenouille avec plus de dignité : « Tu es avec la Divinité, Gilles », dit-il en trébuchant un peu sur les paroles consacrées, une main tendue ouverte, l'autre sur le cœur, le geste traditionnel de la Charité : « Que désires-tu ? Nous avons exécuté toutes tes ultimes volontés. T'est-il souvenu d'autre chose dans l'Entremonde ? Parle, nous essaierons de t'exaucer. »

Gilles sourit : « Eh bien, je l'espère. » Il se dirige vers la petite armoire où ils rangent leur liqueur de prune. Ils vont sans doute en avoir besoin. Dommage qu'il ne suffise pas de lever les sortilèges pour que tout devienne clair. Il sort trois petits verres, les pose sur la table et, après avoir versé dans l'un d'eux le liquide verdâtre, il lève un verre à leur santé et le vide d'un seul trait.

Ils le contemplent, les yeux écarquillés. Ce n'est pas ainsi que sont censées se comporter les âmes des chers défunts. Combien de temps va-t-il leur falloir pour sortir de leurs suppositions toutes faites, et lequel en premier ? S'il fallait parier, il parierait sur Antoinette.

Elle l'observe toujours mais, comme Carusses, elle n'a pas encore ouvert son talent. Il devrait leur apparaître translucide, nimbé de lumière, flottant au-dessus du sol… Il a pris soin d'allumer un candélabre, son ombre est bien solide et ses pieds sont fermement posés sur le parquet. Il regarde l'expression de l'ecclésiaste se modifier à mesure qu'elle prend note de ces détails, devenant de plus en plus stupéfaite et affolée. Non, elle n'arrive pas encore à imaginer qu'il est vivant. Il a trop bien réussi ses illusions, dans la jungle. Il a trop bien tué Gilles, il le leur a trop bien fait sublimer.

Il s'approche d'elle, lui prend les bras, la force à se lever. Elle est toute raide, elle vacille. Il la lâche lorsqu'il est certain qu'elle ne tombera pas, relève Carusses à son tour. Les prend tous deux par les épaules pour les amener à la table.

« Asseyez-vous donc, mes amis. »

D'une main tâtonnante, Antoinette trouve le dossier d'une chaise, s'assied comme on trébuche. Carusses en fait autant après un temps d'arrêt, ses yeux un peu vitreux toujours fixés sur lui.

« Tu es mort, dit-il d'une voix blanche. Dans la jungle. Nous t'avons sublimé, comme tu le désirais. Que veux-tu ? Est-ce… » une expression horrifiée passe soudain sur son visage : « Est-ce une nécromancie qui te ramène ainsi parmi nous ? »

Vont-il ouvrir leur talent, à la fin ?

Et soudain, non seulement ils le font mais, se concertant à la vitesse de l'éclair, ils essaient de le paralyser. Ils s'imaginent vraiment qu'il est un nécromant ayant pris l'apparence de Gilles. Mais quel nécromant pourrait-il bien y avoir au village, mes pauvres amis ? Et les indigènes ne sont-ils pas censés être dépourvus de magie ? Avec un soupir, il écarte leur sortilège.

Ce sont eux qui semblent paralysés, maintenant. Ils ne peuvent nier l'évidence de leurs perceptions. Il est là, il est bien vivant, et il est Gilles.

Et s'il se départ de sa garde ?

Ils ont tous deux le même violent haut-le-corps, reculent du même mouvement en faisant grincer leur chaise. Stupéfaits, cela va sans dire. Mais qu'est-ce qui va l'emporter ensuite, l'indignation, la consternation, la terreur ?

La stupéfaction se prolonge. Avec un autre soupir, il va s'asseoir en face d'eux à la table et se ressert un peu d'alcool. La soirée va être longue. Mais il ne veut rien expliquer d'abord. Il est trop curieux de voir quelles interprétations ils vont se donner de tout cela.

Comme il l'avait parié, Antoinette reprend ses esprits la première. Depuis plus de quarante ans qu'elle vit au domaine, elle a malgré tout eu le temps de réfléchir un peu. Sa raideur n'est plus de la même nature : elle n'est plus figée, elle se ramasse en prévision d'un combat. Il sent que son talent explore les limites du sien, sans essayer cependant aucune prise.

« Ton talent a été rouvert », murmure-t-elle enfin avec lenteur.

Il incline la tête avec un sourire encourageant : « Oui. »

Il n'a pas l'intention d'entrer dans les détails, mais elle ne pose pas de question. Il peut pratiquement la sentir penser, et les rouages qui s'enclenchent dans son esprit. Elle se remet remarquablement vite, compte tenu des circonstances.

« Mais comment… a-t-il pu… le dissimuler ? » balbutie enfin Carusses, toujours hébété.

Antoinette examine rapidement l'Entremonde. Revient à Gilles, désemparée, mais en continuant de réfléchir, il le voit à l'expression fixe de son regard. Puis tous ses traits s'affaissent, elle s'affaisse elle-même sur sa chaise avec une expression incrédule et, oui, épouvantée. « Les indigènes, dit-elle, un souffle rauque. Les indigènes l'aident. Il y a… de la magie indigène ? »

Elle le regarde toujours, et il acquiesce encore, en silence. Elle secoue la tête, comme pour repousser encore la vérité.

« Leur magie est très différente de la nôtre », reprend-il avec douceur, tout en les observant avec attention. Ils ne comprennent pas. Ils ne peuvent tout simplement pas appréhender ce qu'il vient de dire. Et puis, c'est de nouveau la stupeur. Et la consternation. Qui s'approfondit peu à peu en épouvante.

Il remplit les deux autres verres presque à ras bord, les pousse vers eux. Carusses ne bouge pas. Antoinette, après un long moment, prend le sien, le porte à ses lèvres, s'arrête là. Elle balbutie : « Mais comment as-tu… comment peux-tu…

— Les magiciens mynmaï qui m'ont rendu mon talent l'ont modifié en le métissant du leur. »

Elle repose le verre sur la table d'une main tremblante, sans y avoir bu, et semble retomber dans son hébétude. Carusses n'a toujours pas bougé.

Après un autre long silence, Antoinette murmure d'une voix atone : « Tu as menti. Sur tout. » Ses yeux se posent sur lui, se détournent, reviennent, se dérobent à nouveau. « Depuis combien de temps ? »

Il la regarde sans rien dire.

« Depuis l'Harmonisation ? »

Il reste silencieux.

« Avant ? »

Il hausse légèrement les sourcils. Elle se tasse encore davantage sur sa chaise : « Le naufrage », murmure-elle, sans inflexion interrogative. « Tu l'as su tout de suite. Ils t'ont recueilli. Les magiciens de Garang Xhévât. Et ils ont pu… ils ont pu… »

Sa voix s'effiloche dans le silence.

« Défaire ce qui m'a été fait », conclut Gilles pour elle. Il a parlé plus durement qu'il ne l'aurait voulu : l'ecclésiaste a un petit tressaillement en reculant sur sa chaise.

Le silence retombe.

Et soudain, alors qu'il ne l'attendait plus, Carusses prend la parole : « Tu as osé », dit-il d'une voix épaissie, rendue presque incompréhensible par la fureur. Ses mains sont serrées sur les accoudoirs de sa chaise, les jointures blanches. « Tu as osé… nous lier ? Nous… nous subjuguer ? »

Le pauvre Philippe n'a vraiment rien compris : il essaie d'alerter à distance les ouvriers de la maison voisine. Constate que la maison est isolée. Se dresse, les yeux fous, en faisant tomber sa chaise, et se jette sur lui, les mains tendues comme des serres en travers de la table.

Gilles le repousse aisément et l'immobilise. Oh, Carusses résiste. Il appelle même Antoinette à son aide. Elle murmure : « Calme-toi, Philippe. C'est inutile. »

Pour finir de convaincre Carusses – car Antoinette, elle, a de toute évidence compris la situation, il le force à redresser sa chaise, à s'y asseoir. Carusses s'exécute avec des gestes saccadés, les yeux exorbités, apoplectique. S'il avait vraiment le soma de ses soixante-dix-huit ans, comme il le croit encore, peut-être son cœur le lâcherait-il en cet instant précis, l'imbécile !

Antoinette se penche vers lui, pose une main sur son bras, quand même affolée malgré son effort pour rester calme : « Ne résiste pas, Philippe. Ne résiste pas ! »

Il ne l'entend peut-être même pas, à travers sa rage immobile.

« Vas-tu donc nous tuer ? » demande enfin Antoinette d'une voix malgré tout tremblante en se tournant de nouveau vers Gilles. « Est-ce pour cette raison que tu te dévoiles ainsi à nous ? »

Il ne peut s'empêcher de hausser les épaules. « Mais non. »

À dire vrai, il a pensé utiliser la menace de les tuer et de les enterrer s'ils faisaient trop de difficultés. Mais ce sont là des mesures extrêmes, qui lui répugnent. Le chantage n'a d'ailleurs d'efficace que si l'on est vraiment prêt à mettre la menace à exécution – ce qui n'est pas le cas. Il pourrait plutôt les menacer de les suspendre. Cela, il y serait bien prêt, car il sait qu'ils ne risqueraient rien : toutes ces histoires d'âmes mises en esclavage par des nécromants ou "perdues" lors d'une suspension trop prolongée sont des inventions. Mais ils y croient, eux, et seraient peut-être assez terrifiés pour retrouver un peu de bon sens. Il préférerait cependant ne pas y avoir recours, et qu'ils eussent au moins une occasion de choisir sans coercition, en sachant la vérité. Ou du moins une part suffisante de la vérité.

Il laisse Antoinette se remettre encore, jusqu'à ce que son regard retrouve une expression lucide. Il est temps de passer à la deuxième étape. Une fois révélés son talent et celui des indigènes, il leur reste encore à prendre conscience de sa jeunesse persistante, et de la leur. Il efface l'illusion qui le voilait encore, en fait autant pour eux.

Ils le contemplent, aussi paralysés l'un que l'autre.

« Regardez-vous », dit-il d'un ton sans réplique, tout en libérant la tête de Carusses.

Après un moment, Antoinette se tourne, dévisage Carusses qui la dévisage à son tour. Avec la même stupeur hébétée, mais qui dure moins longtemps pour Antoinette. Elle fait appel à son talent pour examiner Carusses, s'examiner elle-même. Se tourne vers Gilles et l'examine aussi. Puis se lève, avec des gestes maladroits, pour aller se contempler dans le miroir carré suspendu près de la porte. Revient à pas lents se laisser tomber sur sa chaise.

« Ceci n'est pas une illusion ? dit-elle enfin à voix basse.

— Non. Notre âge à tous trois l'était. »

Elle réfléchit encore.

« Mais nous avons… notre âge ? Toi… et nous ? »

Il incline la tête.

« À quoi est-ce dû ? »

Il ne répond pas, l'observe tandis qu'elle passe elle-même en revue les diverses possibilités.

« C'est un effet de l'ambercite ? »

Il est presque fier d'elle.

« Mais l'ambercite n'est pas magique ! » proteste-elle désespérément.

« Sa fabrication exige de la magie bleue, mais la substance elle-même n'est pas magique. »

Il est assez content de l'explication : c'est la vérité, après tout. L'accumulation de l'ambercite, non l'ambercite en soi, produit tous ces effets inattendus.

Mais Antoinette n'en est pas à démêler les degrés de vérité dans sa révélation. Elle souffle, épouvantée : « De la magie… bleue ?

— Suspension et sublimation. Du moins les billes se forment-elles pendant la sublimation. Qui n'en est donc pas une, à dire le vrai. »

Inutile là encore d'entrer dans les détails. Ils ne l'entendraient pas, du reste : ils le fixent avec une horreur incrédule. Ils ne le croyaient pas capable de magie bleue, c'est cela ? Oh, ils ont bien des choses à apprendre. Il reprend la parole : « J'en suis arrivé à la conclusion que l'accumulation et la proximité de l'ambercite ralentissent la sénescence, car tous ceux qui sont en contact de près ou de loin avec elle y sont peu ou prou sensibles. Vous-mêmes en bénéficiez depuis que vous vivez ici. »

Il les observe avec attention tandis qu'ils prennent la mesure de ce qu'il vient de dire. Ou du moins Antoinette, qui murmure enfin : « Ouraïn ? »

Il avait raison de parier sur elle. « Kurun », admet-il en hochant la tête. Inutile pour l'instant de leur parler de la succession des "pupilles indigènes" qui sont toutes Ouraïn.

Après un autre très long silence, Antoinette demande : « Que veux-tu de nous ? »

Il se serait attendu à plus de lassitude résignée. Antoinette ne s'est pas encore tout à fait rendue. Il la dévisage avec gravité : « Votre silence et votre collaboration. Vous aurez en échange une longue vie au cours de laquelle vous pourrez continuer à faire bénéficier les indigènes de votre charité et de votre instruction, le cas échéant. Je vous aiderai à dissimuler votre apparente jeunesse comme je l'ai fait jusqu'ici. »

Après un petit silence, Carusses éclate d'un rire furieux.

« Quelle collaboration ? » demande Antoinette en posant encore une main sur le bras de son compagnon.

« J'aimerais utiliser vos services à la fonderie, pour commencer. Je dispose de talentés indigènes, mais je les emploie uniquement en synergie. Deux mages de votre talent ne seront pas de trop. »

Ils échangent un regard rapide. Sachant son talent ouvert, ils n'osent se concerter autrement.

« Et si nous refusons, tu nous forceras? » Carusses est toujours aussi enragé qu'incrédule.

Il ne répond pas, ne hausse pas même une épaule. Qu'ils imaginent le pire.

« Il nous a déjà beaucoup forcés », murmure Antoinette après une autre longue pause. « Et nous ne sommes pas les seuls. Armande n'a jamais été grosse, n'est-ce pas?

— Armande? » Le pauvre Carusses n'est toujours pas très vif.

Gilles se contente de les regarder tour à tour, impassible. De fait, Armande l'a surpris: elle a présenté tous les symptômes de la grossesse au fil des mois, comme cela arrive parfois; peut-être son psychosome désirait-il profondément avoir un enfant. Ce n'a été que partie remise pour elle, malgré tout. Elle s'est vite remariée une fois de retour à Garang Nomh, et a pondu trois enfants coup sur coup. Il a quant à lui fort apprécié l'économie générale de magie qu'avait permise le phénomène.

« Mais nous l'avons délivrée », balbutie Carusses. Puis, avec une horreur encore plus profonde: « Nous avons baptisé Clément, nous l'avons… nous l'avons *confirmé*, par deux fois!

— Nous avons cru le faire », murmure Antoinette, en observant Gilles avec une répugnance non exempte cependant d'une certaine admiration. « Comme nous avons cru l'éduquer, trois fois par semaine, pendant des années. »

Carusses semble sur le point de s'évanouir: « De tels… de tels sacrilèges? Mais tu es… il est possédé, Antoinette, aide-moi! »

Même ainsi, paralysé du cou aux orteils, il commence de psalmodier l'un des sortilèges d'exorcisme! Partagé entre agacement et incrédulité, Gilles l'immobilise de nouveau, complètement cette fois.

Antoinette n'a pas essayé de l'en empêcher.

« Des magies si coûteuses, et pendant si longtemps », murmure-t-elle – elle ne perd pas la tête, elle. Elle le considère, les yeux un peu plissés. « Tu ne veux pas continuer de nous forcer.

— Non, cela n'est bon pour personne. »

Il hésite à préciser que ce ne l'est surtout pas pour eux – elle ne le croirait sans doute pas. Mais ils manifestent une instabilité grandissante, laquelle ne semble point due au fait qu'il usait de leur talent pendant justement ces soi-disant leçons avec Clément, car elle n'a point cessé avec elles. C'est plutôt l'effet sur leur psychosome des liens accumulés, de la contradiction croissante entre ce que leurs perceptions leur indiquent et l'injonction de ne pas le savoir – une conséquence malheureuse et imprévue de leur participation à leur propre subjugation… et l'une des raisons pour lesquelles il faut y mettre fin.

« Je préférerais que vous réfléchissiez à la situation et soyez raisonnables », poursuit-il avec bonhomie. « Si je le désire, mon talent ne vous est point perceptible, ni à aucun mage géminite – je l'ai vérifié avec des mages plus puissants que vous. Pas davantage la magie mynmaï. Mais votre apparence de jeunesse serait ma preuve la plus accablante si je voulais vous dénoncer comme nécromants, car croyez-moi, non seulement seriez-vous incapables de dire la vérité, mais aucune interrogation lucide ne pourrait la déceler en vous. L'ambercite est déjà trop importante par ailleurs dans toute l'Europe, depuis trente ans, pour que Hiérarchie et Royauté prêtent beaucoup de foi à des accusations frivoles et infondées. »

Les yeux de Carusses lancent des éclairs, il est écarlate – mais impuissant. Antoinette cependant se ramasse toujours davantage, de plus en plus froidement alerte. Des deux, elle a toujours été la plus réfléchie.

C'est elle qu'il faut convaincre. L'autre suivra tôt ou tard.

« Tu dois nous garder ici, toutefois», dit-elle, les yeux toujours étrécis. « Au domaine.

— Évidemment, et dans votre intérêt aussi : en contact plus étroit avec l'ambercite, vous vieillirez encore moins vite. »

Il faudra sans doute les soumettre à l'autre petit lien, malgré tout, mais il leur en parlera plus tard. Une chose à la fois.

« Nous ne pourrions cependant pas vraisemblablement survivre très longtemps à… Gilles.

— Ce sera facile à arranger, et vous n'auriez pas non plus de difficultés à établir d'autres identités.

— Comme toi. »

Il incline légèrement la tête en lui adressant un petit sourire approbateur. Même Carusses doit commencer de comprendre.

« Combien de temps ? »

Ah, elle a vu tout de suite le problème majeur. Inutile de mentir, ici, il peut même admettre son ignorance, cela pourrait, paradoxalement, la rassurer.

« En toute vérité, je l'ignore. Nous sommes logés à la même enseigne, vous et moi. » Pas tout à fait : il est en contact avec l'ambercite depuis plus longtemps et plus directement qu'eux. Mais puisque les effets ne semblent pas cumulatifs…

« Et les mages qui nous succéderont, tu les subjugueras aussi, pour leur proposer ensuite le même marché ?

— Ils ne resteront pas aussi longtemps que vous. J'ai dans l'idée de limiter leur contrat à une dizaine d'années. Ils n'auront pas le temps de constater les effets de l'ambercite sur eux ou sur autrui. Et je n'aurai pas besoin d'eux à la fonderie, puisque vous m'y aiderez. »

Silence.

« Pourquoi as-tu fait tout cela, Gilles ? » demande soudain Antoinette avec douceur. « Pourquoi avoir menti ainsi ? Penses-tu pouvoir continuer bien longtemps ? N'as-tu pas conscience des terribles disharmonies que tu as déclenchées ici ? »

Il la dévisage, incrédule, puis éclate de rire : « Des disharmonies ? Vous savez fort bien ce qui s'est passé à Aurepas, ce qu'on m'y a fait subir malgré moi, les mensonges affreux qu'on a répandus sur mon compte ensuite – ma mère en est morte de chagrin ! Et vous savez aussi comme on a essayé ensuite de se débarrasser de moi à Sardopolis. Est-ce assez disharmonieux pour vous ? M'avez-vous cru dupe de vos amitiés doucereuses ? Vous êtes ici les agents de la Hiérarchie et du Magistère, tout comme ceux qui vous succéderont. Quant à moi, l'enchaînement des circonstances qui m'ont rendu mon talent m'y a fait voir la main de la Divinité, et c'est son dessein que j'accomplis ici. »

Il se reprend en voyant les questions se former dans le regard de l'ecclésiaste : « Il suffit, je n'ai pas à me justifier devant vous. Je vous offre un choix, en souvenir de notre amitié, mais ma mansuétude à votre égard ne sera pas éternelle. »

Il les fixe tour à tour, les sourcils froncés. Antoinette est figée. Carusses respire à grands coups, l'œil étincelant. Il veut parler. Gilles lui rend sa langue.

« Non », gronde l'ecclésiaste, un rugissement longuement retenu et qui explose lorsqu'il est libéré. « Non ! Je ne prendrai rien sur moi de tes horribles sacrilèges ! Fais ce que tu veux de moi ! Tu es possédé, en vérité, possédé de la même terrible arrogance qu'autrefois. Tu es perdu si loin des sphères divines que même la charité des Gémeaux ne pourrait t'y aller chercher. Que la Divinité ait pitié de toi ! »

Gilles n'est pas réellement surpris, quoiqu'il se fût attendu à plus de prudence de la part de Carusses. Il se tourne vers Antoinette en haussant un sourcil.

Elle reste un long moment immobile, lève soudain le menton. « Philippe a raison. Nous ne pouvons participer à ta folie et nous perdre avec toi. » Puis son visage prend une expression implorante : « Mais nous pouvons t'aider à obtenir le pardon divin et à retrouver le chemin de l'Entremonde, Gilles, si tu consens à renoncer à tes mensonges et à tes machinations, pour te repentir dans un véritable esprit de Charité et d'Harmonie. Je t'en supplie, écoute-nous, Gilles, pense à ton âme ! »

Il n'en croit pas ses oreilles. S'imagine-t-elle donc qu'il va réagir comme une de leurs ouailles au village en entendant "Charité, Harmonie", croit-elle que leur statut d'ecclésiastes possède encore quelque prestige à ses yeux, et leurs paroles un pouvoir quelconque ?

Ou bien elle joue son va-tout, elle ne croit pas qu'il osera rien contre eux, elle a décidé de mettre sa résolution à l'épreuve. Il est légèrement déçu, il doit l'admettre : il la croyait plus fine que cela.

« Très bien », soupire-t-il.

Il la ligote à son tour, voit l'éclair de frayeur dans les yeux bruns ; elle veut ouvrir la bouche, il la scelle. Il n'est plus temps de discuter.

Il ouvre à distance la porte du cellier, les fait flotter l'un après l'autre dans les marches pour les y descendre, les couche à même le sol.

« Vous réfléchirez pendant votre suspension », dit-il.

Carusses est déjà en train de rassembler ses forces. Croit-il encore pouvoir l'empêcher de le suspendre ? Mais un regard calculateur est passé dans les yeux d'Antoinette.

« Ne comptez pas trop vous promener dans l'Entremonde, ajoute-t-il. La suspension mynmaï est beaucoup plus… étroite. Et personne ne viendra s'enquérir de vous : tôt dans la matinée, on vous aura vus repartir dans la jungle afin de poursuivre vos bonnes œuvres auprès des indigènes. »

Un mois, cela devrait suffire à leur psyché pour comprendre mieux la situation et choisir la seule voie raisonnable.

38

« Êtes-vous certains de désirer vous rendre à pied aux mines, Vos Grâces ? demande Gilles. C'est tout de même plus d'une lieue et cela monte tout du long, même entre les deux mines, puisque celle d'orcite est située plus haut, sur le plateau. Nous pourrions prendre les chevaux.

— Allons, Monsieur Clément, réplique madame de Chavannes, nous ne sommes peut-être pas aussi jeunes que vous, mais si vous marchez ordinairement pour vous y rendre, nous sommes capables de le faire aussi. L'exercice est bon pour le psychosome, et après tous ces jours sur l'eau, nous apprécions le fait de pouvoir bouger un peu.

— Quant à son Altesse », renchérit monsieur de Montluçon, faussement jovial, « ce sera aussi sa seule occasion de constater de près à quoi ressemble ce pays. Les berges de la Nomhuéthiun étaient bien monotones, et Garang Nomh ressemble à peu de chose près à tous nos autres comptoirs. »

C'est une pointe, et Gilles la prend comme telle : malgré leurs protestations répétées, les hiérophantes et le prince consort n'ont eu de sauf-conduit que pour se rendre au domaine. Aucun dignitaire géminite officiel n'a mis le pied à Daïronur depuis quarante-huit ans, lorsqu'il y est allé lui-même en 1583 afin d'obtenir la cession de Garang Nomh.

Ils s'engagent dans l'épaisse bambouseraie qui sépare les deux villages afin de rejoindre la route menant à la mine d'ambercite, au nord-ouest. Nul ne proteste à haute voix parmi la demi-douzaine de mages qui constituent l'entourage des hiérophantes, ou les trois nobles qui accompagnent le prince de Bavière ; les douze soldats, quant à eux, emboîtent le pas en bel ordre. On leur a certainement fait à tous la leçon : ils devront s'accommoder des mœurs austères de leur hôte. Le prince Charles, en tout cas, ne paraît nullement s'en formaliser. Il est encore bien jeune, à dix-sept ans, et tout ce voyage est davantage pour lui une excitante aventure. Il jette partout des regards fascinés et, des trois visiteurs, c'est certainement celui dont les curiosités semblent les plus innocentes.

« Comment appelle-t-on cet arbre en mynmaï, Monsieur Garance ? demande-t-il en désignant un arbre à gomme.

— *Chenpèh*, Votre Altesse.

— Et qu'est donc celui-ci ?

— Un kapokier, Votre Altesse. Une autre espèce fort utile. Nous en fabriquons nos propres sandales et des toiles résistantes à l'eau. Les Mynmaï l'appellent *Ganpog*.

— Ah, cela ressemble fort au mot malais.

— En effet, Votre Altesse. Il existe malgré tout certains rapports entre la langue mynmaï et les langues voisines.

— Votre père les a catalogués, je crois.

— Il y a passé de nombreuses années, en effet, Votre Altesse. »

Ils commencent de monter en longeant les jardins communaux du village géminite. On se redresse à leur passage, on leur sourit, on les salue, mais la nouveauté s'est un peu émoussée depuis deux jours, et l'on retourne bientôt au travail tandis qu'ils s'éloignent.

« Tout votre monde est en bien belle santé, dit la hiérophante, même les indigènes mynmaï de vos mines.

— Ceux qui viennent travailler ici ne sont pas enclins à la Mélancolie, Votre Grâce. Nous les choisissons entre autres raisons pour cela.

— Combien d'ouvriers, déjà, dans ces deux villages ? demande le prince.

— Neuf cent douze, Votre Grâce, environ douze cents personnes avec leurs familles.

— Si peu !

— Nous employons surtout des célibataires, Votre Altesse. » Il sourit : « Ils travaillent plus dur pour se constituer un pécule et pouvoir se marier !

— Je voulais dire, seulement neuf cent douze ouvriers en tout ?

— Eh bien, Votre Altesse, on n'en a pas besoin de plus pour l'instant. Leur travail est efficace. Il n'y a presque pas de résidus et très peu de perte à l'extraction, dans l'exploitation des minerais comme dans la fabrication de l'ambercite, vous le constaterez aux abords des mines et à la fabrique. Un dodèce de minerais bruts répartis selon les bonnes proportions donnerait à peu près un dodèce d'ambercite. On ne traite pas plus d'une livre gémelle maximum de matériaux à la fois, cependant.

— À cause de la dangereuse instabilité des poudres », conclut madame de Chavannes avec une intonation d'une si excessive neutralité qu'elle équivaut à une insinuation.

« Toujours aussi peu d'indigènes, cependant », dit le hiérophante, qui ne désire sans doute pas aborder si tôt ce sujet précis.

« Hélas, oui : hormis des Kôdinh de l'est ou du nord, les autres indigènes sont encore réticents à venir travailler au domaine, et ceux des pays voisins ont toujours peur du Hyundzièn. »

De fait, pour l'embauche officielle, il doit toujours se rabattre en grande partie sur des géminites, recrutés à Sardopolis et surtout en Europe. On les choisit durs au travail et durs au gain, ni superstitieux ni impressionnables – et ils se choisissent d'eux-mêmes selon qu'ils acceptent ou refusent ensuite le contrat secret. Les Mynmaï qui travaillent sur les fronts de taille, les *yuntchin* de la fonderie qui ne vivent pas non plus dans les villages, c'est évidemment tout autre chose. Ces indigènes-là commencent de venir plus nombreux aux mines, mais refusent tout contact avec les "fantômes". Ils vivent dans la jungle, ont leurs propres équipes qui ne se mélangent pas aux autres et se contentent de travailler à l'extraction des minerais. Les ouvriers géminites ne se rendent guère compte de leur nombre réel : ils ont du mal à différencier les Mynmaï les uns des autres. Peut-être ces volontaires taciturnes appartiennent-ils à une variante de la secte Hutut'ntsin : selon celle-ci, si l'on rend possible la fusion d'une plus grande quantité des substances primordiales, la fin et le recommencement arriveront plus tôt.

Peu importe, ce seront des bras supplémentaires bien utiles lorsqu'il faudra bientôt augmenter la production, des bras qu'on n'a pas à payer puisqu'ils le refusent obstinément. Et non seulement des bouches qu'on n'a pas à nourrir, puisqu'ils y veillent eux-mêmes, mais qui demeurent et demeureront silencieuses.

« Même après plus de quarante ans ! » s'étonne le prince, dont les pensées ne suivent évidemment pas les siennes ; il a manifesté avec constance, depuis le début de son séjour, un grand souci du bien-être spirituel des indigènes. « Je n'ai jamais ouï parler de superstitions qui eussent la vie aussi dure face à la preuve de leur fausseté.

— On n'a jamais eu la preuve formelle que la magie mynmaï n'existe plus, murmure la hiérophante. Ce pays a été fermé à toute intrusion pendant des siècles, et les pays voisins… »

Pourquoi s'obstine-t-elle, au contraire de son collègue, à ne pas accepter la version courante ?

« Mais si elle existait, ma chère Armelle », remarque son compagnon avec une légèreté un peu forcée, « elle serait si bien celée qu'on ne la percevrait jamais ! »

Il n'offre pour sa part qu'une mimique incertaine et navrée lorsque le prince se tourne vers lui : le jeune Clément n'a évidemment rien à dire sur le sujet. Et même si Gilles n'était pas mort depuis deux ans, et qu'on s'adressait à lui, Gilles n'aurait rien à dire : les angoisses théologiques des géminites face à l'inexistence de la magie mynmaï ne le concernent plus en rien. De fait, il les trouverait plutôt divertissantes, un manque évident de charité de sa part, c'est certain. Mais il ne lui déplaît pas de voir le Magistère obligé d'en rabattre de son arrogance.

« Au moins y a-t-il ici et à Garang Nomh plusieurs indigènes convertis à notre foi », dit le prince, consolant. « Et donc, tout votre monde cultive ces magnifiques jardins pour subvenir à ses besoins ?

— Oui, Votre Grâce, pendant la saison sèche. Quand les pluies tiennent à l'intérieur les ouvriers des mines, ils fabriquent les boîtes et caisses destinées à l'ambercite, ainsi que leurs propres vêtements et autres nécessités.

— Avec des salles de jeux de paume pour se divertir ! » Le hiérophante laisse échapper un petit rire : « Ma foi, mon cher Clément, votre père a créé ici une sorte d'utopie !

— Il tenait à ce que ses ouvriers fussent en santé et bien traités, Votre Grâce, et j'essaie de poursuivre dans cette voie.

— Mais pourquoi avoir ajusté disposés les édifices de sorte à créer ces figures à cinq côtés ? Et seulement trente-cinq pour chaque village…

— Trente-six avec le temple dans le premier village européen, Votre Grâce », rectifie-t-il avec un sourire. Il redevient sérieux : « Mon père pensait au départ que davantage d'indigènes s'en viendraient travailler ici, et il voulait satisfaire leurs superstitions. Cette figure et les chiffres qui en découlent sont fort importants pour eux.

— Il va vous falloir bientôt construire encore de nouveaux édifices, et il n'y aura sans doute pas davantage d'indigènes…

— Je crois que je respecterai malgré tout le plan initial de mon père, Votre Grâce.

— Nous avons notre pentacle, ils ont leur pentagone », intervient le prince en souriant. « À chacun ses symboles. D'ailleurs, n'en partageons-nous pas plusieurs ? Nous considérons comme saints ou chanceux certains des mêmes nombres, trois, cinq ou sept… » Il s'assombrit un peu : « Les chiffres de Garang Xhévât… Hélas, que votre père a été chanceux d'avoir pu voir la ville sacrée, Monsieur Garance !

Il acquiesce en prenant la même expression nostalgique et soupire : « Je n'ai vu moi-même Garang Xhévât que par les esquisses qu'il en a laissées, comme vous, Votre Altesse.

— Même à vous, Clément, cette ville est interdite… »

Il se tourne vers la hiérophante en faisant mine de ne pas avoir entendu l'obscure satisfaction qui perçait dans son commentaire : « Mais oui, Madame. Et elle l'a été à mon père très tôt aussi. »

Ils montent maintenant entre les hautes et denses futaies qui encadrent la route bien pavée ; les cris et les courses d'animaux invisibles résonnent dans la jungle autour d'eux.

« N'y a-t-il pas des bêtes dangereuses dans ces morceaux de forêt indomptée qui parsèment votre domaine ? » demande le prince avec plus d'intérêt que d'inquiétude.

« Elles n'aiment guère le bruit et l'agitation des mines ni de la fabrique, et quant aux villages, elles les évitent. Léopards et tigres ont ailleurs des proies en abondance, tout comme les ours, et les éléphants comme les buffles sauvages préfèrent rester plus proches des zones humides. Il y a aussi des serpents, mais on apprend à s'en accommoder par de simples mesures de prudence. On les tient à l'écart de la maison et du parc, bien entendu. Et les ouvriers sont toujours armés lorsque nos mages ne les accompagnent pas. »

La route menant à la mine d'ambercite est la moins pentue des deux, mais on souffle quand même un peu en arrivant au but. Le prince ne peut retenir une exclamation d'admiration stupéfaite : le vent a dégagé le ciel, et le soleil donne à plein sur la demi-coupe taillée en étages dans la colline, y allumant çà et là des reflets rutilants.

« Et vous dites qu'il devait s'élever ici dans les temps anciens une vaste forêt d'ambrosiers ? murmure le prince.

— Oui, Votre Altesse. On en trouve parfois les troncs transformés en pierre, et ils étaient dix fois plus gros et plus hauts que les ambrosiers du domaine.

— Quel spectacle ce devait être ! » souffle le jeune homme.

Il est décidément bien avenant, ce futur monarque. Curieux, audacieux, imaginatif, l'esprit agile… Sans doute moins ambitieux que ses beaux-parents en ce qui concerne le rayonnement de la France, du moins pour l'instant – il est d'origine polonaise, après tout, et, comme la princesse son épouse, il est né et a été élevé après 1597 ; mais on pourra faire affaire avec lui s'il ne change pas trop au cours des années, tout comme avec la future reine ; cette jeune Royauté saura faire contrepoids à ses hiérophantes un peu trop à cheval sur la Réforme subséquente aux Accords de Lyon.

Ils observent un moment l'activité du chantier, les fourmis humaines affairées sur les terrasses, les chariots tirés par les mules et les ânes : on travaille le double du temps habituel pour entreposer le plus possible de matériaux bruts avant les pluies. Heureusement, nul dans le groupe des dignitaires ne manifeste le désir de se rendre plus avant et, lorsqu'il oblique vers l'est pour prendre la route menant à la mine d'orcite, on le suit volontiers, toujours dans le même ordre : mages et nobles derrière, et lui seul en avant avec les hiérophantes et le prince. On lui fait bien de l'honneur, à ce jeune Clément Garance ; on a décidé de le flatter.

Ils passent entre les rails et leurs chariots, ceux qui partent pleins et ceux qui reviennent vides. Le vacarme et la poussière n'aident pas à la conversation. Sans doute les hiérophantes regrettent-ils maintenant leur caprice : ils devaient visiter les mines et la fabrique le lendemain. Tant pis pour eux. S'ils espéraient y surprendre quoi que ce fût, ils en seront pour leurs frais.

« Mais ce sont des rails en bois ! s'avise soudain le prince.

— Le teck est très résistant, et très abondant ici, Votre Altesse.

— Avez-vous songé à le remplacer par du métal ? C'est ce qu'on installe maintenant dans les mines de charbon, dans toute l'Europe.

— J'espère le faire bientôt, Votre Altesse », répond-il entre le fracas de deux chariots. « Mais c'est tout un investissement.

— Que vous couvrirez aisément, remarque madame de Chavannes.

— Ah, Votre Grâce, je n'ai guère de capital, tout est investi et réinvesti dans notre exploitation : les ouvriers, les villages, les ateliers, les bateaux et leurs équipages…

— Mais tout cela doit être amorti, avec le temps ?

— La demande croît toujours, Votre Grâce. N'êtes-vous point venus nous demander d'augmenter encore la production ? Cela impliquera de nouveaux investissements, davantage d'ouvriers, la construction d'un nouveau village et de nouveaux ateliers, des entrepôts supplémentaires, peut-être même l'ouverture d'autres sites d'extraction, puisqu'on ne peut travailler aux mines que pendant la saison sèche. »

La hiérophante esquisse une petite moue mais ne poursuit pas la conversation. Elle ne peut lui faire grief de sa retenue dans les dépenses : l'Harmonie en toutes choses, surtout en ces temps d'après la Réforme, implique de n'être ni trop riche ni trop pauvre, ou du moins de ne pas l'afficher. Et il n'a en vérité rien à afficher. Sans inquiétudes financières désormais, il pourra répondre aux exigences de la Royauté française. Mais la richesse ne l'a jamais intéressé. Le savoir, par contre, et le pouvoir qu'il confère… C'est lui qui ira renégocier le traité avec la nouvelle reine, Aulangsun, après le départ des hiérophantes et du prince consort. Il est *de facto* l'ambassadeur de la France à Daïronur, au grand dam du comte de Clermont à Garang Nomh, puisque la royauté mynmaï refuse d'avoir affaire à tout autre que lui. Clément Garance. Le fils de Gilles Garance. Le seul étranger libre de se déplacer comme il lui chante dans tout le pays – à l'exception bien sûr de la mystérieuse Garang Xhévât.

Il réprime un sourire.

On arrive enfin, encore plus essoufflé et fort assoiffé, à la mine d'orcite. Les contremaîtres ont été prévenus : l'on a assemblé en hâte de quoi désaltérer les visiteurs et leur permettre de se reposer.

« Savait-on donc notre venue ce matin ? s'enquiert la hiérophante.

— J'ai fait envoyer un coureur par l'autre route depuis les villages, Votre Grâce. »

Une fois dûment rafraîchi, on s'approche pour être impressionné comme il se doit par le cratère de la mine à ciel ouvert et sa spirale creusée dans le plateau.

« Il faut davantage d'orcite que d'ambrose pour fabriquer votre ambercite, n'est-ce pas ? dit le prince. Pensez-vous que cette mine durera encore longtemps ?

— Au rythme actuel, encore une bonne vingtaine d'années, Votre Altesse. Mais nous n'aurons aucun mal à en ouvrir d'autres quand ce sera nécessaire. Les filons sont nombreux et courent un peu partout à fleur de terre, leurs Grâces ou vous-même pourriez les percevoir. Il y en a même sous notre présent gisement d'ambrose.

— Il est bien curieux qu'ils soient enfouis si profond partout ailleurs qu'ils en sont pratiquement imperceptibles », remarque le hiérophante.

Il veut dire “dommage”, bien entendu. Et dommage surtout, n'est-ce pas, Votre Grâce, que l'ambrose n'existe qu'au Hyundzièn. Il faut toujours en passer par les Garance, vous n'y échapperez pas… Mais le pauvre Nathan avait raison, on finit toujours par s'accommoder de ce qu'on ne peut changer, que ce soit la Royauté française et sa Hiérarchie, les autres nations géminites ou celles de la Ligne. Il retient un sourire. Les Garance sont là pour rester, Votre Grâce, que vous le vouliez ou non !

On est revenu aux tabourets pliants et aux rafraîchissements, la gorge desséchée par la vue de tous ces gens au travail. Mais le prince s'est éloigné vers les confins de la plate-forme, où la route s'arrête et d'où l'on peut observer la vallée.

« On voit votre barrage et son lac d'ici ! » s'exclame-t-il, accoudé au parapet comme un simple voyageur.

Il va le rejoindre et contemple un moment avec lui la surface irisée du lac d'un bleu profond en contrebas.

« Mon père en était très fier », dit-il enfin, avec ce mélange curieux d'ironie et de légère mélancolie qu'il éprouve toujours à prononcer ces mots, “mon père”. Puis il se rappelle son rôle et ajoute : « Domma de Margens et dom Carusses y ont bien aidé et en ont bien souffert, les pauvres. Mais on n'aurait pu l'édifier sans eux. Maintenant que la force de l'eau actionne nos machines, nous pouvons éviter le pénible travail de concassage et de broyage à nos ouvriers.

— Vous pourriez utiliser votre ambercite, remarque le prince, surpris.

— On n'utilise pas d'ambercite au domaine, Votre Altesse, ni au Hyundzièn ailleurs qu'à Garang Nomh. Daïronur s'y oppose catégoriquement.

— Toujours ces superstitions indigènes », soupire madame de Chavannes, qui est venue les rejoindre.

Il n'a guère envie non plus pour l'instant de s'engager dans cette conversation-là, et montre plutôt du doigt au prince les découpures claires des bâtiments de la fabrique, à demi dissimulés dans les frondaisons : « Vous pouvez distinguer aussi les entrepôts de matériaux bruts et les ateliers de broyage et de concassage, de ce côté-ci de la rivière, de part et d'autre de la route qui conduit au manoir. En face, la poudrerie, où l'on pèse et dose les minerais broyés, et la fonderie, où les poudres sont traitées pour former les billes.

— Combien d'ouvriers avez-vous là ? demande le prince.

— Environ trois cents, répartis entre la poudrerie, la manutention et l'entreposage.

— Et la fonderie ?

— Une cinquantaine. Nous avons essayé de décharger le plus possible nos ouvriers des tâches les plus dangereuses. C'est encore le barrage qui nous permet d'actionner les machines dans les trois ateliers de la fonderie.

— Mais nous ne les visiterons pas, Votre Altesse », remarque la hiérophante avec un sourire entendu. « Secret de fabrication exige, n'est-il pas vrai, Monsieur Clément ? »

Il sourit en retour, d'un air d'excuse : « En effet, Votre Grâce. »

Il aurait bien pu les leur laisser visiter, en y arrêtant partiellement le travail sous prétexte du danger : il a pris grand soin de la faire équiper à la fois comme une fonderie et comme une briqueterie. Ils y verraient autour des empilades de bois – le point de fusion de l'orcite est assez bas, heureusement, pour ne point exiger l'illusion d'un combustible plus efficace qui aurait nécessité des transports de charbon, une fiction beaucoup plus élaborée ; et, dans le saint des saints, ils pourraient voir des ouvriers affairés, des fours, des soufflets, des cuves, des chariots, des caisses, des moules correspondant à chaque calibre de billes – bien inutiles, puisque les billes se forment d'elles-mêmes pendant la sublimation, en relation avec la quantité de poudres… Et ils n'en sauraient pas davantage en ressortant. Mais il doit continuer à protéger ostensiblement, et de la manière attendue, le secret bien ordinaire, Vos Grâces, de la fabrication bien ordinaire de l'ambercite.

« Désirerez-vous visiter un entrepôt aujourd'hui, Vos Grâces ?

— Pourquoi pas, pendant que nous y sommes ? Nous devons pouvoir tout conter à leurs Majestés, n'est-ce pas, Votre Altesse ? » dit la hiérophante.

Le prince hausse légèrement les épaules. Qu'il n'ait pas retenu son geste est des plus intéressants, car malgré sa jeunesse, ce n'est point un garçon irréfléchi : « Ils ont lu depuis des années les lettres et rapports du père de monsieur Garance.

— Au moins serez-vous le premier de nos monarques à avoir vu de vos propres yeux sur quoi est fondée la richesse de votre royaume, Votre Altesse.

— Ce n'en est pas le seul fondement, Votre Grâce, Divine merci », déclare le prince avec une belle gravité. « Êtes-vous assez reposée, Madame ?

— Oui, merci, Votre Altesse, allons-y.

— Ma foi », dit monsieur de Montluçon, jovial, « nous n'aurons qu'à nous laisser descendre sur la route. »

Les mages et les nobles se lèvent en essayant de ne pas manifester leur consternation. Il ne fait pas excessivement chaud – on est assez haut tout de même sur le plateau, si c'est bientôt la fin de la saison sèche, mais il est presque midi et le soleil plombe, malgré le vent qui souffle constamment du nord-est et les petits parasols dont tout ce beau monde a été pourvu. Ils seront affamés lorsqu'ils auront fini leur tournée.

On s'engage de nouveau entre les deux lignes de rails et leurs chariots plus ou moins brinquebalants. Il ouvre le chemin avec le prince, qui lui a pris familièrement le bras.

« Si j'ai bien compris ce dont on m'a instruit, remarque le jeune homme, la manutention des billes est un processus délicat.

— Oui », renchérit madame de Chavannes en allongeant le pas pour être à leur hauteur, « ce matériau est vraiment bien instable. N'avez-vous rien pu faire là contre ? »

Sont-ils de connivence, après tout ?

« Non, Votre Grâce, hélas. On observe les consignes de prudence, comme dans les mines de charbon, les moulins ou les fabriques de poudre à fusil. Évidemment, cela ralentit quelque peu la production. Mais ainsi, nous n'avons eu à ce jour aucun autre accident regrettable.

— Je commence de croire qu'il vous faudrait des mages ici, surtout s'il faut augmenter la production, dit le hiérophante. L'opération de la fonderie ne serait-elle pas plus sûre si vous en aviez davantage à votre disposition ? »

Il prend une expression d'intérêt prudent. « Ah, Votre Grâce, oui, cela aiderait sûrement. Mais j'aurais vergogne de faire perdre leur temps à d'autres ecclésiastes, et même à des Maîtres, pour des tâches aussi ordinaires en des temps où leurs saintes magies sont si nécessaires ailleurs dans ce pays, avec les effets délétères de la Mélancolie. Car enfin, la simple magie verte suffit à surveiller fusion et cuisson, et le cas échéant à les contenir.

— Eh bien, peut-être alors pourriez-vous employer des membres du nouvel ordre des magiciens ? Ils possèdent une excellente connaissance des sciences élémentales et vous seraient certainement fort utiles. »

Il fait mine de hausser les sourcils : « Voilà une offre bien tentante, Votre Grâce », murmure-t-il en continuant à marcher de l'air d'un homme plongé dans une profonde réflexion.

« Ils signeraient évidemment le même accord de réserve que vos ouvriers de la poudrerie et de la fonderie. »

Il donne à ses traits une expression embarrassée : « Cela ne serait pas suffisant, je le crains, Votre Grâce. »

Comme s'ils n'y avaient pas songé ! « Eh bien », dit enfin le hiérophante feignant qu'il s'agit d'une concession de taille, « on pourrait envisager des garanties plus solides encore. Un lien d'abord, et ensuite un sortilège d'oubli administré par les ecclésiastes du domaine lorsque ces magiciens quitteraient votre emploi. Cela vous semblerait-il assez sûr ? »

Il se fend d'un large sourire, avec la nuance attendue de soulagement : « Tout à fait, Votre Grâce !

— Vous paieriez leur salaire, précise la hiérophante.

— Bien entendu, Madame, et le Magistère les défraierait du coût de leur voyage à l'aller et au retour.

— Ils ne dépendent pas du Magistère sur ce plan.

— Ne lui paient-ils pas un impôt sur les services qu'ils rendent et qu'on leur paie ? »

Le hiérophante hausse un peu les sourcils puis éclate de rire : « Vous négociez aussi serré que votre père, mon jeune ami ! Mais vous le devez, nous le comprenons. C'est entendu. »

Il hoche la tête, sans devoir feindre sa profonde satisfaction. Quand bien même ce serait ce qu'ils avaient décidé de lui proposer au départ, ils se sont commis et ne pourront revenir en arrière lorsque leur plan ne donnera pas les résultats escomptés. Oh, qu'ils seront tous ravis de pouvoir enfin mettre un pied dans la fabrique ! Ils n'en apprendront pas davantage sur le secret de l'ambercite, ils finiront par le constater, mais qu'y pourront-ils ? Certainement pas l'accuser de quoi que ce soit en admettant ainsi qu'ils étaient de mauvaise foi et espéraient bien pouvoir défaire le lien auxquels ils avaient consenti pour leurs espions ! Ils le soupçonneront sans doute, comme leurs prédécesseurs soupçonnaient Gilles, par principe. Mais de quoi ? Ils ne pourront tout simplement pas déterminer pourquoi le sortilège de réserve imposé à leurs magiciens verts sera si efficace !

Il répond en souriant machinalement au salut des ouvriers – des géminites; les quelques indigènes continuent de conduire ânes et buffles ou de pousser à la roue des chariots, impassibles sous leurs grands chapeaux coniques. Il a bien hâte d'en avoir un sous la main, de ces nouveaux magiciens, pour l'étudier tout à son aise. Celui qu'il a examiné sommairement à Garang Nomh était déjà bien assez stupéfiant. Des non-talentés pourvus d'un talent soi-disant prêté par une bonne âme de l'Entremonde ! Voilà une conséquence tardive et pour le moins inattendue des Accords de Lyon. Mais des plus fascinantes. Et, bénéfice ajouté, les "magiciens verts" ne souffrent pas autant du contrecoup, puisque leur guide en prend apparemment une partie…

La petite procession s'engage maintenant sur le pont qui enjambe les flots de la rivière, tout près de sa chute bouillonnante, afin de passer entre la poudrerie et la fonderie. On va aller examiner le premier entrepôt, le plus ancien, puis on reviendra à La Miranda par le chemin cavalier, à travers le parc, pour un dîner bien mérité – et peut-être une courte sieste, après tous ces efforts. Il faudra trouver de quoi les occuper dans l'après-midi. Bah, on leur ouvrira les registres et les livres. Et la bibliothèque de Gilles, avec tous ses précieux documents.

Le prince reprend la parole, tandis qu'un contremaître se hâte vers eux, chapeau en main : « Vous disiez donc que la fonderie comprend trois ateliers correspondant à la taille des billes produites… Voyons si je me souviens bien : l'atelier des Perles et Billes, celui des Boules, et celui des Boulets. »

Il esquisse une courbette en direction du jeune homme, avec un sourire approbateur qu'il ne force pas : « Très bien, Votre Altesse ! Le plus petit calibre utile est la perle, le plus gros le boulet. Trois perles permettent d'éclairer sans brûler pendant douze heures dans un rayon de cinq empans…

— … et un arrangement de deux batteries de douze boulets propulse un trois-mâts comme le *Bourgogne* à quinze nœuds sur à peu près cent quarante lieues », conclut le prince, visiblement admiratif.

« Dommage qu'il faille s'arrêter pour en changer, grommelle madame de Chavannes.

— Même ainsi, c'est bien plus rapide que la simple voile, Votre Grâce », réplique le prince d'un ton un peu sec. « Et l'on n'a plus à craindre vents contraires ni encalmures. »

Commence-t-il de s'irriter à la voir manifester un peu trop clairement ses réticences quant à l'usage de l'ambercite ? On sait de quel côté elle se range dans le débat sur l'étendue à donner à cet usage dans les industries et le commerce français.

« C'est bien vrai, Votre Altesse », dit le hiérophante avec diplomatie, et il prend le bras de sa compagne, ostensiblement pour s'y appuyer, mais pour la ralentir et laisser le prince seul en avant avec leur hôte.

Le jeune homme se tourne de nouveau vers lui : « Je suis surtout surpris de la progression de la force dégagée relativement au nombre de billes, à leur taille et au nombre de batteries, et que ce soient toujours les mêmes chiffres qui y reviennent. N'ont-ils pas rapport aussi avec les proportions des deux poudres ?

— En effet, Votre Altesse. » Il sourit : « Je ne puis vous en dire davantage, vous le comprendrez.

— Certes. N'avez-vous jamais été étonné, cependant, de constater que les mêmes chiffres reviennent dans la construction de Garang Xhévât, d'après les mesures établies par votre père ? »

Gilles lui jette un coup d'œil rapide, mais le jeune homme a une expression de simple et franche curiosité. Impossible de se dérober.

« Cela avait également frappé mon père, en effet. D'après lui, les Mynmaï sont un peuple ancien. Ils peuvent avoir autrefois expérimenté imprudemment avec ces substances, et provoqué des accidents dont leurs plus anciennes légendes auraient gardé le souvenir pour aller nourrir coutumes et superstitions.

— Ah, les substances primordiales », fait la hiérophante d'un air entendu, en les rattrapant derechef pour accorder son pas à celui du prince.

« … fusionnées par l'Étranger de l'Ouest grâce à son talent », enchaîne monsieur de Montluçon, qui en fait autant de son côté.

On n'y coupera pas. Il laisse échapper un petit rire : « Eh oui, Votre Grâce. Mais mon père n'était pas talenté, comme vous le savez fort bien. »

Lui aussi, il peut envoyer des pointes barbelées ! Le regard du hiérophante se fait plus attentif. Inquiet ? Se demande-t-il ce qu'il sait exactement des tribulations de son "père" ? Qu'ils se le demandent donc ! Plus ils sont incertains, plus il a de prise sur eux à leur insu.

« Compte tenu de leurs superstitions, les indigènes pouvaient seulement supposer qu'il s'agissait de magie lorsque mon père y est parvenu. Mais je puis vous garantir qu'il n'y a dans la fabrication de l'ambercite que sciences élémentales bien ordinaires. D'ailleurs, les fables mynmaï mentionnent parfois que c'est le talent de trois magiciennes qui aurait permis cette première fusion réussie et, vous avez pu le vérifier par vous-mêmes, les indigènes de ma maison ne sont pas plus talentés que les autres. Qui plus est… »

Il tire de son habit la boîte du collier, l'ouvre en la présentant au prince : « … les Mynmaï ne répugnent pas à les travailler séparément, Votre Altesse, ces fameuses substances primordiales. Permettez-moi de vous offrir celles-ci. »

Le prince prend la chaîne d'orcite et en examine le pendentif: une grosse larme d'ambrose d'une exquise taille cristalline, sertie dans un ovale de métal cuivré finement travaillé de figures de tigres et de lotus.

« Quel présent magnifique, monsieur Garance ! » Le jeune homme se passe le collier autour du cou, en admire encore le pendentif, relève la tête avec un sourire ravi. « Soyez-en infiniment remercié ! »

Gilles entraîne ses visiteurs avec lui vers l'entrepôt. S'il n'en tient qu'à lui, on ne parlera plus des superstitions indigènes pour le restant de la journée: « Il est bien triste que, avec toutes ces fausses idées, les indigènes soient si lents à se convertir à notre foi », dit-il d'un ton pieusement navré, « et si obstinés à ne pas vouloir être sublimés par les soins de nos mages lorsqu'ils meurent. C'est un motif constant de chagrin pour nos ecclésiastes depuis que les ravages de la Mélancolie se sont accentués.

— Oui, soupire le hiérophante, c'est une situation bien préoccupante, à laquelle nous espérons de tout cœur remédier. Vous devrez à tout prix persuader la reine Aulangsun de permettre à nos Caristes et à ceux qui désirent les aider de quitter Garang Nomh, Monsieur Garance, et d'aller partout secourir ces malheureux, sinon pour les sauver en ce monde, du moins pour leur permettre de transmigrer dans l'autre. »

Madame de Chavannes hoche la tête avec emphase. Ils s'entendent au moins là-dessus: si la royauté mynmaï ne veut avoir affaire qu'à lui, on ne va pas laisser de vaines questions de protocole se mettre en travers de la charité nécessaire pour sauver toutes ces âmes, puisque faute de talentés on ne peut créer des mages indigènes…

Ni en travers de la possibilité pour d'autres géminites, et des mages, d'arpenter tout le pays, même en la compagnie vigilante de gardes royaux.

39

Gilles marche d'un pas assuré dans la pénombre, las mais satisfait. La visite s'achève et tout s'est bien passé. Comme il l'avait prévu, les hiérophantes voulaient surtout rencontrer Clément afin de l'évaluer en personne : on connaissait Gilles en haut lieu, mais son fils est un élément nouveau pour le pouvoir de Lyon comme pour la Royauté. Et il les a obligeamment laissés lui offrir ce qu'il désirait, leurs magiciens verts. Si le talent emprunté de ceux-ci est bien ce qu'il croit, il saura en faire bon usage. Les *yuntchin* recrutés par Chéhyé et Nèhyé ne suffiront plus à la tâche si la production doit augmenter – comme elle le doit maintenant que l'Angleterre et le Hutland christiens commencent de moissonner les bénéfices de leurs ingénieux usages du charbon. Pour maintenir leur domination commerciale, les pays géminites vont devoir faire de leur côté un usage plus poussé et plus diversifié de l'ambercite. Et les talentés mynmaï se laissent moins convaincre. Ils sont moins nombreux aussi, maintenant que la secte Tungâneh fait des ravages.

Décidément, les indigènes ne cessent de le stupéfier par leurs comportements déraisonnables ! La secte

Hutut'ntsin, qui prône de multiplier les enfants talentés afin d'accélérer la fin et le recommencement du monde, n'était pas plus tôt apparue que s'est formée la secte Tungâneh, qui prône exactement le contraire ! Il comprend mieux maintenant le commentaire occasionnel de Chéhyé, ou de Nèhyé : "L'univers dit toujours oui et non en même temps." Malheureusement, les talentés mynmaï lui ont toujours dit à lui plus souvent non que oui, et cela s'aggravait, malgré l'autorité de ses deux Ghât'sin. L'offre des hiérophantes vient à point nommé. Jusqu'ici, en synergie avec les *yuntchin* et les deux ecclésiastes en résidence, il suffisait à la production en compagnie de Kurun et des autres – Ouraïn est bien trop jeune. Ils ne pouvaient continuer ainsi. Kurun se fatiguait déjà au rythme présent.

Il est fort tard, mais les grenouilles du petit lac ne dorment pas, ni les insectes qui bourdonnent autour de lui sans le toucher, ni les animaux nocturnes affairés. Un bruissement à sa gauche : un instant surpris, l'un des cerfs du parc lève sa belle tête empanachée, puis bondit vers le sous-bois. Il sourit : ils sont pratiquement apprivoisés, maintenant qu'ils ont compris que le parc est un sanctuaire où nul prédateur ne peut pénétrer.

Tout au bout de la jetée, une faible lumière filtre encore des persiennes fermées du petit pavillon. Kurun ne dort pas encore ? Toutes les autres nuits, elle était couchée, ainsi qu'Ouraïn, lorsqu'il rentrait du souper et de ses longues tractations avec les hiérophantes et le prince.

Il accélère le pas. Terminées, les tractations. Demain, les visiteurs repartiront pour Garang Nomh, avec leur troupe de soldats augmentée des gardes mynmaï qui campent à la limite du domaine. Demain, il retrouvera ses appartements et Kurun les siens. C'est la dernière nuit où ils dormiront ensemble. Ils font chambre à part depuis si longtemps… Elle venait encore le retrouver assez souvent lorsqu'il était Gilles, même pendant le bref séjour d'Armande, mais depuis qu'il est Clément, ses visites se sont davantage espacées. Il ne peut imaginer Kurun jalouse ; elle avait fort bien compris les exigences de leur situation lorsqu'il les lui avait expliquées. Mais sans doute est-il normal, après tout ce temps, qu'ils soient devenus moins ardents l'un envers l'autre. Leur Harmonie est d'une autre nature, plus profonde et plus subtile. Où qu'ils soient, ils sont toujours ensemble, et cela, rien ne peut le changer.

Assise nue sur la couche basse, éclairée par une unique bougie, elle brosse ses cheveux. Elle ne lève pas les yeux quand il entre, mais les chats qui l'entouraient s'éclipsent avec leur habituel dédain. Seul Tchènzin, languide, reste étiré de tout son long près d'elle. Gilles la contemple un moment, curieusement ému par le murmure de la brosse, le léger crépitement des cheveux noirs, le mouvement lent et gracieux du bras ambré, un spectacle si familier qu'il retombe de lui-même dans ses anciens gestes. Il vient lui prendre la main avec douceur, elle tourne un peu la tête vers lui pour le fixer de ses yeux mordorés. Il ne peut plus aussi bien déchiffrer ses expressions. Elle a cessé de progresser, il doit l'admettre. Elle revient même en arrière. Elle ne parle plus autant, n'agit plus autant par elle-même, se perd plus souvent dans la longue vacance de ses transes…

Elle fronce légèrement les sourcils. « Gilles », dit-elle en penchant un peu la tête sur le côté. Il a encore oublié ! Il murmure “Pardonne-moi” et redevient lui-même en laissant se dissiper le sortilège, un peu agacé malgré tout : elle peut bien le voir sous l'illusion de Clément ! Mais c'est apparemment une question de principe pour elle chaque fois qu'ils sont seuls ensemble. Allons, cela lui fait plaisir et ne lui coûte rien à lui : son habitude de Clément est trop enracinée à présent pour qu'il commette un faux-pas.

Elle lève une main et, avec un léger sourire, touche ses boucles redevenues rousses. Puis elle lui abandonne la brosse en renversant un peu la tête en arrière avec un soupir, les yeux clos. Il commence de lisser la chevelure soyeuse, le cœur soudain serré. La lueur de la bougie est généreuse, mais il y a des fils d'argent dans les cheveux de Kurun. Comment l'expliquer, pour elle qui est si continûment en contact avec l'ambercite, tout comme lui ? Et n'était-elle pas censée avoir été arrêtée "dans son âge" lorsqu'elle a choisi de se suspendre ? Nandèh et Feï sont bien demeurés immuables, mais Kurun, sa belle Kurun, a vieilli. Du moins semble-t-elle avoir une quarantaine d'années, même si elle est toujours aussi belle, d'une beauté plus mûre, plus émouvante.

Son mouvement se ralentit. Ciel, c'était… en 1577 ! Il y a cinquante-trois ans. Il en a soixante-dix-huit, est-ce possible ? Il est si habitué maintenant au jeune visage dans son miroir, le visage de Clément, aux yeux bleus mais aux cheveux bruns, qui paraît ses vingt-huit ans sans excessive illusion magique… Kurun tourne de nouveau la tête vers lui, les sourcils un peu arqués, et il oblige sa main à reprendre son va-et-vient caressant.

« Ils m'ont accordé ce que je désirais », dit-il en mynmaï, à mi-voix, pour ne pas réveiller Ouraïn. « Nous aurons des magiciens verts, une trentaine. »

Il est heureux de pouvoir le lui annoncer enfin – il a passé toutes ses journées avec les visiteurs et n'a pas voulu la réveiller, les autres soirs.

« Les yuntchin qui ne sont pas toujours des yuntchin », acquiesce-t-elle enfin d'une voix égale.

Ne comprend-elle pas la signification de ce changement ?

« Puisque vos yuntchin se sont avérés capables de nos magies bleues, je suis persuadé que nos magiciens le seront aussi. Nous pourrons nous reposer. Tu pourras te reposer. »

Elle garde le silence. Il continue de faire aller la brosse, déconcerté, et même presque vexé de cette absence de réaction.

« Tu es content, dit Kurun.

— Ne l'es-tu point ? »

Un autre silence. Oui, décidément, elle a régressé.

« Je suis avec toi », dit-elle, comme une évidence.

C'est plutôt qu'elle pense avec plus de lenteur. Un effet de la fatigue, peut-être. Il a honte de son agacement. Avec le temps, il pourra lui épargner complètement la fonderie. Entre les *yuntchin* et ces nouveaux magiciens, qui sait, il pourra peut-être lui-même ne pas y travailler aussi souvent, non plus que Nandèh et Feï et les Ghât'sin – et se passer des ecclésiastes. Une fois qu'il aura étudié plus à loisir les magiciens verts, peut-être pourra-t-il même en créer selon ses besoins. N'est-il pas un mage en tout sauf en titre, bien plus puissant que n'importe quel Maître ? Si le talent inférieur de ceux-ci peut pourvoir des non-talentés d'un talent temporaire mais disponible à volonté, à plus forte raison doit-il en être capable.

« Gânu ? »

Ils tournent tous les deux en même temps la tête du côté de la chambre où la petite se soulève sur un coude, avec un sourire endormi.

Il abandonne la brosse pour venir s'accroupir près du matelas. « Il faut dormir, ma Tyènlun. Il est très tard. »

Elle se recouche, les paupières lourdes, et murmure avec approbation : « Gilles ». Il lui caresse les cheveux – ses nattes sont déjà à demi défaites –, pose ses lèvres sur la fossette d'une joue ronde. « Dors, ma chérie. »

En écoutant le souffle de la petite devenir plus égal, il la contemple dans la lueur vacillante de la bougie : la courbe du front, la ligne délicate des sourcils… Elle ressemble décidément en tous points à Kurun ; elle sera aussi belle que sa mère.

Après un moment, il se lève et revient auprès de Kurun. Elle a commencé de natter ses cheveux. Il arrête ses doigts d'un baiser et reprend sa place derrière elle, accroupi sur ses talons. Quand il a fini les nattes et se lève pour se dévêtir, elle s'étend d'un mouvement languide, dans une tranquille impudeur, les bras sous la nuque, seins offerts, jambes légèrement écartées. Le chat noir et feu se dresse, s'étire en bâillant avec dignité, puis disparaît à son tour.

Kurun plie un genou. Elle ne l'a pas quitté des yeux. Surpris, il reconnaît ce geste, cette expression. Mais pas devant la petite ?

« Elle dort », murmure-t-elle, comme s'il avait pensé tout haut. Elle a dû voir son expression choquée. Elle ajoute : « Fais silence autour de nous, si tu le préfères. »

Il reste un instant debout, incertain. Mais son membre ne l'est pas, qui frémit déjà. Il n'a jamais pu, ni voulu, résister à Kurun, moins encore maintenant que ces délicieuses surprises se font si rares. Il isole le lit du reste de la chambre.

Après avoir soufflé la bougie, étendu contre le corps tiède et lisse, il laisse les bras de Kurun se refermer sur lui. Pendant un moment, il est simplement satisfait de sentir s'adapter aux siennes ces courbes si familières, de sentir cette peau satinée contre la sienne : c'est comme revenir chez soi. Puis son désir se fait plus urgent, comme toujours lorsqu'elle le touche, oui, encore maintenant, après tout ce temps. Oh, elle lui a manqué, elle lui manque, il s'arrange toujours pour l'oublier et c'est étonnamment facile lorsqu'elle dort de l'autre côté du manoir, mais en cet instant il se le rappelle, et il va se perdre en elle avec le même abandon frénétique et joyeux, la même avidité sauvage qu'autrefois.

Cela dure une merveilleuse éternité, ou quelques instants, il ne le sait jamais. Les ombres ont-elles changé de place lorsqu'il rouvre les yeux ? Mais une autre petite ombre bouge, qui se glisse vers leur lit. Ouraïn, qui traverse le sortilège d'isolement comme s'il n'existait pas pour venir se blottir entre eux, tel un chat. Par réflexe, il ramène le drap sur lui en songeant paresseusement qu'il devrait se gendarmer – elle a neuf ans, ce n'est plus un bébé. Puis il se rappelle l'absurdité de cette réaction. Il sourit et, se laissant flotter dans une hébétude heureuse, il s'écarte un peu pour faire place à l'enfant, comme Kurun qui se retourne sur le côté en lui offrant son bras pour oreiller. Il tend le bras aussi afin de les tenir toutes les deux à la fois. Ouraïn émet un petit roucoulement satisfait et se rendort presque aussitôt – peut-être n'a-t-elle d'ailleurs jamais cessé de dormir.

Saisi d'une vaste tendresse, il écoute leur souffle paisible, trop épuisé pour la stupeur, mais non pour l'émerveillement. Sa magicienne et son enfant magique. Tant de chemin parcouru, tant de temps écoulé. Il craignait de n'être pas là pour voir Ouraïn grandir – et voilà, la Divinité y a pourvu aussi. Clément pourra l'éduquer et la guider et lui présenter un jour son héritage, et son nom. Le temps venu, il l'adoptera, et le domaine lui reviendra.

Ah, il n'aurait pas dû songer à cela, ce train de pensées l'empêche de s'abandonner au sommeil en le ramenant aux préoccupations du moment. Si Ouraïn continue de grandir au même rythme, elle n'aura pas dix-huit ans avant près de cent ans !

La phrase le retient un moment par son absurdité presque comique, mais il n'y a rien là de divertissant :

y sera-t-il encore ? Il a mis fin à Gilles à soixante-seize ans – une belle durée de vie, mais qui n'a rien d'étrange pour autrui, car Ferdinand Garance ne s'était-il pas éteint paisiblement à l'âge de soixante-neuf ans ? Clément pourrait être d'une aussi remarquable longévité.

Et son fils après lui.

Car il va devoir songer à se marier, encore. Les remarques qu'on lui a faites au souper étaient fort claires : en dehors de domma et dom de Lussac, les nouveaux ecclésiastes du domaine, son entourage direct est exclusivement composé d'indigènes. Il ne s'est pas fait faute de souligner, bien sûr, qu'il dîne souvent avec ses contremaîtres et leur famille, ou chez ses ouvriers géminites, pendant la période des fêtes, à l'Avent, à la Pâque. Mais ces nouveaux hiérophantes sont plus intransigeants que les anciens. Et ils sont jeunes, d'une jeunesse inhabituelle pour leur office – guère plus de quatre-vingts ans à eux deux. Ils dureront longtemps. Peut-être s'adouciront-ils avec l'âge, mais ils ont grandi après les Accords de Lyon, eux aussi, et croient que leur rôle pour l'instant est d'asseoir plus décisivement les acquis de la Réforme. L'Harmonie n'est pas un vain mot pour eux, surtout celle des autres. Rester longtemps célibataire n'a jamais été considéré comme harmonieux en aucun temps – or la famille Garance se doit d'être la plus harmonieuse possible, d'offrir le moins de prise possible aux malveillances et aux ragots. Clément va bien plus souvent à Garang Nomh, reçoit davantage au domaine que ne le faisait Gilles…

Et Clément va devoir se marier. Ce ne sera pas un problème en soi, même si n'importe quelle femme est bien pâle en comparaison de Kurun. Du moins cela lui fera-t-il de la compagnie pour un temps. Même si après quelques mois cette épouse ne sera plus, comme Armande, qu'une simple présence animée – un peu comme les chats de Kurun, en moins silencieux. Mais tout s'est passé comme il l'avait souhaité avec Armande, n'est-ce pas ? De fait, tout devrait être encore plus aisé maintenant : il a jonglé pendant près de trente ans avec Gilles et Clément. Si l'on s'étonne que le mariage de Clément prenne lui aussi fin si tôt... Ah, il y aura bien des mauvaises langues pour prétendre que le domaine est hanté, ou malsain, ou quelque autre baliverne. On ne le répétera pas deux fois. Il sait quoi faire avec ce genre d'imbéciles malveillants.

Ouraïn remue un peu contre lui, et il sent soudain son cœur cogner douloureusement dans sa poitrine. Non, rien de tout cela n'est un problème. Mais il va falloir encore l'expliquer à Kurun, et surtout à la petite.

40

Dom Patenaude et les policiers se lèvent, abandonnant leurs tasses de thé – les policiers n'ont pas touché aux leurs.

« Comment est votre grand-mère ? s'enquiert l'ecclésiaste.

— Comme vous pouvez l'imaginer, répond Senso avec un soupir.

— Vous ne l'avez pas interrogée, ni les domestiques ? » s'étonne Pierrino, tandis qu'ils se dirigent vers la porte du jardin pour sortir, dans la lumière chiche du petit jour.

« Madame Beaupretz arrivait avec la nouvelle, après que son époux eut découvert votre grand-père dans son bureau, et l'un des domestiques de votre grand-mère sortait pour avertir de la disparition de Jiliane. Nous sommes évidemment allés dans votre chambre pour vérifier ses dires. »

Ils gravissent en hâte les marches du perron pour se rendre dans le salon, où monsieur Ozelles, le chef de la police, les attend en effet avec monsieur de Dun et madame de Coutens dans leurs identiques robes bleues et blanches, avec la même expression grave et compatissante. Larché se tient un peu à l'écart; madame Beaupretz et son époux se trouvent là également. « Mes pauvres enfants, murmure-t-elle en leur serrant les mains.

— Oui, tout cela est fort grave », fait l'évêque Marie-Anne. Elle enchaîne, sans plus de cérémonie, en se rasseyant et en les invitant d'un geste à s'asseoir eux-mêmes: « Vous avez donc senti la disparition de votre sœur un peu après minuit. Pourquoi ne pas être allés trouver des mages à Langon? Cela nous aurait fait gagner quelques heures. »

Senso ne sait que dire. Ils auraient dû y penser: l'affaire était trop importante, la magicienne a vérifié s'ils étaient bien allés où elle les avait envoyés, des messages ont circulé à travers le réseau invisible des mages bien avant leur arrivée à Aurepas.

« Auraient-ils trouvé quoi que ce fût? » rétorque Pierrino. Et, sans attendre la réponse, mais sur un ton moins agressif: « Nous étions affolés, nous voulions rentrer le plus vite possible.

— Bien sûr, dit l'évêque Bertrand avec douceur. Au moins savons-nous que, quoi qu'il soit arrivé à votre sœur et à votre grand-père, c'était très certainement vers cette heure-là. »

L'évêque Marie-Anne s'apprête à parler, mais Pierrino s'est tourné vers les domestiques: « De quelle humeur était Grand-père lorsqu'il est rentré du Club avec Jiliane, madame Beaupretz?

— Oh, de très bonne humeur, Monsieur Pierre-Henri. Mademoiselle aussi. Monsieur l'était depuis son retour d'Orléans, d'ailleurs.

— Notre séjour à Paris ne lui avait guère plu, d'après la lettre de Jiliane qui nous est revenue d'Agen, remarque Senso.

— Sur le coup, non, mais il s'y était résigné, je pense, dit monsieur Beaupretz.

— Ils n'avaient aucune raison de se disputer, alors, ce soir-là », poursuit Pierrino.

Madame Beaupretz semble très surprise : « Oh, non ! De fait, depuis son retour d'Orléans, monsieur était très affectueux et prévenant avec mademoiselle Julie-Anne. Il a dîné tous les jours avec elle, il allait même la mener et la chercher au collège de Breilhat avec la voiture.

— Peut-être se doutait-il de quelque chose, murmure dom Patenaude. Mais pourquoi attaquer Jiliane en plein cœur d'Aurepas et non ses frères, qui se trouvaient sur les canaux, bien plus accessibles ?

— Parce que nul n'aurait pu imaginer une telle audace ! » fulmine l'évêque Marie-Anne.

Ou parce que, pour une raison ou une autre, Jiliane est l'élément essentiel des plans de Grand-père : sa lettre indiquait qu'ils joueraient un rôle important tous trois ensemble dans les opérations futures ; en l'enlevant, on brisait leur trio de façon plus efficace. Mais puisque personne n'en fait la remarque, et surtout pas Pierrino, qui a de toute évidence choisi de prendre la situation en mains, Senso garde le silence.

« Vous pensez donc qu'il s'agirait d'un enlèvement, dit Pierrino.

— Oui », dit dom Patenaude. Puis, à l'adresse des évêques : « Comme c'est déjà arrivé en d'autres temps. »

Ils le savent certainement – dom Patenaude les informe donc surtout qu'eux-mêmes sont désormais au courant. Le vague de la formulation est certainement destiné aux oreilles des Beaupretz : les mages en sont informés, et Larché, mais non les autres domestiques ?

Eh bien oui, ou ils l'auraient sans doute appris eux-mêmes bien plus tôt !

« Merci, Madame Beaupretz, Monsieur Beaupretz », dit d'ailleurs l'évêque Bertrand avec son affabilité coutumière. « Nous vous appellerons si nous avons besoin de vos services. »

On attend que les domestiques soient sortis – mais non Larché, qui n'a pas bougé – puis l'évêque Marie-Anne reprend : « L'enquête est lancée, sans résultats pour l'instant. Et l'on ne peut tout simplement pas, en ne disposant d'aucune preuve, soumettre le baron Darlant ou ses proches à une inquisition magique contre leur volonté. » Un rapide regard vers eux, pour s'assurer qu'ils comprennent bien de quoi elle parle.

« Bien sûr », dit Pierrino ; Senso hoche la tête. Ils ne peuvent évoquer leurs propres hypothèses, évidemment ; mais malgré l'absence de réaction des évêques à leurs médaillons, et malgré ce qu'il sait quant aux règles restreignant les incursions des mages dans l'esprit d'autrui – madame de Coutens vient indirectement de le lui confirmer –, il se sent mal à l'aise. Faut-il vraiment dissimuler ainsi aux évêques, et à dom Patenaude, qui n'ont certainement que l'intérêt de Jiliane à cœur ?

Et l'intérêt du Royaume, et de toute l'Europe géminite. Même si tous ces intérêts coïncident pour l'instant.

Divine, le voilà qui se met à penser comme Pierrino ! Ni les évêques ni dom Patenaude ni la Royauté ne sont en ceci des adversaires ! Il murmure intérieurement l'offrande d'entrée au Temple, pour essayer de retrouver un peu d'harmonie. S'interrompt en plein milieu : est-ce bien approprié, alors qu'ils s'apprêtent certainement à mentir encore afin d'expliquer pourquoi ils vont partir chacun de son côté ? Car enfin, leur hypothèse à eux n'est pas compatible avec celle d'un enlèvement.

Est-ce la présence des évêques, leur certitude, leur… normalité ? Avec un petit tressaillement coupable,

Senso se rend compte qu'il y pense maintenant plutôt comme à "l'hypothèse de Pierrino". Celle d'un enlèvement est tellement plus plausible… Et pourtant, sa propre certitude de tout à l'heure, lorsqu'il a fait appel aux dés, ne l'a pas quitté.

« Nous voudrions explorer une autre possibilité », dit l'évêque Bertrand, d'un ton légèrement hésitant. « Comme vous le savez, le cheval manquant aux écuries a été retrouvé attaché au port du Boccan… »

Un soulagement incrédule envahit Senso. « Nous y avons pensé aussi ! Nous en parlions à la maison, et…

— Il doit s'agir d'une diversion », intervient Pierrino.

Mais que fait-il ?

L'évêque semble embarrassé. « Eh bien, oui. Mais on ne parlera pas officiellement d'enlèvement, ni de nécromancie, avant d'en être absolument certain. »

Auraient-ils eu alors, eux aussi, la même idée que Pierrino ?

« Bref, nous aimerions que cette autre piste soit très publiquement suivie, conclut l'évêque Marie-Anne. Y seriez-vous prêts ? »

Alors qu'il constate, déconcerté, que Pierrino a pris une expression vaguement narquoise, l'éclair d'une idée dont il a honte aussitôt traverse Senso. Mais il n'est pas réellement surpris lorsque Pierrino la formule : « Vous désirez que nous servions d'appât. »

L'évêque Marie-Anne le considère un instant, les sourcils froncés, puis déclare : « Oui.

— Vous ne serez pas sans protection, s'empresse d'ajouter dom Patenaude. Monsieur Larché et un policier vous accompagneront l'un et l'autre. Et vous serez armés d'un talisman pour ce qui est de la magie rouge. »

Monsieur Ozelles sort de son mutisme : « Vous serez également suivis par mes hommes », dit-il d'un ton un peu sec.

Senso, ahuri, observe Pierrino qui semble considérer sérieusement la proposition. Il n'envisage tout de même pas de l'accepter ?

« Comment agit donc cette protection magique ? » demande Pierrino.

Dom Patenaude, après un coup d'œil aux évêques, explique : « Il s'agit de bracelets de cheville, bien dissimulés donc, et qui réagissent par une légère brûlure ou démangeaison à la présence ou à l'action à distance de la magie…

— Des bracelets d'avers ? souffle Senso, abasourdi.

— Mais cela n'existe pas ! » dit Pierrino, en lui posant une main sur le bras. Senso se rappelle à temps qu'ils ne sont pas censés en connaître l'existence bien réelle.

Dom Patenaude jette un coup d'œil aux évêques.

« Ils sont très rares et fort précieux », déclare l'évêque Marie-Anne sans se démonter. « Nous tenons leur existence secrète. Compte tenu de leur effet, vous en comprenez assurément la cause.

— Protègent-ils réellement de toute magie ? » demande Pierrino, avec l'incrédulité qui s'impose.

« Et ils préviennent de son usage, acquiesce monsieur de Dun. C'est pourquoi ils vous seront une protection efficace, tout en nous permettant de vous suivre à distance.

— Mais comment le pourrez-vous si ces bracelets isolent leur porteur des incursions magiques ? » fait Pierrino, passé comme il convient de l'incrédulité à un étonnement naïf.

« Une fois lié à son porteur, chaque bracelet possède une… signature caractéristique, que certains d'entre nous sont entraînés à reconnaître. C'est elle que nous suivrons. »

Senso se prend au jeu de Pierrino et demande d'un ton inquiet : « D'éventuels nécromants ne la suivraient-ils pas aussi, alors ?

— Il faudrait pour cela qu'ils en connussent la signature, assure l'évêque Marie-Anne. Ils en prendront plutôt l'aspect pour celui d'un sortilège de protection... ordinaire, en quelque sorte. Et dès l'instant qu'ils essaieront de vous toucher, nous en serons prévenus.

— Nous vous protégerons nous-mêmes », renchérit l'évêque Bertrand en se redressant dans son fauteuil. « Marie-Anne et moi vous suivrons grâce à ces bracelets, préparés à intervenir.

— En faisant appel s'il le faut à d'autres puissants talents, ajoute madame de Coutens. Si l'on s'attaque ainsi à vous, nous pourrons aussitôt remonter à la source, et contre-attaquer. Pour le reste, monsieur Larché s'en chargera fort bien. »

Pierrino hoche la tête, comme convaincu. « Nous serions prêts à tout pour retrouver Jiliane », dit-il, avec la plus grande sincérité – et Senso sait qu'il ne ment pas, tout comme il peut lui-même renchérir sans réserve : « Nous ferions n'importe quoi. »

D'une petite boîte posée sur la table, l'évêque Marie-Anne tire deux bracelets, apparemment de cuivre : on avait espéré, ou prévu, leur accord. Dom Patenaude invite Pierrino à poser un pied sur une chaise et à descendre son bas. Pierrino s'exécute, du pied gauche ; après que dom Patenaude a refermé le bracelet articulé sur sa cheville avec un petit cliquetis, il s'assied pour rajuster son bas.

Senso offre son pied droit, surpris de constater la finesse du métal, la légèreté du bracelet. La fermeture est identique à celle du bracelet trouvé dans les effets légués par Jacquelin, mais les marques semblent différentes, pour autant qu'il puisse s'en souvenir.

« Peut-on les retirer ? demande Pierrino.

— Non », répond dom Patenaude d'un ton rassurant – quoique la question pût avoir un autre motif, au fait : « Seul un mage qui en connaît la signature. Et je doute que la magie rouge même la plus puissante parvienne à les masquer. »

Si un autre enlèvement réussissait, veut-il dire ? Senso remonte son bas avec des sentiments mêlés. Au moins ces bracelets ne réagissent-ils en aucune façon à d'autres magies qu'à l'européenne – ils portent toujours leurs médaillons.

« Dans ce cas », fait Pierrino en se mordillant la lèvre, comme s'il pensait tout haut, « peut-être pourrions-nous doubler nos chances ? Si Senso partait d'un côté et moi d'un autre, cela obligerait peut-être l'agresseur à diviser ses forces... Mais cela nuirait-il à votre protection à distance ?

— Je ne suis pas sûr que... commence dom Patenaude.

— Non, cela n'en réduirait en rien l'efficace », l'interrompt l'évêque Marie-Anne. « Vous êtes fort brave, Pierre-Henri, et vous avez raison. Où penseriez-vous aller et quelles raisons en donnerait-on ? »

Senso suit l'échange en retenant son souffle. Seront-ils si faciles à berner ?

Ou bien, s'ils se doutent de quelque chose, cela leur importe peu, puisque leur but à eux est de forcer l'agresseur à se dévoiler.

Il pense assurément trop comme Pierrino ; et il sait déjà ce que celui-ci va proposer.

« On pourrait dire que Jiliane a voulu rejoindre la capitaine Haizelé à Narbonne. Comme vous le savez sans doute... – les trois mages hochent la tête à l'unisson – ... elle devait venir à Aurepas bientôt. Jiliane... est encore fantasque. Sachant que nous arriverions plus tard que prévu, elle aura voulu nous faire une surprise. »

Il fronce les sourcils : « Il faudrait, évidemment, que le détail de Grand-père retrouvé inconscient dans son bureau ne fût point ébruité.

— Il ne le sera pas », dit aussitôt madame de Coutens et l'évêque Bertrand hoche la tête.

« Mais il ne peut y aller seul ! proteste dom Patenaude.

— Un de vos officiers peut m'accompagner, Monsieur Ozelles. Et d'autres me suivront de loin, n'est-ce pas ? »

Le chef de la police incline la tête, les évêques échangent un regard en faisant de même, et dom Patenaude est obligé de dire, en haussant un peu les épaules : « Eh bien, je suppose que dans ce cas… »

Pierrino se lève : « Alors, je vais repartir pour Narbonne sur le *Gil-Éliane*.

— Et moi à cheval avec Larché », dit Senso, un peu étourdi de la rapidité avec laquelle tout s'est décidé. « Ne lui faudrait-il pas un bracelet, à lui aussi ?

— Il n'en aura pas besoin », déclare dom Patenaude avec une certitude absolue. Et comment peut-il en être si sûr ?

Puis Senso se rappelle que l'hypothèse de l'enlèvement n'est pas, ne peut pas, ne doit pas être la bonne, et que Larché ne risquera donc pas d'être attaqué par une nécromancie inexistante.

« Nous aurons besoin d'argent pour le voyage », ajoute Pierrino, toujours pratique.

L'évêque Marie-Anne se lève à son tour, imitée par l'évêque Bertrand : « Monsieur Beaupretz va s'en charger. »

41

Sur le tapis de la bibliothèque, Ouraïn joue aux osselets, un peu distraite. Ce sont les osselets que lui a offerts Gilles; il a semblé surpris lorsque Xhélin lui a dit qu'on jouait depuis toujours à ce jeu au Hyundzièn: il servait autrefois à la divination, mais on utilise maintenant les cartes et les dés. On joue aussi à des jeux ordinaires avec les cartes et les dés, mais il faut être au moins deux, et ce matin, Kurun est en *igaôtchènzin* avec Nandèh et Feï.

Malgré les fenêtres fermées, le fracas de la mousson emplit tout l'espace, comme si le manoir avait été magiquement transporté juste à côté de la chute du barrage. Pas de promenade dans le parc ce matin, pas de méditation en mouvement avec Gilles ou Xhélin. Non qu'elle y réussisse très bien: elle finit toujours par tomber quand même en *igaôtchènzin* plus vite qu'ils ne le désireraient. Xhélin est plus patient à ce propos que Gilles. Jouer aux osselets est plus efficace, aussi le lui ont-ils prescrit comme exercice. Cela exige adresse et concentration, et une partie d'"astragale", comme dit Gilles, dure longtemps, puisqu'il faut ramasser les petits morceaux d'ivoire sculptés les uns après les autres, d'abord d'une main puis de l'autre, pour chaque ronde. Le vert puis le doré, et le blanc, et le rouge, chacun son tour avec le bleu, qui est la Déesse et ne doit jamais toucher terre. Après, deux à la fois, le doré d'abord avec le rouge, puis le vert et le blanc, et ensuite trois, en gardant toujours pour la fin le vert, qui est la Sagesse, et enfin tous ensemble. Et il y a encore les rondes suivantes, où il faut tout recommencer en mettant les osselets sur la tranche, sur l'autre tranche, les retourner côté bombé vers le haut, puis côté creux… Chaque ronde porte son propre nom, comme chaque osselet, mais ce n'est pas le même en mynmaï et en français, et si l'on chantonne à haute voix tous les noms, cela fait durer la partie encore davantage.

Mais elle y est devenue trop habile : elle vient à bout de la progression sans avoir à recommencer une seule fois, malgré les tentatives de Tchènzin, au début, pour attraper les osselets d'une patte en cuillère.

Elle écoute un instant le bruit impérieux de la pluie et, plus près, le ronronnement des chats couchés autour d'elle. Elle se demande une fois de plus quand elle pourra sentir venir l'*igaôtchènzin* avec autant de certitude que Kurun, Nandèh et Feï. Et puis elle ne pense plus.

◆

Il fait beaucoup plus sombre, mais il pleut toujours. Ouraïn n'a pas le temps de prendre davantage conscience du temps écoulé car, assise par terre devant elle, les bras autour des genoux, une femme la contemple avec une fascination effrayée. Une femme qu'elle reconnaît. Domma de Margens. Pas vieille ainsi qu'elle l'était avant sa mort : jeune, bien plus jeune, comme autrefois.

Mais domma Antoinette a disparu avec dom Philippe dans la jungle, peu de temps après la fausse mort de Gilles, il y a… plusieurs années !

Ouraïn la dévisage, les yeux écarquillés : est-ce cela, alors, un fantôme blanc ?

« N'aie pas peur », dit domma Antoinette.

Ouraïn n'a pas peur. Elle tend une main. La jeune femme a un haut-le-corps, puis se laisse toucher, avec un effort visible. On dirait qu'elle a peur, elle.

« Vous êtes un fantôme blanc, domma Antoinette ? »

L'ecclésiaste semble déconcertée, puis esquisse un faible sourire : « Non. Je suis bien vivante.

— Mais… on a dit que vous étiez morts, tous les deux, et que vous aviez été mangés par des animaux dans la jungle, et tout le monde était très triste au village, c'était bizarre. »

L'ecclésiaste bat des paupières : « Pourquoi, bizarre ?

— Parce que, lorsqu'on est mangé par les animaux, on reste dans la danse et la substance divine retourne pareil à la Déesse après. C'est même mieux, on n'a pas besoin d'être enterré. »

Domma Antoinette la dévisage, un instant, les yeux agrandis. Puis elle semble se secouer. « Mais ce n'est pas ainsi pour nous, dit-elle d'une voix un peu altérée. Pour les géminites. Nous n'enterrons pas nos morts, nous les sublimons. »

Elle continue d'observer Ouraïn avec attention comme si elle attendait une réponse, ou une question. Ne sachant que dire, Ouraïn garde le silence. Domma Antoinette pousse un léger soupir. « Notre magie transforme leur psychosome… Sais-tu ce que c'est ?

Ouraïn hoche la tête, cette fois : « Le soma et la psyché. *Lunzinzièn*. »

Antoinette esquisse un sourire. « Oui, "la musique au pays d'harmonie". C'est très joli en mynmaï. Eh bien, notre magie transforme la *lunzinzièn*, elle la sublime, elle la rend… invisible, pour nous permettre de rejoindre plus vite la… la danse de la Déesse. Si on ne le fait pas, notre âme est perdue. C'est pour cela qu'on était triste, au village. »

Quelle drôle d'idée ! « Mais la *lunzinzièn* fait partie de la *tchènzin*, et la *tchènzin* ne peut pas se perdre. Et elle ne doit pas aller vite. Elle doit passer lentement à travers la terre pour se transformer en *tanpèh* et en *'hètsyèn.* »

L'ecclésiaste plisse un peu les yeux : « Les substances primordiales.

— Oui, et ensuite le Dragon de Feu les mange et elles retournent à la Déesse. Mais… si votre *lunzinzièn* est transformée ainsi, elle ne peut pas devenir *tanpèh* ou *'hètsyèn !* »

Ouraïn s'interrompt, horrifiée : comment font les géminites pour rejoindre la danse de la Déesse ? Est-ce que Gilles devra être *sublimé* un jour ?

« Les substances primordiales, c'est ce que ton père utilise pour fabriquer l'ambercite, n'est-ce pas ? Sont-ce des âmes, alors ? »

Avec un sursaut, Ouraïn entend ce qu'a dit Antoinette. Le cœur soudain un peu battant, elle réplique, en fronçant les sourcils : « Clément n'est pas mon père. »

L'ecclésiaste se redresse un peu d'un air sévère : « Non, il est Gilles, et Gilles est ton père. Tu es Ouraïn et Kurun est toujours là, qui fait semblant aussi. Je sais tout. Réponds-moi donc, l'ambercite est-elle faite d'âmes fusionnées ? »

Ouraïn la contemple un instant, abasourdie. Cette question n'a aucun sens. Comment les billes d'ambercite pourraient-elles être des âmes invisibles ?

« Ton père la fabrique avec le *tanpèh* et la *'hètsyèn*, insiste l'ecclésiaste. Tu as dit que c'est ce que devient… la *tchènzin* avant d'être mangée par le Dragon de Feu. »

Ouraïn commence de comprendre : « Gilles n'est pas le Dragon de Feu », dit-elle, raisonnable. « Il est le Fils du Dragon. Il fait danser la *tchènzin* aussi à sa manière, mais encore plus lentement, avec les billes.

— L'ambercite est donc magique ? »

Ouraïn hausse presque les épaules : « Bien sûr. »

L'ecclésiaste reste un moment silencieuse. Elle semble réfléchir furieusement. « Parce qu'elle empêche les gens de vieillir ? » demande-t-elle enfin.

Ouraïn s'illumine : comment n'y a-t-elle pas pensé plus tôt ? « Vous aussi, alors, domma Antoinette ? Vous êtes comme Gilles et nous, vous jouez au jeu de cache-cache ? »

L'ecclésiaste la dévisage, bouche entrouverte.

« Le jeu où l'on se cache en faisant semblant d'être quelqu'un d'autre ? »

Domma Antoinette cligne des yeux, dit enfin : « Oui.

— Dom Philippe aussi ? »

Domma Antoinette paraît bizarrement embarrassée, tout d'un coup : « Il préfère rester encore un moment bien caché. » Elle fronce les sourcils : « Mais toi, à l'instant, comment te cachais-tu ? Tu es une talentée, je le sais, une *yuntchin*… »

Elle ne sait pas très bien ! « Pas une *yuntchin*, une *Ghât'sin* », rectifie Ouraïn avec dignité.

L'ecclésiaste hausse les sourcils, brièvement déconcertée, mais enchaîne : « Où étais-tu cachée ?

— Je ne l'étais pas », dit Ouraïn, plutôt amusée de devoir apprendre quelque chose d'aussi simple à domma Antoinette. « On peut me voir. Vous m'avez bien vue ? Les chats se souviennent de moi, la maison aussi. »

Une expression de totale incompréhension se peint sur les traits de l'ecclésiaste : « Les chats ? »

Encore plus amusée, Ouraïn regarde autour d'elle. Mais les chats sont partis.

« Les chats se sont sauvés lorsque je suis arrivée », poursuit l'ecclésiaste. Elle semble avoir du mal à garder son calme. « Il y a trois bonnes heures de cela. Je t'observe depuis. Je te voyais, oui, mais pas… pas dans l'Entremonde. Tu sais ce qu'est l'Entremonde ?

— La Maison de la Déesse.

— Tu n'y étais pas. Tu aurais dû y être. Où étais-tu ? »

Quoi, ne voyait-elle donc pas qu'elle était partout ? Elle ne sait vraiment pas grand-chose, alors. Ouraïn la dévisage, soudain un peu méfiante. Elle est vraiment très agitée, domma Antoinette. Un peu comme Gaohletzé, la fois où elle l'a trouvée en *igaôtchènzin* dans le parc et lui a crié des noms lorsqu'elle en est revenue.

« Que fais-tu là, Antoinette ? »

Antoinette sursaute violemment en se tournant vers l'entrée où se tient Gilles. Il semble un peu essoufflé. Il vient de dehors, parce qu'il est Clément – il ne doit jamais être Clément au manoir quand il n'y a pas d'étrangers, Kurun ne veut pas. Il n'est pas content, même si sa voix fait semblant d'être calme.

Antoinette se lève et lisse les plis de sa robe verte. « J'étais venue consulter de tes livres, comme tu m'y as autorisée. L'enfant était là. Nous parlions un peu.

— De quoi ?

— Pourquoi tu ne m'as pas dit qu'Antoinette et Philippe aussi jouaient à notre jeu ? » demande Ouraïn.

Gilles lui adresse un rapide coup d'œil.« Parce que leur cachette était meilleure si tu ne le savais pas tout de suite », dit-il après un petit temps de retard ; mais du coup, il cesse brusquement d'être Clément, comme s'il venait de se rappeler. C'est vrai, alors, domma Antoinette est au courant. Ouraïn est soulagée : elle commençait d'en douter.

« Parliez-vous de cela ? Que faisais-tu à la bibliothèque, Ouraïn ? »

Est-il fâché contre elle aussi ?

« Je jouais aux osselets ce matin, comme tu m'as dit. Mais… je n'ai pas réussi à tenir très longtemps.

— J'ai trouvé Ouraïn dans un état très particulier », remarque l'ecclésiaste, qui semble moins effrayée.

Gilles la dévisage un instant en silence. « Oui, dit-il enfin, c'est ce que font les jeunes talentés mynmaï pour contrôler leur talent. »

Domma Antoinette semble très surprise. Décidément, elle ne savait pas tout comme elle le prétendait.

« As-tu essayé de la toucher ? reprend Gilles.

— Elle semblait suspendue, mais…

— Il ne faut ni la toucher, ni lui parler, ni en parler. Est-ce compris ? »

En tout cas, domma Antoinette sait que lorsque Gilles pose cette question-là sur ce ton-là, il faut répondre "oui", et se rappeler d'obéir ensuite.

« Ouraïn, ajoute Gilles, tu ne viendras à la bibliothèque que lorsque j'y serai pour tes leçons. Comprends-tu ? »

Sa voix est plus douce, mais Ouraïn répond "oui" aussi.

42

« Ah, mon cher Monsieur Garance, voici ma fille aînée, Marie-Jolin. Marie-Jolin, voici monsieur Clément Garance, qui nous fait le plaisir et l'honneur d'être des nôtres ce soir. »

Le marchand a pris la jeune fille par la main pour l'amener dans le cercle. La vingtaine, brune, petite mais aussi délicate qu'un oiseau, elle a un visage aigu comme dévoré par de grands yeux noirs et brillants, qui observent longuement Clément tandis qu'il s'incline en serrant la main tendue. Ce n'est pas de la curiosité, ni de l'audace, mais plutôt… comme on retrouve un vieil ami. Ensuite seulement, et surprenante alors, une expression de perplexité, voilée par les paupières aussitôt baissées.

L'ambassadeur et monsieur Aubrard échangent quelques paroles, une conversation d'abord aimable et dénuée de substance à laquelle Gilles se mêle machinalement sans y prêter beaucoup d'attention, tout en examinant la jeune fille à la dérobée. Ses habits, quoique élégants, ne sont pas à la toute dernière mode comme ceux des autres dames présentes à la réception des Aubrard, certainement un choix délibéré de sa part, car sa famille est une des plus influentes du comptoir. Mais elle sait ce qui lui va, sans doute – et la mode actuelle ne conviendrait ni à sa minceur ni à sa taille.

« … mais nous n'avons rien à craindre de la concurrence anglaise ni hutlandaise, n'est-ce pas, mon cher Clément ? » conclut monsieur du Thou, jovial.

Ah, la conversation a déjà dérivé sur les progrès de l'industrie et du commerce dans les pays christiens : monsieur du Thou, avant d'être ambassadeur, était un commerçant fortuné, et l'on sait où demeurera l'essentiel de ses intérêts.

« Le charbon, si ingénieusement exploité soit-il, ne peut en effet concurrencer l'ambercite, je le croirais bien, Monsieur. Les effets en sont trop délétères pour l'ensemble de la société.

— Du moins cet essor de l'industrie humaine s'accompagne-t-il au Hutland comme en Angleterre d'une remarquable floraison des arts et des sciences », remarque mademoiselle Aubrard. « Le théâtre de l'École de Paris, avec monsieur Corneille et son *Cid*, entre autres, me paraît tout à fait digne d'éloges. »

L'ambassadeur hausse les sourcils : « Le théâtre christien, chère Mademoiselle, baigne dans bien trop de férocité à mon goût.

— Mais les vers en sont fort beaux parfois », réplique la jeune fille, mutine. Son sourire s'efface, laissant percer une certaine tristesse. « Ne serait-il pas à souhaiter qu'un rapprochement plus harmonieux pût avoir lieu entre les nations par l'entremise du beau, et du savoir ? »

Monsieur Aubrard est un peu rouge. Il va pour ouvrir la bouche, mais l'orchestre entame une gavotte à l'ancienne et Gilles s'incline devant la jeune fille : « Me ferez-vous l'honneur de cette danse, Mademoiselle ? »

Elle accepte sa main et l'accompagne dans l'espace dégagé devant l'orchestre. Vive et gracieuse, elle le suit aisément dans les figures de la danse. Ses yeux le cherchent chaque fois qu'ils se font face, inquisiteurs, comme si elle voulait continuer avec lui la conversation amorcée plus tôt. Mais il se contente de lui sourire et, la danse terminée, lui offre un rafraîchissement au lieu de la ramener vers son père. Elle accepte et s'écarte avec sa flûte de vin pétillant vers les grandes portes ouvertes sur la terrasse. Ils boivent un moment en silence. Il la dévisage, elle lui rend son regard, le menton un peu levé. Il décide de ne pas s'encombrer de préliminaires.

« Vous m'avez regardé d'étrange façon, tout à l'heure. Nous ne nous sommes pourtant jamais rencontrés ? »

Elle hésite imperceptiblement : « On m'a parlé de vous. Vous êtes un homme fameux. »

Il n'insiste pas. Les musiciens entament un quadrille endiablé.

« Irons-nous danser encore ? »

Elle fait une petite moue. « Je n'aime pas vraiment la danse, dit-elle enfin. Ou plutôt, à dire vrai, je n'aime pas les foules. » Elle rit, avec un soudain embarras. « Je suis un peu bizarre.

— Qu'aimez-vous, alors ?

— La lecture, la musique et les longues promenades, répond-elle aussitôt, en l'observant avec attention.

— Voilà qui n'est point étrange, quant à moi. Si je le pouvais, je consacrerais tout mon temps à ces activités.

— Feriez-vous une promenade avec moi, alors ? »

La proposition est surprenante. Pour ce qu'il en a entendu, Marie-Jolin Aubrard n'a vraiment point la réputation d'une coquette.

« Certainement. Quand donc ?

— À l'instant ? »

Il hausse les sourcils en souriant, mais elle semble sérieuse et même un peu tendue.

« Avec plaisir. »

Elle se détourne aussitôt, sans attendre son bras, pour se rendre sur la terrasse où quelques autres couples devisent et rient dans la lumière immobile des grandes lampes à ambercite – monsieur Aubrard a tenu à être l'un des premiers à disposer de ce luxe, maintenant qu'on a réussi à fabriquer un verre qui ne fond ni n'éclate à la chaleur des billes. Elle ne s'arrête pas, se dirige plutôt vers l'un des deux escaliers en volute qui mènent au parc plus obscur. Il la suit.

« N'avez-vous pas peur du noir ?

— Non. J'aime la nuit. Et vous ?

— Je vois bien dans l'obscurité.

— La lune va bientôt se lever, de toute façon. »

Non seulement elle n'est pas coquette, mais elle ne semble pas même se rendre compte qu'on essaie d'engager une conversation galante. Ils marchent un moment en silence dans les graviers blancs d'une allée qui serpente en pente douce. La jeune fille ne marche pas d'un pas de promenade, cependant.

« Où descendons-nous donc ainsi ?

— Jusqu'à la mer. C'est mon endroit favori, la nuit.

— Vous promenez-vous donc souvent ainsi ?

— Oui, quand il ne pleut pas. C'est la meilleure partie de la journée. La plus tranquille.

— Ne dormez-vous donc jamais ? dit-il d'un ton plaisant.

— Je dors peu. »

Toujours aucune coquetterie dans ces réponses. Il doit s'avouer qu'il est de plus en plus intrigué.

« Et l'on ne peut toujours lire, évidemment », remarque-t-il.

Elle tourne brièvement la tête vers lui, comme surprise : « En effet. Êtes-vous insomniaque, vous aussi ?

— Non, mais j'ai besoin de peu de sommeil. Et c'est tant mieux, car sinon, je ne pourrais lire du tout ! »

Il la voit sourire dans la lueur montante de la lune à travers les ombres dentelées des arbres. Mais elle ne dit rien et continue de marcher, un peu plus lentement.

Le parc à l'européenne se défait en palmiers, le gravier devient du sable. Le bruit du ressac s'accentue – la mer est plus proche, le souffle humide de la marée montante. La jeune fille ôte ses souliers et, en pieds de bas, oblique à gauche pour suivre le rivage. Plus amusé que surpris à présent, Gilles en fait autant, la voit disparaître dans un amoncellement de rochers qui arrondissent leurs dos sur le sable. Il les contourne. Ils forment une sorte d'escalier géant ; la jeune fille est assise sur l'avant-dernier, adossée dans un creux de la roche, les bras autour des genoux. Il la rejoint, reste un moment debout à examiner les alentours.

« Ne serons-nous pas bientôt coupés de la plage par la marée ?

— À peine. Il faudra se mouiller un peu les pieds pour revenir. »

La lune s'est dégagée des arbres, énorme et radieuse pour l'instant, découpant le profil net de la jeune fille sur la roche. Il s'assied près d'elle, écoutant distraitement le va-et-vient obstiné des vagues.

« C'est mon refuge favori depuis que je suis enfant, dit-elle soudain. Mes parents ne pensent jamais que je puisse aimer la mer et en venir si près. Ils détestent l'eau. Ils ne savent pas nager. La première fois qu'ils m'ont vue ici entourée par les vagues, ils étaient terrifiés. »

Il lui jette un regard de biais : « Mais vous savez nager, vous.

— Oui. » Elle le dévisage de nouveau longuement, hésitante. « Vous devez me trouver bien sauvage.

— Je me sens plutôt honoré de votre confidence.

— Vous savez garder les secrets. »

Il l'observe avec un léger raidissement intérieur, pendant que la lune monte rapidement dans le ciel, ourlant les nuages d'argent. Mais il n'y avait aucun sous-entendu dans la voix de la jeune fille, simplement – étrangement – de la certitude. Elle contemple la nappe lumineuse de la mer, fragmentée en milliers de reflets dansants.

« Je vous en confierai un aussi, alors, dit-il en souriant. Si je pouvais me le permettre, je serais plutôt sauvage aussi. Mais je dois venir lorsqu'on m'invite, et je dois inviter en retour.

— Parce que votre père ne le faisait guère ? »

Décidément, elle l'étonne, et plutôt agréablement. Il soupire : « Oui. Les Garance ne peuvent se permettre d'être des sauvages. »

Elle appuie son menton sur ses genoux. « Je vous envie de vivre si loin de Garang Nomh. Je n'ai encore jamais quitté le comptoir, et tout ici est tellement… géminite.

— Eh bien, nous sommes assez géminites malgré tout là-bas », dit-il d'un ton plaisant, mais de nouveau sur le qui-vive. Où veut-elle en venir ?

« Ce n'est pas une ville. » Elle prononce le mot avec une évidente répugnance. « Et vous pouvez aider les indigènes de plus près. »

Serait-ce de cela qu'il s'agit ? Une vocation charitable contrariée par la famille ? Car on ne fait pas mystère à Garang Nomh du désir de monsieur Aubrard de voir sa fille se marier le plus vite possible, et si possible à l'un des prétendants qu'il a en vue, afin d'assurer le succès de son florissant commerce de bois précieux.

Il observe la jeune fille à la dérobée, mais elle ne le regarde pas ; tout à fait détendue, elle a les yeux fixés sur l'éclat montant des vagues. Et de fait, sa dernière phrase n'avait pas le ton d'une plainte, mais d'une constatation.

« C'est si tranquille chez vous, reprend-elle d'une voix rêveuse, le manoir, le parc avec ses animaux si bien protégés, et le joli pavillon sur le lac… »

Il sursaute. Le manoir, la construction n'en est pas complètement achevée, mais elle peut en avoir entendu parler, comme pour le parc ; personne n'a jamais mis les pieds au pavillon, cependant ; on ignore la transformation de l'étang en lac – on ignore même l'existence du pavillon et du lac, désormais !

« Quel pavillon ? »

Son intonation était plus sèche qu'il ne l'aurait voulu, mais la jeune fille tressaille à peine, les yeux fixés sur les miroitements des vagues toujours plus proches. « Le pavillon de bambou qui flotte sur l'eau. Des chats y sont souvent, avec les fées. »

Les *fées* ? Tout cela est par trop étrange. « Comment le savez-vous ? » demande-t-il, en essayant de rester calme.

« J'en rêve parfois », dit-elle, toujours avec cette même intonation curieusement détachée. « Je rêve de vous. »

Il demeure interdit. « Quand cela ? » finit-il par dire, en adoptant le même ton qu'elle.

« Plusieurs fois. J'ai rêvé ceci, vous et moi, sur ce rocher. Parfois nous parlons, et parfois non, mais nous sommes ici, ensemble. »

Il ne sait que dire. Il ne sait même que penser. Il n'a jamais rien entendu dire de tel de la fille aînée des Aubrard ! S'agit-il d'une lubie de jeune fille trop fantasque ? Se serait-elle mise, pour une raison ou une autre, à se croire amourachée de lui, même s'ils ne se sont jamais rencontrés auparavant ?

Mais ne l'a-t-elle pas regardé curieusement, tout à l'heure, comme si elle le reconnaissait ? Et il n'y avait à l'instant aucune ferveur amoureuse dans sa voix : toujours une simple énonciation de faits.

Il l'observe avec attention. Elle n'a pas bougé depuis un bon moment, adossée contre la roche, les mains à l'abandon dans son giron.

Une impulsion subite lui fait ouvrir son talent – il y a longtemps qu'il ne craint plus de le faire à Garang Nomh. Marie-Jolin est dans l'Entremonde une psyché dense et compacte, soulevée à ses confins de pulsations capricieuses, aux vibrations vaguement familières. Des filaments inquisiteurs s'en élancent. Il en touche un.

La psyché tout entière de la jeune fille s'embrase.

En panique, il referme autour d'eux un cercle de nuit. Reste aux aguets, l'esprit en déroute, pour savoir si quiconque dans l'ambassade a perçu ce soudain jaillissement de talent.

Rien. On danse, on boit, on discute. Il a fait assez vite, sans doute.

Il revient à la jeune fille qui n'a toujours pas bougé, indifférente à ce qui vient de se passer comme aux embruns qui éclaboussent maintenant ses bas et l'ourlet de sa robe de soie.

Mais ce n'est pas une talentée !

Et comment peut-elle ne pas avoir conscience de son talent à lui, en cet instant ?

Et soudain, il se rappelle où il a déjà perçu les vibrations d'une psyché similaire.

Les magiciens verts.

« Marie-Jolin », dit-il, en se forçant à parler d'un ton égal et doux, « rêvez-vous, en ce moment ?

— Oui.

— Voyez-vous… le petit pavillon sur le lac ? »

Elle ne répond pas tout de suite, puis : « Oui.

— Comment est-il ?

— Désert.

— Pouvez-vous y entrer ? »

Le corps tout entier de la jeune fille est agité de légers tressaillements. Puis ses yeux bougent tandis qu'elle tourne la tête à droite et à gauche. « Les fées n'y sont pas. Le chat noir nage autour. Il ne veut pas vraiment attraper les poissons. »

Il lance son talent vers le domaine. Le pavillon est désert, et Tchènzin joue paresseusement avec les carpes.

À cette distance ? Alors que les mages… ?

« Voyez-vous… les fées ? »

Elle semble déçue : « Non, je ne les vois nulle part.

— Comment savez-vous que ce sont des fées ?

— Elles apparaissent et disparaissent capricieusement. Surtout au pavillon.

— Comment sont-elles ? »

La jeune fille sourit, l'air ravi : « Très belles, très lumineuses.

— Mais à quoi ressemblent-elles ? Ont-elles forme humaine ?

— Non, ce sont de grands voiles de lumière, qui dansent.

— Combien y en a-t-il ?

— Trois grandes et une petite. »

Elle perçoit les Natéhsin et Ouraïn dans l'Entremonde, mais pas autrement ? Et personne d'autre ?

« Ont-elles des noms ?

— Je ne les connais pas. »

Il réfléchit à la prochaine question, dans le clapotis obstiné de la marée.

« Et moi, me voyez-vous parfois au pavillon, ou dans le domaine ? »

Elle sourit: « Non, vous êtes toujours ici avec moi.

— Et de quoi parlons-nous ? »

Elle soupire: « Je n'entends jamais parler, dans mes rêves. » Un autre sourire: « Mais nous sommes amis. »

Il écarte ses pieds de l'eau insistante – ses jambes sont plus longues que celles de la jeune fille. « Avez-vous déjà confié tout ceci à quiconque ?

— Non.

— Pourquoi pas ? » ne peut-il s'empêcher de demander, soulagé mais surpris.

« Cela ne concerne que nous deux », dit-elle, comme une évidence.

Il la contemple longuement, tout en essayant de réfléchir. La situation est par trop inattendue. Est-ce encore là une intervention de la Divinité ?

Mais ce n'est point le temps ni le lieu de s'interroger là-dessus. « Il va falloir rentrer », murmure-t-il, plus pour lui que pour elle.

Elle tressaille en se tournant vers lui – et son talent se referme. Il ne rappelle pas le sien tout de suite, observe les environs. Et si c'était un piège ? Mais nul ne les épie. « Il faudrait rentrer », dit-elle à son tour, comme si elle ne l'avait pas entendu le dire.

Il la dévisage, stupéfait. Une expression embarrassée passe sur le visage de la jeune fille: « Étais-je partie dans une de mes rêveries ? Je vous prie de m'en excuser.

— Non », dit-il sans la quitter des yeux, « c'était un répit bienvenu. Il fait si paisible, ici. Je rêvais aussi. » Il pèse un moment ses choix, se décide: « À quoi rêviez-vous donc ? »

Elle a une expression un peu déconcertée: « Je ne sais trop. Mais… » – elle lui sourit avec un charmant embarras « … je vous sais gré de m'avoir tenu compagnie.

— C'était un plaisir. » Ne se souvient-elle donc de rien ?

« Il n'est pas dans mes habitudes d'agir ainsi », reprend-elle, perplexe. « Mais… Cela vous est-il jamais arrivé… de rencontrer une personne pour la première fois et d'avoir le sentiment d'être en pays de connaissance ?

— Quelquefois. » Il hausse un sourcil : « Nous serions-nous donc connus dans une autre existence que celle-ci ? »

Elle a un petit rire embarrassé : « C'est très arrogant pour moi de le penser, je le sais bien, mais c'était tellement vif, sur l'instant… Il faut me pardonner de vous avoir entraîné si loin de la réception, Monsieur Garance. Vous aviez certainement mieux à faire. Mais je vous ai traité… comme je l'aurais fait d'un ami. »

Il se lève, lui tend une main pour l'aider à en faire autant. « Eh bien », dit-il en souriant, touché malgré lui, « appelez-moi Clément, soyons amis et vous pourrez me traiter ainsi aussi souvent que vous le voudrez. »

43

Ouraïn, sur le seuil du grand salon d'honneur, contemple sans grand enthousiasme la foule qu'elle va devoir traverser seule. Kurun a refusé d'apparaître aujourd'hui, mais il n'était pas question que Lilunzin, en tant que petite-nièce du marié, n'assiste pas aux réceptions qui suivent le mariage au manoir. Gilles la voulait là, et qui plus est vêtue à l'indigène et non à l'européenne, justement pour qu'on la voie. Elle soupire. Clément devait-il vraiment se marier au domaine ? Pourquoi pas à Garang Nomh ?

Mais elle sait pourquoi, la même raison qui amène plus de visiteurs au domaine que du temps de Gilles : il veut que des gens ordinaires puissent y venir de temps à autre et voir que tout y est bien ordinaire aussi.

Quelqu'un se glisse près d'elle, une voix féminine déclare, plutôt consternée : « Tant de monde ! »

Elle tourne la tête vers Marie-Jolin. La jeune femme s'est encore changée. C'est une autre robe que celle de ce matin, de la soie chatoyante, un semis de toutes petites fleurs multicolores sur fond bleu très clair, qui met en valeur sa peau brune. Il y a moins de dentelles blanches partout, bras et épaules sont bien plus découverts que du temps d'Armande – heureusement pour elle, car on entre dans la saison chaude.

« As-tu vu Clément, Lilunzin ?

— Non, mais il est quelque part ici. »

Marie-Jolin se hausse sur la pointe des pieds pour regarder vers le salon – elle n'est guère plus grande que Kurun elle-même. Puis elle fronce comiquement le nez : « Eh bien, il va falloir se jeter à l'eau, je le crains. M'accompagnerais-tu ? »

Ouraïn dit “Oui” en rendant son sourire à la jeune femme. Marie-Jolin est si légère, si joyeuse, comme un petit oiseau. Et elle est jolie aussi, cette nouvelle femme de Gilles, autrement que la première, délicate mais preste, on dirait qu'elle ne touche jamais tout à fait terre. Et si chaleureuse, si spontanée, qu'on a du mal à lui résister. Lorsqu'elle est arrivée à La Miranda, il y a une semaine, et qu'elle les a vues ensemble, elle et Kurun, Ouraïn a cru qu'elle allait s'élancer pour les étreindre, tant elle semblait ravie. Mais elle s'est arrêtée à deux pas et les a gravement saluées à la mynmaï, mains jointes. Et Kurun, de façon stupéfiante, a souri en lui prenant les mains et en l'appelant “petite sœur”. Et c'est vrai, même si Marie-Jolin n'est pas une talentée, sa *tchènzin* est une petite lumière dense et vibrante qui résonne et chante avec des accents curieusement familiers dans la Maison de la Déesse.

Et puis, elle joue juste assez bien aux osselets.

La jeune femme lisse sa robe, remet en place des boucles échappées à sa coiffure. « Ai-je l'air convenable ?

— Tu es très jolie.

— Et toi très généreuse, Lilunzin. » Elle lui tend une main : « Viens-tu ? »

Ouraïn se laisse entraîner avec gratitude. C'est moins impressionnant de traverser la foule avec Marie-Jolin qu'avec Kurun, même si elle est bien consciente des regards qui les suivent.

Il n'y a jamais eu tant de monde au manoir. La famille Aubrard, une douzaine de personnes à elle seule, leurs amis les plus intimes, et les invités de marque qui ont tenu à venir manifester en personne, avec leur entourage, leurs bonnes relations avec le propriétaire du domaine. Heureusement qu'on a mis les dernières touches au manoir avant le mariage. Le manoir de Gilles, bâti selon les plans de Gilles mort depuis dix ans, "qui ne l'aura pas même vu commencé, hélas" – vingt personnes au moins ont déjà dû faire ce commentaire depuis leur arrivée.

Sans lâcher la main de Marie-Jolin, Ouraïn cherche Clément du regard, mais elle ne l'aperçoit toujours pas à travers la presse – on déborde dans les petits salons attenant à la grande salle. Elle pourrait le trouver autrement, mais il ne faut pas. Non que tous ces mages géminites dussent remarquer quoi que ce soit, mais c'est une question de principe. Écouter et observer parce qu'on le lui a demandé, à la rigueur. Se servir de son talent dans son propre intérêt, non. Il faut essayer d'obéir à tout le monde, à Gilles comme à Kurun et à Xhélin.

Elle flotte à travers la salle dans le sillage de Marie-Jolin, en accrochant au passage des bribes de conversation. Il lui faut s'en souvenir : Gilles lui posera des questions. Ce n'est pas tout que lui sache ce qui se passe et le lui explique, elle doit chercher à savoir et à comprendre par elle-même. Il lui faut cette "pratique" pour suppléer à ce qu'il lui apprend, à ce qu'elle apprend avec domma Antoinette. C'est amusant, d'une certaine façon, comme si elle devait chercher les pièces d'un casse-tête dissimulées un peu partout.

« … Mais c'était ce qu'il avait souhaité par testament vif.

— … pauvres mages, ils ne lui auront pas survécu longtemps.

— Ils avaient fait leurs études ensemble à la Maîtrise d'Aurepas, à ce qu'il paraît ? »

Les deux anciens évêques de Garang Nomh, madame et monsieur de Bourbonnais, parlent de Gilles avec monsieur Lanciel, l'un des conseillers du village ouvrier. Monsieur de Bourbonnais les voit passer et leur adresse un sourire ; elle peut sentir qu'il continue de la regarder.

« Crois-tu que nous pourrions nous séparer ? » lui souffle Marie-Jolin à l'oreille. « La première qui trouve Clément lui dit que l'autre le cherche, d'accord ? »

Elle répond “D'accord”, et regarde Marie-Jolin se perdre entre les habits chamarrés et les robes éclatantes, souriant ici, saluant là, embrassant l'un ou l'autre, riant d'un compliment ou acceptant aimablement des congratulations. Pour une qui n'aime pas les foules, elle fait bien semblant d'être à l'aise. « C'est comme un jeu », lui a-t-elle dit, lorsque Ouraïn lui en a fait la remarque. « Sais-tu ce qu'est le théâtre ? Eh bien, tu imagines que tu es dans une pièce de théâtre et que tu es quelqu'un d'autre que toi. » Ouraïn s'est retenue très fort pour ne pas lui répondre qu'elle fait cela depuis bien trop longtemps. Quoique, à bien y réfléchir, ce n'est pas exactement pareil ; sous tous ses noms différents, et malgré les petites illusions qui changent un peu son apparence, elle n'a jamais essayé d'être une autre qu'elle-même.

Elle passe le long des tables où sont disposés les rafraîchissements et où jeunes femmes et jeunes gens du village s'affairent au service, vêtus pour l'occasion de leurs beaux habits du dimanche. Point de douceurs, seulement des fruits, davantage pour la décoration que pour l'appétit : un autre banquet va se tenir plus tard dans la soirée sur la place du plus ancien village géminite. Clément a renoué avec les premières habitudes de Gilles qui, sur son vieil âge, trop las, ne mettait plus les pieds dans les villages ni à la fabrique : il tient à ce que ses ouvriers soient associés aux fêtes de sa famille, tout comme il participe aux leurs.

Et Lilunzin y sera aussi, puisqu'elle fait partie de la famille. Heureusement, on ne la mettra pas à la table des enfants. Elle siégera près de Clément. Marie-Jolin ne sera pas très loin. Ce ne sera peut-être pas trop pénible.

À vrai dire, elle pourrait sans doute se tirer d'affaire en circulant rapidement dans la grande salle et les salons, et en allant ensuite jouer dehors avec les quelques enfants qu'on a amenés de Garang Nomh. Ils ne la connaissent pas, peut-être seraient-ils moins gênés avec elle que ceux du village. Mais elle sait d'expérience qu'elle n'est pas douée pour leurs jeux, qui ne l'amusent guère. C'est plus divertissant, ou moins ennuyeux, d'écouter les adultes. Et puisque Gilles considère que cela fait partie de son éducation…

C'est tout de même de plus en plus étrange. Lorsqu'elle était petite, elle en était moins consciente. Maintenant, même si sa notion du temps écoulé reste floue, elle commence d'avoir vraiment beaucoup de souvenirs. Elle regarde les anciens évêques, ou monsieur de Luzès, l'ambassadeur d'Espagne à Garang Nomh, et elle se rappelle les avoir vus bien plus jeunes, mais ils ne la reconnaissent pas, eux – ou, plutôt que Lilunzin, ils se rappellent des fillettes d'âges différents, entrevues à l'occasion, Nuyèntitéh, Xhèngaosu, ou Ourane qui les a toutes précédées.

D'un autre côté, c'est encore amusant de savoir ce qu'ils ne savent pas – et de constater à quel point ils ne savent que ce qu'ils s'attendent à savoir.

Elle aperçoit enfin Clément dans le petit salon bleu donnant sur la serre aux orchidées. Leurs regards se croisent – savait-il qu'elle le cherchait ? – et il lui adresse un bref hochement de tête. Elle se faufile près de lui.

◆

Jiliane, le temps d'un éclair agacé, se sent glisser d'Ouraïn, puis Gilles entend qu'on murmure à son oreille : « Marie-Jolin m'a dit de te dire qu'elle te cherche. »

Il se redresse en caressant la joue d'Ouraïn, avec un sourire discrètement complice : « Elle me trouvera. » Puis il la prend par l'épaule pour la tourner vers ses interlocuteurs, les nouveaux évêques de Garang Nomh : « Voici ma petite-nièce Lilunzin, Vos Éminences. Lilunzin, voici l'évêque madame Andréanne Desmarais, et l'évêque monsieur Garneau-Marie de Baye-Montdron, qui sont arrivés ce matin pour nous faire l'honneur de partager ce beau jour avec nous. »

Comme il l'en a instruite, elle ne fait pas de révérence, mais la courbette indigène, mains jointes devant la poitrine, avec une grâce pleine de dignité.

« Ce nom veut dire… ah… "Danse de la Musique", en mynmaï ?

— "Danse de la Maison Harmonieuse", Votre Éminence. "zin" est ici un diminutif de "ziên".

— C'est un bien joli prénom en tout cas, remarque la jeune femme souriante. Et quel costume magnifique !

— On porte cette robe pour les cérémonies dans sa famille, Votre Éminence. »

L'évêque se penche pour effleurer du doigt le pendentif qui repose sur la soie rose vif et doré de la robe. « Et ceci, est-ce un talisman ?

— Une représentation du phénix, madame. Un symbole de son rang.

— Votre petite-nièce », remarque l'évêque, songeuse. « Elle n'a pourtant aucun trait européen… Et aucune ressemblance avec vous.

— Pas plus que ma demi-sœur Ouraïn, sa grand-mère, ou sa mère Ourane, que vous avez connue petite, je crois, Monsieur de Luzès », dit Clément en se tournant un peu vers l'ambassadeur.

— Oui, elle en a les beaux yeux mordorés », répond celui-ci en adressant à Ouraïn un sourire paternel. « Et la petite taille. Voyons, n'a-t-elle pas quatorze ans cette année ?

— Treize, Monsieur. » Clément soupire : « Elle nous quittera bientôt pour retourner dans sa famille. »

— Elle paraît moins que son âge », murmure monsieur de Baye-Montdron, déconcerté.

« Les indigènes mynmaï conservent longtemps l'apparence de la jeunesse, vous avez sans doute déjà pu le constater à Garang Nomh, Votre Éminence », dit monsieur de Luzès.

Gilles retient un sourire. Il n'a plus à le dire lui-même, ils l'ont tous appris avec le temps et le répètent à l'envie.

« Et surtout cette peuplade à laquelle appartenait la première compagne de monsieur votre père », remarque monsieur de Bourbonnais, qui a apparemment suivi Ouraïn. Le cercle s'élargit pour lui faire place. « C'est fort bien à vous, Clément, de maintenir ainsi vos liens avec la famille de votre demi-sœur.

— J'ai noté qu'elle n'a pas participé au Partage hier ni ce matin, reprend madame Desmarais. N'est-elle donc ni baptisée et confirmée ?

— Non, hélas, Votre Éminence, sa famille refuse toujours qu'elle soit élevée dans notre foi, si l'on a enfin accepté qu'elle reçoive une éducation occidentale jusqu'à l'âge de quinze ans.

— Puisqu'elle va vous quitter bientôt, continuerez-vous d'adopter d'autres petites orphelines, ainsi que votre père en avait établi la coutume ? demande monsieur de Baye-Montdron.

— Sans doute, mais pour l'instant, j'aimerais songer à ma propre famille ! Plus tard, sans aucun doute. »

Beaucoup plus tard ! Il a des sujets d'intérêt bien plus pressant avec Marie-Jolin. Il ajoute pieusement, pour faire bonne mesure : « C'est un devoir de charité que tout bon géminite doit désormais observer au Hyundzièn, hélas.

— Oui, dit le vieil évêque. Ah, votre père était un homme exceptionnel, un bel exemple de charité.

— Il nous manquera longtemps à tous, Votre Éminence. Sa charité lui aura coûté la vie, hélas.

— À soixante-seize ans, mon enfant, il aura bénéficié d'une belle et longue existence, et il a connu la fin qu'il désirait, parmi les indigènes qu'il chérissait et désirait tant aider. Qui sait, peut-être même sa sublimation si publique en a-t-elle gagné quelques-uns à notre foi. N'y a-t-il pas davantage d'indigènes convertis dans vos villages, depuis une dizaine d'années ?

— En effet, Votre Éminence, la Divinité en soit louée. »

Après un bref silence recueilli, monsieur de Luzès demande : « Combien cela fait-il de Caristes et d'auxiliaires dans le pays, maintenant, Monsieur Garance ?

— Plus de trente mille, je pense ? » Il en réfère aux évêques avec une expression interrogative.

« Oui, et ce, grâce à vos talents de persuasion, mon cher Clément, dit monsieur de Bourbonnais.

— Je n'y avais pas grand mérite, Votre Éminence. La présente Royauté mynmaï est heureusement des plus pragmatiques.

— Plus de trente mille Français », reprend monsieur de Luzès, méditatif.

« Pas uniquement des Français, vous le savez bien », le corrige monsieur de Bourbonnais avec un sourire. « La Divine en soit louée, la Charité n'a pas de frontières.

— Mais hors du comptoir. Une situation unique à ce jour sur la Ligne !

— Hélas tout à fait nécessaire, soupire monsieur de Bourbonnais, quand on constate la condition déplorable de certaines communautés indigènes, où une totale apathie s'est emparée de presque toute la population. Non seulement faut-il voir au confort de ces malheureux, mais il faut s'occuper de cultiver champs et jardins à leur place, soigner leurs animaux, éduquer leurs enfants…

— Ah, Vos Éminences, dit Clément, voici monsieur Tsiolkas, notre nouvel associé à Sardopolis, qui aimerait fort vous être présenté ! Pardonnez-moi, Monsieur l'Ambassadeur, si je vous enlève leurs Éminences pour quelques instants. » Il entraîne les évêques, avec un coup d'œil à Ouraïn pour lui enjoindre de rester là.

◆

Le ricochet du rêve, inespéré mais bienvenu, replonge brusquement Jiliane en Ouraïn, qui, d'un pas en arrière, se fond dans le décor des draperies encadrant la fenêtre, mais on l'a sans doute déjà oubliée – et les adultes ne regardent jamais à la bonne hauteur. Le vieil ambassadeur espagnol et ses deux compagnons restent là, verre en main, à surveiller l'assistance.

« Cette maladie blanche est bien opiniâtre, en vérité, remarque le plus jeune. Difficile de ne pas penser que les indigènes sont punis de leur arrogant et vain usage de leur talent. »

L'ambassadeur laisse échapper un petit rire en saisissant un autre verre au passage d'un plateau. « Mon cher Alvarès, ce genre de réflexion est bon pour les christiens qui sévissent dans le nord-est !

— Ils font toujours des progrès chez les Kôdinh ?

— Oui, ceux-ci s'accommodent mieux d'une divinité seulement masculine, semble-t-il.

— Bah, ce n'est pas demain la veille que les Hutlandais convertiront les indigènes en masse, puisque ceux-ci semblent encore bien réticents à nos enseignements autant qu'aux leurs.

— Peut-être parce que nous appuyons les nôtres sur le talent et la magie, alors que les indigènes y ont renoncé, intervient l'autre jeune homme.

— En sont plutôt tout simplement dépourvus !

— Le résultat est le même. Peut-être devrions-nous modifier la façon dont nous essayons de leur présenter notre foi.

— Mon cher Jorge, dit le vieil homme, vous frôlez l'hérésie, les Éminences et leurs hiérarques ne seraient pas contents. » Il fait une petite grimace : « Hiérophantes, hiérophantes. On penserait pourtant qu'après quarante ans, j'y sois accoutumé. N'est-il pas curieux de voir comme les habitudes enfantines reviennent dans le vieil âge ?

— Oh, le nom n'a pas changé grand-chose, murmure Jorge.

— Comment donc, s'exclame Alvarès, ils sont désormais élus par les évêques et les évêques par les mages et les Maîtres !

— Mais cela continue de se passer entre eux. Il ne me déplaisait pas que la Royauté eût son mot à dire quant aux évêques.

— Vous ne voudriez tout de même pas qu'elle nomme les hiérophantes, pendant que vous y êtes, Jorge ? plaisante l'ambassadeur.

— Non, Monsieur, mais les Hiérarchies gardant la haute main sur l'éducation des futures Royautés et les épreuves qui en attestent la capacité à régner, je dis, moi, que les Parlements devraient avoir un plus important droit de regard sur les hiérophantes. »

L'ambassadeur se met à rire : « Ne parlez pas trop fort, mon garçon, les évêques vont vous entendre ! Quant à moi, j'estime que la Réforme nous a apporté assez de changements comme cela. Laissez-nous respirer !

— Nous avons eu quarante ans pour le faire !

— Mon garçon, dit monsieur de Luzès soudain sérieux, vous avez dix-neuf ans…

— Vingt ans, Monsieur, je suis né en 1617.

— Bon, c'était vingt ans après les Accords. La Réforme traînait depuis cinquante ans. Les troubles qui l'ont accompagnée sur la fin et pendant la mise en œuvre des Accords sont pour vous des pages d'histoire. Mais je les ai assez amplement vécus pour vous répéter : laissez-nous respirer.

— L'un dans l'autre », intervient Alvarès d'un ton raisonnable, « ne nous a-t-elle pas surtout apporté de bons changements ? Les saintes magies ne sont plus trop mêlées au monde ordinaire, les services des magiciens verts sont d'accès plus facile, ils se font payer moins cher que ne le faisaient Maîtres et mages…

— Ce qui n'empêche pas le Magistère de prélever sur leurs recettes une dîme qui irait bien mieux dans les coffres de l'État – ou des provinces, intervient Jorge.

— Il fallait bien payer pour leur instruction, les Maîtrises les ont pris totalement en charge pendant les vingt premières années et paient encore pour moitié leurs études !

— Croyez-vous donc que cette dépense n'ait pas été amortie, depuis le temps ?

— Ah, voyons, Jorge, cela ne fait qu'une trentaine d'années. Et la création des magiciens verts servait d'abord la Charité !

— La Charité envers le clergé, oui !

— Mon cher enfant, calmez-vous, dit le vieil ambassadeur, vous allez nous attirer des ennuis. J'ignorais que vous eussiez des sentiments aussi ardents en la matière… Et puis, vous exagérez, et Alvarès a raison : la Charité et l'Harmonie sont mieux servies maintenant. Les ecclésiastes s'occupent de la foi, les Maîtres s'occupent des Maîtrises et des magiciens verts, et les magiciens verts s'occupent de nous.

— Je ne suis pas sûr pourtant que je me fie autant à eux qu'à des talentés, remarque Alvarès avec une petite moue.

— Ils sont pourtant tout aussi efficaces.

— J'en conviens, Monsieur, mais en cas d'intervention majeure, je préfère qu'ils opèrent sous la tutelle d'un Maître, voire d'un ecclésiaste, quitte à payer un supplément.

— Ah, Clément », lance l'ambassadeur jovial à Clément qui revient vers eux, « nous parlions de l'efficace des magiciens verts. Vous en avez qui travaillent pour vous depuis une dizaine d'années, qu'en pensez-vous ?

— Je n'ai qu'à m'en féliciter, Monsieur. Mais je dois admettre que trouver des non-talentés soudain pourvus de talent demeure pour moi un grand mystère.

— Une merveille plus précisément, mon cher, directement issue de l'Entremonde par l'entremise d'une vision.

— Vous y croyez, vous, Monsieur ? dit l'audacieux Jorge. Il me semble que cela arrangeait beaucoup les hiérophantes de l'époque. Il fallait mettre fin aux troubles de la Réforme, et c'était une solution idéale… »

Clément hausse les sourcils : « Voilà une opinion bien cynique, Monsieur.

— Mon neveu aime provoquer, Monsieur Garance, n'y voyez aucun mal, dit l'ambassadeur.

— Il ne faudrait pas provoquer trop fort, compte tenu de la compagnie, remarque Clément, aimable mais ferme.

— Au reste, dit Alvarès, la provocation était des plus gratuites, Jorge : la Sainte Vigilance et les hiérophantes de l'époque, comme la Royauté, ont examiné cette bonne sœur albine et tous ont conclu qu'elle n'était pas talentée. Et pourtant, grâce à son guide, elle pratiquait sans problème les magies vertes ! »

Clément se fait grave : « Je n'ai quant à moi aucune peine à croire que les âmes des malheureux tombés pendant la campagne de Nouvelle-Bretagne aient voulu aider à la résolution des troubles de la Réforme, et à la séparation des magies bleues et vertes. Le grand-père d'un de nos ouvriers a servi lors de cette campagne, et ce que le garçon nous a rapporté des récits de son aïeul concernant la prise de Québec… Des mages mal entraînés aux magies guerrières, la population en fuite, la brusque aggravation de l'hiver, tous ces gens gelés sur place ! Quelle horrible disharmonie !

— Vous avez bien raison », déclare l'ambassadeur avec un coup d'œil sévère à ses jeunes compagnons. « Il fallait que fût limité l'usage profane des magies, et l'établissement des magiciens verts est une excellente chose dont nul ici ne se plaindra ! À commencer par vous, n'est-ce pas, mon cher Clément, puisqu'ils ont permis l'augmentation de la production à votre fabrique, dont nous bénéficions tous depuis six ans. »

Oh, non, ils vont recommencer à parler affaire, comme hier ! Doit-elle vraiment rester là ? Ouraïn agite un peu le rideau, essayant d'attirer le regard de Clément, mais il fait mine d'écouter avec la plus grande attention tandis que l'ambassadeur ressasse le succès de Garang Nomh et, corrélativement, de Sardopolis, l'essor de plus en plus affirmé des pays géminites grâce à l'ambercite…

« … il est tout de même préoccupant de dépendre de ce seul matériau et de votre seule fabrique, mon cher Clément. »

Elle dresse l'oreille : voilà un argument qui n'avait pas affleuré la veille.

« La royauté mynmaï a cédé à perpétuité le domaine à ma famille, Monsieur. Je ne sache pas qu'il y ait de craintes à entretenir de ce côté.

— Cela peut avoir d'autres inconvénients. »

Clément sourit d'un air débonnaire : « Ah, Monsieur, on ne peut nous accuser de profiter outrageusement de notre commerce !

— Non, sourit l'ambassadeur en retour, la Royauté française en profite et vous profitez d'elle, pour des sommes chaque fois minimes, mais qui additionnées constituent des montants considérables.

— Lesquels sont réinvestis sans cesse dans l'extension des mines et de la fabrique, dans notre part de la flotte et dans les œuvres charitables, Monsieur.

— Avez-vous jamais songé à réviser l'exclusivité que votre père a négociée avec la Royauté française, Clément ? Vous n'y gagneriez pas moins… »

Mais Clément n'a pas le temps de répondre : les musiciens ont entamé une gavotte dans la salle d'honneur, et Marie-Jolin vient lui prendre le bras en s'exclamant, rieuse : « Je vous trouve enfin ! Vous ne m'échapperez pas plus longtemps, mon ami ! »

Ouraïn les suit, soulagée. Elle se glisse au premier rang des spectateurs et contemple les danseurs en marquant la cadence du pied. Voilà une de ces occasions où elle regrette sa si longue jeunesse ! Pourtant, il y a des fils argentés dans les cheveux de Kurun, elle semble avoir au moins cinquante ans, à présent.

Est-ce normal pour les Filles du Dragon ? Elles vieillissent très lentement et ensuite plus vite ?

“Il n’y a jamais eu de Natéhsin comme Kurun et toi”, a répondu Chéhyé, les yeux baissés, la tête inclinée sur ses mains jointes, comme chaque fois qu’elle lui adresse la parole. Il n’y a pas vraiment moyen de leur poser des questions, à ces deux Ghât’sin ; ils la traitent toujours comme si elle était une créature d’un autre monde, et ils sont encore moins loquaces que Xhélin.

Ils sont là, cependant, et Xhélin ne l’est plus très souvent, ni Nandèh ni Feï. Depuis… il lui semble que c’était il y a trois ou quatre ans, mais ce doit être bien davantage. C’était… après la naissance de Clément, et elle, à ce moment-là, elle était Xhèngaosu, l’orpheline adoptée par Gilles… Non, elle mélange tout ! Elle était Ourane, la fille d’Ouraïn revenue définitivement vivre au domaine après avoir perdu son époux indigène à cause de la mort blanche. Alors, voyons, Clément est né en 1602, le 21 février – on fête cet anniversaire tous les ans, il est facile à se remémorer. Et Ourane est repartie quatre ans après, et Xhèngaosu est restée seulement six ans, et ensuite il y a eu Nuyèntitéh, et elle restée six ans aussi. Et ensuite, il y a eu une période sans adoption, puis Lilunzin est venue vivre avec Gilles juste avant sa mort, “cela a dû être une bien grande joie pour lui, mon cher Clément” – et elle était censée être un bébé de trois ans au début, et elle a vraiment dû rester enfermée dans le manoir et le parc ! Gilles est soi-disant mort deux ou trois ans plus tard, et il a tout dit à Antoinette et Philippe, et à ce moment-là, Nandèh et Feï ont cessé d’aider à la fonderie parce qu’Antoinette les a remplacées. Et les deux ecclésiastes sont officiellement morts à leur tour l’an dernier – bon, tout cela fait déjà au moins vingt ans…

Elle soupire. Ce peut être long pour les autres, mais pour elle, c'est seulement un chiffre qui ne signifie pas grand-chose. Tous les événements sont très clairs dans son esprit – elle n'oublie jamais rien –, mais leur succession l'est moins, elle ne peut vraiment leur assigner une date, et mis ensemble, ils ne constituent pas une durée… Heureusement que les plages paisibles de l'*igaôtchènzin* dévorent si aisément journées, semaines et mois, ou sa mémoire sera tellement pleine, un de ces jours, qu'elle débordera ! Elle devrait décidément se fabriquer un calendrier pour garder trace du temps des autres.

Clément raccompagne Marie-Jolin à l'un des fauteuils qu'on libère gracieusement pour elle. Les musiciens entament une pavane. Oh, elle connaît cette vieille danse, il la lui a apprise, elle pourrait la danser, même dans cette robe ! Marie-Jolin dit quelque chose à Clément, le visage levé vers lui, souriante. Il se retourne. Stupéfaite, puis joyeuse, Ouraïn le regarde traverser le parquet pour s'arrêter devant elle en s'inclinant légèrement, la main tendue. « M'accorderas-tu cette danse, Lilunzin ? »

On sourit autour d'eux, on la pousse même un peu, la croyant timide, et elle s'envole à son bras, ravie.

44

Le ciel est couvert, un orage gronde sourdement au loin, l'obscurité est presque totale. Cela ne dérange pas la promenade, évidemment : dans l'Entremonde, il ne fait jamais nuit.

Ils sont très loin du domaine, à l'est, dans la jungle des hauts plateaux qui bordent les Lihundkôh, au pays des Kôdinh. Il a demandé à Marie-Jolin "Où veux-tu aller, maintenant ?" et elle a répondu, joyeuse : "Voir les tigres !" Elle partage avec les Natéhsin une affinité avec les félins que les chats de la maison doivent satisfaire, puisque aucun grand prédateur ne s'approche plus du domaine depuis longtemps. Mais elle a découvert cette famille de tigres lors d'une de ses "rêveries" plus ordinaires, et c'est souvent par là qu'elle termine maintenant ses séances avec lui.

Voilà, ils sont au repaire où la tigresse sommeille avec ses deux petits dans un désordre de pattes et de queues à l'abandon. Une femelle assez âgée, dont c'est sans doute la dernière portée. Mais ce sont les petits qui fascinent Marie-Jolin. Ils s'éveillent comme d'habitude à son contact, cherchent un moment ce qui les a touchés puis se mettent à jouer avec la main de la visiteuse.

« Tu les as presque apprivoisés, remarque Gilles, indulgent.

— Les fées disent que tous les chats sont des enfants de la Déesse, comme nous. Aïe ! »

Elle se tient la main avec une grimace.

Gilles revient au registre ordinaire dans la chambre, et oui, la paume de Marie-Jolin s'est ensanglantée. « Ce n'est rien, dit-il, une petite entaille. Tu peux aisément la soigner, n'est-ce pas ? »

Il regarde la blessure se refermer et le sang disparaître. La jeune fille esquisse un sourire penaud: « Pas tout à fait apprivoisés », dit-elle.

Gilles lui rend son sourire: « Eh bien, oui, ce sont des enfants sauvages de la Déesse. Viens, allons plutôt voir les mangoustes, et ensuite, nous reviendrons. »

Au monde ordinaire, au manoir, à sa chambre, où elle est étendue sur le lit, à demi nue. Heureusement qu'elle n'a plus à méditer pour qu'il ouvre son talent. Si ce n'est pas réellement une magicienne verte, elle en est bien proche. On procède à peu près ainsi pour eux, en tout cas, il le sait maintenant: à la suite de méditations accompagnées de jeûne, on les plonge dans une transe profonde, quelque part entre sommeil et léthargie, et, une fois en résonance avec leur psychosome, on entraîne leur psyché dans l'Entremonde, où on les attache à une partie mouvante de la substance divine, l'"âme" qui sera leur guide. Ce guide a un nom, mais qui demeure enfermé dans une partie de leur mémoire à laquelle ils n'ont accès qu'après leurs études, au moment de leur initiation. Et le nom, inclus dans la formule appropriée – un peu comme le sortilège d'accès au talent pour les mages, somme toute –, leur donne accès à leur guide et à son talent.

Pas de nom de guide pour Marie-Jolin, mais il a trouvé deux courtes phrases qu'il lui suffit de prononcer pour que s'ouvre ou se ferme le talent de la jeune fille. Il lui fallait auparavant être en méditation – elle a voulu apprendre à méditer après avoir trouvé Ouraïn en *igaôtchènzin*. Il ne lui a expliqué ni la nature ni la durée de ces “méditations” pour les Natéhsin. Plus tard, lorsqu'il pourra lui en dire davantage, il vérifiera si elle peut utiliser la formule sur elle-même.

La version officielle de la création des magiciens verts, il n'y a jamais cru. Il n'y a rien là que des magies courantes, sans besoin de faire intervenir un quelconque “guide” dans l'Entremonde. Le simple fait pour les initiés de garder un souvenir aussi flou de leur initiation suffirait à la lui rendre suspecte. La Bienheureuse sœur albine, Catherine Drolet, l'âme de ce mage tombé devant Québec et venu se proposer comme guide… cela arrangeait trop de monde, en effet, et pouvait trop s'arranger. Il ne peut dire s'il y a une âme dans la condensation lumineuse à laquelle on attache par un second fil d'or la psyché du futur magicien vert, mais il sait qu'il n'était pas une âme, lui, lorsqu'il a involontairement allumé ce talent en Marie-Jolin – oui, comme on enflamme la mèche d'une bougie…

« La mangouste a rapporté un serpent. Il est deux fois plus gros qu'elle !

— Ces animaux sont de féroces petits combattants. »

Marie-Jolin est comme une enfant, en vérité. Attendri et amusé à la fois de son émerveillement, il observe un moment avec elle le festin de la mangouste et de ses petits. Il lui révélera son talent à éclipses, il se l'est promis – et une bonne partie du reste devra en découler. Mais il n'a pas encore décidé l'étendue de ces révélations, ni leur moment ; il a appris sa leçon avec Antoinette et Carusses. Le psychosome de Marie-Jolin est plutôt délicat ; s'il devait lui imposer des sortilèges majeurs afin de la subjuguer, cela ne serait assurément pas bon pour elle. Pour ce qui est de l'enfant imaginaire qui devait naître de leur union, il n'avait de toute façon pas eu l'intention de doter si tôt Clément d'un héritier – même s'il ne sait toujours pas combien de temps sa longévité se maintiendra. Il avisera plus tard. Ceci est plus important.

Et puis, la petite est très naïvement croyante. C'est toute une éducation à refaire avant qu'elle ne puisse supporter de connaître la vérité sur la magie mynmaï. Une relation affectueuse se développe entre elle et Ouraïn, avec même les trois Natéhsin – rien de tel n'était arrivé avec Armande… Mais tant mieux, cela aidera. Et elle aime lire : elle apprend sans s'en rendre compte, petit à petit, en puisant dans sa bibliothèque. Il faut attendre. Il en a certainement encore le temps. La petite est bien jeune.

Il secoue la tête en souriant. "La petite". Mais c'est ainsi qu'il ne peut s'empêcher de penser à elle presque en tout temps. Lorsqu'il la voit jouer avec Ouraïn, c'est comme si elles étaient toutes les deux ses filles. Au point qu'il ne peut la désirer comme une épouse, si tendre soit-elle parfois. Il le lui fait croire, ainsi qu'à leurs ébats amoureux – comme ce soir. Un sortilège très mineur et qui va assez dans le sens de ce qu'elle préfère profondément, du reste, pour ne pas créer en elle de conflit dommageable : ses appétits sensuels ne s'éveillent pas souvent.

Non, Marie-Jolin a été mise sur sa route pour d'autres raisons. Elle a rêvé de lui et des Natéhsin. Oh, elle fait d'autres "rêves", elle en a toujours fait, mais plus ordinaires ; on peut les mettre sur le compte des aventures courantes de la psyché dans l'Entremonde lorsqu'on dort ou médite. Mais elle a rêvé des "fées", et de lui : ils étaient de quelque façon incompréhensiblement liés l'un à l'autre bien avant leur rencontre. Il doit explorer ses étonnantes capacités, n'est-ce pas, puisque c'est lui qui les a éveillées ?

Elle est capable de toutes les magies. Elle se promène à distance aussi loin que lui, elle peut soulever et déplacer les mêmes poids, elle peut… De fait, elle est capable de tout ce qu'il peut lui-même, et avec la même puissance. La version officielle, en ce qui concerne les magiciens verts, prétend que le Maître se contente d'emmener le futur magicien dans l'Entremonde où un guide le choisit en lui prêtant par la suite sa propre substance magique et donc ses capacités. Ce qu'il voit, lui, c'est que le Maître est le seul initiateur, comme il l'a été lui-même dans le cas de Marie-Jolin. De fait, le talent du Maître, ou de l'initiateur, non seulement éveille mais modèle celui de l'initié : le talent de Marie-Jolin ne connaît pas les limitations habituelles des magiciens verts. Elle a sans problème procédé à la fusion de l'ambrose et de l'orcite. Les magiciens qu'on lui envoie ici s'en croient toujours incapables – et lorsqu'il la leur fait accomplir à leur insu, la plupart en ressentent des effets néfastes d'une intensité disproportionnée ; il a appris à n'utiliser ceux-là qu'en synergie passive. Ceux qui sont capables de suspension et de sublimation sans devenir instables à force sont trop rares. On leur a de toute évidence imposé leurs limitations. Heureusement qu'il y a Antoinette. Et Carusses finira bien par céder. Et si ces expériences avec Marie-Jolin continuent de donner des résultats aussi splendides, il sait ce qu'il pourra accomplir par la suite !

Il prend soudain conscience d'une présence qui s'approche du cercle d'isolement. Xhélin. Encore. Et qui traverse le cercle comme s'il n'existait pas. Et non seulement traverse le cercle, mais entre dans la chambre, sans même frapper !

« Je t'ai déjà dit de ne pas me déranger lorsque je suis avec elle ! » gronde Gilles à mi-voix, irrité.

Le Ghât'sin le dévisage, puis observe longuement Marie-Jolin. Elle ne remarque pas son arrivée : son talent à lui n'est pas ouvert.

« Tu ne dois pas, Gilles », déclare-t-il, comme toujours grave, et même sévère cette fois. « Elle saigne. »

Gilles hausse les épaules: « Elle s'est soignée elle-même depuis longtemps !

— Elle saigne dans la Maison de la Déesse. »

Oh, encore une de ces métaphores mynmaï. « Si elle s'affaiblissait au cours de ces séances, je m'en rendrais compte !

— Peux-tu suivre Kurun ou Ouraïn dans leur *igaôtchènzin* ? »

Quel argument est-ce là ? « Marie-Jolin n'est pas une Natéhsin ! Et je prends sur moi tout le contrecoup de ses magies.

— Tu lui fais fusionner les substances primordiales. »

Gilles essaie de réprimer son agacement. Décidément, Xhélin n'a jamais pu prendre son parti de la création de l'ambercite.

« Très rarement, et pour lui assurer santé et longue vie. Elle est comme les magiciens verts, tu le sais bien, mieux même, puisqu'elle n'est pas limitée comme eux.

— N'as-tu pas constaté que certains sont différents ? »

Gilles soupire. Cela n'a aucun rapport. Même si cela est vrai : la lignée de certains magiciens verts compte bel et bien des talentés, dans des temps plus ou moins reculés – au XIIIe siècle pour la famille Aubrard ! C'est l'une des premières hypothèses qu'il a vérifiées à propos des magiciens fournis à Clément. Ce n'est pas leur cas à tous, cependant, ni même à une majorité – une explication qu'il a dû rejeter de leurs capacités et de leur choix par les Maîtres. Et ceux-là ne sont pas nécessairement les plus fragiles. Pourquoi cela les affaiblirait-il, d'ailleurs ? Au contraire, cela devrait les renforcer.

« Elle est encore plus différente, insiste Xhélin. Elle se souvient des Natéhsin et d'Ouraïn.

— Mais vous ne savez pas non plus pourquoi », ne peut s'empêcher de rétorquer Gilles, narquois.

« Tu as créé une brèche en elle, et sa lumière s'enfuit par là », poursuit le Ghât'sin obstiné.

Dans son exaspération, Gilles se lève. « Allons, Xhélin ! Je ne la vois pas, cette brèche, et tu n'es pas capable de me la montrer. Et Marie-Jolin se plongeait d'elle-même dans cette transe bien avant moi. Elle se souvenait des Natéhsin, comme tu le dis, bien avant moi !

— Le temps n'est pas le même dans la Maison de la Déesse. »

La colère de Gilles retombe un peu. Xhélin a touché le point qui lui pose toujours problème. Marie-Jolin était capable de voir le domaine à distance avant leur rencontre, tout comme elle voyait les Natéhsin, tout comme elle s'était vue avec lui. Cela, passe encore, on peut voir l'avenir comme le passé, il le sait fort bien même s'il n'a jamais voulu répéter les expériences qu'il a vécues lors de la première ouverture accidentelle de son talent. Ce qui est plus curieux, c'est que la jeune fille ne l'ait jamais vu auparavant au domaine, alors qu'elle le perçoit maintenant lorsqu'elle est en transe. Ainsi que Xhélin et les Ghât'sin, du reste – et les "fées" si elles ne sont pas dans leur propre transe. Une preuve supplémentaire, si besoin en était, que le talent de la jeune fille s'est modelé sur le sien : s'il n'était pas de quelque façon métissé, elle ne percevrait pas plus Kurun et les autres que ne le font les mages géminites. De fait, il pourrait sans doute se passer du sortilège d'isolement lorsqu'il est ainsi avec elle, on ne remarquerait rien au presbytère. Mais il ne veut courir aucun risque.

La puissance de la vision à distance de Marie-Jolin et ce qu'elle a vu *avant* leur rencontre, cependant…

Si vraiment les capacités des magiciens verts tiennent de celles de leur initiateur, il faudrait postuler que le talent latent de la jeune fille s'est modelé sur le sien… alors qu'ils ne se connaissaient pas encore ? Bien plus : alors qu'elle n'était pas talentée ! Mais qu'en est-il alors de la causalité ? Voir dans le temps, c'est une chose, et il existe des cas répertoriés de visions octroyées à des non-talentés. Mais qu'un effet arrive avant sa cause…

À moins que… Serait-ce là ce que veut dire Xhélin ? La vision de Marie-Jolin aurait toujours été une vision dans le temps et non dans l'espace ?

Mais il a vérifié lui-même, cette nuit-là, qu'elle voyait bien ce qui se passait au même instant au pavillon !

Le temps et l'espace sont de quelque façon liés, bien sûr, même si le temps continue de passer et l'espace d'exister lorsqu'on ne bouge pas. Et plus encore dans le registre du talent. Mais est-ce le temps, ou l'espace, qui n'y existe plus de la même façon ? Cela reste à débattre. Ah, il a lu autrefois avec avidité sur ces sujets, à la Maîtrise, en soulevant bien des froncements de sourcils chez les Maîtres, et même chez Foulques. Si un événement est prédit, et qu'on l'empêche, et qu'il n'arrive pas, comment a-t-on pu le percevoir d'avance puisqu'il n'a jamais eu lieu ? “Il est plusieurs demeures dans les sphères divines”, c'était la réponse traditionnelle – la sphère divine, unique maintenant, mais fallacieuse, après la Réforme. Si l'on a simplement eu accès à la demeure où l'événement a eu lieu, c'est que l'on devait pouvoir choisir. Si la chose prévue arrive autrement mais arrive tout de même, c'est qu'elle devait arriver, qu'il s'agit d'une dette venant de loin, qu'on portait sans en avoir conscience et qu'il faut désormais essayer de comprendre pour s'en délivrer complètement. Peut-on vraiment concilier ces deux approches ? La première préserve le dogme de la liberté humaine, à tout le moins…

Mais ni l'une ni l'autre ne l'ont jamais convaincu. Amas de spéculations bien vaines, car appuyées sur bien peu de faits ! Il se retrouve d'accord, en fin de compte, avec la doctrine géminite : tout ce qui est lié aux prophéties doit être considéré et interprété avec beaucoup de circonspection – il en sait quelque chose, lui, l'Étranger de l'Ouest !

Il se rassied. « Tes craintes ne sont que cela, Xhélin », dit-il dans un dernier effort d'apaisement, « des craintes, et non fondées. Je suis extrêmement prudent, tu le sais. Je n'ai constaté aucun affaiblissement de Marie-Jolin. Divine, tu peux le constater par toi-même ! Son talent ne se dissipe pas, et même il se renforce ! »

Le Ghât'sin le dévisage sans rien dire, puis secoue légèrement la tête en murmurant : « Elle saigne. »

Gilles est au bout de sa patience. « Il suffit, Xhélin. Elle va bientôt se réveiller. Tu comprendras qu'en la circonstance, ta présence dans cette chambre n'est pas désirée. »

Xhélin ne bouge pas. Faudra-t-il faire appel à Kurun pour le déloger, à la fin ? Mais d'un autre côté, l'attitude du Ghât'sin n'est pas surprenante : il a peur de ce qu'il ne comprend pas. Il rejoint en cela bien curieusement Antoinette, qui a assisté à plusieurs de ces séances – il savait déjà tout ce qu'il y avait à savoir des magiciens verts avant qu'elle n'acceptât enfin son marché, et elle n'a guère pu l'éclairer davantage quant à Marie-Jolin. Mais elle en a été fort dérangée ; elle a même parlé de nécromancie, de sacrilège et d'hérésie, en évoquant sombrement les Androgynites – mais qu'est-ce que les Androgynites peuvent bien avoir à faire là-dedans ? Elle ne connaissait rien d'autre là-dessus que les ragots ordinaires, évidemment. Divine sait qu'il n'y avait pas de magiciens verts parmi les Androgynites ! Leurs prêtres étaient des talentés ordinaires, et leur cérémonie de la Lumière consistait en une illusion savamment orchestrée, ni plus ni moins que celle de la Chambre du Dragon – ou celles de l'initiation des novices géminites.

« Tu dois cesser, dit Xhélin. Les Natéhsin en sont d'accord avec moi. Et Ouraïn sera peinée quand elle saura ce que tu as fait. »

Gilles se redresse, soudain glacé de rage : « Est-ce un chantage ? »

Mais Xhélin ne bronche pas. Il n'est plus si aisément remis à sa place. Trop de temps, trop de familiarité. « Non. Mais un jour Ouraïn saura. »

Gilles se calme un peu : « J'ai bien l'intention de le lui apprendre, en effet, comme à Marie-Jolin ! » Il observe le Ghât'sin, un peu surpris malgré tout : « Vous auriez pu le lui dire depuis longtemps et ne l'avez point fait. »

Xhélin soupire : « Cela l'aurait chagrinée, et elle ne pourrait rien y changer. Mais quand elle saura, la petite sœur sera partie. »

Toujours cette curieuse façon de désigner Marie-Jolin – et qu'ils se refusent à expliquer autrement qu'en disant “elle se souvient des Natéhsin”. Elle n'a pourtant jamais perçu celles de Garang Xhévât ! Lui non plus, à vrai dire, elles sont trop bien gardées, tout comme le reste de la ville sacrée… Si Kurun et les deux autres ne sont pas d'accord avec ce qu'il fait, pourtant, ne le lui diraient-ils pas ? Et ils pourraient aisément l'en empêcher ! Mais Kurun refuse de lui prêter son talent pour ces séances, même lorsqu'il lui a offert d'en constater ainsi l'innocuité – et même quand il a argué que cela pourrait les rendre plus sûres.

Il n'existe rien de tel que Marie-Jolin chez les Mynmaï. Ils ne comprennent pas, tous autant qu'ils sont, et ils ont peur. Il regrette de devoir l'admettre mais, tout comme Xhélin est arrivé à ses limites de Ghât'sin, Kurun, Nandèh et Feï ont atteint aussi aux limites de ce qu'ils étaient capables d'apprendre de neuf dans le nouveau monde qu'ils ont pourtant aidé à naître.

Mais tant qu'ils n'en parlent pas à Ouraïn et n'essaient pas trop de lui remplir la tête de leurs superstitions, il peut s'y résigner.

Xhélin tourne les talons et quitte la chambre sans un mot de plus. Gilles le regarde s'éloigner. Prend-il un plaisir malin à traverser ainsi ses protections magiques, à lui démontrer une fois de plus que son talent, sans celui de Kurun, n'égalera jamais celui d'un véritable Ghât'sin ?

Allons, il faut s'éclaircir l'esprit de toutes ces mesquineries. Après avoir pris un grand respir, il va s'étendre près de Marie-Jolin, en appui sur un coude. Il lui caresse la joue. « Il faut revenir », dit-il avec douceur.

La formule fait son effet. La jeune fille cesse de voir les jeux des mangoustes tandis que la flamme de son talent s'éteint brusquement. Ses paupières se ferment. Un instant, il pense qu'elle va passer sans transition dans le sommeil mais, avec un petit sursaut, elle rouvre les yeux. Le dévisage en souriant, puis passe une main sur le revers de la robe de chambre à demi ouverte sur sa poitrine. « Je me suis encore endormie », soupire-t-elle avec une moue charmante. Puis son sourire prend une nuance mutine : « Tu me contentes trop !

— Le plaisir était pour moi », murmure-t-il en lui baisant le front avec tendresse. « Bonne nuit, ma très chère. »

45

Après avoir remercié les évêques et dom Patenaude de leur soutien, ainsi que monsieur Ozelles, et convenu avec Larché qu'il s'occupera de faire prévenir le capitaine Rateneau au Boccan, Senso retourne avec Pierrino à la maison de Grand-mère à travers le parc humide de rosée.

Au jardin-de-Grand-mère, que celle-ci n'a pas quitté, leur indique Nadine sans doute, dans la cuisine. Pierrino retire plus posément habit, gilet, chaussures et bas. Il paraît épuisé à présent.

Tout est presque comme ils l'ont laissé : Grand-mère ne semble pas avoir bougé, les cartes ont disparu de la table, remplacées par le plateau du thé. Pierrino s'étend sans un mot au bord de l'étang, un bras sur les yeux. Senso se laisse tomber dans le fauteuil auprès de Grand-mère et, en quelques phrases économes, résume les propos des évêques, leur proposition, et celle de Pierrino. Il ne sait à quoi il s'attendait, protestations, craintes… Mais Félicien s'accroupit près de Pierrino, effleure le bracelet bien visible sur sa cheville nue. « C'est bien, dit-il, cela vous protégera des attaques éventuelles des barons, si jamais ils en sont tentés. »

Senso observe Grand-mère, qui a les yeux perdus au loin, puis Félicien, qui se relève en lui rendant son regard sans se troubler. S'ils les croient eux aussi en danger de ce côté, ne vont-ils pas leur offrir des protections de leur cru ?

« Non », répond Félicien, avec même une certaine désinvolture, « Ces bracelets sont amplement suffisants. »

Grand-mère se lève dans un froissement soyeux. Elle va s'accroupir sur ses talons auprès de Pierrino, effleure ses cheveux d'une main hésitante. Pierrino ne réagit pas. Elle baisse un peu la tête vers lui, les yeux mi-clos, et se met à chantonner à bouche fermée.

Félicien pose les mains sur les épaules de Senso pour les masser souplement. « Vous devez aller vous reposer, tous les deux, dit-il. Je vais vous faire couler un bon bain bien chaud. »

Senso se laisse aller un peu aux mains qui pétrissent délicieusement ses muscles endoloris, mais il se sent empli d'une incroyable énergie nerveuse. « Je doute que nous puissions dormir, murmure-t-il.

— Alors je vais vous préparer un thé spécial qui vous y aidera », déclare Félicien, qui s'éloigne sans attendre de réponse.

À tout prendre, Senso aurait préféré qu'il continuât de le masser. Félicien a raison, repartir tout de suite ne sert à rien, dans cet état. Peut-être devraient-ils prendre le temps d'aller aux thermes… Mais il a le sentiment que Pierrino n'en aurait nullement envie.

Et tout d'un coup, il envisage la portée de ce qu'ils ont décidé.

Il réfrène sa panique naissante, attend d'être plus sûr de sa voix : « Grand-mère… »

Elle tourne vers lui son regard noir et voilé.

« … Pierrino et moi, nous allons être séparés… »

Elle devance sa question : « Les médaillons y veilleront », dit-elle d'une voix atone, et elle recommence de chantonner pour Pierrino.

Senso s'étire dans le fauteuil en essayant de penser des pensées claires et raisonnables. Ce ne sera pas forcément pour longtemps. Ou bien il trouvera Jiliane en remontant vers le nord, ou Pierrino la trouvera à Narbonne. Dans l'un et l'autre cas, ils se préviendront et se rejoindront vite. Et si Pierrino échoue à Narbonne, il viendra le rejoindre le long du canal, et ils poursuivront la quête ensemble.

Et si lui ne retrouve pas Jiliane plus au nord, et si l'autre hypothèse est la bonne, et si Jiliane a été enlevée…

Cette fois, c'est une autre sorte de panique qui l'étreint, mais il la repousse aussi, résolument : dans ce cas, et avec eux pour appâts, les mages y verront.

Il est bien trop éveillé. Les idées gonflent et explosent sans relâche dans son cerveau : et si ce nécromant était trop puissant pour les mages alliés ? Et s'ils n'étaient pas jugés assez importants, tous les deux, pour valoir une autre agression ? Et si… Il se force à considérer cette hypothèse-là, la plus épouvantable : et si l'on s'était déjà débarrassé de Jiliane ?

Mais non, la magicienne l'a dit, son âme serait alors perceptible dans l'Entremonde.

Et si l'éventuel nécromant l'avait asservie à ses propres fins monstrueuses, le serait-elle ? Divine, pourquoi ne leur enseigne-t-on rien là-dessus ? Domaine réservé des mages, la magie bleue, la magie rouge, et ceux qui s'y intéressent trop sont *a priori* suspects –, et s'il s'agit d'encyclopédistes, ils sont suspects pour d'autres raisons encore. N'en finira-t-on donc jamais de toutes ces dissimulations ?

Il prend plusieurs inspirations pour se calmer, appelle Sophia à la rescousse. De la réflexion, mais dans le calme et le bon sens, c'est ce dont il a besoin à présent. Jiliane. Si Jiliane doit être si importante pour Grand-père et ses projets concernant l'ambercite, on ne se débarrassera pas d'elle. On ne voulait pas non plus tuer Agnès, n'est-ce pas ? Un enlèvement qui a mal tourné, a dit Larché. On voulait se servir d'elle pour faire pression sur Grand-père. Ce sera la même chose ici.

Il se reprend avec un sursaut : mais non, voyons, l'hypothèse des ecclésiastes n'est *pas* la bonne !

Pourquoi Jiliane serait-elle si importante, au fait ? Car enfin, c'est clair à travers sa lettre, si soigneusement l'eût-elle libellée pour faire croire à des histoires de bois ou de tissus : Grand-père lui a précisé son rôle à elle, et non les leurs.

Et Pierrino veut penser que Grand-père aurait à voir dans la fuite de Jiliane. L'aurait plongée dans une transe magnétique. Pour susciter en elle le talent dont il aurait de quelque façon besoin pour la fabrication de l'ambercite ? Mais il n'y entre rien de magique !

Plus il essaie de reconstituer le raisonnement de Pierrino, moins il y voit de raison. Il s'accrochait à des fétus tout à l'heure en l'écoutant, il voulait tant pouvoir agir – n'importe quelle action, mais agir ! À présent, après leur entrevue avec les ecclésiastes, l'histoire de Pierrino lui paraît insensée. Les dés ont bien dit la vérité, mais parce que les mages avaient dans l'idée de les envoyer servir d'appâts. Seulement dans le nord, à vrai dire… Mais parce que ses dés à lui parlaient de l'est, Pierrino a proposé aux évêques de se rendre à Narbonne, concrétisant ainsi la prophétie des dés.

Une prophétie qui se mord la queue, alors. Et voilà pourquoi la divination de l'avenir est si périlleuse, dirait dom Patenaude, et pourquoi l'on s'en abstient le plus possible.

Non, la seule façon de vérifier s'il y a la moindre parcelle de vérité dans l'histoire de Pierrino, ce serait d'interroger Grand-père.

Qui ne se rappelle rien.

Qui dirait ne rien se rappeler, s'il était de quelque façon responsable de la fuite de Jiliane, n'est-ce pas ?

Et les ecclésiastes ne l'auraient pas poussé plus avant, respectueux de son chagrin, et surtout persuadés qu'il s'agit d'un enlèvement.

« Pierrino, s'exclame Senso en se redressant dans le fauteuil, nous devons absolument aller voir Grand-père à Lamirande ! Avec la petite voiture légère, il n'y faudra pas plus de trois heures. En partant tout de suite, nous aurions le temps d'y aller et de revenir ici en début d'après-midi ! »

Pierrino se redresse brusquement. « Aller le voir pourquoi ? Nous savons à quoi nous en tenir. »

Senso le dévisage, ébahi : « Nous ne *savons* rien du tout, Pierrino !

— Il ne nous dira rien. Il prétendra ne pas se souvenir, comme il l'a fait avec les ecclésiastes.

— Mais nous ne sommes pas les ecclésiastes, nous sommes…

— Nous sommes ses petits-fils, le reste de ses pions ! » coupe Pierrino avec une violence qui étonne, puis atterre Senso. Pierrino en est-il donc là ? Nourrit-il un tel ressentiment à l'égard de Grand-père qu'il en devient déraisonnable à ce point ?

« Voyons, Pierrino, insiste Senso, réfléchis. Si Jiliane est allée prendre ses affaires sans faire de bruit, a sellé de même un cheval qu'elle a pris la peine d'attacher au port, ce ne peuvent être les actes d'une personne en proie à une terrible panique, ni plongée dans un état somnambulique. Et, encore une fois, Grand-père ne voulait pas la voir assister à la séance de Lamirande.

— Un faux-semblant de sa part pour brouiller les pistes ! s'écrie Pierrino. Ou bien… » – son visage se contracte, sa voix s'assourdit – « Il s'est montré particulièrement affectueux avec Jiliane depuis son retour d'Orléans. »

Quand Senso comprend enfin, croit comprendre à quoi il fait allusion, il reste interdit de fureur horrifiée. Comment Pierrino peut-il même *imaginer*… ! Pendant un très bref instant, il a envie de le pousser dans l'étang pour lui rendre ses esprits, mais se retient, essaie encore de raisonner, de garder une voix égale : « Ce serait abominable de ta part de penser une chose pareille, Pierrino, si ce n'était surtout aussi absurde. Grand-père n'a jamais manifesté d'attention particulière à Jiliane.

— Sauf depuis son retour.

— Mais enfin, c'était pour ses affaires ! Tu as bien lu la lettre de Jiliane !

— Et pourquoi serait-ce incompatible ? Tu es trop naïf !

— Et toi trop dépravé ! »

C'est comme si la disparition du fil d'or qui les unissait à Jiliane les avait séparés aussi : ils se querellent vraiment, pour la première fois de leur vie. Senso s'entend crier, voix rauque, poings serrés, il voit le visage convulsé de Pierrino à quelques pouces du sien, il peut sentir son souffle rendu âcre par le labeur et le manque de sommeil. Et soudain, il pense que Pierrino voit la même chose – mais il ne veut pas, non, il ne veut pas qu'ils se ressemblent de cette façon !

Il recule d'un pas, les yeux soudain noyés de larmes.

Grand-mère se lève souplement pour revenir s'asseoir dans son fauteuil. « Venez prendre le thé », dit-elle. Des paroles absurdes, sur un ton absurde : calme, détaché. Pierrino semble s'affaisser sur lui-même. Il dévisage Senso, sa bouche s'ouvre et se ferme sans parvenir à proférer un son. Lui aussi, à présent, il a des larmes dans les yeux.

Ils font ensemble le même pas en avant, s'étreignent farouchement, sans rien dire.

Félicien, apparu avec une autre théière, verse dans les tasses un liquide aux reflets dorés. Pierrino s'assied à droite de Grand-mère avec précaution, comme s'il avait peur de se briser. Senso en fait autant à sa gauche. Ils prennent leur tasse du même geste, soufflent sur le liquide fumant, boivent à petites gorgées prudentes. C'est sucré au miel, avec un goût capiteux, comme un vin chaud.

« Si je la retrouve à Narbonne », dit Pierrino un peu enroué, au bout d'un moment, « je te ferai envoyer un message urgent par les mages.

— Je repartirai directement de Lamirande, dit Senso. Je vais suivre les mêmes étapes que lors de notre voyage. Si je dois changer de chemin, je t'en ferai avertir de même. »

Après avoir bu chacun une deuxième tasse, ils prennent congé de Grand-mère, qui les embrasse comme s'ils allaient se coucher par une nuit ordinaire – et ils vont se coucher, du moins Pierrino, même si c'est en pleine journée. Senso ferme les volets, puis les rideaux, s'assied dans la pénombre au bord du lit où Pierrino s'est étendu tout habillé. Leur chambre. Leur chambre à tous les trois. Elle paraît si familière après ce mois passé au loin que c'en est étrange. Il lui faut faire un effort pour se rappeler que Jiliane n'y est pas, ne s'y est pas trouvée depuis trois jours. Il lui semble que cela devrait se sentir, mais non. Le parfum de bergamote flotte encore – ou est-ce son imagination ? Et sur la commode ventrue trône, tel un trophée, la tête de licorne en papier mâché et à la crinière de soie dont Jiliane était si fière.

Émilie, songe-t-il soudain avec un tressaillement coupable. Il va falloir faire prévenir Émilie. Il n'en aura pas le temps lui-même. Ou plus tard, peut-être ?

Il détourne les yeux, le cœur lourd, se penche pour déposer un baiser sur le front de Pierrino.

Pierrino referme ses bras sur lui et l'étreint avec force. « Sois prudent, murmure-t-il.

— Toi aussi », murmure Senso, la bouche dans ses cheveux qui sentent encore la suie du *Gil-Éliane*.

Et c'est tout. Il se lève et, après un dernier regard à la chambre obscure, il s'en va à la recherche de Larché, en commençant par le pavillon ; il va faire préparer la petite voiture. Il y dormira sûrement en route : il bâille déjà, comme Pierrino.

46

Gilles est étendu sur son petit lit de camp, dans son bureau de la fonderie. Le fracas continu des ateliers de concassage se perd dans le grondement de la mousson sur le toit des ateliers. Juillet, la saison des pluies bat son plein ; on travaille le double du temps à la fabrique, si les ouvriers des mines sont dans leurs ateliers des villages. Il est là aujourd'hui avec les deux Ghât'sin, les ouvriers et les magiciens verts ignorants des talentés indigènes qui travaillent à leurs côtés – ignorants de tout. Ils se reposent pour l'instant, comme lui, entre deux fournées d'ambercite ; seuls les *yuntchin* continuent, apparemment infatigables, sous la direction de la demi-douzaine de Ghât qui se sont joints à eux, sans un mot d'explication, l'an dernier. Kurun n'est pas venue, ce matin.

Il soupire en s'étirant, les bras sous la nuque. Le repos se dérobe, comme toujours : le poids dans sa poitrine ne s'allège jamais. Dès qu'il a un instant de libre, ses pensées angoissées se tournent vers Marie-Jolin. Verra-t-elle la fin de cette saison ? Pourtant, ni les magiciens verts ni les ecclésiastes du village ne décèlent aucune disharmonie dans son psychosome

– et lui non plus. D'ailleurs, la belle humeur de la petite ne se dément pas ; simplement, elle devient de plus en plus mince et fragile ; sa substance se dissipe lentement – mais où ? Elle rapetisse, de façon visible ; c'est comme si elle redevenait une adolescente.

Il a pourtant arrêté toute expérience avec elle à peine un an après leur mariage. Mais pendant toute l'année écoulée depuis, elle a continué de méditer, de partir d'elle-même dans ses… rêveries. Cela contribue peut-être à l'affaiblir, pour ce qu'il en sait, mais comment l'en empêcher ? S'il touche sa psyché lorsqu'elle rêve ainsi, même en essayant simplement de lui parler pour la faire revenir, son talent s'allume, et c'est ce qu'il veut désormais éviter.

Ni Xhélin ni Kurun ni les deux Ghât'sin n'ont rien pu lui expliquer non plus. Ils l'ont examinée, et Xhélin a dit simplement : "Elle va où elle doit aller." Il n'y a rien à faire. Elle ne souffre pas.

Rien d'autre, pas même : "Je te l'avais bien dit." C'est pire.

Se peut-il qu'ils aient eu raison, qu'il soit responsable de l'état de Marie-Jolin ? Mais comment, pourquoi ? Elle a de toute évidence été mise sur sa route, et il devait ouvrir son talent puisqu'elle le connaissait, puisqu'elle avait, de quelque façon, vu tout cela venir !

Aucun sortilège n'est à l'œuvre, et les ecclésiastes doivent dire vrai : il faut qu'il y ait en elle un désir profond de partir ainsi, si rien de ce qu'on a essayé n'a pu ni arrêter ni renverser cet incompréhensible processus. Lorsqu'ils se sont mis en résonance avec son psychosome pour essayer de cerner les sources profondes de sa condition, ne leur a-t-elle pas confié qu'elle a toujours su ne pas devoir rester très longtemps en ce monde ? Elle ne lui a jamais dit rien de tel, à lui. Peut-être ne voulait-elle pas le peiner ?

Une âme est revenue en Marie-Jolin, disent-ils, pour payer quelque dette obscure en répandant le bien autour d'elle pendant son bref séjour. N'est-elle pas devenue l'amie de la jeune Lilunzin, à qui elle offre un exemple de charité et de foi ? Lorsque Lilunzin retournera dans sa famille mynmaï si réticente au géminisme, qui sait ce qu'en seront les fruits ?

À bout d'hypothèses, à bout de chagrin, il est tenté d'y croire. Et Marie-Jolin serait alors aussi venue l'aider à apprendre tout ce qu'il sait à présent sur les capacités réelles des magiciens verts et la nature profonde du talent. Ils étaient destinés l'un à l'autre, elle pour briller d'une flamme brève et lui pour en être illuminé. Les voies de la Divinité sont véritablement insondables. Et dans ce cas, Marie-Jolin s'en irait bien où elle doit aller, La rejoindre dans l'Entremonde…

Mais il a beau prier d'en avoir la force, il ne peut s'y résigner. Trop faible à présent, elle a dû s'aliter. Elle continue de décliner, elle passe presque toutes ses journées à glisser de ses rêveries au sommeil. Les chats lui tiennent compagnie ; Ouraïn ou Kurun viennent dans sa chambre pour leurs *igaôtchènzin,* et il n'a pas même essayé de le leur interdire. Lorsque Marie-Jolin se réveille, ou sort de ses rêveries, elle dit en souriant que les fées sont venues la visiter : ses visions débordent dans sa veille, désormais.

Gilles, il faut venir. La petite sœur est prête à s'en aller.

Il est déjà à la porte, criant à la cantonade qu'on lui amène un cheval tandis qu'il court à travers la fonderie où le travail s'arrête à son passage. Il a le temps de voir quelques Ghât s'agenouiller et se prosterner, l'air consterné, puis il est dehors, sous la pluie battante, il finit de dételer lui-même le cheval de la voiture à capote, saute sur le dos de la bête et part au galop.

Au manoir, trempé, hors d'haleine, il arrache sa veste en se précipitant dans l'escalier menant à l'étage et à la chambre de Marie-Jolin.

Les chats sont tous là sur le lit. Elle, elle tient dans ses bras la chatte birmane. Xhélin est là, qui l'a appelé, et Kurun, et les deux autres Natéhsin – quand donc Nandèh et Feï sont-ils revenus de Garang Xhévât? Peu importe. Il se laisse tomber à genoux près du lit, prend la main de la jeune fille, dont les paupières se soulèvent. Elle lui adresse un sourire tendrement amusé.

« Es-tu donc allé nager, Clément? »

Son cœur se déchire un peu plus dans sa poitrine. « Non, ma très chère, c'est la pluie. »

Elle referme les yeux. « Nous irons plus tard. »

La gorge nouée, il lui baise la main, puis lance d'une voix rauque par-dessus son épaule: « Où est Ouraïn?

— À la bibliothèque, avec Antoinette, dit Xhélin.

— Il faut aller la chercher!

— Non », dit Kurun, immobile au pied du lit, d'un ton égal mais sans réplique.

Il se retourne pour lui jeter un coup d'œil. Son visage semble aussi dénué d'expression qu'aux premiers jours, tout comme celui de Nandèh et de Feï qui se tiennent un peu en retrait. Une profonde tristesse se lit sur celui de Xhélin.

Il se relève lourdement pour s'asseoir sur le rebord du lit. Il caresse les cheveux bruns, toujours aussi abondants et lustrés. Elle est si petite, à présent, comme si elle était véritablement devenue son enfant. Ce n'est pas comme si une maladie l'avait dévastée, elle n'a pas les traits creusés, elle n'est pas décharnée; on dirait simplement une adolescente de treize ou quatorze ans, un peu lasse – et c'est bien pis.

Elle rouvre les yeux, sourit encore: « Les grandes fées sont là, murmure-t-elle, radieuse. Les vois-tu, Clément? »

Il hoche la tête, incapable de prononcer une parole. Elle lui caresse la joue: « Il ne faut pas être triste. Nous nous reverrons bientôt, sur le rocher. »

Il la dévisage, hébété. C'est la fin. Elle délire. Sait-elle seulement ce qui se passe ? Il balbutie : « Xhélin, il faut aller chercher les ecclésiastes. »

Marie-Jolin secoue faiblement la tête. « Non, je dois partir avec les fées. »

Affolé de chagrin, d'incompréhension, il se tourne vers les Natéhsin : « Que veut-elle dire ? »

On ne lui répond pas, ou alors, par un geste : Kurun vient s'asseoir sur l'autre bord du lit, Nandèh et Feï la suivent et restent debout derrière elle, les mains jointes comme elle sur leur poitrine. Marie-Jolin ouvre les bras et la chatte birmane va se coucher au pied du lit contre Tchènzin, qui cligne des yeux sans bouger.

« Mais que faites-vous ? » balbutie Gilles ; l'eau dégoutte de ses boucles sur son visage, il se passe inutilement sur le front une manche détrempée.

La main de Marie-Jolin vient chercher la sienne : « Il ne faut pas pleurer, Clément, dit la voix enfantine. Nous nous reverrons bientôt, je te le promets. »

Elle tourne la tête vers les Natéhsin, qui la fixent, parfaitement immobiles. Elle leur sourit, puis ses paupières battent à plusieurs reprises, et se ferment.

Désespéré, Gilles ouvre son talent : elle a glissé d'un seul coup dans une méditation si profonde que c'en est presque une léthargie. Et sa psyché, si translucide et paisible ces derniers temps, a retrouvé l'intensité de leur première rencontre ; nées de cette flamme ardente, des transparences lumineuses se déploient lentement, se condensent peu à peu en prenant de l'ampleur, comme un envol d'ailes qui viendraient rejoindre celles des Natéhsin, ondulant au même rythme lent et soyeux pour s'y fondre peu à peu. Les filaments qui les rattachent à la substance de l'Entremonde, tout comme le fil d'or qui la relie à son soma, deviennent de plus en plus ténu…

Non, non ! Elle ne pourra transmigrer dans l'Entremonde si…

En un éclair, il se déploie comme une forteresse enflammée autour de la psyché de la jeune fille. Le talent de Marie-Jolin s'ouvre en une explosion d'étincelles scintillantes… qui s'effacent, soufflées par un vent invisible. Elle s'est soulevée un instant, la bouche ouverte sur un cri silencieux. Et retombe, inerte, les yeux fixes.

Gilles a le temps de voir sa psyché se replier en retombant, lentement, comme une feuille morte, pour flotter à quelques pouces au-dessus de son soma, et puis il n'est plus dans l'Entremonde, son talent s'est refermé, on l'a refermé, c'est comme un coup de poing qui l'a envoyé bouler par terre.

O'zoyoÿ ! gémit la voix de Xhélin.

Gilles se relève à genoux en secouant la tête, étourdi et tremblant. Des lumières fantômes dansent devant ses yeux, un tambour lui résonne dans le crâne. On l'attaque ? Vaguement conscient que le bracelet à son poignet est toujours inerte, il essaie pourtant de rouvrir son talent, mais en vain. Il appelle Kurun, affolé. Elle est là, mais elle ne répond pas. Enfin, dans un nouvel éblouissement douloureux qui l'oblige à fermer les yeux, il comprend : le contrecoup. Il y a si longtemps qu'il n'en a ressenti… mais pourquoi maintenant ?

Il regarde autour de lui, hagard. Les chats ont disparu. Les Natéhsin n'ont pas bougé. Ils le contemplent tous trois avec la même expression horrifiée. Marie-Jolin… Marie-Jolin ne respire plus. En poussant un cri inarticulé, il la prend dans ses bras, stupéfait de la sentir si lourde. Il essaie de rouvrir son talent, il veut s'assurer que le psychosome de la jeune fille est bien là, intact, mais il n'y arrive pas, ses sanglots l'étouffent.

« Qu'as-tu fait ? dit Xhélin atterré, qu'as-tu fait ?

— Et vous, qu'alliez-vous faire ? » Sa voix se brise. « Elle doit être sublimée ! Elle doit être entière pour être sublimée ! »

Un bruit de course martèle le couloir, la porte s'ouvre à toute volée, Ouraïn entre, effarée. Elle veut se précipiter vers le lit, mais Xhélin l'arrête. Elle se débat, en vain. Elle se retourne enfin, enfouit son visage dans la poitrine du Ghât'sin et se met à pleurer en silence.

47

À Lamirande, monsieur Cambère essaie de s'interposer lorsqu'ils veulent enfreindre l'interdit de Grand-père, qui a donné l'ordre de n'être dérangé sous aucun prétexte.

« Cet ordre ne s'applique ni à moi ni à Étienne », dit Senso avec force, plus revigoré par son somme de trois heures que par une nuit de sommeil. Il ne sait, de lui ou de Larché, à qui l'intendant choisit de ne pas s'opposer, mais l'essentiel est qu'il les laisse se rendre au bureau de Grand-père. Il fait froid entre les murs du château presque désert ; c'est si étrange de voir toutes ces housses blanches partout sur les meubles – il les a souvent imaginées, mais ne les a jamais vues. C'est comme la vieille tour, dont la ruine est plus pathétique et solitaire privée de son habit de feuillages, ou les pelouses encore jaunes par endroits, les parterres sans couleurs et les arbres dénudés de l'entrée.

Du moins fait-il chaud dans le bureau. Le poêle ronflant dans l'ancienne cheminée, le bureau couvert de papiers et de livres, les deux chiens qui se précipitent en dérapant avec allégresse sur le parquet…

C'est un tableau si familier que Senso en a la gorge nouée.

Grand-père n'était pas assis à son bureau, cependant. Il était affalé dans un des fauteuils devant le poêle. Il se dresse brusquement à leur entrée, fixant Senso avec une expression d'espoir affolé : « Vous l'avez retrouvée ?

— Pas encore », dit Senso atterré en essayant de ne pas le dévisager. Il porte une vieille robe de chambre fanée, ses cheveux blancs sont en désordre, il lui pousse un début de barbe, et des cernes entourent ses yeux fiévreux.

Et un bracelet cuivré orne son poignet droit.

Grand-père se ternit d'un seul coup. Il se laisse tomber de nouveau dans le fauteuil, une main abandonnée sur l'accoudoir, qu'un des chiens vient lécher avec un petit aboi bref.

Larché va s'appuyer au manteau de la cheminée. Senso sort de sa paralysie pour contourner le fauteuil, tire l'autre plus près et s'y assied, les coudes sur les genoux.

Grand-père ne semble d'abord pas le voir puis son regard délavé se fixe sur lui et il fronce les sourcils : « Où est Pierre-Henri ?

— À Aurepas, dit Senso. Il se repose. Nous avons voyagé sans arrêt depuis le 24. Il va repartir pour Narbonne cet après-midi.

— Narbonne ?

— Haizelé. »

Grand-père reste un instant muet, les yeux un peu écarquillés ; il répète « Haizelé ? »

Si Senso n'était soudain si désemparé, il sourirait de ce dialogue à la Jiliane.

« Pierrino pense qu'elle est peut-être allée la rejoindre. »

Grand-père finit par secouer la tête : « Mais quelle idée ! » murmure-t-il ; son regard menace de se perdre à nouveau dans le vague.

« Vous aussi, alors, se hâte de dire Senso, vous pensez que c'est un coup du baron Darlant ? »

Grand-père tressaille à peine.

« Comme pour notre mère ? »

Cette fois, les yeux bleus ont retrouvé leur regard. Grand-père, les mâchoires soudain serrées, tourne la tête vers Larché.

« Ils voulaient rendre visite à monsieur de Pranoix », dit celui-ci, impavide.

Grand-père le regarde fixement puis, entre ses dents, d'un air presque menaçant, il marmonne : « Les de Creilles n'ont jamais eu ma lettre, n'est-ce pas ?

— Non, Monsieur. »

De quoi parlent-ils ?

Grand-père pousse un grand soupir. Ses épaules s'affaissent ; il se détourne de Larché ; l'orage n'éclatera pas.

L'un des chiens se laisse tomber aux pieds de Senso, ventre offert. Machinalement, il frotte le poil roux, en contemplant le visage creusé du vieil homme. *Un vieil homme*. C'est la première fois qu'il pense ainsi à Grand-père.

« Pourquoi nous avoir caché la vérité là-dessus, Grand-père ? » demande-t-il, avec plus de douceur qu'il n'en avait l'intention lorsque, avant de s'endormir dans la voiture, il essayait d'imaginer leur dialogue.

Le silence dure un moment. Senso va répéter la question, lorsque Grand-père dit enfin, « Je ne voulais pas que vous viviez dans la peur », d'une voix presque dépourvue d'intonation : une simple énonciation de faits à présent dépourvus d'importance. « Et pour Julie-Anne. Et pour des raisons politiques, aussi : on n'a jamais rien pu prouver contre Darlant. Il m'a semblé préférable de laisser courir l'autre version. Je vous l'aurais dit, plus tard… »

Pierrino rétorquerait sûrement avec colère : “Et quoi d’autre, Grand-père ?” Mais Pierrino n’est pas là – et Senso a honte d’en être soulagé. Il demande plutôt, sans agressivité, il veut simplement savoir : « Que s’est-il passé au pavillon, vendredi soir ? »

La réponse est encore plus longue à venir, mais il se sent soudain armé de toutes les patiences. « Je ne sais pas, murmure Grand-père, accablé. Nous étions revenus très animés du Club. Elle avait faim, nous nous étions fait servir un petit souper rapide par madame Beaupretz dans mon bureau. Nous discutions de choses et d’autres, ce qui s’en venait, le rôle que vous joueriez tous trois. À un moment, je lui parlais de l’Émorie, de Sardopolis. Elle regardait les flammes du foyer. Peut-être s’est-elle endormie. Tout d’un coup, elle s’est mise à se débattre très violemment. Elle semblait terrifiée. J’ai pensé qu’elle rêvait, j’ai voulu la prendre dans mes bras pour l’empêcher de se blesser et… je ne sais ce qui est arrivé, elle était d’une force extraordinaire, je suis tombé et me suis assommé, je pense. »

Le vieil homme se racle la gorge. Au bout d’un moment, il conclut : « Je ne me rappelle rien d’autre. J’ai repris conscience dans la matinée. On m’a appris sa disparition. » Sa voix, qui s’était presque animée à l’évocation de la soirée, est redevenue basse et morne.

« Elle aurait eu un accès de somnambulisme ? » Senso ne sait encore s’il doit y croire, s’en réjouir ou en être de nouveau terrifié. « Mais le cheval, les habits ?

— Certains somnambules sont parfaitement capables d’actes suivis, marmonne Grand-père.

— Vous ne croyez pas vraiment à l’hypothèse d’un enlèvement, alors ? »

Les traits du vieil homme semblent se creuser encore davantage : « Malheureusement, c’est la plus plausible », dit-il toujours de la même voix exsangue. « Elle n'est pas incompatible avec celle d'une transe provoquée à distance. On peut difficilement faire accomplir aux sujets en transe des actes contrariant leurs désirs profonds : peut-être a-t-elle été persuadée d'aller à votre rencontre… »

Un silence de plomb envahit Senso. Elle serait vraiment partie sur le canal, alors – mais avec ses ravisseurs, ou dirigée par eux. Et elle ne s'y trouve sûrement plus. Oh, Divine, pourquoi ne sont-ils pas allés voir les mages comme la magicienne de Langon le leur avait dit ? Peut-être était-il encore temps, à ce moment-là !

Étrangement, la seule façon pour lui de ne pas se laisser aller au désespoir, c'est de penser à Pierrino. Non avec reproche et colère pour leur avoir peut-être fait perdre des moments précieux, mais en se demandant comment agirait Pierrino. Pierrino n'accepterait sûrement pas aussi aisément les déclarations de Grand-père. Pierrino essaierait de le prendre en défaut. Il y a encore une possibilité, oh, infime, mais une possibilité tout de même que l'histoire de Pierrino détienne une parcelle de vérité : Grand-père n'a-t-il pas admis que Jiliane avait eu une crise de somnambulisme ? Implicitement provoquée à distance par ses ravisseurs, mais…

« Pourquoi vous être enfui à Lamirande ? »

Le vieil homme hausse les épaules, avec un retour d'énergie : « Parce que j'y suis plus en sécurité qu'à Aurepas s'il s'agit bien de Darlant ! Les protections dont je dispose ici… Et parce que je ne savais rien et n'allais pas me laisser triturer inutilement la cervelle par des mages ! »

“S'il s'agit bien de Darlant”. Il n'en est pas certain ? Alors même que les mages n'ont pas trouvé Jiliane et qu'il faut supposer à l'œuvre une magie bien puissante

– rouge, implicitement, encore ; on pourrait se perdre dans tout cet implicite…

« Vous saviez que notre père était un talenté, comme sa mère, et notre arrière-grand-père, le chamane atlandien ? »

Grand-père semble complètement pris au dépourvu, il lui faut un moment pour s'adapter au changement de sujet : « Le chamane ?

— Jacquelin, le serviteur de madame d'Olducey. Il nous a donné les lettres et… il est passé dans la nuit. »

Le vieil homme cligne des yeux à plusieurs reprises. « Non, dit-il enfin. Non. Je connaissais un peu l'histoire de madame d'Olducey en Atlandie, je m'étais renseigné lorsque j'avais appris… » – sa voix s'enroue légèrement – « … le mariage de votre mère. Mais je savais que madame d'Olducey était une talentée.

— Comment donc, vous ne l'aviez jamais rencontrée ? »

C'est Larché qui répond : « Sa présence avait déclenché les alarmes, à Lamirande. C'est ce qui avait prévenu votre grand-père. »

Un homme qui sait se faire oublier, Larché, décidément. Mais Grand-père n'a pas exigé qu'il sorte, et Pierrino n'hésiterait sans doute pas à aborder la question en sa présence. Senso remarque : « Il existe une autre sorte de magie que la rouge capable de dissimuler Jiliane. La magie émorienne. La magie de Grand-mère. »

Le vieil homme le dévisage, vraiment stupéfait, puis laisse échapper un faible éclat de rire : « Aurore ? Mais elle n'est pas talentée, encore une fois ! D'où vient cette idée saugrenue ? »

Il semble de si bonne foi que Senso reste interdit un moment, avant d'expliquer pêle-mêle : « Mais… elle nous a donné des médaillons… qui avaient appartenu à nos parents, et qui ont pour un temps supprimé l'effet du fil d'or, avec Jiliane. C'est pour cela que nous avons pu faire ce voyage avec vous. Nous nous en sommes rendu compte quand… Pierrino a par accident enlevé le sien. Jiliane en avait reçu un aussi autrefois. Lorsque nous avions sept ou huit ans, vous vous rappelez, le fil a vraiment commencé de se desserrer à ce moment-là… »

Le regard de Grand-père a retrouvé une partie de son acuité: « Aurore possédait des talismans mynmaï? »

Senso essaie d'envisager les diverses interprétations possibles de cette admission détournée; c'est là que Pierrino serait utile, pour le coup: « La magie appartiendrait aux médaillons, et non à Grand-mère? Mais… »

Grand-père ne le laisse pas poursuivre: « La magie émorienne est différente.

— Oui », rétorque Senso, sans empêcher un certain ressentiment de se faire jour dans sa voix, « nous avons appris à Paris à quel point. »

Le visage de Grand-père s'assombrit, tandis qu'il jette à Larché un coup d'œil furieux, et qui le reste. Mais Senso ne recule pas: « Nous n'aurions pas écouté Étienne, Grand-père. Nous y serions allés de toute façon.

— Pour un Arnaud d'Ampierre! » marmonne Grand-père en haussant les épaules. Puis il semble prendre sur lui et change de sujet: « Ainsi, Aurore possédait encore des talismans. Et elle vous les a donnés. » Son expression s'adoucit, avec une nuance de tristesse: « Elle a bien fait.

— Mais elle ne nous a pas dit qu'ils étaient magiques!

— Il valait mieux pour vous ne pas le savoir tout de suite, compte tenu des circonstances », murmure Grand-père, un curieux écho aux paroles de Grand-mère.

Et vous, pourquoi ne nous avez-vous rien appris ? voudrait demander Senso. C'est ce que Pierrino exigerait de savoir. Pierrino ne comprendrait sans doute pas la réponse, non plus : Grand-père ne voulait pas accabler leur foi de ce mystère de la magie émorienne. À vrai dire, Pierrino n'en a sans doute pas été si ébranlé : il a surtout vu dans le silence de Grand-père et sa version de l'histoire émorienne un autre mensonge, un mensonge de plus, un mensonge de trop. Mais lui-même… depuis Paris, il a du mal à y penser. Son esprit se dérobe chaque fois qu'il dérive de ce côté, chaque fois que Pierrino a abordé le sujet. Une magie entièrement différente, une magie *plus puissante* ?

Il comprend mieux à présent les réserves de la Hiérarchie et du Magistère.

« Mais cela n'a pas protégé Julie-Anne », murmure Grand-père, qui a poursuivi ses réflexions dans une autre direction. « Vous ne sentez plus aucun lien désormais, même lorsque vous ôtez ces médaillons ?

— Non.

— Montre-moi le tien. »

Senso se penche vers lui en sortant le médaillon de son col de chemise.

Grand-père l'examine avec un regain d'intérêt : « Cela ressemble à la bague que je t'ai donnée autrefois », murmure-t-il. Il se redresse en laissant retomber le médaillon : « Mais c'était une bague ordinaire, elle. »

Le silence dure après cela. Senso jette un coup d'œil à Larché : « Iriez-vous nous chercher du café, Étienne ? »

Grand-père n'objecte rien : il fixe le poêle, les yeux perdus dans les éclats du feu à travers les petites fenêtres de mica. Larché sort, accompagné de l'un des chiens espérant une promenade. Un léger grésillement aux fenêtres fait prendre conscience à Senso qu'il s'est mis à pleuvoir. C'est dommage, oui, après tout, que Pierrino ne soit pas venu : il aurait pu constater lui-même que ses soupçons étaient dénués de fondement. Il va falloir lui écrire une lettre brève et envoyer quelqu'un la lui porter à Aurepas avant son départ.

Par acquit de conscience, pourtant, et pour se faire la voix de Pierrino, il demande : « Vous n'avez pas essayé de magnétiser Jiliane, n'est-ce pas, Grand-père ? »

Grand-père sursaute : « Non ! »

Le ton de la réplique n'est pas aussi convaincu qu'il le devrait. Senso fronce les sourcils. Grand-père lui jette un rapide coup d'œil – et détourne les yeux

« J'y ai pensé », dit-il enfin d'une voix basse, douloureuse. « Les circonstances ont changé. L'ambercite… Tout va s'accélérer. Mais ç'aurait été pour plus tard, une solution de fortune, temporaire, et jamais sans le consentement de Julie-Anne, tu le penses bien ! Lorsqu'elle aurait été davantage formée à ses tâches futures. La manipulation des minerais est si dangereuse… Il faut un talent pour la surveiller. Et je voulais garder tout cela dans la famille, comprends-tu ? Ne point devoir faire appel aux ecclésiastes ni à des magiciens sanctionnés et formés par eux, comme autrefois. Jiliane, dans sa résonance avec les éléments du monde sensible… Après une bonne formation, pas vraiment de magicienne, mais juste assez, et temporairement pourvue de talent… J'étais venu à penser qu'elle serait un sujet tout indiqué. Avec énormément de précautions, bien entendu. »

Il se redresse : « Mais je ne l'ai pas magnétisée, ce soir-là ni jamais, Alexandre, tu dois me croire ! » insiste-t-il d'une voix qui se casse.

Senso, soudain glacé, songe à Agnès, aux raisons possibles de sa fuite…

« Vous l'avez fait pour notre mère », s'entend-il affirmer d'une voix atone.

Et Grand-père ne nie pas ; il s'affaisse davantage encore dans son fauteuil, une main sur les yeux.

Dans le silence, le poêle ronfle, la pluie gratte un peu plus fort aux carreaux. Nous allons repartir sous l'averse, se dit Senso, d'une façon détachée. Il déteste monter à cheval avec un ciré qui dégouline partout. Car il va repartir, quel que soit le motif de la disparition de Jiliane. Il va repartir le long du canal et remonter vers le nord, en espérant ressentir à quelque moment une légère brûlure à la cheville à défaut du tiraillement du lien qui les unit à Jiliane. Les mages ont raison, finalement. Ce sont les barons du charbon, Darlant ou un autre. Et quelque nécromant à leur solde.

« C'était une terrible erreur de ma part, que je n'ai cessé de payer, murmure soudain Grand-père d'une voix éraillée. Le magnétisme animal était nouveau, à l'époque. On était loin de parler de refaire usage de l'ambercite, pourtant, cette expérience n'était pas nécessaire ! Mais j'étais différent alors, plus curieux, plus imprudent. Plus stupide. Cela a mal tourné et elle est partie, furieuse contre moi. Et juste alors qu'elle m'avait pardonné, juste comme elle revenait… C'est de ma faute, tout est de ma faute. Darlant ne les aurait pas fait attaquer si… Et maintenant, Julie-Anne ? Je suis maudit ! »

Son exclamation se termine presque en sanglot, et il enfouit son visage dans ses mains.

Senso est paralysé. Est-ce Grand-père, ce vieil homme brisé ? Il voudrait le réconforter, et pourtant, en même temps, il pense aux lettres d'Henri, au projet d'Agnès d'emmener sa mère loin d'Aurepas… Voilà la cause de la tristesse et du ressentiment d'Agnès. De Grand-mère aussi, certainement. Mais il ne peut dire à Grand-père qu'il se trompe et que sa fille ne lui avait nullement pardonné.

Il s'agenouille près du vieil homme, lui prend les genoux: « Nous la retrouverons, Grand-père, je vous le promets. Les mages sont avec nous, ils nous ont donné des protections contre d'autres agressions de Darlant, et nous la retrouverons d'une façon ou d'une autre, je vous le jure !

— Les mages ? » murmure Grand-père, hébété.

« Les évêques. Ils nous ont donné des bracelets d'avers grâce auxquels ils nous suivront à distance, et… »

Grand-père se redresse brusquement; ses yeux flamboient: « Ils veulent vous utiliser comme appâts ? »

Ah, Pierrino et lui se ressemblent bien. « Nous y consentons de grand cœur, Grand-père: c'est pour retrouver Jiliane. Je pars avec Larché en retraçant notre itinéraire vers Orléans, elle le connaissait par cœur. Si Darlant n'a rien à faire dans tout cela, si elle est partie de sa propre initiative – celle-ci fût-elle d'origine somnambulique, car c'est malgré tout encore possible, n'est-ce pas ? je la retrouverai bientôt, ou Pierrino à Narbonne auprès d'Haizelé. Sinon, et qu'on nous attaque… Les bracelets nous protégeront, les ecclésiastes remonteront à la source, et nous finirons bien par retrouver Jiliane ainsi.

— Tu pars avec Larché », murmure Grand-père. Senso se demande s'il a entendu le reste de ses paroles.

« J'accomplirai cette tâche-là sans problème, Monsieur », dit Larché.

Les deux hommes échangent un regard. De quoi s'agit-il ? Quelle tâche faisait donc problème à Larché ?

Les surveiller ? Fouiller dans les lettres ? Pour savoir ce qu'ils sauraient ou ne sauraient pas ?

Il n'a pas le temps de poser la question: « Mais Pierre-Henri ? » reprend Grand-père, de nouveau inquiet.

« Un policier l'accompagnera, Monsieur, et il disposera des mêmes protections lointaines et rapprochées que monsieur Alexandre. »

Grand-père hoche un peu la tête. Puis une expression horrifiée convulse son visage. « Mes enfants, mes chers enfants, souffle-t-il. Dispersés aux quatre vents… Elle l'avait dit, que je vous perdrais. Votre grand-mère d'Olducey. Elle est vengée.

— Mais non, Grand-père », implore Senso, effrayé de le voir aussi totalement défait. « Nous allons revenir. Vous ne nous avez pas perdus. Nous allons revenir, avec Jiliane ! »

Le vieil homme le dévisage avec une intensité désespérée. Puis il le serre brusquement contre lui en balbutiant d'un ton farouche : « Retrouvez-la. Retrouvez-la. »

CINQUIÈME PARTIE

48

Afin de résister à l'appel de l'*igaôtchènzin*, Ouraïn songe à ce qu'elle notera dans son journal. La cérémonie touche heureusement à sa fin. La petite chapelle sent trop la rose et l'encens, comme toujours, et la lumière tamisée par les vitraux y est toujours trop douce, mais il y a trop de monde aujourd'hui pour que l'atmosphère y soit aussi dangereusement paisible que d'habitude: Antoinette, la demi-douzaine de contremaîtres endimanchés avec leurs épouses, les trois conseillers des villages et les leurs, les Desmarets père et fils, leurs amis Guillaumin de part et d'autre de l'enfant, Gilles à côté de la marraine, Bernardine à côté du parrain. Et au milieu de tout cela, centre de tous les regards, Antoine-Marie Garance qui répond sagement aux questions rituelles des ecclésiastes. Un petit garçon aux yeux bleus, aux cheveux blond roux, pâle et fragile, mais si sage, et qui a si bien appris son catéchisme. Il ne parle pas très fort, il commence d'être fatigué. Il ne participera pas au banquet, tout à l'heure. Il a de la chance – ou du moins en aurait-il s'il n'était une illusion. Cela ne sera sans doute pas une occasion bien festive, compte tenu des circonstances.

Le récit de tout cela s'en ira à la fin de la Période des Onze Ans, qui n'a pas été très fournie. On a fini la construction du troisième village géminite en 1647, Lilunzin est "repartie" en 1641, et Lynglin est "arrivée" en 1643... Jusqu'à "l'Ouraïn", les allées et venues des "pupilles" des Garance, comme celles des ecclésiastes et des magiciens verts au domaine, méritaient à peine une entrée dans le journal. Ensuite, le seul événement de marque, c'est le second mariage de Clément, en 1657. Suivi de la naissance d'Antoine en 1658.

Ouraïn sourit par-devers elle. Gilles avait raison, cela l'aide de tenir un journal. Dates et événements y sont plus en ordre que dans sa mémoire, même si cela ne change pas grand chose à sa perception de la durée. Elle a eu des surprises, lorsqu'elle a commencé de consigner tout ce dont elle se souvient depuis sa naissance ! Mais quand bien même Gilles et Antoinette l'ont aidée à tout remettre à la bonne place, c'était un amas plutôt informe, où elle ne parvenait pas à se retrouver. L'organisation qu'elle a choisie désormais est plus utile : plutôt que de procéder par année, elle arrange les événements dans chacun de ses âges – la Période des Trois Ans, des Quatre Ans, des Cinq Ans... Cela fait environ dix années par période, et simplifie de beaucoup les recherches, lorsqu'il en faut. Elle est "à jour" maintenant, même si elle n'écrit pas tous les jours, bien sûr, seulement lorsqu'il y a des événements importants.

Et aujourd'hui, 18 novembre 1663, c'est le jour de la confirmation du fils imaginaire de Clément dans la chapelle privée du manoir. Et Bernardine va s'en aller juste après.

Ouraïn sent qu'elle ajoutera "ce n'est pas trop tôt" dans le journal ; peut-être même expliquera-t-elle pourquoi ; commenter ce qui se passe, fût-ce pour elle seule, adoucit parfois de curieuse manière les choses désagréables, en les éloignant – comme si les mots écrits étaient une cage où enfermer tout ce qui dérange. À dire vrai, elle ne sait lequel des deux événements est le plus important, la confirmation de l'enfant illusoire ou le départ de Bernardine. Gilles n'a pas très bien choisi la deuxième épouse de Clément. On le tarabustait encore pour qu'il se marie, les ecclésiastes de l'époque, avec leur Harmonie : il a pris la première qui se présentait ! Elle a été enceinte presque tout de suite, pour passer neuf mois dans une sorte d'apathie – du moins était-elle à peu près tolérable alors... Mais dès qu'elle a été remise de l'accouchement, elle s'est mise à détester le domaine, le climat, les "serviteurs indigènes" – pauvres Chéhyé et Nèhyé, qui n'en pouvaient mais ! Gilles n'avait pas prévu qu'elle y tenait, elle, à l'Harmonie, ou du moins à son apparence, ni qu'elle essaierait aussi longtemps de "faire contre mauvaise fortune bon cœur", comme elle le dit trop souvent. Mieux aurait valu pour elle écouter sa véritable harmonie, qui lui disait de fuir le domaine au plus vite, maintenant que le sortilège amoureux de Gilles n'opérait plus sur elle ! Même les ecclésiastes le lui conseillaient, mais malgré leurs remontrances raisonnables, elle s'est entêtée. Elle connaissait pourtant les termes du contrat, elle aurait pu partir n'importe quand. Ce n'était pas comme si elle adorait son fils... Armande non plus n'avait pas pour Clément une affection particulière, au fait. Sans doute un effet délibéré des sortilèges de Gilles, pour leur permettre de se séparer plus aisément de leur enfant. Mais il n'avait pas compté avec l'orgueil de Bernardine.

« La Divinité est avec vous », disent enfin en chœur les ecclésiastes, en ouvrant les bras.

« Et avec vous », ne peut s'empêcher de répondre Ouraïn avec toute l'assistance, s'attirant un petit regard en biais d'Antoinette, qui décidément ne cesse d'espérer. Elle est devenue fort pieuse lorsque le pauvre Philippe a disparu pour de bon. C'était dans la Période des Neuf Ans, cela, le 27 de juillet 1633, peu après la fausse mort de Gilles. La longévité des anciens mages ni leur talent ne les protégeaient donc des accidents ? Gilles a secoué la tête avec une expression attristée : « Hélas, non ! » – et Ouraïn se rappelle comme sa propre tristesse s'est muée en crainte : « Toi non plus ? » et comme il a éclaté de rire en l'embrassant : « Je suis le Fils du Dragon, ma petite merveille, il ne peut rien m'arriver. »

Les bancs se vident par le fond de la chapelle, un processus qui prend du temps, car ils étaient bondés. Malheureusement, Ouraïn est à l'avant, dans le banc de la famille. Gilles parle aux Guillaumin, qui embrassent Antoine chacun leur tour, tout comme Bernardine, puis il prend la main de l'enfant pour se rendre à la porte de la sacristie, où il le confie à Chéhyé en disant : « Sois bien sage et fais ta sieste après avoir mangé. Je t'apporterai tes cadeaux. »

Bernardine n'a pas bougé. « Mais vraiment, mon cher », dit-elle lorsque Gilles revient vers elle, « j'espère pour vous et pour Antoine que vous engagerez un jour des serviteurs plus compétents ! »

Il reste impassible, mais il doit être agacé : c'était un sujet constant de discussions entre eux ; va-t-elle donc continuer jusqu'au dernier moment ?

« Outre mon père et des ecclésiastes géminites, j'ai été élevé par des serviteurs indigènes et ne m'en porte pas plus mal, ma chère Bernardine », dit-il avec la parfaite politesse dont il ne se départ jamais avec elle.

Elle prend les Guillaumin à témoin : « Mais l'enfant n'a d'autres compagnons que ces gens et Ouraïn !

— Vous savez bien que les enfants du village le fatiguent trop, ma chère, et par ailleurs, ce ne sont pas des compagnons appropriés pour lui, n'est-ce pas ? »

Bernardine ne peut réfuter son propre argument – elle avait elle-même refusé que son fils allât étudier à l'école du village, comme l'avait proposé Gilles. Il devait savoir qu'elle refuserait. La fille du baron Desmarets a une fort haute idée de son rang dans la société géminite.

Elle désigne Ouraïn du menton avec une petite grimace dédaigneuse : « Et elle l'est ? »

Elle doit être très irritée, ou penser qu'elle n'a plus rien à perdre, car elle est d'habitude plus attentive à ne pas laisser transparaître son mépris des indigènes.

Avant que Gilles ait pu répliquer, Bernardine déclare d'un ton impérieux : « Venez là, Ouraïn. »

Avec un soupir intérieur, Ouraïn obéit. « Êtes-vous baptisée dans notre foi, petite ? Y avez-vous été confirmée ? »

Elle le sait bien ! « Non, Madame. » Elle fixe sur elle ses yeux mordorés, sans ciller, mais Bernardine tient à sa dispute et ne se laissera pas intimider.

« Vous voyez ce que je veux dire », lance-t-elle triomphalement à la cantonade, qui comprend maintenant seulement les deux ecclésiastes, Antoinette et les Guillaumin.

« Ces jeunes indigènes sont de très bonne famille, Madame, intervient Antoinette, et reçoivent une éducation des plus européennes pendant leur séjour au domaine.

— Mais non une éducation religieuse, Mademoiselle Frantz ! Même une magicienne comme vous devrait pourtant bien en comprendre l'importance ! »

Ouraïn voit qu'Antoinette serre les dents pour ne pas réagir – Bernardine Desmarets n'a guère de respect pour les magiciens verts et ne s'est jamais donné la peine de le dissimuler.

Dom de Lussac intervient: « Madame, nous sommes des ecclésiastes, ma compagne et moi, et nous comprenons les nécessités de la situation…

— On l'a fait trop longtemps, et vous ne le devriez point », rétorque Bernardine, apparemment bien décidée à offenser tout le monde en ce dernier jour de sa vie au domaine. « Quelques poignées d'indigènes convertis, cela vous suffit-il donc ? Nous sommes ici depuis plus de soixante-dix ans, depuis trente ans nous tenons ce pays à bout de bras, et quelle reconnaissance nous en a-t-on ? Quelle leçon en a-t-on apprise ? On se rit de nous, je le crois bien !

— L'Harmonie demande Patience et Charité », déclare domma Montaigne. Elle n'a pas parlé d'un ton particulièrement sec, mais Bernardine semble arrêtée en plein élan.

« Surtout en ce beau jour où notre fils a été confirmé dans notre foi », enchaîne d'ailleurs Clément avec un sourire aimable. « Venez, ma chère, allons retrouver nos invités pour cette fête que vous avez si bien préparée. »

Il lui prend le bras, et en cette compagnie elle ne peut se dégager avec brusquerie. Elle le suit entre les bancs maintenant déserts, et les Guillaumin lui emboîtent le pas, plutôt embarrassés.

Dom de Lussac se tourne vers Ouraïn: « Ne tenez point rigueur à cette pauvre Bernardine, je vous prie, Ouraïn. C'est un jour un peu triste pour elle, comme vous le savez sans doute. Bien peu d'entre nous partagent ces opinions… disharmonieuses. »

Elle incline la tête, impassible. Les nouveaux ecclésiastes se rendront compte bien assez tôt de leur erreur sur ce point; ils ne vivent pas depuis suffisamment longtemps au domaine, les ouvriers géminites se retiennent encore d'exprimer devant eux leurs opinions sur les Mynmaï.

« Par ailleurs, que votre tribu vous envoie parmi nous indique bien qu'elle n'est pas opposée à notre religion », renchérit domma Montaigne.

Ouraïn sent que le silence ne suffira pas cette fois ; on attend d'être rassuré. Elle murmure : « Certainement », et regarde l'ecclésiaste s'épanouir.

Afin de mettre un terme à la conversation, elle prend le bras d'Antoinette, et domma Montaigne sourit encore plus largement : « C'est cela, ma chère Marguerite, accompagnez donc Ouraïn à la fête. Nous vous suivrons bientôt. »

Ouraïn jette un regard en biais à Antoinette, mais celle-ci ne semble pas spécialement amusée. Marguerite Frantz. Elle est censée venir d'Allemagne ; du coup, elles ont appris l'allemand ensemble, avec Gilles, pendant la Période des Dix Ans. Pauvre Antoinette. "Ouraïn" : quand on lui parle, elle, au moins, et même si l'on croit qu'elle est une autre, on l'appelle désormais par son véritable nom.

49

Il pleut lorsque Pierrino quitte le Boccan pour le port de Saint-Marsal et, de là, pour le canal qui va l'emmener vers le nord après tout, jusqu'à Carcassonne où il retrouvera le Canal du Midi pour se diriger alors vers l'est, et Narbonne. Il ne peut s'empêcher de penser à l'autre départ, il y a à peine un mois, à un monde de là. Son état d'esprit était bien différent. Et pourtant, tous ces échos troublants… Il s'inquiétait alors de la séparation d'avec Jiliane, une inquiétude non fondée – mais la séparation a maintenant eu lieu, terriblement. Et Senso n'est pas là, maintenant, une séparation moins inquiète et pourtant déchirante. Il a reçu vers deux heures de l'après-midi son message envoyé de Lamirande, de justesse, au moment de monter à bord, et l'a lu avec des sentiments mêlés : tendresse et gratitude envers Senso, dur chagrin pour le reste. Le message a confirmé ses soupçons à propos de Grand-père. Quoique Senso le lui eût envoyé au contraire pour le rassurer là-dessus. Trop confiant, Senso, trop de respect pour l'autorité. N'a-t-il point vu pourtant comme les évêques ont décidé de les utiliser, eux aussi ?

La lettre revenue d'Agen a fini de lui ouvrir les yeux, quant à lui : au fil des années, Grand-père n'a jamais cessé de protéger ses intérêts à travers eux.

Eh bien, il a manqué son coup.

Le policier vient le rejoindre sous l'auvent de proue, où il s'est assis sur un tabouret pliant. Son escorte, son protecteur – son gardien. Monsieur Gérard, la trentaine dépassée, mais qui paraît plus vieux ; ce doit être le métier.

« La journée n'est vraiment pas belle », dit l'autre en relevant le col de sa redingote. « Il paraît qu'il fera meilleur à Narbonne. »

Un homme solide et carré, d'une force discrète, mais qui semble présentement plutôt nerveux ; on le serait à moins, se savoir la cible potentielle d'un nécromant ! Impossible de le rassurer en lui disant la vérité, malheureusement. Mais Pierrino s'y emploie avec doigté, en dédiant cette petite charité à Senso : « Dites-moi, avez-vous aussi un bracelet protecteur ?

— Oui.

— Ah, bien, cela me rassure encore davantage. »

L'homme semble se détendre un peu à ce rappel des protections invisibles qui les entourent et les suivent. Il s'adosse à la paroi, les mains dans les poches, et regarde en silence, avec Pierrino, les villages et les petites villes qui passent au fil du canal, en échangeant de temps à autre avec lui des commentaires laconiques.

50

« C'est moi, Philippe, je sais que tu es éveillé, je t'en prie », dit Antoinette avec lassitude.

Carusses ouvre les yeux. Autant il est lisse et détendu lorsqu'il est suspendu, autant dès son rassemblement et surtout après son réveil, son visage prend soudain de l'âge : c'est son expression, sourcils froncés, bouche amère, regard fiévreux. Qui cherche au-delà d'Antoinette, sans perdre son expression angoissée.

« Où est-il ? » demande-t-il d'une voix atone.

Antoinette secoue la tête : « Il n'y a que moi ici. »

Elle le croit vraiment, et Carusses n'a pas ouvert son talent. Il murmure : « Mais c'est lui qui m'a rassemblé. » Il se redresse sur un coude, avec maladresse. « Croit-il donc que tu me convaincras mieux que lui ? »

Elle le regarde sans broncher. Il l'examine, les yeux plissés, dans la pénombre de la cabane.

« Ma pauvre Antoinette », soupire-t-il en secouant légèrement la tête. « Depuis combien de temps n'as-tu pas célébré l'Office ?

Elle se mord les lèvres pour ne pas répliquer trop vite, répond enfin, posément : « Je suis censée être une Cariste et une magicienne verte, à présent, tu le sais bien. Mais toi, à quoi et à qui crois-tu servir ainsi ?

Carusses se laisse retomber sur sa couche en refermant les yeux. « Pas à un nécromant. »

Antoinette se fige. Au bout d'un moment, elle murmure : « Ah, Philippe, ce serait trop simple si Gilles était un nécromant. Il n'en est pas un. »

Carusses garde les yeux fermés. « Un nécromant use de son talent à des fins arrogantes et intéressées. C'est un nécromant. »

Antoinette soupire : « Il se protège, il protège sa famille…

— En accumulant abus et mensonges. »

Elle tire une chaise de rotin et s'assied près du lit bas. « Il n'avait aucun pouvoir sur ce qui lui est arrivé ici, Philippe, il n'a pas demandé que les indigènes lui rouvrent son talent. Et tu dois bien admettre qu'il avait quelques raisons de ne point le révéler après ce qu'il avait subi à Aurepas. »

Un rictus tord la bouche de Carusses : « À Aurepas, il a failli tuer les malheureux mages qui voulaient le séparer d'un talent dont il était indigne.

— Et eux, ils ont failli le tuer ! Si dom Foulques n'était intervenu… Et tu sais très bien ce qui a résulté de leurs maladresses, et les mensonges dont on a tenté de le couvrir par la suite. »

Carusses rouvre les yeux et lui lance un regard étincelant : « Il avait résisté !

— Le talent résiste toujours, et le sien était un talent majeur.

— Il les a attaqués !

— Ils l'ont pris en traître ! »

Carusses pose un avant-bras sur ses yeux, l'autre poing serré sur la poitrine. Antoinette laisse son regard errer un instant sur la cabane, les traits contractés. Puis elle se penche un peu vers le lit : « Philippe, tu as bien vu les villages et la fabrique, comme les ouvriers y sont bien traités, tu as vu comme Gilles nous a toujours aidés avec les indigènes frappés de la Mélancolie. Il n'a fait que du bien…

— Le bien ne peut se bâtir sur des mensonges et des manigances », rétorque Carusses sans changer de position.

« Mais il n'a jamais fait de mal à personne ! »

Carusses se redresse brusquement : « Et Armande ? »

Antoinette lève presque les bras au ciel : « Armande s'est remariée, elle a cinq petits-enfants et elle vit heureuse à Sainte-Pierre de Sardopolis ! »

Gilles soupire. Ne comprend-elle pas qu'il est vain d'essayer de le défendre ? Carusses n'en démordra pas. Elle devrait ouvrir son talent lorsqu'elle lui parle, elle se rendrait compte plus vite de l'inutilité de ses efforts.

« Et nous ? » rétorque Carusses, inévitablement, et Antoinette n'a pas de réplique prête à cela. Que pourrait-elle dire que Carusses écouterait, de toute façon ?

« Il t'a subjuguée », murmure Carusses, d'une voix altérée, « et je suis suspendu depuis… » Son visage prend soudain une expression angoissée : « En quelle année sommes-nous ?

— Mille six cent soixante-trois », dit Antoinette à mi-voix. « Le douze de juillet. »

Le visage de Carusses se défait un peu plus encore. « Trois ans depuis la dernière fois, murmure-t-il, trois ans ! Et tu dis qu'il ne fait de mal à personne ! »

Elle se tord presque les mains dans son désir de le persuader : « Tu es sauf, tu le sais bien, rien ne peut pénétrer la protection dont il a entouré cette cabane, nul ne peut tenter de s'emparer de ta psyché ! »

Il hausse les épaules et se laisse de nouveau aller en arrière, un bras sur les yeux. Elle le contemple un moment, désemparée. Puis elle retrouve un certain calme. Elle croit avoir découvert une autre approche : « Mais, Philippe, tu ne peux continuer ainsi ! Tu parlais d'arrogance, n'y en a-t-il point à résister ainsi quand cela ne sert de rien ? Tu ne peux agir depuis l'Entremonde et tu te coupes de tout le bien que tu pourrais choisir d'accomplir si tu étais en mesure d'agir dans le monde ordinaire. Songe aux indigènes ! La Mélancolie les ravage toujours...

— Se sont-ils convertis en masse depuis trois ans ? dit-il sans bouger. Se laissent-ils davantage sublimer ?

— Pas en masse, non, admet Antoinette, mais...

— Alors nous ne pouvons rien pour eux. »

De plus en plus exaspérée, Antoinette se lève pour arpenter la cabane : « Nous pouvons tenter de les persuader tant qu'ils sont vivants ! Et s'ils ne veulent pas entendre parler de religion, il est d'autres voies pour les approcher et les convaincre. J'ai commencé d'instruire Ouraïn. Elle finira bien un jour par le remplacer...

— Des nécromants indigènes, tous tant qu'ils sont. »

Elle se rassied, en tirant nerveusement sur les plis de sa robe. « Allons, Philippe, tu connais Kurun et Ouraïn, ce ne sont pas des nécromantes. Divine, elles n'usent jamais de leur talent !

— Elles le lui prêtent à la fabrique.

— Pas Ouraïn ! Et l'ambercite n'a rien de maléfique, tu le sais fort bien. »

Il redresse un peu la tête pour la dévisager, esquisse un faible sourire attristé : « Ma pauvre Antoinette... Tu uses des saintes magies à des fins sacrilèges, ne le vois-tu pas ? Afin de vivre plus longtemps, tu prêtes ton talent à un nécromant. »

Elle reste un moment pétrifiée, puis elle se dresse de nouveau, les poings serrés : « Oui, je vis, et ainsi j'apprends ! J'apprends, Philippe, et je veux continuer d'apprendre jusqu'à ce qu'un jour j'éclaircisse ce qui se passe ici ! Il ne s'agit pas simplement de Gilles, ne le comprends-tu donc point ? Il s'agit des Mynmaï, de leur talent, de leurs magies ! Et j'ai besoin de toi, de ton conseil, de ton savoir, pour m'aider à élucider ces mystères. N'est-ce pas bien plus important que tout le reste ? »

Voilà qui est plus habile. Gilles attend avec curiosité la réaction de Carusses. Mais l'autre secoue la tête avec la même tristesse : « Ma pauvre Antoinette, répète-t-il. C'est par là qu'il te tient… »

Elle proteste, évidemment : « Il ne me tient pas ! Je fais ce que je désire ! J'ai libre accès à sa bibliothèque, il y a là des ouvrages que tu n'imagines pas, qui ne se trouvent peut-être pas même à Lyon, à la Bibliothèque de la Hiérarchie ! Songe à tout ce que nous pourrions découvrir, ensemble ! »

Il se redresse de nouveau, et cette fois s'adosse à la paroi de bambous. « Peux-tu quitter le domaine ? N'es-tu point liée ? demande-t-il d'un ton égal. Peux-tu parler librement ? »

Elle tape presque du pied : « Avec lui et sa famille. Avec toi ! Cela fait partie de notre marché. Je suis bien libre par ailleurs, crois-moi ! »

Carusses répète avec douceur : « Ma pauvre Antoinette, le saurais-tu, si tu ne l'étais point ? »

Elle reste interdite. Tout ce qu'elle peut répliquer, c'est : « Il n'a vraiment pas besoin de me subjuguer par ailleurs !

— Non, tu le sers de ton plein gré. »

Et soudain, il s'assied sur le bord du lit, les mains serrées sur le matelas. « Et moi, je ne le servirai pas », gronde-t-il entre ses dents serrées. « Je ne le servirai pas ! » Il lance partout des regards fous : « Je ne te servirai pas, m'entends-tu, Gilles ? Montre-toi, je sais que tu es là ! »

Avec un soupir, Gilles redevient visible et s'approche du lit. Antoinette se retourne vers lui avec un violent sursaut – voyons, croyait-elle vraiment qu'il allait la laisser seule avec Carusses ? Le malheureux est capable de violence, ils ont eu l'occasion de le constater.

Mais Carusses n'essaie pas de l'attaquer, cette fois : il a reculé sur le lit, blotti contre la paroi de la cabane, les bras autour de ses genoux repliés.

« Tu n'aurais nul besoin de me servir, Philippe. Si tu ne veux point m'aider à la fonderie, c'est ta décision. Tu ne vivras pas aussi longtemps qu'Antoinette, mais si c'est ton choix, tu en es libre. Il te suffit d'accepter d'être lié pour ne point me nuire, ni à ma famille.

— Tu vois bien, Philippe », dit Antoinette avec un espoir renaissant.

Carusses reste recroquevillé dans son coin, les dévisageant tour à tour de ses yeux étincelants. Son visage se charge d'orage. Va-t-il bondir ? Mais il gronde brusquement : « Sépare-moi de mon talent ! » Il se tend vers Gilles, accroupi comme un animal : « Sépare-moi ! Je sais que tu le peux ! Je veux restituer mon talent à la Divinité. Sépare-moi ! »

Gilles se raidit, muet d'horreur incrédule.

L'autre se tourne vers Antoinette d'un air sombrement triomphant : « Tu vois, Antoinette ? Il ne veut pas. Il ment comme il respire ! Il veut pouvoir user de mon talent malgré moi ! »

Gilles s'assied brusquement sur le bord de la couche et tend le poing en dégageant son poignet de la manche de sa chemise. « Sais-tu ce qu'est ceci, Philippe ? »

L'autre s'est instinctivement recroquevillé davantage, les yeux exorbités. Gilles voudrait le prendre par le collet pour le secouer, mais se force plutôt à rester calme : « Regarde mon poignet, Philippe ! Sais-tu ce que je porte là ? »

L'autre fixe son poignet d'un air hébété.

« C'est un bracelet d'avers. Un bracelet d'avers, Philippe ! Je puis t'en donner un, et tu sauras ainsi que je ne tente rien contre toi. »

Carusses secoue lentement la tête en soufflant : « Mensonges… »

Avec un grognement exaspéré, Gilles ôte son bracelet et le lui tend : « Mets-le ! »

L'autre ne bouge pas.

« Mets-le, par la Divine ! »

Il a parlé plus fort qu'il ne le désirait. Carusses sursaute violemment, mais reste comme paralysé.

Gilles se lève en tendant le bracelet à Antoinette d'un geste brusque : « Mets-le-lui. »

Après un moment, elle sort de sa stupeur et s'exécute ; Carusses se laisse faire, les yeux clos, soudain aussi mou qu'une poupée de chiffon.

« Cela ne fonctionne pas sur les talentés », marmonne-t-il quand même.

Gilles passe un peu de sa colère en le frappant à distance – sans effet, et pour cause. Carusses sursaute en portant la main à son poignet, les yeux soudain écarquillés. Gilles croise les bras : « C'est un bracelet d'avers mynmaï. Non seulement il est invisible à tout autre que des Mynmaï, mais il t'avertira de toute magie, y compris la leur. Me crois-tu à présent quand je te dis que je n'ai nul besoin de ton talent ? »

Il se retient pour ne pas ajouter un commentaire désobligeant. Il n'est pas même certain que Carusses seul pourrait produire davantage qu'une perle d'ambercite. Antoinette a toujours été la plus talentée des deux.

Le silence se prolonge. « Me protégera-t-il ? » murmure enfin Carusses.

Gilles n'hésite pas. « Oui. » Il est bien certain que Carusses n'aura jamais l'occasion de le vérifier :

les talentés mynmaï se soucient de lui comme d'une guigne.

« Philippe, murmure Antoinette, je t'en supplie, sois raisonnable. »

Quand s'est-elle mise à pleurer? Mais elle pleure, et Carusses le voit aussi. Il la contemple un long moment sans bouger, baisse la tête.

« Je ne te servirai pas », répète-t-il après un long silence, sans regarder Gilles, mais c'est une question déguisée, non un défi.

« Tu ne me serviras pas. »

Carusses regarde droit devant lui, les yeux agrandis. Puis il semble sortir de sa transe: « Je vivrai ici, déclare-t-il. Je n'irai ni aux villages ni à la fabrique ni au manoir. Je n'userai plus de mon talent. Jamais. »

Il se tourne vers eux, avec un calme presque effrayant. « Je ferai pénitence.

— Philippe… » souffle Antoinette, épouvantée.

« Tu es une Cariste désormais, dis-tu. J'en serai un aussi. Ma Charité sera pour toi, Gilles, et pour Antoinette et tous les autres malheureux dont tu as touché et toucheras l'existence. Je passerai le reste de ma vie en offrande pour essayer de rétablir l'Harmonie qui a été si profondément blessée ici. »

Il croise enfin le regard de Gilles, toujours calme et même avec une expression de compassion. Inutile de continuer à discuter. Le pauvre Philippe n'a plus toute sa raison, c'est évident. Ce dernier rassemblement était de trop, peut-être aurait-il mieux valu le laisser suspendu.

« Va, lie-moi », fait Carusses, toujours de la même voix distante. « Fais ce que tu crois devoir faire, puisque tu es aveugle à tout. Lie-moi et ensuite, va-t'en. Ne reviens jamais ici.

— Si tu décides de vivre dans cette cabane », ne peut s'empêcher de remarquer Gilles, attristé par l'inconscience du malheureux, « il te faudra quand même quelques commodités.

— Je n'aurai pas besoin de grand-chose, dit Carusses. Antoinette pourra s'en charger. »

Après un moment de silence, Gilles reprend : « Si tu acceptes d'être lié, il faut me rendre le bracelet un moment. » Comment réagira-t-il à cela ? Il croit être protégé maintenant de toute magie et donc de la sienne…

Mais Carusses hausse légèrement les épaules en tendant son poignet : « Reprends-le. Je n'en aurai pas besoin. La Divinité veillera désormais sur moi. »

Gilles détache le bracelet avec douceur, apitoyé. Carusses est bien persuadé de sa quasi-sainteté pour le moment, porté par sa folie même. Mais il aura sûrement des périodes de lucidité – ou de folie d'une autre sorte – où il doutera de tout et de tous. Bah, le lien le rendra assez inoffensif ; il suffira d'y inclure Antoinette pour qu'il ne puisse lui nuire non plus.

C'est étrange : il pensait que des deux c'était Carusses le plus solide, à cause de son manque d'imagination, et c'est justement ce qui l'a brisé. Alors qu'Antoinette est parvenue à s'accommoder de la situation sans crouler sous le poids d'une vaine culpabilité. C'est sa curiosité, peut-être, non pas qui la tient, comme le croit le pauvre Carusses, mais qui la sauve.

Gilles dépose le bracelet sur le lit près de Carusses : « Au cas où tu changerais d'avis », dit-il avec bonté.

L'autre ne l'écoute déjà plus. Mains ouvertes devant la poitrine, yeux clos, il prie.

51

Les ecclésiastes marquent un léger temps d'arrêt à l'entrée de la salle à manger. Peut-être s'attendaient-ils à plus de splendeur. Ils doivent pourtant bien savoir que même si Clément sort et reçoit davantage que ne le faisait Gilles, il mène en privé une existence aussi peu ostentatoire que son défunt père. Ils apprendront vite qu'à La Miranda, on ne déploie la nappe damassée, l'argenterie et la belle vaisselle de porcelaine bleue et blanche que pour les grandes occasions comme aujourd'hui, pour l'arrivée des deux nouveaux ecclésiastes qui viennent vivre au domaine. Le grand chandelier a été allumé, un gros bouquet de fleurs, bleues et blanches aussi, disposé au centre de la table. Et le repas, quoique simple, sera délicieux. Une vie saine, industrieuse et charitable, telle est la règle au domaine Garance. Domma d'Entrays et dom Argousses pourront se rattraper au presbytère et pourvoir leur existence de tout le luxe nécessaire, s'ils le désirent – quoique, évidemment, la sobriété du seigneur du lieu les obligera à la modération s'ils ne veulent pas souffrir de la comparaison.

En souriant dans sa moustache, Gilles va tirer leur chaise tour à tour aux deux ecclésiastes, à sa gauche et à sa droite, pour aller s'asseoir ensuite à la tête de la table. Domma d'Entrays énonce l'offrande et il se recueille avec componction. Puis l'on déplie les serviettes tandis que Chéyéh, dont c'est le tour cette semaine, sert le potage.

« Nous espérions rencontrer votre pupille ce soir, Clément », remarque enfin dom Argousses ; il a tout de même attendu à sa troisième cuillerée de consommé.

« Ouraïn est souffrante, hélas. Vous pourrez la rencontrer demain, je l'espère. »

« Votre nouvelle pupille s'appelle encore Ouraïn ? » Domma d'Entrays dévisage Gilles, les sourcils légèrement froncés. Comme si elle ne le savait pas ! « N'est-ce pas là la troisième ? Et n'est-ce pas aussi le prénom de votre demi-sœur ?

Gilles fait mine d'hésiter. « En effet. Les prénoms reviennent chez les Mynmaï ainsi que chez nous, je le suppose. »

Domma d'Entrays échange un regard avec dom Argousses. Elle se penche un peu vers Gilles : « S'agit-il bien de cela ? » Elle prend un ton amical : « Vous savez sûrement que l'on bavarde à Garang Nomh, mon cher Clément. Ces pupilles qui se ressemblent tant, toutes des filles, et toutes de la même tribu, selon vos dires…

— C'est l'accord que mon père avait passé avec cette tribu, nous ne nous en sommes jamais cachés. »

Dom Argousses dépose à son tour sa cuillère dans son assiette et croise les mains sur la nappe damassée, d'un air soucieux : « Vous n'avez jamais non plus révélé les termes exacts de cet accord, ce qui alimente les spéculations.

— Des ragots, Dom Argousses, sûrement vous ne les avez pas écoutés !

— Eh bien », fait dom Argousses, un peu raide, « je ne vous cacherai point qu'on spécule aussi en haut lieu.

— Nous aimerions y mettre fin », dit domma d'Entrays avec douceur, en se penchant pour poser une main sur le bras de Gilles. « Vous serez certainement désireux d'y mettre fin vous-même ? »

Gilles relève brusquement le menton d'un air offensé : « À Divine ne plaise que mon père ou moi-même nous fussions adonnés à des butinages honteux parmi les indigènes !

— Cela pourrait ne point être le cas », fait domma d'Entrays, apaisante. « Peut-être les indigènes auprès desquels votre famille jouit de tant de prestige ont-ils voulu se lier ainsi avec elle. Cela serait compréhensible… »

Gilles, secrètement amusé, observe tour à tour ses interlocuteurs, en faisant mine de réfléchir. Ces deux nouveaux ecclésiastes ont leurs ordres, c'est évident depuis leur arrivée. Ils débordent de questions, ils fouinent partout… La Hiérarchie a-t-elle décidé de raccourcir ce qu'elle croit être son licou ? Allons, il est temps. Il pose les deux mains sur la table en s'adossant sur sa chaise, comme s'il venait de prendre une grave décision.

« Je dois vous demander de garder entre nous ce que je vais vous confier. »

Dom Argousses hausse les sourcils d'un air choqué.

« Leurs Grâces et leurs Majestés pourront en être informées, bien entendu, reprend Gilles. Mais cela doit rester un secret par ailleurs.

— De quoi s'agit-il donc ? » dit l'autre ecclésiaste, soudain inquiète.

Il lui sourit : « Oh, rien de bien terrible, Domma d'Entrays, mais un serment est un serment, et nous avons juré le secret au clan de Kurun.

— Kurun ? N'était-ce point la première épouse de votre père ?

— Sa première compagne, oui. Comme vous le savez sans doute, le clan, ou la tribu de Kurun, si vous voulez, est très ancien et très puissant, en relation avec Garang Xhévât. »

Ils se raidissent malgré eux : le nom de la ville sacrée suscite toujours la même réaction, même si l'on est bien certain que ne se tapit là aucune puissante magie.

« Elle était la future ouraïn de ce clan lorsque mon père l'a rencontrée. »

Après une petite pause, pour ménager son effet, il reprend : « Oui, c'est un titre de noblesse, pour une lignée plus ancienne que celles de Daïronur. Kurun ne s'est jamais appelée Kurun. Les noms de ces reines et prêtresses sont trop sacrés pour être jamais énoncés à haute voix dans le monde profane. »

Les ecclésiastes demeurent interdits. Puis, après s'être éclairci la voix, dom Argousses demande : « Était-ce une lignée… de talentés ? »

Même après tout ce temps, c'est la première question qui leur vient – la première crainte. Gilles se permet un rire discrètement amusé : « Peut-être en des temps très lointains, Dom Argousses. L'on ne nous a jamais rien confié en ce sens, en tout cas. Et vous savez ce qu'il en est aujourd'hui de la magie indigène. »

L'autre hoche machinalement la tête, avec un soulagement dont il n'a pas conscience.

« Toujours est-il que mon père et l'ouraïn se sont aimés : l'Harmonie résonne où elle veut. Aucun accord n'avait été conclu, à cette époque. Mon père espérait que leur amour convaincrait l'ouraïn de se convertir à notre foi. Hélas, il a dû finir par admettre qu'il n'en serait rien. Elle est retournée parmi les siens avec leur fille, ma demi-sœur, qui devait devenir ouraïn après elle. Mais, pour des raisons que je n'ai jamais entièrement éclaircies, cela n'a pas eu lieu. À la place, ma demi-sœur est revenue vivre parmi nous avec la future ouraïn, qu'elle était chargée d'éduquer. Et son clan a proposé à mon père l'accord que vous savez. Chaque ouraïn tour à tour viendrait vivre au domaine pendant plusieurs années. »

Après un moment de stupeur, domma d'Entrays murmure : « Mais pourquoi ce secret ?

— À dire vrai, mon père n'a jamais pu se le faire expliquer à sa satisfaction. Vous savez le prestige dont il bénéficiait auprès des indigènes, et surtout dans la région…

— Vous en bénéficiez toujours, Clément, remarque dom Argousses.

— En effet, et c'est sans nul doute aussi à cause de cet accord. Le clan de Kurun aura voulu partager ce prestige sans perdre son propre lustre aux yeux de ses sujets. Des luttes d'influences entre tribus, ou quelque superstition trop sacrée pour être révélée même à l'Étranger de l'Ouest… L'accord spécifiait bien, en tout cas, que nul ne devrait connaître la véritable nature de nos… pupilles, et que l'on ne ferait jamais rien au domaine pour les convaincre de se convertir. Mon père l'a accepté en comptant que notre fréquentation adoucirait par la suite cet interdit. Et de fait, vers la fin de sa vie, il a eu la joie de savoir qu'on leur laisserait désormais donner une éducation européenne – en dehors, hélas, de la religion.

— Lilunzin, murmure dom Argousses. Ne lui a-t-elle pas été présentée comme son arrière-petite-fille ? »

Gilles feint une surprise embarrassée. « Vous êtes bien renseigné, Dom Argousses. En effet, c'est ce qu'on nous a dit lorsqu'on nous l'a amenée, elle, et nulle autre auparavant ou par la suite. Mais nous ignorons son réel degré de parenté avec nous. Mon père a choisi de la croire de son sang, et cela a beaucoup adouci ses dernières années. »

Les ecclésiastes ruminent un moment, mais, comme il le pensait bien, ne songent pas un instant à mettre ses paroles en doute : il leur parle un langage d'intrigues de cour qui leur est familier.

« Il faut espérer que nos deux peuples se rapprocheront davantage à l'avenir, soupire enfin dom Argousses, et que nous finirons par recueillir les avantages de la bonne éducation que vous assurez à ces enfants. »

Gilles remue son potage d'un geste pensif, en attendant ce qui ne manquera pas de suivre.

« Ne nous serait-il pas possible de contribuer aussi à l'instruire ? Loin de moi l'idée de dénigrer votre compétence, vous le comprenez bien. Mais vous êtes fort occupé à la fabrique, et nous sommes au fait des dernières avancées des connaissances en Occident…

— Nous nous tenons au courant », dit Gilles, intérieurement amusé, « vous pourrez en juger par notre bibliothèque. Nous serons heureux par ailleurs d'apprendre de vous. Mais c'est un autre des termes de l'accord : les membres de notre famille sont les seuls Européens habilités à instruire les ouraïns. Je n'ai pas réussi à persuader nos répondants indigènes d'accepter que mademoiselle Frantz m'en décharge en partie. »

L'ecclésiaste soupire : « Pourrons-nous du moins assister à quelques-unes de ces leçons ? »

Gilles feint encore de réfléchir puis, comme si c'était une importante concession : « Il vous faudra garder le silence pendant qu'elles ont lieu. Je ne doute pas cependant que vous pourrez m'aider ensuite, le cas échéant, de vos conseils éclairés. »

L'autre est si suffisant qu'il ne soupçonne pas même une moquerie : il hoche plutôt la tête d'un air flatté.

Domma d'Entrays semble pensive.

« Et votre demi-sœur, quel est son rôle ? murmure-t-elle enfin.

— Dans notre intimité, elle a choisi de reprendre le nom de Kurun. Peut-être est-ce pour ne pas s'entendre appeler "Ouraïn" qu'elle ne se montre plus en public. Elle assure en tout cas l'éducation mynmaï des ouraïns qui séjournent ici. »

Après un moment de silence, il prend une autre cuillerée de consommé. Dom Argousses l'imite machinalement. Mais domma d'Entrays demande encore : « Quel âge a maintenant votre demi-sœur ? Plus de la soixantaine ? Une autre viendra-t-elle la remplacer, à votre avis ? »

Gilles plonge sa cuillère dans son assiette d'un geste un peu brusque, en attendant d'être plus sûr de sa voix. « Je ne sais, Domma d'Entrays, dit-il enfin. Cela n'est pas inclus dans l'accord. »

C'est lui qui reste immobile pendant un moment, ensuite, avant de reprendre à son tour le cours du repas.

52

Deux heures après son départ d'Aurepas, le *Gil-Éliane* arrive à Carcassonne dont les murailles massives, sous le ciel de plus en plus sombre, éveillent des sentiments curieux en Pierrino, comme un vague souvenir – mais il n'y est encore jamais allé, bien entendu ; c'est le tableau dans le bureau de Grand-père... Il détourne résolument son esprit de cette idée, et de tous les souvenirs qui veulent débouler pêle-mêle.

Ils ne s'arrêtent pas, ils rejoignent tout de suite le Canal du Midi. Pierrino sent sa tristesse s'alourdir ; Senso serait sans doute secrètement excité, malgré les circonstances : on s'en va vers la mer. Il met une fois de plus à l'épreuve son sens de l'équilibre et la résistance du tabouret en le balançant vers l'arrière pour s'adosser à la paroi de la cabine de pilotage. Il peut bien admettre un certain intérêt lui-même : il va revoir Haizelé. Il a rêvé d'elle, dans la matinée. Senso en ferait toute une affaire. Mais s'il anticipe cette rencontre avec tant d'impatience, c'est pour Jiliane, non pour Haizelé ; il est normal d'en rêver. Un rêve ordinaire.

Grand-père dirait que c'est un rêve ordinaire.

Le tabouret proteste, Pierrino se rattrape de justesse. Et qu'en saurait-il, Grand-père, hein ? Lui et tous ses inutiles, ses coupables secrets, il ne sait même pas que Grand-mère est talentée ! Car enfin, elle a admis faire usage de magie – elle en a usé devant eux. Si les cartes de son jeu étaient bien des cartes divinatoires.

Le moins qu'on puisse dire, c'est que leurs prédictions étaient obscures. Si même elles ne sont pas tout simplement, comme l'avait fortement suggéré dom Patenaude à l'époque, de vains espoirs qu'on veut lire à tout prix dans les objets ou les substances consultés.

Quant aux dés… Il ressent à la fois de l'admiration et une indulgente tendresse à l'égard de Senso, mais si leurs révélations ont paru plus claires, c'est surtout parce qu'ils avaient d'abord tous deux interprété les cartes.

Une prophétie qui se réalise parce qu'on connaît son existence, n'est-ce pas plutôt troublant ? Où commence la causalité ? Une autre raison de la méfiance des mages à l'égard de la divination, qui ne tient pas à l'incertitude du procédé, mais à ses incidences sur la doctrine ; on peut en être d'accord avec eux. En l'occurrence, les cartes, les dés, ont-ils déterminé leurs actions à tous deux ? Ou leurs croyances personnelles, leurs désirs intimes – leur liberté de choix, don divin – l'ont-ils fait plutôt, orientant leur interprétation des cartes, puis des dés ? Et s'ils avaient décidé de contrarier les dés ? Lui au nord, Senso à l'est ?

Il redevient grave, et un peu honteux. Trop de Sophia, toujours, chez lui. Ce n'était pas alors le moment de faire des expériences, ni maintenant des hypothèses gratuites – et dont il sent, curieusement, la fausseté essentielle : il voulait bel et bien aller à Narbonne, Senso croyait davantage au nord. Non, il comprend très bien le geste de Senso, un geste que seul Senso pouvait imaginer: s'en remettre au hasard de la Divinité pour les séparer, même temporairement – comme les autres saints jumeaux.

Senso a-t-il pensé, comme il y songe soudain à présent, que les Gémeaux choisissaient ainsi leur mort autant que leur vie ? Que le blanc mynmaï est la couleur de Yuntun, la Mort ? Tout comme Xhèngan, le signe correspondant du dé, représente la violence, le danger – la mort, encore ?

Pierrino serre les dents. Le bracelet est resté inerte à sa cheville. Il ne croit pas à la théorie de l'enlèvement. Les cartes… Les cartes ne connaissent ni le temps ni l'espace. Ce sont des violences et des morts anciennes qu'elles évoquaient, bien certainement.

S'agissait-il réellement de magie, même, ce matin, avec Grand-mère ? La lettre de Senso implique que non, que seuls les talismans de Grand-mère sont magiques. Une autre détermination humaine alors, qui vient de loin: les symboles mynmaï qu'ils ont choisis enfants, et qui ont à leur insu orienté leurs choix. Mais comment les ont-ils choisis, justement, autrefois ? Pierrino essaie de se le remémorer. Il aimait la forme du triangle inversé, la symétrie du rouge et du doré, la force et la logique du Dragon de la Montagne dans les histoires de Grand-mère. S'agit-il de prédestination ou de coïncidences ?

Et avant d'être les leurs, ces médaillons étaient ceux de leurs parents – mais lequel appartenait auquel ? Car, s'il faut en croire Grand-mère, celui de Jiliane, l'Oiseau-Lyre, le Phénix, était celui d'Agnès ; et de l'autre Agnès avant elle, et de Grand-mère encore avant et de sa mère avant elle, selon Haizelé. Il veut croire quant à lui que le sien était celui d'Henri. C'est l'impression qu'il a eue de leur père à travers les lettres, force, logique, curiosité, facultés d'observation. Et le médaillon de Senso, alors ? Équité, Nomghu, le Serpent, mais aussi le Fleuve Ascendant, qui retourne à sa source afin de fertiliser ensuite tout son cours, jusqu'au delta… Ce médaillon-là devait être destiné au premier enfant – mais ils sont nés deux d'un coup.

C'est Grand-mère, du reste, qui a choisi de les leur répartir ainsi, les médaillons. Parce qu'elle les connaît assez pour savoir que ces symboles leur ressemblent, tout simplement. Car enfin, donner 'Xhaïgao à Jiliane, qui ressemble tant à leur mère comme celle-ci ressemblait à l'autre Agnès disparue – le phénix, mort et renaissance… 'Xhaïgao qui est aussi Xhégi : l'Œil – à Jiliane qui regarde toujours sans rien dire…

Et Xhèngan : la Maison de Vengeance, aussi. Oh, oui, Grand-mère a dû en vouloir à Grand-père, un long ressentiment. Un léger frisson traverse Pierrino : au point de se servir de Jiliane pour… ? Mais non, c'est absurde, il va vraiment trop loin cette fois, Senso aurait vraiment raison d'être outragé. Des deux, c'est Grand-mère qui les aime vraiment.

Il rétablit l'équilibre du tabouret, croise les bras, les mains sous ses aisselles pour se réchauffer. C'est tout de même intrigant : quel rôle jouaient les médaillons entre Henri et Agnès ? Devaient-ils servir au cas où ils seraient séparés ? Grand-mère craignait-elle déjà un enlèvement ? Ou bien jouaient-ils seulement un rôle protecteur ? Ils auraient échoué, alors, et pour la deuxième fois.

Toujours est-il que la magie de ces médaillons a bien dû être modifiée spécialement pour eux trois, et que seule Grand-mère pouvait y veiller. Grand-mère est bel et bien une talentée, sous le nez de Grand-père qui ne le sait même pas. Ou qui s'entête à le nier ? Peu importe.

Et Jiliane, le savait-elle ?

Il sent bien le malaise qui l'envahit à cette idée, mais il s'entête. Il n'est pas Senso, pour refuser de réfléchir à cause d'un inconfort.

Elle l'ignorait peut-être lorsqu'ils étaient enfants, mais elle l'a appris par la suite, sûrement. Pourquoi ne le leur a-t-elle pas dit, alors ? “Une bonne raison”, disait Senso. Grand-mère, à la rigueur et encore, mais Jiliane ? Quelle bonne raison aurait pu avoir Jiliane de le leur cacher ? Ils ne lui ont jamais rien caché, eux. Ou jamais longtemps. Et toujours pour son bien.

Son esprit fait malgré lui un quart de tour. *Pour son bien.* N'est-ce pas l'argument de Senso pour défendre Grand-père – l'argument de Grand-père lui-même ? Il leur a menti pour les protéger, un mauvais calcul, certes, comme celui de leur grand-mère d'Olducey essayant de les arracher les uns aux autres, autrefois, mais un calcul fait… par amour. En toute équité, pourquoi excuserait-il chez Senso et lui-même la conduite qu'il reproche à Grand-père ?

Mais non, ils n'ont jamais caché à Jiliane des secrets aussi importants que…

La vraie raison de la fuite de leur mère, la cause réelle de la mort de leurs parents, les véritables circonstances de sa naissance…

Mais ils allaient le lui dire, en la retrouvant à Aurepas !

… la véritable nature de la magie émorienne…

Eh bien, ils n'en savent toujours pas grand-chose, en vérité, et Jiliane en sait peut-être bien davantage qu'eux. Cette même magie qu'elle leur a cachée chez Grand-mère. Mais pourquoi ?

Consciente de leurs mensonges, a-t-elle accumulé tous ces petits ressentiments, pour décider, par revanche, de garder par-devers elle le plus gros secret ? Oh, comme cette idée est douloureuse…

Mais non, voyons : c'est *Jiliane* ! Elle aura plutôt voulu protéger Grand-mère. Grand-mère aura eu pitié d'elle et d'eux en voyant leur souffrance d'être séparés, mais lui aura demandé de ne rien leur en dire, à cause de Grand-père. Grand-père qui voulait un talent dans la famille pour surveiller la fabrication de son ambercite ! Et Grand-mère n'a jamais voulu l'y aider. Ne voulait pas qu'Agnès l'y aide. Mais bien sûr ! Cette fabrication est sans doute encore plus périlleuse que Grand-père n'a bien voulu l'avouer, à Jiliane comme à Senso.

Pierrino sent un vertige s'ouvrir en lui, comme s'il était au bord d'un abîme. Grand-père est un *monstre*. Aimable, souriant, cultivé, disert. Le tyran dont parlait Henri dans ses lettres, le tyran qu'Agnès avait fui avec l'aide de sa mère, auquel sa mère l'a dissimulée le plus longtemps possible – le tyran, le despote secrètement soumis à l'influence des faibles. Qui ne sont pas si faibles, alors. Voulait-elle vraiment être libérée de lui, Grand-mère ? Voulait-elle vraiment que son enfant courût de tels dangers pour elle ? Ou bien, comme madame d'Olducey, se serait-elle contentée d'être heureuse en la sachant libre ?

Mais l'esprit opiniâtre de Pierrino continue de tourner, de le forcer à revenir du passé au présent, plus lourd encore de questions. Et Jiliane, qu'est-ce qui la dissimule ainsi ? Est-ce vraiment le talent déclenché par Grand-père, et bien plus puissant qu'il ne l'avait prévu ? Non point un talent artificiel et temporaire, alors, mais peut-être un talent latent, sauvage, incontrôlé…

Non, il devait d'une façon ou d'une autre être contrôlé pour que Jiliane partît ainsi, avec méthode.

Puissant, en tout cas. Assez pour la dérober même à la magie de Grand-mère.

Car enfin, Grand-mère ne les laisserait pas partir ainsi à sa recherche si c'était elle qui la dissimulait. Elle n'aurait vraiment aucune bonne raison de le faire.

Et des mauvaises raisons, en aurait-elle ?

Ah, Divine, il aurait dû demander à Félicien un sachet de sa tisane somnifère, et dormir encore pendant tout ce trajet au lieu de penser ainsi en rond !

La pluie en rafale cingle soudain Pierrino. Un moment, il la laisse pleurer pour lui, brûlant de furieuse incertitude et de chagrin.

53

Cette fin de juin est torride, malgré la mousson qui a commencé, et pourtant il est à peine neuf heures du matin: même sa robe sarang est de trop pour Ouraïn; elle la défait en un tournemain en s'engageant sur la passerelle de bois menant au petit pavillon. À peine rafraîchie par sa nudité, elle s'accroupit et plonge le long morceau de tissu rectangulaire dans l'eau, le plie en quatre et se le jette sur les épaules comme une cape; les carpes, curieuses, montent à la surface. Un bruit de plongeon sur la rive et un sillage à la tête lisse couleur de feu s'en vient vers elle: Tchènzin, devant lequel les poissons se dispersent en traits vifs dans le lac. Elle fait une petite moue. Elle est en retard. Les autres chats doivent déjà être là. Ils sont vraiment trop bien dressés.

Le félin se hisse à force de griffes sur les planches près d'elle, s'ébroue en l'arrosant et lui adresse un miaulement impérieux. Elle lui gratte le dessus de la tête, amusée malgré elle: les chats mouillés sont bien laids; Tchènzin ressemble à un serpent velu en train de muer.

Elle entre dans le petit pavillon où tout est bien rangé, les bols des chats alignés avec soin sur la table basse, bien propres, chacun sa couleur. Kurun les aura fait manger avant elle, comme d'habitude; elle se trouvera déjà sur la terrasse de l'autre côté, à l'ombre. Elle n'aurait pas déjà commencé? Mais non, c'est vrai, Kurun est désormais une créature de routine.

Ouraïn soupire. Depuis le départ de Nandèh et de Feï, Kurun passe le plus clair de son temps au pavillon, même pendant la saison des pluies. Elle se lève à l'aube, elle nourrit les chats avant toute chose, puis elle déjeune elle-même, médite en mouvement autour du pavillon ou dans le parc s'il ne pleut pas et lorsque Ouraïn vient la rejoindre, elle se laisse aller avec elle à l'*igaôtchènzin*, toujours au petit pavillon. Quand elles en reviennent, même si Ouraïn se trouve avoir faim, Kurun nourrit toujours les chats en premier; puis c'est le second repas de la journée. Kurun passe ensuite une ou deux heures à retourner les cartes du Hushièn ou à faire rouler les dés, sans jamais commenter ce qu'ils révèlent. Encore l'*igaôtchènzin* ensuite, repas des chats, prières, coucher. Et le lendemain, cela recommence.

C'est curieux, Ouraïn sait qu'elle passe beaucoup plus d'heures avec Kurun qu'avec Gilles et Antoinette, et pourtant, elle a l'impression que c'est l'inverse. Mais lorsqu'elle est avec Kurun, elle est en *igaôtchènzin* et le temps s'arrête pour elle. Quand elle se trouve avec Gilles ou Antoinette, c'est pour des heures d'études ou de jeux, et elle s'en souvient.

Elle se rend brusquement compte qu'elle est en train d'inonder les nattes du plancher, se hâte de traverser le pavillon pour se rendre sur la terrasse. Et aperçoit, à travers les carreaux de tissu léger, les contours d'une autre silhouette assise près de Kurun. Elle va pour repousser l'écran d'un élan joyeux lorsqu'elle se rappelle qu'elle est nue. Mais on n'est pas au manoir, ici. Et c'est *Xhélin!* Kurun aussi pourrait être nue, cela ne ferait pas de différence.

Elle pousse l'écran et bondit d'un coup en bas des trois marches.

Il se retourne vers elle. Elle s'immobilise, stupéfaite puis peinée, comme lors de la précédente visite du Ghât'sin. Il a encore tellement changé ! Toujours droit et mince, mais le visage creusé de rides ; ses cheveux ne sont plus rassemblés en nattes ; coupés aux épaules, toujours abondants, ils ont pris une teinte uniformément grise qui commence de virer au blanc sur les tempes.

La dernière visite de Xhélin remonte… à la fin de la dernière Période. Pour lui, le temps passe. Pour lui, douze années se sont écoulées, des années qui n'existent pour elle que dans les dates de son journal. Il a plus de cent ans maintenant, il entre dans la longue vieillesse des Ghât'sin.

Il a presque l'air plus jeune que Kurun.

Elle vient s'agenouiller devant lui et, prenant soudain conscience du tissu dégoulinant de sa robe sur ses épaules, le pose sur les planches pour ne pas l'en arroser. Mais il l'embrasse en souriant, sans se soucier de ses épaules et de ses nattes trempées.

Les quatre chats étalés autour de Kurun dans des postures alanguies ont à peine entrouvert les yeux lorsqu'elle est arrivée. Elle déplace Saphir sans ménagement pour s'asseoir devant Kurun et Xhélin. L'*igaôtchènzin* attendra, aujourd'hui !

Kurun tourne enfin la tête vers elle. Elle est impeccablement coiffée, comme d'habitude, ses mèches blanches bien lissées dans les coques de sa coiffure, comme si c'était un effet de l'art et non de l'âge. Dans l'ombre, on voit moins le réseau de fines rides qui maille son front et ses joues, la peau de ses bras et de son épaule découverts par le drapé du coton grège aux ramages roses et dorés. Le cœur d'Ouraïn se serre, comme chaque matin, et comme chaque après-midi lorsqu'elle peut voir sa mère dans la lumière cruelle du jour, comme à présent, si vieille elle aussi, mais d'une manière si incompréhensible. Elle se force à sourire : « Un beau jour de la Déesse, Maman. »

Peut-être à cause de la présence de Xhélin, elle prend soudain conscience de l'incongruité du terme français dans la phrase en mynmaï. Quelque part en chemin, elle a pris l'habitude d'appeler Kurun ainsi lorsqu'elles sont seules – son journal saurait exactement quand, elle l'a noté : le jour où elle s'est rendu compte qu'elle appelle toujours Kurun "Amah" lorsqu'elle parle français avec Gilles.

Les yeux dorés se fixent sur elle, calmes et lointains entre leurs paupières flétries : « Un beau jour de la Déesse, Ouraïn.

— Es-tu arrivé cette nuit, Xhélin ?

— Avant l'aube. »

Comme la dernière fois. Et sans doute comme cette fois-là, il n'ira pas rendre visite à Gilles à La Miranda.

Parce que Kurun ne l'a sûrement pas fait, et que Xhélin ne l'offrira pas de lui-même en présence de Kurun, elle demande : « Comment vont Nandèh et Feï ?

— Elles habitent toujours à Banang Thu. Elles vous envoient toute leur affection. »

Ouraïn baisse la tête, transpercée d'un éclair de chagrin. La même formule que l'autre fois. Est-ce seulement vrai ? Ou vient-il à leur insu ? Mais il est leur Ghât'sin, elles doivent bien le savoir… Pourquoi ne la leur envoient-elles pas réellement, leur affection ? Elles le pourraient, pourtant. Ou Xhélin le pourrait, si vraiment elles sont complètement redevenues des Natéhsin et "font ce que font les Natéhsin", comme il ne manquerait sûrement pas de le lui dire si elle lui posait la question. Elles pourraient lui parler et l'embrasser à distance… elles pourraient lui apparaître, à distance, même si elles ne veulent plus mettre les pieds au domaine ! Elle ne leur a rien fait ! Et d'abord,

Gilles non plus ne leur a rien fait ! Il le lui a bien expliqué : il les a empêchées de séparer la psyché de Marie-Jolin de son soma, parce qu'elle n'aurait pu rejoindre l'Entremonde, sinon. Kurun a dit : "Elle serait allée où elle devait aller." Comme si elle n'y serait pas allée autrement. Mais quand Marie-Jolin a été sublimée, au temple, Ouraïn a très bien vu son âme s'élancer vers la Maison de la Déesse. Et c'est pour cela que Nandèh et Feï se sont fâchées avec Gilles et sont parties en abandonnant Kurun, parce qu'elles savaient qu'elles avaient tort mais ne voulaient pas l'admettre ?

"Elles ne se sont pas fâchées, elles ont suivi leur voie comme je suis la mienne." Kurun n'en semblait pas attristée. Mais il était déjà difficile de dire alors ce que Kurun pensait ou ressentait. Elle n'est pas fâchée non plus avec Gilles, et pourtant elle ne le voit que lorsqu'il vient lui rendre visite, et ce n'est pas très souvent.

Ouraïn contemple les planches grisées de la terrasse, la gorge serrée. Si c'est comme la dernière fois, Xhélin tiendra compagnie à Kurun toute la journée, ils ne parleront même pas, il lui parlera à peine à elle, et puis il repartira.

« Pourquoi donc es-tu là ? » marmonne-elle, maussade.

Elle lève les yeux dans le silence, voit le regard qu'échangent Kurun et Xhélin. Puis le Ghât'sin se tourne vers elle : « C'est le jour du Dragon de Feu, aujourd'hui, dit-il. Qu'inscris-tu donc dans ton journal ? »

Elle rétorque aussitôt, en levant le menton : « La date. » Il ne voulait pas qu'elle en tienne, un journal, mais il n'avait qu'à ne pas partir. Et comment y aurait-elle pensé, que c'est le jour du Dragon de Feu, elle inscrit la date géminite dans le journal, pas la date mynmaï ! On est le 21 de juin 1662. Mais c'est aussi le 27ᵉ jour de Pengcao, le Fleuve Ascendant, et donc le jour du Grand Festival. Ou plutôt le milieu du Grand Festival, le jour où le Dragon de Feu s'en venait, autrefois.

Il y a des années qu'elle n'y a songé ainsi – des décennies ! La première visite de Xhélin a eu lieu il y a dix ans, alors. Il faudra vérifier dans le journal. Elle l'a noté, bien sûr. Elle était si contente de le revoir.

Et elle a été si déçue aussi.

Eh bien, elle saura désormais à quoi s'attendre.

Elle se balance un peu d'avant en arrière. Si le silence se prolonge, l'*igaôtchènzin* ne va pas tarder. Tchènzin a d'ailleurs pris sa place parmi les chats. Mais il n'est pas couché. Assis dans une de ces improbables positions félines, il lèche avec application le dessous de sa cuisse gauche.

« L'autre jour, Gilles a demandé si j'avais eu mes roses », dit-elle brusquement, sans bien savoir pourquoi c'est ce souvenir qui lui est revenu – c'était la semaine dernière, autour de son anniversaire. Mais si elle parle, cela retardera d'autant l'*igaôtchènzin.* « Il dit que je suis dans mes douze ans, maintenant, et que je vais devenir fertile. Est-ce que j'aurai bientôt mes roses, alors ? »

Elle a délibérément utilisé par deux fois le terme français – il n'y a pas de roses au Hyundzièn, hormis là où les géminites en ont planté. Mais ni Kurun ni Xhélin ne changent d'expression.

Puis Kurun pousse un léger soupir. Le sujet la dérange-t-il, ou simplement le fait de devoir parler ? « C'est différent pour nous », dit-elle de sa voix égale.

Ouraïn attend la suite, avec une certaine impatience. Après un petit silence, c'est Xhélin qui reprend : « C'est différent pour les Natéhsin. Elles naissent fertiles. Mais leur premier âge est quinze ans. Et elles ne conçoivent que pendant les festivals. »

Ouraïn se rappelle très bien l'agitation de Nandèh et de Feï à l'approche des festivals. Comme elles avaient hâte de se transformer et d'échanger leurs pendentifs et de partir pour Garang Xhévât afin de faire danser la substance divine. Mais elle n'appartient pas à une triade, elle. Elle ne peut se transformer. Elle ne ressent rien du tout à l'approche des festivals. Et elle n'est pas née à quinze ans – elle n'aura pas quinze ans avant trois Périodes !

« Je ne suis pas vraiment une Natéhsin », souligne-t-elle en les observant par en dessous.

Kurun laisse de nouveau échapper un léger soupir et Xhélin murmure : « Il n'y a jamais eu d'enfant telle que toi. »

Ouraïn n'a pas entendu cette phrase depuis si longtemps qu'elle en reste un instant interdite. Puis elle les dévisage tour à tour, agacée. En somme, ils ne savent pas. Ne peuvent-ils pas tout simplement le dire ?

« Vous ignorez si je serai fertile ou non ? »

Kurun semble réfléchir – ou peut-être se laisse-t-elle simplement distraire par le héron bleu qui vole au-dessus du lac, laissant traîner dans l'eau l'extrémité de ses ailes. « La Déesse y pourvoira, murmure-t-elle.

— Tu es déjà fertile », consent tout de même Xhélin.

Eh bien, elle aura une réponse à apporter à Gilles, au moins, si jamais il lui en parle encore.

Tchènzin a commencé la toilette de sa patte tendue toute raide en l'air, les orteils écartillés, agrippé de toutes les griffes de son autre patte aux planches de la véranda. Cela fait un drôle de petit grattement à chaque coup de langue.

« Pour mon anniversaire, Gilles m'a laissée fabriquer de l'ambercite », finit-elle par dire. Ils vont bien réagir, à la fin !

Xhélin se tourne vers elle avec un sursaut horrifié. « Quoi ?

— Nandèh et Feï le faisaient. Kurun le fait toujours ! » Elle se rend compte qu'elle proteste, en est encore plus fâchée. « Ce n'est rien du tout. J'y suis très bien arrivée. »

Xhélin continue de la fixer avec consternation. Et Kurun… Kurun semblerait presque triste. Mais elle le savait, elle le lui a déjà dit, à elle, et elle n'a pas réagi alors !

Avec un effort visible, Xhélin reprend son calme. « Vas-tu encore en créer ? »

Elle ne va tout de même pas mentir uniquement pour l'ennuyer. « Non. Je voulais juste essayer pour voir. »

Et Gilles était très surpris qu'elle le lui demande, et même un peu réticent, au début. Ensuite, évidemment, il a été bien content qu'elle y parvienne presque sans qu'il lui montre comment. Mais il lui a dit : “Cela suffit, maintenant. Tu n'auras pas à le faire avant très longtemps, et certainement jamais ainsi, toute seule.”

Elle ne leur dira pas qu'elle n'avait pas trop envie de recommencer, non plus. C'était si étrange ! Au moment où la lumière est venue, elle a eu l'impression qu'elle allait tomber en *igaôtchènzin* à l'instant, mais ce n'est pas arrivé.

« Te demande-t-il d'user de ton talent ? » reprend Xhélin.

Elle hésite. « Quelquefois, pour observer à distance certaines conversations. » Elle regarde Xhélin bien en face : « C'est nécessaire. Un jour, c'est moi qui m'occuperai du domaine, et cela fait partie de mon éducation de savoir comment se comportent vraiment les géminites. »

Xhélin ne dit rien, mais ses yeux sont voilés.

Kurun se penche soudain vers elle et pose une main sur son bras – un rare contact, qui laisse Ouraïn désemparée : la peau de Kurun est si chaude, et si doucement parcheminée… « Tu sauras lorsque le temps viendra », dit-elle, et sa voix a presque une intonation rassurante.

Sans bien comprendre, mais soudain émue, Ouraïn prend la petite main sèche et chaude pour y déposer un baiser, la presse contre sa joue. Quelquefois, elle voudrait que Kurun la prenne dans ses bras, comme autrefois. Mais il y a tellement de temps entre elles, à présent. Tant de silences, depuis la mort de Marie-Jolin et le départ de Nandèh et Feï avec Xhélin.

Le cœur étreint d'un obscur chagrin, Ouraïn se couche comme elle le faisait enfant, la tête sur la cuisse de Kurun. Au bout d'un moment, la main de sa mère se pose sur sa tête, une caresse, un poids léger qui s'attarde. Le silence se prolonge. Tchènzin s'est couché en face de Kurun. Ouraïn plonge ses yeux dans les yeux d'or immobiles, y regarde un instant danser des étincelles. Et ensuite, elle ne voit plus rien.

54

Le voyage du *Gil-Éliane* se poursuit sans encombre. Pierrino ne sait s'il en est heureux ou désappointé – une part de lui-même espérait-elle donc que les ecclésiastes eussent raison ? Pas un frémissement non plus dans son pendentif – mais il n'en espérait pas réellement. Si le temps demeure maussade, la pluie cesse à mesure qu'ils se rapprochent de leur but. Le vent marin qui s'engouffre entre les deux rangées de montagnes chasse la pluie vers l'ouest. Pauvre Senso à cheval sous l'averse – il aime l'eau, mais pas de cette façon ! On descend les écluses, à présent. Et vers la fin de l'après-midi, le canal débouche dans la large baie de Sigean, où est nichée Narbonne.

Ils hèlent une calèche et vont droit au port. Pierrino regarde défiler les édifices avec un mélange d'espoir et d'appréhension. Le port est vaste. Rien de comparable à ceux d'Aurepas, de Toulouse ou d'Orléans. Les vaisseaux de haute mer, surtout, y sont bien plus nombreux. Où trouver l'*Aigle* dans cette forêt de mâts ? Il n'est plus si certain de son intuition, à présent. C'était peut-être Senso qui avait raison.

Pourquoi s'est-il ainsi persuadé que Jiliane, terrifiée, irait rejoindre Haizelé plutôt qu'eux ?

Ils se renseignent auprès des autorités du port, qui leur indiquent le quai où est amarré le navire ; ils doivent faire demi-tour et se rendre de l'autre côté de la baie, car c'est là, à Port-Nouvelle, que l'*Aigle* a jeté l'ancre. Du moins est-il plus aisément repérable entre les barges, remorqueurs et autres dragueurs de fond qui entretiennent inlassablement la baie pour l'empêcher de s'envaser.

Le navire est toujours aussi fin et racé, la figure de proue ailée toujours aussi splendide malgré la lumière vacillante des torchères déjà allumées sur le port et l'humidité collante et saline du bord de mer. Pierrino renverse la tête en arrière pour essayer d'apercevoir un matelot.

« Ohé, du bateau ! »

Une tête apparaît, une question descend vers eux en italien, puis en mauvais français.

« Je désire monter à bord ! » répond Pierrino en italien.

Le marin déclare, de façon vaguement compréhensible, qu'il va chercher le lieutenant Rahyan.

« Non ! crie Pierrino en retour. Dites à la capitaine Haizelé que Pierre-Henri Garance veut la voir ! »

Mais le matelot a déjà disparu.

Les minutes se traînent. Si la passerelle était descendue, il la gravirait sans plus attendre. Mais elle ne l'est pas. On ne consent à l'abaisser que maintenant, pour une silhouette qu'il reconnaît : Rahyan. Le lieutenant d'Haizelé arrive à pas posés, semblable à lui-même, ou presque. Sa seule concession à la température est une redingote de couleur indéfinissable, mais sombre, et des bottes dans lesquelles Pierrino soupçonne pourtant qu'il a les pieds nus. Et un tricorne, qu'il ôte de façon surprenante pour les saluer, découvrant son crâne toujours rasé.

Il dévisage Pierrino avec curiosité, puis le policier, avec une méfiance que celui-ci lui rend bien.

« Haizelé est chez un client pour la soirée », dit-il enfin, redevenant impassible.

L'espoir de Pierrino baisse encore d'un cran. Sa voix est plus brève qu'il ne l'aurait voulu lorsqu'il explique : « Notre sœur Julie-Anne a disparu d'Aurepas. Nous avons des raisons de penser qu'elle est à bord de l'*Aigle*.

— Elle n'y est pas », dit Rahyan en haussant un peu les épaules.

« J'aimerais m'en assurer par moi-même.

— Pas en l'absence de la capitaine.

— C'est un cas de force majeure », intervient le policier.

Rahyan l'ignore avec ostentation. « Votre sœur n'est pas là, dit-il à Pierrino. Nous le saurions.

— Pas forcément », insiste le policier avec une égale délibération. « Elle a peut-être fait une fugue et ne désirerait pas être découverte.

— Et moi, je vous dis que personne ne fouille le bateau en l'absence de la capitaine. »

Pierrino décide d'intervenir, si déplaisant lui soit l'argument : « Je suis le petit-fils de votre employeur !

— C'est à la capitaine que j'obéis, quant à moi. »

Pierrino sent le policier devenir de plus en plus tendu près de lui.

« Bon », dit-il pour désamorcer l'empoignade naissante. « Où est-elle ? Monsieur Gérard ira la chercher.

Rahyan n'hésite pas une seconde : « Au vingt-sept rue des Francs-Collets. C'est au sud de la ville.

— Vous êtes sûr, Monsieur Garance ? dit le policier.

— Oui. Allez vite. »

Gérard remonte dans la voiture, qui fait demi-tour et s'éloigne au grand trot.

Pierrino continue de réfréner son exaspération : « Maintenant qu'il est parti, Rahyan, où est Jiliane ?

— Mais je vous l'ai dit, elle n'est pas là. »

Pierrino le dévisage, de plus en plus abattu. L'homme paraît sincère.

« C'est un cas de vie ou de mort », dit-il enfin ; sa voix se brise malgré lui.

« Pour une fugue ? » fait Rahyan en haussant les sourcils qu'il n'a pas – ils sont toujours rasés, s'ils existent même. « Mais elle n'est pas avec nous. Haizelé vous le confirmera. J'en suis navré. »

Pierrino se laisse tomber assis sur la bitte d'amarrage. L'énergie nerveuse qui l'a soutenu jusque-là s'est évaporée. Son intuition était fausse. Les cartes et les dés... disaient n'importe quoi, oui, il leur a fait dire ce qu'il voulait, Senso aussi peut-être, qui subira le même échec sur sa route, mais son espoir à lui durera plus longtemps. Ce sont peut-être les ecclésiastes qui avaient raison, Grand-mère et sa magie équivoque se trompent, Jiliane a été enlevée, Jiliane est perdue, ils ne la retrouveront pas – à moins que Senso ne soit jugé plus digne que lui d'être attaqué à son tour. Mais peut-être ne voulait-on que Jiliane, et leur seul espoir à présent, c'est qu'elle soit aussi précieuse pour ses ravisseurs qu'elle l'était pour Grand-père.

« Écoutez », dit Rahyan, avec une soudaine compassion, « montez donc à bord. On ne fera rien tant qu'Haizelé ne sera pas là, mais vous pouvez bien dîner avec moi – vous arrivez directement d'Aurepas ? Vous n'avez rien mangé, je gage. »

Pierrino secoue de la tête.

« Allons, venez », dit Rahyan en lui prenant le bras.

55

Ouraïn avance d'un bon pas dans les cailloux, en contournant les rochers et en s'aidant des buissons pour se hisser dans les raideurs occasionnelles de la pente. Elle n'a jamais été si proche du but qu'elle s'est fixé – la chute d'eau qui est la naissance, dans la montagne, de la rivière qui traverse le domaine. Ce serait la première fois en quatre ans qu'elle y arriverait. On doit remonter la rivière, grimper au-dessus du barrage, et là, la route s'arrête. Il faut longer le lac du barrage, car on ne peut plus suivre la rivière, trop profondément encaissée : on oblique vers l'ouest et l'on continue à travers la jungle des collines, puis on traverse vers l'est la savane du plateau et l'on grimpe enfin dans la montagne. Si elle parvient à ne pas tomber en *igaôtchènzin*, et que de la magie se manifeste autour d'elle de façon désordonnée comme lorsqu'elle était toute petite, la fois où Gilles a essayé de la retenir, personne ne le verra, et cela ne pourra faire trop de dégâts, n'est-ce pas ?

Une journée entière sans absence, à éprouver chacune des heures ordinaires des autres, Gilles, Antoinette, les ecclésiastes ou les magiciens verts, les ouvriers… Elle s'y essaie depuis la fin de la Période des Douze Ans. Gilles ne le lui a pas demandé ; au début, il ne le savait même pas. Il lui est plus facile de ne pas céder à l'*igaôtchènzin* lorsqu'elle est en mouvement, aussi se promenait-elle autour du manoir – pas question de se rendre dans le triangle formé par les deux premières mines et les villages, évidemment. Mais elle connaît trop bien le parc et, parce qu'il lui est trop familier, son intérêt n'était pas assez stimulé.

Gilles a été bien inquiet. Non de ce qu'elle essaie de retarder l'*igaôtchènzin* pendant toute une journée, mais de l'endroit où elle a choisi de se rendre : cinq lieues à l'aller comme au retour, en terrain sauvage une fois le barrage passé. Elle en avait pour une journée entière, elle rentrerait à la nuit !

Mais justement, c'était le but de l'exercice. Et puis, elle voit très bien la nuit.

« C'est en dehors des protections que j'ai établies pour le domaine.

— Cela m'obligera à demeurer constamment attentive. »

Et là, bien sûr, il a demandé avec un soudain intérêt : « Vas-tu donc user de ton talent pour te protéger ? »

Mais comme elle hésitait à lui dire “non”, il a proposé tout de suite : « Chéhyé ou Nèhyé t'accompagnera. » Et elle a bien vu qu'il était fier d'elle, même s'il était un peu déçu qu'elle n'eût pas l'intention d'utiliser son talent.

Les Ghât'sin n'approuvent ni ne désapprouvent, comme tout ce qu'elle fait ou ne fait pas. Antoinette a décliné son offre de l'accompagner lorsqu'elle a commencé de sortir du parc – sa curiosité de l'*igaôtchènzin* ne va pas jusque-là : elle est devenue très sédentaire. Kurun, mise devant le fait accompli, s'est contentée de dire : “Tu danses comme tu le dois, Ouraïn.”

Elle choisit toujours le même jour pour sa tentative, avant la fin de la saison sèche et le début de la saison vraiment chaude, le 21 mars, l'équinoxe de printemps. Trois tentatives, trois échecs. Au début, c'est la fatigue qui l'arrêtait, mais elle est dans ses treize ans maintenant, et de plus en plus résistante – depuis deux mois, elle s'est endurcie en marchant puis en courant la nuit ou très tôt dans la matinée sur la route menant à la vieille mine d'ambercite.

Et cette fois-ci… Elle arrive au sommet de la pente, un peu essoufflée quand même, les cuisses brûlantes, mais avec un sourire de triomphe. Après avoir ôté son chapeau conique pour s'éventer, elle lance par-dessus son épaule : « Regarde, Chéhyé, on voit la chute d'ici ! » Un mince trait blanc qui zèbre la montagne, à peut-être un quart de lieue ; si le vent était du bon côté, elle l'entendrait peut-être ! Tout ce qui l'en sépare, c'est la vaste étendue du dernier plateau, avec ses amoncellements de rochers, ses buissons et ses grands arbres solitaires. Elle remet son chapeau, en renoue les lanières sous son menton. « Viens, on ne s'arrête pas !

— Je ne peux te suivre », dit la voix un peu altérée du Ghât'sin. Elle se retourne, surprise. Il s'est assis sur un petit rocher bas, les mains pendantes entre les genoux.

Elle revient sur ses pas avec une soudaine honte inquiète. Elle a oublié qu'il vieillit, lui aussi. Il est bien plus vieux que Gilles, en années ordinaires. Si ce n'était de l'ambercite, il ne serait plus très loin de l'âge où l'on songerait à le remplacer, à Garang Xhévât. « Continue », murmure-t-il.

Elle ment : « J'ai soif. »

Il lui tend aussitôt la gourde. Elle boit en prenant son temps, la tête renversée en arrière. S'essuie la bouche, lui rend la poche de cuir. « Bois aussi. Il fait chaud. »

Il obéit – avait-il donc besoin qu'elle le lui dise ? Il est sûrement plus assoiffé qu'elle. Elle attend encore un peu, en faisant mine de vérifier les attaches de ses sandales.

« Viens-tu ? » dit-elle enfin.

Il secoue la tête : « Je ne peux pas te suivre plus loin. »

Elle demeure un moment stupéfaite. « Tu ne peux pas ou tu ne veux pas ? »

Le visage du Ghât'sin prend une expression hésitante, mais il finit par dire : « C'est un lieu sacré. Les premières humaines y ont été créées. Toi seule peux t'y rendre. »

Elle le considère un moment sans rien dire, abasourdie. « Pourquoi ne me l'as-tu pas dit plus tôt ? »

Il baisse la tête sans répondre, et elle comprend : il ne croyait pas qu'elle y arriverait jamais. En un éclair, elle se rappelle leurs excursions précédentes : ne chantonne-t-il pas toujours d'une voix atonale, n'accorde-t-il pas toujours son pas au sien pour créer ces rythmes répétitifs qui la font basculer dans l'*igaôtchènzin* ?

« Tu ne voulais pas que j'y arrive », dit-elle, plus surprise que fâchée.

Il garde la tête basse. La légère irritation d'Ouraïn se dissipe. « Eh bien, je vais continuer seule, alors. Attends-moi là. »

Il se prosterne sur le sol rocailleux. Avec un soupir, elle se détourne pour se remettre en marche.

Ici, sur le plateau, le vent est plus perceptible, mais les vagues sonores des sauterelles et des grillons font comme une berceuse, avec la chaleur qui irradie malgré tout du sol rocheux en ce milieu d'après-midi ensoleillé. La pente est accentuée mais plus régulière, la marche n'est pas assez difficile, les ombres des nuages ondulant sur le sol ne suffisent pas. Il va falloir se trouver quelque chose pour s'occuper l'esprit. Compter dans sa tête, cela ne suffit jamais. Chanter… elle a tout de même besoin de son souffle. Examiner les cailloux, voilà ! Chercher quelles sortes de roches il y a sur ce plateau – à part l'orcite, bien entendu. Nul doute que Gilles ne l'ait fait au temps où il voyageait dans la région pour trouver où établir le domaine, mais tant mieux : il pourra lui dire si elle s'est trompée ou non. Alors, voyons…

De latérite en grès rose en orcite en granit bleu, chaque fois qu'elle relève les yeux après une trouvaille, la chute d'eau est plus proche, elle l'entend bientôt, un bruissement dans la distance. Et maintenant, toute son attention est requise pour trouver la bonne voie à travers les troupeaux de rochers qui arrondissent leur dos dans la pente plus escarpée, pour sauter de l'un à l'autre et même en escalader à mesure que la montagne se hisse de plus en plus nettement hors du plateau. Mais enfin le bruissement devient un grondement, puis un rugissement humide, tandis qu'elle contourne une dernière épaule de roc. Elle jette un coup d'œil derrière elle – Chéhyé ne l'a pas suivie, en effet, il est un point quelque part dans le lointain en contrebas. Elle ralentit, pour faire durer le plaisir de la victoire.

Il est presque cinq heures, et le soleil a beaucoup baissé, baignant la face rocheuse de la montagne d'un rose orangé si profond qu'un instant Ouraïn s'amuse à l'imaginer faite entièrement d'ambercite, comme si c'était l'œuf du Dragon de Feu mais en beaucoup, beaucoup plus gros, et que la chute d'eau était la fente par laquelle naissent les Natéhsin.

Mais la fantaisie ne peut durer : la lumière rasante accentue trop les accidents de la roche, conférant aussi à la chute écumeuse un relief presque irréel. À son pied, après la zone de remous turbulents, l'eau se précipite entre des rochers arrondis, veinés de rouille – il doit y avoir du fer par ici –, formant çà et là des petits étangs ou de grandes flaques plus calmes, ourlées de sable ou de galets multicolores. Ouraïn ôte ses sandales et s'avance dans l'une d'elles, écartant avec délice les doigts de pieds dans la fraîcheur un peu visqueuse des gravillons, puis, gravement, elle prend de l'eau dans ses mains en coupe et en verse des trois côtés de l'horizon en murmurant le nom des divinités de la montagne: "Hyundxhaïgao, Hyundigao, Hyundpènh". Après s'être accroupie, elle en boit trois gorgées, en laissant la fraîcheur couler dans sa poitrine.

Et devant elle, l'épaule de roc devient soudain une épaule à laquelle est rattaché un long cou auquel est rattachée une longue tête. Les petits rochers en avant sont devenus des pattes griffues, étirées avec nonchalance, et elle au milieu. Lichens et mousses sont autant d'écailles vertes piquetées de jaune, qui s'affirment plus lisses et plus vernies tandis qu'Ouraïn, la tête renversée en arrière, contemple la créature qui naît de la montagne, qui est la montagne elle-même, pourvue d'ailes dont les membranes repliées imitent des nappes de basalte.

Le cou se tord en un arc élégant, la tête au mufle camus s'abaisse pour s'arrêter au niveau des yeux d'Ouraïn. Lorsque la gueule s'ouvre, découvrant des dents de cristal acéré, un souffle igné lui caresse le visage. Immobile, elle contemple les yeux énormes à la pupille verticale qui la fixent, immobiles. Elle peut se voir minuscule dans l'iris doré. L'aigrette étrangement plumeuse des sourcils fait écho aux vibrisses qui s'épanouissent de part et d'autre du museau aux naseaux largement ouverts.

Sans savoir pourquoi, elle songe à Tchènzin, au petit pavillon, lorsqu'il est assis en face d'elle au moment où elle se laisse glisser dans l'*igaôtchènzin*.

Bienvenue, Ouraïn, dit la voix immense et pourtant silencieuse de Hyundpènh. *Tu brilles trop fort, petite Phénix. Danse. Je me souviendrai de toi.*

Le Dragon de la Montagne cligne des paupières, une fois, et elle n'est plus là pour rien voir.

56

Pierrino suit le lieutenant sur l'étroite passerelle, trop abattu pour repousser les souvenirs de leur première visite du bateau, à Aurepas, lorsqu'ils étaient adolescents. Senso tout excité, Jiliane grave et curieuse, et puis elle aurait bien voulu les suivre dans les échelles de cordes, mais elle était tout empêtrée de sa robe. À part les matelots de quart, le pont est désert, la plupart des marins doivent être en bordée. Rahyan le précède dans l'entrepont, où se trouve sa cabine. Le dîner y est en effet servi, au chaud sous des timbales métalliques. Rahyan va tirer une bouteille ventrue d'un petit cabinet, ainsi qu'une assiette et des couverts.

« Servez-vous, dit-il en désignant la table, il y en a pour deux. »

Pierrino l'observe avec une curiosité lasse. L'homme a changé depuis la première fois où il l'a rencontré. Il s'est humanisé. Il est devenu plus loquace, en tout cas. Mais toujours aussi entêté qu'un âne.

Le lieutenant lui sert une forte quantité d'une liqueur incolore, et plutôt inodore, mais à forte concentration d'alcool, car les yeux de Pierrino se remplissent de larmes.

« Arak », dit Rahyan, un peu narquois malgré tout. « Cela vous réchauffera. Vilain printemps, cette année. »

Pierrino essaie une gorgée prudente. De fait, un petit brasier s'allume dans son estomac, irradiant jusque dans sa poitrine.

« Ne faites pas si triste mine », dit Rahyan, qui a vidé son verre d'un trait. « Si votre sœur est en fugue, elle finira bien par revenir. Ne supportiez-vous pas mal d'être séparés ? »

Pierrino hoche la tête, trop abattu par le retour du chagrin pour être capable de parler. Il avale une autre gorgée d'alcool, se racle la gorge : « Plus maintenant.

— Et votre frère, où est-il ?

— Il la cherche le long du canal, au nord.

— Ah, dit Rahyan. Vous pouvez vraiment être séparés, alors. » Il médite un moment. « Mais peu importe. Elle reviendra. Elle vous aime beaucoup tous les deux, je m'en souviens. »

Pierrino hausse les épaules et finit son verre. Déjà vide ? Rahyan a un petit rire : « On s'y habitue, hein ? » Il le lui remplit de nouveau. « Asseyez-vous donc. »

Pierrino se laisse tomber dans le fauteuil le plus proche et caresse le ventre rond du verre, en sentant ses muscles se détendre un à un. Il ne s'était pas rendu compte qu'il était épuisé à ce point.

« Mangez quelque chose », dit Rahyan, amusé. « Vous allez vous abattre, à boire ainsi. »

Mais Pierrino se sent trop bien pour bouger. Le lieutenant secoue la tête et va lui couper quelques tranches de blanc de volaille qu'il pose sur un morceau de pain trempé dans la sauce avant de les lui tendre en répétant plus impérieusement : « Allons, mangez. »

Pierrino s'exécute. C'est délicieux, exquis, il en a les mâchoires douloureuses. Il devait mourir de faim. Senso ne serait peut-être pas de cet avis, mais c'est une nourriture digne des dieux. Et un alcool divin aussi ! Il en prend une bonne lampée, attentif au cheminement brûlant du liquide jusqu'en son centre, où il s'épanouit comme un bouquet de feux d'artifice.

Rahyan le dévisage, redevenu sérieux, et même soucieux : « Monsieur Garance doit être bien inquiet. »

Pierrino hausse une épaule en finissant le dernier morceau de viande. Il tend ce qui lui reste du pain : « J'en prendrais bien encore. »

Rahyan le ressert, en poursuivant : « Il sait bien que vous êtes là, n'est-ce pas ?

— Mais oui », dit Pierrino avec désinvolture, à travers une bouchée. « Aucune importance. Rien à voir là, Grand-père. C'est Jiliane et nous. »

Ce sera Jiliane et eux, quand Senso l'aura retrouvée, car Senso va la retrouver, lui, bien sûr. Pas question de la rendre à Grand-père. Ils resteront tous les trois. Ensemble, toujours. Trouveront bien moyen d'enlever le bracelet…

« Quel bracelet ? » fait la voix de Rahyan.

Ah tiens, il a dû penser tout haut. Mais quelle importance ? Il se penche pour toucher sa cheville, mais la manque et agrippe à la place la boucle de son soulier. Avec un petit rire, il remonte le long de sa chaussure jusqu'à sentir le bracelet sous son bas. Il le tapote à quelques reprises avec emphase. « Sommes bagués », dit-il. L'idée lui semble soudain hilarante. « Comme des pigeons. »

Mais ne reviendront pas au pigeonnier, voilà. Il se laisse aller contre le dossier du fauteuil et ferme les yeux, baignant dans une certitude réjouie : eux et Jiliane, ensemble, libres. Plus de Grand-père, plus d'ecclésiastes, plus de machinations. Iront à Paris pour faire du théâtre, tiens. Senso aimera. Ah non, pas Paris. Ailleurs. À l'aventure sur les routes. Les canaux, les rivières, les fleuves, la mer. Partiront en

Atlandie, oui, c'est cela, en Atlandie, au berceau de leurs ancêtres. En canoë sur les grands lacs, avec le tambour des esprits pour rythmer leurs coups de pagaie, boum-boum-boum-boum. Mais c'est dans ses tempes, le martèlement, holà, il frappe, cet arak !

Des mains sur sa jambe, sa cheville. On descend son bas. Eh, Rahyan, mon ami, vous m'en apprenez de belles ! Désolé, vous n'êtes vraiment pas mon genre… Mais il n'arrive pas à ouvrir les yeux, ni à parler. On remonte son bas. Pas votre genre non plus ? Dois-je être vexé ? Trop sommeil, de toute façon. On lui prend son verre des doigts. Ah, très aimable à vous. Je vais dormir un peu. Ne vous dérangez pas davantage. Juste un petit somme.

57

« La Divinité est avec vous, Madame Dessurault », dit Bernardine d'un ton froid à Antoinette, après une simple inclinaison de tête à l'adresse d'Ouraïn.

« Et avec vous, Madame Desmarets », répond Antoinette sans broncher.

Bernardine se tourne ensuite vers Gilles avec une tendresse affectée, faisant une fois de plus contre mauvaise fortune bon cœur : « Eh bien, au revoir, mon très cher Antoine, rappelez-vous que vous avez toujours une famille à Garang Nomh. Que la Divinité vous garde, mon enfant.

— Et vous pareillement, Mère », répond Gilles en embrassant la joue trop poudrée que lui tend encore une fois Bernardine. Elle utilise toujours trop de ce parfum de lavande qui pique le nez, et le violet du deuil ne sied vraiment pas à sa silhouette désormais replète, outre qu'il est ostentatoire en ce qui la concerne – elle n'avait pas revu Clément depuis plus de quinze ans, depuis qu'il n'allait plus au comptoir.

Il regarde le comte de Malevoix lui offrir son bras pour l'aider à monter dans la voiture qui va enfin les emporter vers l'embarcadère et le bateau. Il vous faudra vous résoudre à l'épouser, ma chère, si vous voulez continuer à jouir du même train de vie que du vivant de Clément, puisque le contrat prenait fin avec son décès.

La porte se referme ; sur un dernier signe de la main gantée, la voiture s'ébranle, s'éloigne. Il se force à rester sur le perron jusqu'à ce qu'elle ait disparu dans le premier tournant. Presque deux heures de l'après-midi ! Il a cru qu'ils ne partiraient jamais. Tant pis pour eux, ils auront droit sur la rivière à l'orage qui se prépare. Et dire qu'il avait espéré réduire toutes les cérémonies de condoléances en faisant mourir Clément au plus fort de la mousson… La plupart des gens se sont contentés d'envoyer des lettres. Mais pas Bernardine, bien sûr. Ni les autorités mynmaï ni les autorités géminites n'avaient de raison de lui refuser son sauf-conduit, et il n'avait pas envie d'intervenir, cela aurait paru trop disharmonieux, même pour Antoine Garance dont chacun à Garang Nomh sait les relations distantes qu'il entretient avec sa mère.

Elle aura voulu penser jusqu'au dernier moment, elle, qu'il l'inviterait à rester plus longtemps. Qui sait, peut-être même espérait-elle s'installer de nouveau au domaine ? Pour “lui tenir compagnie dans sa solitude”, d'une façon “temporaire” qui serait devenue définitive ? Elle se fait tant de souci pour lui ; elle est si attristée des racontars – mensongers, pour sûr – qui courent sur son compte et peinaient tant son pauvre père ; il travaille trop ; il a besoin d'Harmonie, d'une présence féminine au manoir, d'une mère, sinon d'une épouse. Et ainsi de suite, jusqu'à plus soif.

De fait, il a bu davantage pendant ces trois jours que pendant les deux mois précédents, et tout particulièrement à cet ultime repas, qui devait être un léger en-cas et que Bernardine a fait si interminablement durer avec ses bavardages inconsidérés.

Il se tourne vers Ouraïn et Antoinette : « Eh bien, ma chère, dit-il à celle-ci, vous devez être bien fatiguée, je ne vous retiendrai pas davantage. »

Elle sait quand on lui donne congé et incline la tête : « Bonne journée à vous. » Elle finira sans doute l'après-midi à la bibliothèque, comme à son habitude. Il ne peut s'empêcher de ressentir un amusement mêlé d'une légère répugnance en se rappelant les insinuations de Bernardine, qui préfère évidemment le penser en galante avec "madame Dessurault" que croire les fameux racontars, mais non, aucunement mensongers, chère Mère, Antoine Garance est un butineur, un coureur de galantes qui ravage les cœurs à Garang Nomh ! Du moins ne l'importune-t-on plus trop pour se marier, et si la réputation des Garance en souffre quelque peu, ils peuvent désormais se le permettre.

« Je devrais me rendre au petit pavillon », dit Ouraïn.

Elle n'en a pas très envie, de toute évidence. Elle préfère retarder sa transe le plus longtemps possible plutôt que de retrouver Kurun. Il la comprend, la pauvre petite. Il partage son chagrin.

« Eh bien », dit-il en lui prenant le bras, brusquement assombri, « cela peut attendre encore un peu, je suppose. » Ce n'est pas comme si Kurun était seule, de toute façon ; elle est avec sa domestique, la jeune Ghât'sin qui est venue se mettre à son service deux ans plus tôt. « Tiens-moi compagnie encore un moment, veux-tu ? »

Ils rentrent dans la fraîcheur du manoir, gravissent l'escalier en colimaçon de la tourelle nord. Gilles s'efface en ouvrant la porte pour laisser Ouraïn entrer dans son bureau. Comme à son habitude, elle va à la fenêtre où le télescope est installé en permanence, même s'il n'y pas grand-chose à observer dans le ciel à cette heure, sinon les nuages qui s'amoncellent. Elle ne pense plus que c'est de la magie, comme lorsqu'elle était petite, mais voir de près des objets lointains grâce à un instrument de métal et de verre la fascine toujours.

Gilles va au petit cabinet pour en sortir le carafon de porto, seule liqueur que tolère Ouraïn. Depuis qu'elle est dans ses quatorze ans, c'est leur rituel lorsqu'ils se rencontrent ici et non à la bibliothèque, un signal que ce n'est point pour l'étude mais pour deviser ou, la nuit, contempler les étoiles. Ils le font bien rarement, ces temps-ci. Bernardine a raison sur un point : il passe trop de temps à la fabrique. Mais La Miranda est tellement déserte, même avec les domestiques mynmaï qui y vivent désormais. Il regrette à présent d'avoir vu si grand. Il pensait alors qu'il aurait davantage de compagnie, avec le temps. Et au contraire...

Il a versé trop brusquement la liqueur dans le verre. Trop plein. Tant pis, il le gardera pour lui. Il remplit l'autre verre au tiers et vient l'apporter à Ouraïn qui a abandonné le télescope pour s'asseoir sur l'ottomane. Il s'assied près d'elle avec un soupir, jambes croisées, et prend une gorgée de porto.

« Tu es triste, Gânu », murmure soudain Ouraïn.

Elle se doute bien que ce n'est pas le deuil de Clément, maintenant que les invités sont repartis. Il hésite. Mais il est las. La présence presque constante de Bernardine pendant ces trois jours était comme un caillou impossible à déloger ; ne plus avoir à faire l'effort de rester impassible le laisse étrangement affaibli.

« Sais-tu quel jour nous étions avant-hier ? » finit-il par murmurer dans son verre.

Elle n'a plus besoin de réfléchir, maintenant, pour répondre à ce genre de question – surtout ce jour-là : « Le vingt et un de juin mille six cent soixante-dix-sept. »

En l'entendant, il s'étonne encore. La décision de faire disparaître Clément a été prise sur une impulsion, si brusquement… Ensuite seulement a-t-il réalisé quel jour Clément devrait être sublimé. Il le savait, bien sûr – sans le savoir. La psyché vous joue parfois de bien curieux tours.

« Il y avait exactement cent ans avant-hier que tu as été conçue, Ouraïn. »

L'expression soucieuse de l'adolescente se détend en un sourire hésitant : « Oui, dans la Chambre du Dragon…

— La première fois que j'ai vu… » il se force à continuer : « … Kurun. » Il avale une gorgée de porto pour se dénouer la gorge, jette un coup d'œil au visage attentif d'Ouraïn, une fois de plus émerveillé : « Tu lui ressembles tant, ma chérie. »

Elle avait presque cet âge, Kurun, dans la Chambre du Dragon. Il y a cent ans. D'ordinaire, il a peu le temps de s'y attarder, mais chaque fois c'est la même stupeur incrédule, vaguement effrayée. Cent ans. Il croyait qu'elle serait toujours auprès de lui, qu'elle lui survivrait, même, et maintenant… C'est trop injuste, trop incompréhensible.

Ouraïn se rapproche de lui et pose sa tête sur son épaule sans rien dire. Elle comprend. Elle aussi, elle pense à Kurun, Kurun si vieille, désormais, si lente, si muette. Ah, il n'aurait pas dû l'évoquer ainsi, lui rappeler leur chagrin partagé.

Il boit une gorgée d'alcool en passant son bras autour des épaules d'Ouraïn pour la serrer contre lui. Ouraïn si jeune, si éternellement jeune. Non, pas éternellement, elle est bien avancée dans ses quatorze ans, elle finira par en avoir quinze et seize et… et lui, où sera-t-il ? Il paraît à peine cinquante ans lorsqu'il est Gilles. Peut-être devra-t-il quand même marier Antoine, finalement, préparer le prochain Garance.

Cent ans. C'est stupide d'en être affecté, ce n'est qu'un chiffre. Il vit depuis trop longtemps chez les Mynmaï, avec leur obsession des nombres. D'ailleurs, même pour eux, ce n'est pas cent ans, un siècle. Cent vingt-cinq ans pour le cycle de *Hyungdun Hêt'man*, le Retour du Souffle Sacré. Ce n'est pas le chiffre, évidemment, mais les souvenirs de ce jour-là. Si étonnamment clairs. Il ne se rappelle pas tout intégralement comme peut le faire Ouraïn, la pauvre petite. Mais il se souvient très bien de ce jour-là. Et du jour suivant. Tous ces premiers jours.

« Raconte-moi », murmure Ouraïn. Même après tout ce temps, elle est encore curieuse de tout ce qui a précédé sa naissance. Ils le lui ont sûrement tous raconté des centaines de fois, et elle l'a consigné dans son journal. Mais c'est différent – parce qu'elle n'en a pas de souvenirs personnels, justement.

« Dans la Chambre du Dragon, ta mère m'a donné le pendentif de 'Xaïo » – il le touche à l'encolure de sa chemise, bien visible : Antoine n'éprouve aucune vergogne à porter des bijoux mynmaï. « Nous sommes retournés à Garang Xhévât. Et ensuite nous en sommes partis pour nous installer à Banang Thu.

— Et tu as découvert comment créer l'ambercite.

— Oui. » Il boit une autre gorgée de porto, sans pouvoir secouer sa tristesse. Tout semblait alors si clair.

« Le commencement du nouveau monde », murmure Ouraïn.

Le nouveau monde. Il ne peut réprimer un sourire amer. « Oui, j'ai aidé à créer un monde nouveau, dans mon pays, dans les pays géminites. Mais le monde qui s'est créé ici… n'est pas ce que j'avais imaginé, vois-tu, Ouraïn. »

Elle le regarde sans comprendre, bien sûr. Et comment lui expliquer ? Le doit-il seulement ? Il boit machinalement une autre gorgée. C'est tellement différent de ce qu'il avait imaginé ! Il se rappelle trop bien ses projets, leur affligeante naïveté. Libérer les Natéhsin, libérer tous les Mynmai de Garang Xhévât en les gagnant peu à peu à la vraie foi. Et ensuite, avec l'ambercite, c'était devenu encore plus possible : il allait reprendre contact avec la France, des géminites viendraient s'installer, il ne serait plus seul pour cette tâche immense et exaltante… Et pendant un temps il y a cru. Certes, Daïronur avait imposé des restrictions sévères à la circulation des étrangers, mais les indigènes se rendraient librement dans le comptoir et cela évoluerait comme partout ailleurs, malgré les restrictions de la Ligne. Les indigènes convertis ne seraient plus aussi réticents quant à leur talent et à leur magie, le pouvoir de Garang Xhévât s'affaiblirait, tout finirait par pouvoir être révélé.

Et au lieu de cela… la maladie puis la mort blanches, la fermeture de la ville sacrée… Et son enfant trop magique.

Il jette un coup d'œil en biais à Ouraïn, qui fait tourner son verre de cristal à contre-jour, y allumant des reflets ambrés.

Dire qu'il avait vu une bénédiction dans les effets imprévus de l'ambercite ! Quel optimisme, alors, quelle ferveur devant ce nouveau don de la Divinité. Il serait là. Il verrait Ouraïn grandir.

Oh, il l'a vue grandir. Si lentement. Encore maintenant, il est tenté de ne pas la rencontrer du tout pendant des semaines, afin de constater des changements en elle lorsqu'ils se revoient. Mais c'était trop imprudent. Il ne pouvait la laisser trop souvent entre les mains de Xhélin et des deux autres. Heureusement, ils ne sont plus là et elle passe encore le plus clair de son temps en contemplation. Et elle a toujours changé davantage grâce aux trois heures pendant lesquelles elle étudie chaque jour avec lui ou avec Antoinette.

Il va pour boire, constate que son verre est vide et se lève pour aller chercher le carafon ; après une hésitation, il revient le poser sur le petit guéridon proche du canapé, à sa droite. Ouraïn a à peine touché sa portion pourtant congrue ; elle aime davantage le porto pour sa couleur et son arôme, et pour ce qu'il signifie entre eux.

Elle n'en buvait jamais, au début. Maintenant oui. Oh, elle change. Mais quand sera-ce suffisant pour qu'il envisage de lui confier les rênes du domaine ? Elle a une mémoire infaillible, certes, mais ce n'est pas suffisant – une des raisons pour lesquelles il ne s'est pas pressé de l'éduquer : inutile d'alourdir son esprit de connaissances qu'elle retiendrait intégralement sans forcément y rien comprendre. Et puis, il a toujours désiré pour elle l'existence la plus normale possible, si cela peut signifier quoi que ce soit en ce qui la concerne. Elle a eu une enfance – une très, très longue enfance. Qu'elle jouisse autant que faire se peut de son adolescence. Il a le temps, doit-il donc encore se le rappeler ? Il peut, il doit, réfréner ses impatiences et ses inquiétudes. Un atout précieux dans ses relations d'affaires : il a le luxe d'attendre que les importuns passent avec le temps. À plus forte raison peut-il attendre qu'Ouraïn ait seize ans, dix-sept ans, et l'âge légal. Et s'il est encore là, alors, comme c'est de plus en plus vraisemblable, il pourra continuer de la guider. Il lui apprendra à choisir de bons intendants, comme ceux qui travaillent pour lui présentement, des gens compétents qui gèrent toute l'administration de son commerce sans qu'il soit besoin de les contrôler autrement que de la façon la plus ordinaire. Tout cela pourra se perpétuer sans problème.

Il fait lui aussi tourner son verre dans la lumière, s'arrête : les lueurs ambrées lui rappellent trop le regard de Kurun, la nuit, à la lueur des bougies. Il boit une grande gorgée qu'il avale sans presque la goûter. Il a beau savoir qu'il a du temps devant lui, il ne peut faire taire la petite voix qui demande : et alors, quand elle aura seize ans, dix-sept ans, dix-huit ans, que feras-tu ?

Plus important, que fera-t-elle ? Il lui a toujours dit qu'elle reprendrait le domaine après lui, mais quelquefois, il a le sentiment qu'elle le croit immortel et ne pense pas que cela arrivera jamais. Elle a accepté cette déclaration de lui comme tout le reste. Et pourquoi ne lui obéirait-elle pas ? Il a toujours pris soin de ne pas exiger d'elle des actes contraires à sa nature ou à ce qu'elle croit l'être d'après son éducation mynmaï. Il respecte même son désir de ne pas user de son talent autrement que dans des circonstances bien définies, et de façon purement passive.

Mais elle ne lui demande jamais rien, elle. Même ses excursions des dix dernières années (ou est-ce quinze ?), elle les a entreprises pour lui plaire – elle sait qu'il juge nécessaire pour elle d'apprendre à retarder le plus possible l'*igaôtchènzin*. Il espérait qu'elle le ferait plus souvent qu'une fois par année, certes, mais c'est déjà un énorme progrès. Elle a le temps d'en venir d'elle-même à comprendre qu'aucune catastrophe magique n'en découlera – elle en a eu la preuve à plusieurs reprises maintenant. D'ailleurs, elle aura bientôt atteint ses quinze ans, le "premier âge" des Natéhsin, où, s'il se souvient bien des dires de Xhélin, retarder la transe, voire la supprimer pendant des périodes plus ou moins longues, ne fera plus problème.

Ouraïn a appuyé de nouveau sa tête contre son épaule. Il lui caresse la joue avec tendresse. Toute petite, elle voulait voyager avec lui, mais à partir du moment où il a établi leur lien, cela lui a suffi. Et pour les besoins de l'histoire qu'il a inventée par la suite, les ouraïns ne peuvent sortir du domaine. Ce n'est pas grave, il pourra toujours modifier l'accord inexistant quand il en aura besoin.

Il suit des yeux la courbe de la joue, admire les longs cils ombrageux, la ligne aérienne des sourcils. Elle est si douce, Ouraïn, si obéissante. Parfois trop. Elle semble parfaitement contente de la vie qu'elle mène, si monotone lui semble-t-elle, à lui. Comprend-elle de quelle façon cette vie changera lorsqu'elle deviendra la maîtresse du domaine, la détentrice du secret de la fabrication de l'ambercite et son principal agent, la véritable représentante de puissances géminites auprès du pouvoir de Daïronur ? Captive de ses âges qui passent si lentement, pense-t-elle jamais à l'avenir ? Comprend-elle que le jeu de cache-cache qui l'amusait tant lorsqu'elle était plus jeune, elle devra y jouer plus activement, comme lui avec Clément et Antoine ? Y a-t-elle même jamais pensé ?

Elle pose si peu de questions. À quoi pense-t-elle, vraiment ? Une enfant de quatorze ans, d'ordinaire, et même les plus intelligentes, cela rêve aussi de garçons, de bals, de baisers. Une enfant ordinaire. Elle n'en est pas une. Rien de tout cela ne semble encore s'être éveillé en elle. Du moins est-elle fertile, elle le lui a assuré. S'est-elle seulement demandé pourquoi il s'en inquiétait ?

Non qu'il en soit pressé, lorsqu'il songe aux ennuis que cela ne manquera pas de susciter. Il a éprouvé une certaine inquiétude lorsqu'elle s'est mise à lire les romans et pastorales qu'Antoinette fait venir de France… Mais elle en a vite abandonné la lecture. Peut-être les âges des Natéhsin ne sont-ils pas un vain mot et ne deviendra-t-elle réellement adolescente, avec tous les appétits que cela suppose, qu'après ses quinze ans. Ce qui ne sera plus dans très longtemps, au reste, trois ou quatre ans. Mais comment savoir ?

Il n'y a jamais eu de telle enfant. Pour autant qu'il le sache, elle pourrait aussi bien n'être "éveillée" qu'au moment des festivals ! Encore faudrait-il que ce soit bien "la nature des Natéhsin", comme le prétendait Xhélin, et non le seul effet de leur éducation à Garang Xhévât, une éducation qu'Ouraïn n'a jamais reçue – mais il n'a jamais pu contrôler ce que Xhélin et les autres lui enseignaient, évidemment…

Il l'observe, soudain mal à l'aise, incertain de la manière d'approcher le sujet. « Ne t'ennuies-tu pas seule ici, Ouraïn ? »

Elle se redresse et le dévisage avec surprise : « Je ne suis pas seule.

— Je veux dire, sans jeunes filles ou jeunes gens de ton âge. »

Elle hausse encore les sourcils, puis son regard s'assombrit un peu. Ah, il a été maladroit, elle doit penser à Marie-Jolin. Mais il est trop tard, il doit attendre sa réaction.

« Les jeunes du village sont trop différents pour moi », finit-elle par dire, sans intonation de regret. D'ailleurs, n'aurait-elle pas dit "je suis trop différente", si elle en ressentait une quelconque amertume ?

Allons, pourquoi tourner autour du pot ? L'approche directe est sans doute la meilleure, en l'occurrence.

« As-tu jamais pensé qu'un jour tu rencontreras quelqu'un que tu aimeras ? » Il s'oblige à ajouter, à travers le chagrin qui revient lui mordre le cœur : « Comme pour Kurun et moi ?

— Il n'y a plus de Phénix », dit-elle après une brève réflexion, d'un ton raisonnable.

Il l'observe en dissimulant sa surprise. Sa réplique est-elle seulement, naïvement, littérale ? "Kurun est de la triade Phénix, elle aussi, mais il n'en naît plus" ?

Il en naît encore, des Natéhsin, c'est bien sûr : cela n'a rien à voir avec le Dragon de Feu ; mais elles sont invisibles à Garang Xhévât. Il aurait été bien prêt à l'envisager, lui – un équivalent masculin de Kurun pour Ouraïn –, mais cette possibilité a disparu avec la fermeture de la ville sacrée. D'un autre côté, qui sait ce que peuvent bien comploter là-bas les Ghât'sin ? Peut-être attendent-ils justement qu'Ouraïn ait atteint le bon âge. Peut-être, par un retournement ironique des choses, demanderont-ils alors à conclure un accord avec lui !

« Mais s'il y en avait encore, des Phénix ? » Et pour parer à la réaction qu'il anticipe, il insiste : « Suppose seulement. Imagine qu'il y en ait encore. »

Elle ne réfléchit pas longtemps : « Cela résoudrait bien des problèmes », dit-elle, le surprenant plus encore. « Mais il n'y en a plus. »

Évidemment, c'est ce que Xhélin et les autres lui ont seriné pendant des années. Des décennies. Et, n'étant pas certain que cela aiderait en rien ses projets, il n'a pas jugé bon de l'en détromper. Si les contacts se rétablissent avec Garang Xhévât, il sera bien temps alors d'aviser.

Mais elle y a pensé d'elle-même. C'est réconfortant, d'une certaine manière. Elle est parfaitement consciente de ses circonstances. Voilà pourquoi elle a cessé de lire les romans amoureux d'Antoinette : elle ne leur trouve aucun rapport avec sa propre existence. De qui irait-elle s'amouracher, ici ou ailleurs ? Tous les gens ordinaires ou même talentés qui se trouvent passer au domaine sont pour elle autant d'éphémères. Et elle doit bien avoir appris de son exemple que la solution qu'il a choisie est la moins dommageable pour tout le monde : on ne peut maintenir subjugués pendant leur vie entière une épouse ou un époux qui doivent ignorer trop de la vérité – et comment s'en trouverait-il à qui il serait possible de la laisser connaître, même en partie ? Peut-être a-t-elle déjà compris qu'elle ne doit pas compter avoir un compagnon pour la vie. C'était ce qu'il avait espéré avec Kurun, et où en est-il rendu ?

Il la dévisage, soudain conscient, avec un émerveillement inquiet, de tout ce qu'il ignore de sa fille. Il pose son verre pour lui prendre les mains : « En es-tu affligée, Ouraïn ? »

Elle hésite. « C'est le monde nouveau », dit-elle enfin, avec une inflexion légèrement interrogative.

Il secoue la tête : « Je veux dire, cela t'attriste-t-il, si tu ne peux avoir de compagnon natéhsin ? »

Et cette fois, il comprend que non, elle n'y avait pas vraiment pensé : les yeux dorés s'élargissent en prenant une expression perplexe, dans un long silence qu'il ne veut pas interrompre. Mais elle en revient avec un petit haussement d'épaules : « J'aurai des enfants si je dois en avoir. D'une façon ou d'une autre, la Déesse y pourvoira. »

Il demeure interdit. Est-ce de l'insouciance ou de la sagesse ? Il la dévisage avec une soudaine anxiété : « Que veux-tu pour plus tard, Ouraïn ? Que désires-tu faire ? »

Elle hésite encore longuement, déconcertée : « Vouloir, dit-elle enfin, c'est prendre sans savoir ce que l'on prend. Et plus tard… est loin, n'est-ce pas ? »

Il fronce les sourcils. Il reconnaît cette intonation, il l'a entendue assez souvent chez Xhélin et les autres : c'est son éducation mynmaï qui parle. Il a envie de rétorquer que le talent permet de voir dans l'avenir, mais en cet instant il n'a nulle envie de s'engager dans une telle conversation théorique. Il veut savoir ce que sa fille ressent et désire vraiment.

« On peut imaginer ce que plus tard pourrait être, prévoir des possibilités et se préparer en conséquence, n'est-ce pas ? Ne l'as-tu donc jamais fait pour toi ? »

Elle hoche la tête : « Si. Je m'occuperai du domaine. Je travaillerai à la fonderie.

— C'est ce que tu penses que je veux entendre », intervient-il, agacé. « Mais toi, désirerais-tu… As-tu parfois imaginé autre chose ? »

Elle ne semble toujours pas bien comprendre. « Je devrai… sortir parfois du domaine. Pour aller à Garang Nomh.

— Tu n'en sembles guère enthousiasmée. »

Elle hausse légèrement les épaules : « Ce sera compliqué, avec l'*igaôtchènzin*. Et puis, avec le jeu de cache-cache, je devrai être quelqu'un d'autre pour de bon. »

Du moins en a-t-elle conscience ! Et bien sûr, comme à lui, cela lui déplaît de devoir dissimuler ainsi. Peut-être même plus qu'à lui, parce qu'elle n'en comprend pas assez la nécessité profonde, n'ayant jamais eu à craindre pour sa sécurité ou sa vie. Peut-être devrait-il lui faire jouer un rôle plus actif. Peut-être l'a-t-il encore trop protégée, malgré tout.

« Je pourrais commencer à t'emmener à Garang Nomh et à Daïronur avec moi, afin que tu puisses t'y exercer peu à peu », essaie-t-il, pour juger de sa réaction.

Elle fait une petite moue, l'air incertain.

« Plus tard est loin », dit-il aussitôt en souriant. Il l'embrasse sur le front, reprend son verre de porto. Il doit toujours se rappeler malgré tout avec quelle lenteur mûrit le psychosome d'Ouraïn. D'ailleurs, même parmi les enfants ordinaires, il en est qui tardent davantage à devenir adulte, quel que soit le nombre des années écoulées. La patience d'Ouraïn, son obéissance et même son relatif manque de curiosité, tout cela changera peu à peu. Il suffit d'avoir semé un germe et de l'arroser de temps à autre. C'est ce qu'il a fait pour l'ambercite et finalement, elle a surmonté les préventions contre la fusion des substances primordiales dont les autres lui avaient farci la cervelle, et elle lui a demandé elle-même de la laisser s'y essayer, n'est-ce pas ?

58

Pierrino rêve qu'il se réveille. Ou bien non, puisque c'est la nuit, absolument noire, et pourtant il a les yeux grands ouverts, et pourtant il sait, comme la psyché le sait lorsqu'elle rêve, qu'il se trouve dans un espace clos et relativement resserré. Et mouvant, d'un étrange mouvement glissant, sans heurt, à la fois latéral et d'arrière en avant – son soma le lui dit, avec une vague de nausée qui le plie en deux. Le couche sur le côté, plié en deux, car il est étendu. Sur une surface dure. Sur du bois. Mais pas sa tête, qui repose sur quelque chose de mou. Du tissu. Pas un oreiller cependant. Sa veste ? Et maintenant il entend, en même temps qu'il en perçoit la vibration transmise par le bois, des chocs lointains, sourds et réguliers. C'est très curieux, toutes ces sensations disjointes et pourtant d'une étonnante réalité. La nausée, en particulier. Pour un peu il croirait ne pas rêver.

Une vague luminescence sourd à présent de l'espace – le jour qui se lève ? Ses yeux qui s'accoutument à la noirceur ? Mais non, car il ne distingue toujours rien. Est-ce l'Entremonde qui vient le visiter, une âme, peut-être, Jiliane ? Il lui semble qu'il le saurait, si c'était une âme, et surtout Jiliane. Et puis, éprouverait-il cette nausée qui refuse de se dissiper ?

La luminescence emplit maintenant tout l'espace, avec un léger scintillement bleuté. Et il sait qu'il rêve alors, car une silhouette y apparaît. Non point progressivement, comme le ferait peut-être un fantôme, mais d'un seul coup, bien nette, et sans flotter de-ci de-là, plutôt bien ancrée au sol toujours invisible. Un vieux petit homme qu'il ne devrait pas distinguer aussi clairement, qu'il croit d'abord tout habillé mais dont il voit ensuite que bras et jambes découverts par le maillot et la culotte de marin sont entièrement couverts de tatouages. Un instant, il veut croire que c'est Jacquelin venu le visiter, mais le vieillard est bien trop petit, presque un gnome, et ses cheveux, s'ils sont tout blancs et encore abondants, sont coupés bien trop près du crâne. Il a une barbiche aux poils clairsemés, longs et fins, des moustaches effilées, longues et blanches aussi, une face ronde, très brune et toute ridée, aux yeux presque réduits à deux fentes obliques. Et une large bouche qui s'ouvre sur un marmonnement indistinct au rythme syncopé.

Il va pour se soulever sur un coude, pour parler, mais il se rend compte qu'il en est absolument incapable. Paralysé, comme on l'est parfois en rêve, car il rêve, c'est certain maintenant, il sent sa psyché qui s'élance vers l'Entremonde… et ralentit, comme engluée dans une épaisse mélasse. C'est le scintillement bleuté qui l'arrête, qui la fait revenir vers son soma d'une nage paresseuse, elle le sait sans savoir comment, mais il n'est plus temps de savoir, ni de voir, ni de penser, et elle se diffuse dans sa chair familière pour s'y immobiliser à son tour.

59

Ouraïn ralentit le pas, surprise: Lèhyélin, la Ghât'sin de Kurun, est assise en tailleur devant l'entrée du petit pavillon, et se lève à son approche. « Tu ne peux entrer, Ouraïn. » La jeune femme a les yeux rougis.

Ouraïn reste interdite: « Pourquoi donc ?

— Tu ne dois pas entrer », répète la Ghât'sin, respectueuse mais obstinée.

Au moment où elle va réagir, une douceur soyeuse frôle son mollet: Saphir, l'angora. D'où sort-il ? Elle ne l'avait pas vu. Mais tous les chats sont là, comme nés de l'ombre du pavillon. Ils se frottent contre elle, la poussent du museau – vers la jetée. Que se passe-t-il ? Veulent-ils l'empêcher de passer, eux aussi ? Pourquoi ne sont-ils pas à l'attendre avec Kurun pour l'*igaô-tchènzin* ?

Elle regarde Lèhyélin bien en face; c'est peut-être une enfant de Nandèh, mais ce n'est qu'une Ghât'sin: « Laisse-moi passer. »

Elle a pris l'intonation impérieuse de Gilles lorsqu'il veut vraiment être obéi: la femme tressaille légèrement, les yeux agrandis. Et s'écarte, tête baissée sur ses mains jointes.

Les chats s'entêtent à la faire trébucher, mais après avoir été écartés plusieurs fois d'un pied sans excessive douceur, ils y renoncent. Elle entre dans la salle de jour.

Et s'immobilise : un vieillard inconnu vient à sa rencontre… non, pas inconnu ! Xhélin, encore plus maigre, plus creusé, plus courbé, les cheveux tout blancs.

Ce n'est pourtant pas le jour du Grand Festival !

Elle s'avance néanmoins vers lui pour l'étreindre, mais il l'arrête en lui prenant les bras, le visage grave : « Tu dois t'en retourner, Ouraïn. »

Quelque chose s'alourdit dans sa poitrine, d'où irradie une douleur sourde mais de plus en plus brûlante. « Pourquoi ? Où est Kurun ? »

Xhélin va pour répondre, puis son visage change d'expression, et il lâche les bras d'Ouraïn en s'effaçant pour la laisser passer. « Dans la chambre. »

Ouraïn se précipite. Elle sait, elle ne veut pas savoir, elle s'y attend depuis si longtemps mais non, elle ne veut pas, ce ne peut être maintenant !

Deux silhouettes se tiennent de part et d'autre du lit, se retournent à son arrivée, font un pas dans sa direction. Nandèh. Feï. Si semblables, inchangées – si jeunes ! Mais elle ne les regarde plus, elle regarde Kurun étendue sur la couche basse, minuscule et décharnée dans sa belle tunique de soie bleu mauve aux reflets chatoyants ; ses cheveux sont épars autour d'elle, mais brossés avec soin, une cape d'une blancheur immaculée. Avec une exclamation inarticulée, Ouraïn va s'agenouiller près de la couche basse. Nandèh et Feï se sont écartées pour la laisser passer.

Les paupières ridées se soulèvent. Le regard doré se fixe peu à peu sur elle. « Ouraïn… ne me retiens pas… », souffle la voix ténue.

« Il faut appeler Gilles », balbutie Ouraïn. Elle sent les larmes rouler sur ses joues. Elle ne savait pas qu'elle pleurait. « Il est quelque part dans le domaine…

— Non », dit Xhélin près de la porte. « Il ne la retiendra pas davantage. C'est à cause de lui qu'elle est ainsi.

— Il n'est plus temps », ajoute Nandèh avec douceur. « Elle doit partir maintenant, pendant qu'elle peut encore danser.

— Il peut venir tout de suite par l'Entremonde !

— Non », dit Feï, sévère, « il ne peut pas. Il ne doit pas. Pas maintenant. »

Ouraïn relève la tête et contemple éperdument Kurun à travers ses larmes. La petite main sèche vient caresser sa joue, tandis que les yeux dorés la dévisagent. « Le nouveau monde… »

Ouraïn prend la main de Kurun pour l'embrasser, avec précaution, elle est si frêle, comme un oiseau.

« … plus long… que je ne croyais », reprend Kurun. Sourit-elle ? Est-ce un sourire, cette vague qui parcourt ses rides ? « Ne pleure pas. Tu mettras le nouveau monde… au monde. Je m'en souviens. »

Son regard se perd de nouveau dans une brume lointaine.

« Nous devons l'emmener », dit Nandèh en relevant Ouraïn pour l'écarter du lit.

Elle se laisse pousser vers Xhélin, sans force, molle d'incompréhension et de chagrin.

Nandèh et Feï s'asseyent chacune sur un bord du lit en prenant une main de Kurun.

« Nous ne devons pas regarder », murmure Xhélin en entraînant Ouraïn vers la sortie, « tu dois oublier Kurun maintenant, comme moi.

Elle résiste, désemparée, prête à la colère : « Je ne peux pas l'oublier ! Je ne veux pas l'oublier !

— Il le faut, ou elle ne pourra pas partir. Veux-tu la maintenir ici dans cet état pendant encore des jours et des jours ?

— Je ne comprends pas », murmure Ouraïn ; ses jambes se dérobent presque sous elle, Xhélin la soutient.

Elle se laisse entraîner dehors, sur la petite terrasse qui fait face au lac, et asseoir dans un des larges fauteuils en rotin. Les chats sont là. Tous les chats. Ils regardent le lac. La Ghât'sin est là aussi, accroupie sur ses talons. Elle aussi tourne le dos au pavillon.

Xhélin s'agenouille devant Ouraïn, lui prend le visage entre ses mains: « Te rappelles-tu Marie-Jolin, Ouraïn ? »

Elle secoue la tête, toujours sans comprendre, et Xhélin poursuit: « Gilles a alors empêché Nandèh et Feï de couper les fils du souvenir. S'ils demeurent, si nous nous souvenons trop autour de ceux qui doivent partir, l'illusion ne se dissipe pas, et ils mettent beaucoup de temps ensuite à traverser les Maisons de la Déesse. Pense à l'*igaôtchènzin.* »

Elle murmure, hébétée. « Nous ne nous souvenons pas, dans…

— Non: tout autour de vous se souvient pendant que vous dansez. Ces souvenirs sont les ancres des Natéhsin, leurs amarres en ce monde. Il est un temps où ils sont nécessaires, et un temps où le navire doit s'en aller. »

Elle comprend obscurément, s'entête obscurément: « Mais je ne veux pas oublier Amah !

— Tu te souviendras d'elle, plus tard, lorsqu'elle aura rejoint la Déesse. Mais en cet instant, tu dois accepter de l'oublier, accepter que Nandèh et Feï défassent les liens qui la lient à toi, à nous tous. » Il essuie avec douceur les joues humides d'Ouraïn. « Reste avec moi, et Lèhyélin, et les chats de Kurun, et nous l'oublierons tous ensemble, parce que nous l'aimons. »

60

Quand Pierrino ouvre les yeux, il voit rouge, éblouissant, et il referme vivement les paupières. Sous lui, cela tangue et roule; son estomac proteste, il serre les dents. Jamais plus, de l'arak! Il glisse un regard entre ses cils, avec prudence. L'éclat rouge est un rai de lumière. De soleil. Qui passe par intermittence à travers une toute petite fenêtre ronde à la vitre épaisse. En mesure avec le roulis, le tangage. Du bateau. Il est à bord de l'*Aigle*. Divine, il s'est saoulé comme un charretier! Haizelé est-elle revenue à bord? Que va-t-elle penser de lui?

Il est couché sur un matelas. Déconcerté, il se redresse avec lenteur, anticipant le choc de la migraine et de la nausée. Mais non. La protestation renouvelée de son estomac, c'est de la faim. L'éclair rouge du soleil continue de balayer la cabine, l'aveuglant comme un pinceau de phare en folie. Le temps doit être bien gros pour agiter ainsi un navire à l'ancre!

Ce n'est pas la cabine de Rahyan. Ce n'est pas une cabine du tout. C'est plutôt une sorte de compartiment triangulaire. Avec de profondes étagères du plancher au plafond, munies de filets de sangles, mais vides, entre lesquelles il était étendu.

Il se redresse sur les genoux. Il n'a pas sa veste... ah, elle était roulée sous sa tête. Entre deux éclats rouges, il a le temps de se rendre compte qu'il y a deux hublots face à face à la pointe du compartiment. Et que, sans un bruit, des embruns s'y écrasent par à-coups.

Il prend soudain conscience du profond silence qui l'entoure. Sur un navire fouetté par un orage ? Il devrait entendre toute une cacophonie de grincements, craquements et gémissements de bois tourmenté, sinon le hurlement du vent. Mais il n'y a que ce choc sourd et régulier, curieusement familier, qui lui vibre dans les pieds – nus, il s'en aperçoit tout à coup – à travers le bois.

En s'accrochant au passage aux étagères, il se rend aux hublots, les yeux plissés. La vitre est épaisse, mais très claire. Voyons, il doit être à la proue, n'est-ce pas ?

Où est le port ? Où sont les quais, les autres bateaux, la courbe de la baie de Sijean ?

Pas d'orage. Le ciel dégagé. La mer, de longues ondulations lisses jusqu'à l'horizon. Où le soleil se couche dans un nid de nuages duveteux, ourlés d'incendie.

Se *lève*. Le soleil se *lève*. Jaillit de son brasier de nuages, se hisse dans le ciel en une marée de lumière de plus en plus éclatante, chaude et dorée. Les nuages s'éteignent. Le ciel s'éclaircit. La mer étincelle, une plaque d'or souple.

Le cœur dans la gorge, incrédule, affolé, il se retourne. Voit la porte. Se précipite en trébuchant, en se cognant douloureusement dans les étagères. Pas de poignée. Il tambourine violemment sur le battant, puis s'arrête, saisi d'une faiblesse qui le laisse étourdi.

Frappe encore du plat de la main, ou se retient au battant, il ne sait. Épais, le battant, qui rend un son mat et sourd. Il voudrait hurler, mais il entend seulement sa voix, blanche, atone, qui murmure : « Ouvrez. Ouvrez-moi. »

La porte s'ouvre, brusquement, sans bruit de clé ni de serrure. Il manque tomber vers l'avant. Des bras le rattrapent, le soutiennent, tandis qu'un léger parfum de bergamote l'enveloppe. Il ouvre les yeux. Sur le visage d'Haizelé. Elle l'observe un instant, attentive et grave, sans le lâcher. Puis elle laisse échapper un petit soupir.

« Eh bien, dit-elle, vous êtes éveillé, à la fin. »

Ici s'achève
Le Dragon fou,
le troisième livre de
Reine de Mémoire.

LEXIQUE

Langue mynmaï, quelques racines et mots…

Amah : Maman (familier)

Chéhyélin : (nom toujours porté par l'un des trois Ghât'sin de la Maison Phénix) le Serviteur du Nez et de la Bouche)

Chépan'yèn : secte qui adore la Lune et le Soleil

Gânu : Papa (familier)

Gaohletzé : nom personnel d'une des Ghât'sin attribuée à la triade de Kurun

Garang Xhevât : la cité sacrée des Natéhsin

gatgoÿ : corne-de-dragon (poignard magique, semblable à un kriss malais, utilisé par les Ghât'sin ; la poignée en est une corne de dragon blanc)

Ghât : métis de Ghât'sin et d'humains

Ghât'sin : mages métis Natéhsin-humains ("les Griffes du Dragon")

Ghâtxhèngao : gardien, éducateur, maître (des jeunes Natéhsin et des Ghât'sin)

Goïtun : Secte du Fantôme Blanc (interprétation négative de la Prophétie)

Goïzièn : jeu des Cinq Maisons

Gzutchèn : les humains

Hexhaïngao: Secte du Phénix/du Recommencement (interprétation positive de la Prophétie)

Huètman' : La Divinité

Hulungasuchèn : secte dominante, adorant les Natéhsin

Hundu : secte qui adore La Mort et la Danse

Hupenhgao : ambrosier, l'arbre (sacré) qui produit l'ambrose (résine fossilisée)

Hushièn : jeu divinatoire

Hutut(sientchènzin) : la substance primordiale, le Chaos d'avant la Création

Hutut'ntsin : secte des Enfants du Chaos (secte qui prône de faire beaucoup d'enfants magiques)

Huxhan xhèngan' : le petit festival (annuel)

Hyundzièn : pays des dragons (Mynmari)
Hyundètsyèn ou *hètsyièn* : orcite (Souffle du Dragon)
Hyundgun : secte de la “Voie du Dragon”
Hyundhuxhu : Festival du Dragon (le grand festival natéhsin)
Hyunditun : le Dragon Blanc (surnom péjoratif de Gilles)
Hyunditungao : Secte du Dragon Blanc (pro-Gilles)
Hyunduntchinsèn : Fils du Dragon (surnom de Gilles)
Hyundxhaïgao: Le Dragon de Feu
Hyungdun Hêt'man (litt. la Promenade du Souffle Sacré/de Huetman', le cycle, la révolution), période de 125 ans = un siècle mynmaï
igaôtchènzin : “participation”, diffusion de la magie, flux de la substance divine entre la terre et le ciel par l'intermédiaire des Natéhsin
Igaotchènzu, ou *Igaotchènsu* : mandala de l'igaôtchènzin (équivalent du Labyrinthe de la Rose pour les Géminites)
ih (prononcé ish ou ishï) : non
Ihundchètman : nom du domaine Garance en mynmaï (La Miranda)
Itun : fantôme blanc (nom péjoratif donné aux Européens)
li-li : petit oiseau couleur bronze au chant très mélodieux
Luhsingao : secte des Trois Ancêtres de l'Ouest
Lungahsun' : le Mariage (procréation des Natéhsin, des Ghât et des yuntchin)
lungao : équivalent du feng shui (littéralement : musique-harmonie de l'espace)
lungasunchèn (abrégé *lungasun'*) : mariage (union, fusion)
lunzinzièn : psychosome (littéralement : la musique-pays d'équilibre)
Myn'mari : le Mynmari
Mynmaï(susen) : les Mynmaï, un Mynmaï (les habitants)
Natéhsin : les Trois Ancêtres, Enfants du Dragon
Natsin (dialecte kôdinh) péjoratif : sorcier (littéralement : trop de parents)
Nèhyélin : (nom toujours porté par l'un des trois Ghât'sin de la Maison Phénix), le Serviteur des Mains et des Jambes
nomh : fleuve, rivière
Patgay Hyuxaïgao : la Chambre du Dragon de Feu
pegahunti : cheval

Pengcao : le Fleuve Ascendant (nom du Nomhtzé pendant la crue du printemps)

tan'peh : ambrose (sang de la forêt)

tchènzin : harmonie des opposés, Harmonie

Tungâneh : secte de l'Origine Vide (qui prône la non-procréation)

Tyènlun : Petite Musique/Merveille (surnom affectueux d'Ouraïn)

uh (prononcé oush) : oui (≠ non : ishï, ish)

Unt'xhèngao : secte de la "Voie de Droite"

Untihyundgâneh : secte de l'Enfant Élue

Untitchènsu: Abomination (nom péjoratif donné par les Mynmaï à Ouraïn)

Untitunsè : Fille du Fantôme, autre surnom d'Ouraïn

Xhégunté : secte de l'Œil Caché

Xhéhyélin : (nom toujours porté par l'un des trois Ghât'sin de la Maison Phénix), le Serviteur des Yeux

Xhèngalao : secte de la "Voie de Gauche"

yuntchin : magicien (enfant des Ghât et des humains)

Zéuhsin : secte de la "Voie des Trois Parfums"

zièn : maison (aussi "sphères divines")

Les arcanes du jeu divinatoire :

1. le Dragon Fou : *Hyundigao*
2. le Phénix : *'Xhaïgao*
3. le Fleuve/Serpent : *Nomghu*
4. le Dragon de la Montagne : *Hyundpènh*
5. la Reine : *Xhingaosun*
6. le Roi : *Xhingaosèn*
7. les Amants : *Ugaché*
8. la Jongleuse/la Magicienne : *Huèt'manxhun*
9. la Voie/Le Pèlerin : *Yghund*
10. la Sagesse/Le Sage : *Uhsisin*
11. l'Arc-en-ciel/l'Aveugle : *Téligun*
12. le Palanquin : *Upadisin*
13. la Tour : *Hétyunmyèn*

14. la Coupe : *Yidchin*
15. l'Étoile : *Ugépan*
16. la Lune/Dragon de l'Eau : *Hétchoÿ*
17. le Soleil/Dragon du Feu : *'Xaïo*
18. la Tempête : *Undhèt*
19. le Fleuve Ascendant : *Pengcao*
20. la Mort : *Yuntun*
21. la Danse : *Hundgao*

Les cinq suites :

Sceptre : *Xhingan* (Maison de Mémoire)
Flèche : *Xhèngan* (Maison de Vengeance)
Coupe : *Yidchin* (Maison d'Oubli)
Étoile : *Ugépan* (Maison de Pardon)
Balance : *Yungtchèn* (Maison d'Équité)

Remerciements

La gestation et surtout la rédaction de ce roman ont été bien longues, et elles ont bénéficié, dans leurs commencements, de la générosité du Conseil des Arts du Canada et du Conseil des Arts et Lettres du Québec, que je tiens à remercier ici.

Écrire de la fantasy uchronique, surtout lorsqu'elle se déroule sur au moins deux continents, exige également des recherches, et j'y ai été aidée par plusieurs informateurs bien placés: les Français Antoine Dorcier, Jean-Claude Dunyach, Corinne Guitteaud, Sylvie Laîné, Patrick Marcel, Jean-Pierre Planque, André-François Ruaud, et le Québécois Jean-François Touchette – sans oublier le syndicat d'initiative de la ville de Mirepoix, dans l'Ariège. J'ai également discuté de plusieurs aspects spécifiques de mon univers inventé avec quelques oreilles compatissantes: Thibaud Sallé, Rodrigue Villeneuve. Enfin et surtout, j'ai torturé un certain nombre de pré-lecteurs, dont les commentaires m'ont été précieux: Jean-Claude Dunyach, Jean Pettigrew, Daniel Sernine, Jean-Pierre Vidal, et surtout Mario Tessier, qui s'est prêté de si bonne grâce au jeu des lectures (répétées) et des commentaires (détaillés).

Une gratitude toute particulière à mon vieux complice, Bertrand Méheust, dont les ouvrages n'ont jamais cessé de me titiller les neurones depuis près de trente ans, en particulier le dernier, *Somnambulisme et Médiumnité*, (SynthéLabo, coll. Les Empêcheurs de Penser en Rond, 1999).

Je voudrais enfin remercier celui qui m'a soutenue au cours de ce long et souvent difficile voyage: mon compagnon, Denis Rivard, pour tous les kilomètres parcourus à ma place ou avec moi, dans les univers réels ou inventés avec lui.

ÉLISABETH VONARBURG...

... fait figure de grande dame de la science-fiction québécoise. Elle est reconnue tant dans la francophonie que dans l'ensemble du monde anglo-saxon et la parution de ses ouvrages est toujours considérée comme un événement.
Outre l'écriture de fiction, Élisabeth Vonarburg pratique la traduction (*la Tapisserie de Fionavar*, de Guy Gavriel Kay), s'adonne à la critique (notamment dans la revue *Solaris*) et à la théorie (*Comment écrire des histoires*). Elle a offert pendant quatre ans aux auditeurs de la radio française de Radio-Canada une chronique hebdomadaire dans le cadre de l'émission *Demain la veille*.
Depuis 1973, Élisabeth Vonarburg a fait de la ville de Chicoutimi son port d'attache.

EXTRAIT DU CATALOGUE

Collection « Romans » / Collection « Nouvelles »

001	*Blunt – Les Treize Derniers Jours*	Jean-Jacques Pelletier
002	*Aboli* (Les Chroniques infernales)	Esther Rochon
003	*Les Rêves de la Mer* (Tyranaël -1)	Élisabeth Vonarburg
004	*Le Jeu de la Perfection* (Tyranaël -2)	Élisabeth Vonarburg
005	*Mon frère l'Ombre* (Tyranaël -3)	Élisabeth Vonarburg
006	*La Peau blanche*	Joël Champetier
007	*Ouverture* (Les Chroniques infernales)	Esther Rochon
008	*Lames soeurs*	Robert Malacci
009	*SS-GB*	Len Deighton
010	*L'Autre Rivage* (Tyranaël -4)	Élisabeth Vonarburg
011	*Nelle de Vilvèq* (Le Sable et l'Acier -1)	Francine Pelletier
012	*La Mer allée avec le soleil* (Tyranaël -5)	Élisabeth Vonarburg
013	*Le Rêveur dans la Citadelle*	Esther Rochon
014	*Secrets* (Les Chroniques infernales)	Esther Rochon
015	*Sur le seuil*	Patrick Senécal
016	*Samiva de Frée* (Le Sable et l'Acier -2)	Francine Pelletier
017	*Le Silence de la Cité*	Élisabeth Vonarburg
018	*Tigane -1*	Guy Gavriel Kay
019	*Tigane -2*	Guy Gavriel Kay
020	*Issabel de Qohosaten* (Le Sable et l'Acier -3)	Francine Pelletier
021	*La Chair disparue* (Les Gestionnaires de l'apocalypse -1)	Jean-Jacques Pelletier
022	*L'Archipel noir*	Esther Rochon
023	*Or* (Les Chroniques infernales)	Esther Rochon
024	*Les Lions d'Al-Rassan*	Guy Gavriel Kay
025	*La Taupe et le Dragon*	Joël Champetier
026	*Chronoreg*	Daniel Sernine
027	*Chroniques du Pays des Mères*	Élisabeth Vonarburg
028	*L'Aile du papillon*	Joël Champetier
029	*Le Livre des Chevaliers*	Yves Meynard
030	*Ad nauseam*	Robert Malacci
031	*L'Homme trafiqué* (Les Débuts de F)	Jean-Jacques Pelletier
032	*Sorbier* (Les Chroniques infernales)	Esther Rochon
033	*L'Ange écarlate* (Les Cités intérieures -1)	Natasha Beaulieu
034	*Nébulosité croissante en fin de journée*	Jacques Côté
035	*La Voix sur la montagne*	Maxime Houde
036	*Le Chromosome Y*	Leona Gom
037	(N) *La Maison au bord de la mer*	Élisabeth Vonarburg
038	*Firestorm*	Luc Durocher
039	*Aliss*	Patrick Senécal
040	*L'Argent du monde -1* (Les Gestionnaires de l'apocalypse -2)	Jean-Jacques Pelletier
041	*L'Argent du monde -2* (Les Gestionnaires de l'apocalypse -2)	Jean-Jacques Pelletier
042	*Gueule d'ange*	Jacques Bissonnette

043	*La Mémoire du lac*	Joël Champetier
044	*Une chanson pour Arbonne*	Guy Gavriel Kay
045	*5150, rue des Ormes*	Patrick Senécal
046	*L'Enfant de la nuit* (Le Pouvoir du sang -1)	Nancy Kilpatrick
047	*La Trajectoire du pion*	Michel Jobin
048	*La Femme trop tard*	Jean-Jacques Pelletier
049	*La Mort tout près* (Le Pouvoir du sang -2)	Nancy Kilpatrick
050	*Sanguine*	Jacques Bissonnette
051	*Sac de nœuds*	Robert Malacci
052	*La Mort dans l'âme*	Maxime Houde
053	*Renaissance* (Le Pouvoir du sang -3)	Nancy Kilpatrick
054	*Les Sources de la magie*	Joël Champetier
055	*L'Aigle des profondeurs*	Esther Rochon
056	*Voile vers Sarance* (La Mosaïque sarantine -1)	Guy Gavriel Kay
057	*Seigneur des Empereurs* (La Mosaïque sarantine -2)	Guy Gavriel Kay
058	*La Passion du sang* (Le Pouvoir du sang -4)	Nancy Kilpatrick
059	*Les Sept Jours du talion*	Patrick Senécal
060	*L'Arbre de l'Été* (La Tapisserie de Fionavar -1)	Guy Gavriel Kay
061	*Le Feu vagabond* (La Tapisserie de Fionavar -2)	Guy Gavriel Kay
062	*La Route obscure* (La Tapisserie de Fionavar -3)	Guy Gavriel Kay
063	*Le Rouge idéal*	Jacques Côté
064	*La Cage de Londres*	Jean-Pierre Guillet
065	(N) *Treize nouvelles policières, noires et mystérieuses*	Peter Sellers (dir.)
066	*Le Passager*	Patrick Senécal
067	*L'Eau noire* (Les Cités intérieures -2)	Natasha Beaulieu
068	*Le Jeu de la passion*	Sean Stewart
069	*Phaos*	Alain Bergeron
070	(N) *Le Jeu des coquilles de nautilus*	Élisabeth Vonarburg
071	*Le Salaire de la honte*	Maxime Houde
072	*Le Bien des autres -1* (Les Gestionnaires de l'apocalypse -3)	Jean-Jacques Pelletier
073	*Le Bien des autres -2* (Les Gestionnaires de l'apocalypse -3)	Jean-Jacques Pelletier
074	*La Nuit de toutes les chances*	Eric Wright
075	*Les Jours de l'ombre*	Francine Pelletier
076	*Oniria*	Patrick Senécal
077	*Les Méandres du temps* (La Suite du temps -1)	Daniel Sernine
078	*Le Calice noir*	Marie Jakober
079	*Une odeur de fumée*	Eric Wright
080	*Opération Iskra*	Lionel Noël
081	*Les Conseillers du Roi* (Les Chroniques de l'Hudres -1)	Héloïse Côté
082	*Terre des Autres*	Sylvie Bérard
083	*Une mort en Angleterre*	Eric Wright
084	*Le Prix du mensonge*	Maxime Houde
085	*Reine de Mémoire 1. La Maison d'Oubli*	Élisabeth Vonarburg
086	*Le Dernier Rayon du soleil*	Guy Gavriel Kay
087	*Les Archipels du temps* (La Suite du temps -2)	Daniel Sernine
088	*Mort d'une femme seule*	Eric Wright
089	*Les Enfants du solstice* (Les Chroniques de l'Hudres -2)	Héloïse Côté
090	*Reine de Mémoire 2. Le Dragon de feu*	Élisabeth Vonarburg
091	*La Nébuleuse iNSIEME*	Michel Jobin
092	*La Rive noire*	Jacques Côté
093	*Morts sur l'Île-du-Prince-Édouard*	Eric Wright
094	*La Balade des épavistes*	Luc Baranger

Reine de Mémoire 3. Le Dragon fou
est le cent septième titre publié
par Les Éditions Alire inc.

Il a été achevé d'imprimer
en mars 2006 sur les presses de